AS ARMAS DA PERSUASÃO 2.0

CB006128

ROBERT B. CIALDINI, Ph.D.

AS ARMAS DA PERSUASÃO 2.0

Tradução
Edmundo Barreiros

Rio de Janeiro, 2025

Copyright © 1984, 1994, 2007, 2021 by Robert Cialdini.
Copyright de tradução © 2021 por HarperCollins Brasil
Título original: *Influence, new and expanded*

Todos os direitos desta publicação são reservados à Casa dos Livros Editora LTDA.
Nenhuma parte desta obra pode ser apropriada e estocada em sistema de banco de dados
ou processo similar, em qualquer forma ou meio, seja eletrônico, de fotocópia, gravação etc.,
sem a permissão do detentor do copyright.

Diretora editorial: *Raquel Cozer*

Gerente editorial: *Alice Mello*

Editor: *Victor Almeida*

Copidesque: *Marcela Isensee, Marina Góes e Rowena Esteves*

Preparação de original: *Rowena Esteves*

Revisão: *Anna Beatriz Seilhe*

Adaptação de capa: *Osmane Garcia Filho*

Diagramação: *Abreu's System*

CIP-Brasil. Catalogação na Publicação
Sindicato Nacional dos Editores de Livros, RJ

Cialdini, Robert
    As armas da persuasão 2.0 / Robert Cialdini;
tradução Edmundo Barreiros. – Rio de Janeiro:
HarperCollins Brasil, 2021.

    Título original: Influence
    ISBN 978-65-5511-181-1

    1. Ética 2. Influência (Psicologia) 3. Persuasão
(Psicologia) 4. Negócios I. Barreiros, Edmundo.
II. Título.

21-69119   CDD: 153.852

Harper Business é uma marca licenciada à Casa dos Livros Editora LTDA.
Todos os direitos reservados à Casa dos Livros Editora LTDA.
Rua da Quitanda, 86, sala 218 – Centro
Rio de Janeiro, RJ – CEP 20091-005
Tel.: (21) 3175-1030
www.harpercollins.com.br

Para Hailey, que me deixa cada vez mais surpreso.

Para Dawson, que um dia fará coisas incríveis.

Para Leia, que me faz um homem mais feliz.

SUMÁRIO

PREFÁCIO

Desde o começo, *As armas da persuasão* foi pensado para o leitor comum e, como tal, foi um livro escrito em um estilo coloquial e não acadêmico. Admito ter feito isso com certo receio de o livro ser entendido como uma espécie de psicologia "pop" pelos meus colegas acadêmicos. Estava preocupado, porque, como observou o estudioso do direito James Boyle: "Você nunca ouviu verdadeira condescendência até escutar acadêmicos pronunciarem a palavra 'popularizar'." Por essa razão, na época em que escrevi *As armas da persuasão*, a maioria de meus colegas psicólogos não se sentia segura, profissionalmente, em escrever para um público não acadêmico. De fato, se a psicologia social fosse uma empresa, ela seria conhecida por ter grandes setores de pesquisa e desenvolvimento, mas nenhum departamento de entrega. Nossa única entrega são artigos acadêmicos que ninguém irá ler nem aproveitar.

Felizmente, embora eu tenha decidido seguir em frente com um estilo popular, nenhum dos meus medos se concretizou. *As armas da persuasão* não recebeu desprezo com base no argumento da psicologia "pop".[1] Consequentemente, nas versões posteriores, incluindo esta, o estilo coloquial foi mantido. Claro, o mais importante é que também apresento a comprovação científica de minhas afirmações, recomendações e conclusões. E, embora as conclusões de *As armas da persuasão* sejam embasadas e estruturadas em ferramentas como entrevistas, citações e sistemáticas observações pessoais, elas são invariavelmente baseadas em pesquisa psicológica conduzida de maneira apropriada.

Comentário sobre esta edição de *As armas da persuasão*

Dar forma à atual edição deste livro foi desafiador para mim. Por um lado, ao rever o axioma "não mexa no que está dando certo", fiquei relutante em acabar modificando demais o texto. Afinal de contas, todas as versões anteriores venderam mais exemplares do que eu podia imaginar, em várias edições e em 44 idiomas. Em relação a isto, uma colega polonesa, a professora Wilhelmina Wosinska, fez um comentário peculiar sobre o valor percebido do livro. Ela disse: "Sabe, Robert, *As armas da persuasão* é tão famoso na Polônia que meus alunos acham que você já morreu."

Por outro lado, seguindo uma citação da qual meu avô siciliano gostava, "se você quer que as coisas fiquem como estão, as coisas vão precisar mudar", havia um argumento a favor de atualizações oportunas.[2] Fazia anos desde a última publicação de *As armas da persuasão* e, nesse meio-tempo, ocorreram mudanças que merecem destaque. Em primeiro lugar, agora sabemos mais do que sabíamos sobre o processo de influência. O estudo da persuasão, da concessão (a disposição para fazer o que os outros querem) e da mudança avançou, e as páginas seguintes foram adaptadas para refletir esse progresso. Além de uma atualização geral do material, dediquei mais atenção à cobertura atualizada do papel da influência nas relações humanas do cotidiano — como o processo de influência funciona em condições de mundo real em vez de em contexto de laboratório.

Em relação a isso, também expando uma característica que foi estimulada pelas respostas das pessoas que leram as edições anteriores, identificaram como um dos princípios funcionava sobre (ou para) eles em uma determinada situação e me escreveram relatando o evento. Suas descrições, que aparecem nos Depoimentos do Leitor de cada capítulo, ilustram a facilidade e a frequência com que podemos nos tornar vítimas do processo de influência em nossos cotidianos. Agora há muitos relatos inéditos de como os princípios do livro se aplicam a situações profissionais e pessoais corriqueiras. Eu gostaria de agradecer aos seguintes indivíduos que — diretamente ou através de seus instrutores de cursos — contribuíram com os Depoimentos do Leitor usados em edições anteriores: Pat Bobbs, Hartnut Bock, Annie Carto, Michael

Conroy, William Cooper, Alicia Friedman, William Graziano, Jonathan Harries, Mark Hastings, Endayehu Kendie, Karen Klawer, Danuta Lubnicka, James Michaels, Steven Moysey, Katie Mueller, Paul Nail, Dan Norris, Sam Omar, Alan J. Resnik, Daryl Retzlaff, Geofrey Rosenberger, Joanna Spychala, Robert Stauth, Dan Swift e Karla Vasks. Devo um agradecimento especial àqueles que forneceram novos Depoimentos para esta edição: Laura Clark, Jake Epps, Juan Gomez, Phillip Johnston, Paola, Joe St. John, Carol Thomas, Jens Trabolt, Lucas Weimann, Anna Wroblewski e Agrima Yadav. Também gostaria de convidar os leitores a contribuírem com relatos similares para possível publicação em uma edição futura. Eles podem ser enviados para readersreports@influenceatwork.com. Por último, mais informações relevantes sobre *As armas da persuasão* podem ser obtidas em www.influenceatwork.com.

Além das mudanças nesta edição, três elementos aparecem pela primeira vez. Um deles explora as aplicações de táticas comprovadas de influência social baseadas na internet. Está claro que as mídias sociais e os sites de comércio eletrônico abraçaram as lições da ciência da persuasão. Como resultado, cada capítulo inclui, em e-boxes especialmente criados, exemplos de como essa migração para a tecnologia atual foi alcançada. O segundo elemento é um maior uso de notas, com citações para a pesquisa descrita no texto, além de menções e descrições de trabalhos relacionados. As notas permitem um relato mais inclusivo e narrativo das questões trabalhadas. Finalmente, e mais importante, acrescentei um sétimo princípio de influência social no livro — o princípio da unidade. Neste novo capítulo, descrevo como indivíduos que são convencidos de que um comunicador compartilha com eles uma identidade pessoal ou social significativa se tornam incrivelmente mais suscetíveis aos apelos persuasivos do comunicador.

INTRODUÇÃO

Agora posso admitir. Eu fui um trouxa durante toda a minha vida. Desde que consigo me lembrar, fui alvo fácil para vendedores, arrecadadores de fundos e operadores de telemarketing. É verdade, apenas alguns tinham motivações desonrosas. Os outros — representantes de certas instituições de caridade, por exemplo — tinham as melhores intenções. Não importa. Sempre me via de posse de uma assinatura de revista indesejada ou de um ingresso para o baile dos trabalhadores do setor sanitário. Provavelmente esse status de trouxa seja o responsável pelo meu interesse no estudo da persuasão: quais são os fatores que fazem uma pessoa dizer sim para outra? E quais técnicas usam desses fatores com maior eficiência para levar ao convencimento? Eu me perguntava por que um pedido feito de um determinado jeito era recusado, enquanto um pedido pelo mesmo favor, feito de um jeito um pouco diferente, era bem-sucedido.

Então, em meu papel como psicólogo social experimental, comecei a pesquisar a psicologia da persuasão. No início, a pesquisa tomou a forma de experimentos realizados, na maior parte, em meu laboratório e com os universitários. Queria descobrir que princípios psicológicos influenciavam a tendência de concordar com um pedido. Hoje, psicólogos conhecem bastante esses princípios — o que são e como funcionam. Eu caracterizei esses princípios como armas de influência e discutirei alguns dos mais importantes neste livro.

Depois de algum tempo, porém, comecei a perceber que o trabalho experimental, mesmo que necessário, não era suficiente. Ele não me permitia julgar os princípios no mundo além do prédio da psicologia no *campus* onde eu os examinava. Ficou claro que, se quisesse entender por completo a psicologia da persuasão, eu precisaria ampliar o escopo de minha investigação. Precisaria olhar para os profissionais da persuasão — as pessoas que aplicavam esses princípios em mim durante toda a minha vida. Eles sabem o que funciona e o que não funciona; a lei da sobrevivência do mais adaptado garante isso. O negócio deles é nos convencer, e seu sustento depende disso. Aqueles que não sabem como fazer as pessoas dizerem "sim" rapidamente saem de campo; aqueles que sabem permanecem e prosperam.

Claro, os profissionais da persuasão não são os únicos que conhecem e usam esses princípios para ajudá-los a alcançar seus propósitos. Nós os utilizamos e somos vítimas deles em nossas interações diárias com vizinhos, amigos, amantes e familiares. Mas aqueles que praticam a persuasão têm muito mais que uma compreensão vaga e amadora do que funciona em relação ao resto de nós. Enquanto eu pensava nisso, percebia que eles representavam a fonte mais rica de informação sobre influência disponível para mim. Por quase três anos, então, combinei meus estudos experimentais com um programa decididamente mais divertido: mergulhei de forma sistemática no mundo dos profissionais da persuasão — vendedores, arrecadadores de fundos, profissionais de marketing, recrutadores e outros.

Meu objetivo era observar, de dentro, as técnicas e as estratégias mais usadas e de maior eficiência por um amplo conjunto de pessoas que praticam a persuasão. Esse programa de observação às vezes tomava a forma de entrevistas com os praticantes e, às vezes, com inimigos declarados (por exemplo, policiais da departamentos antifraudes, repórteres investigativos, agências de proteção ao consumidor). Às vezes, envolvia um exame intenso dos materiais escritos por meio dos quais as técnicas de persuasão são passadas de geração a geração — manuais de vendas e similares.

Mais frequentemente, porém, isso tomava a forma de observação participativa — uma abordagem de pesquisa na qual o investigador se torna uma espécie de espião. Com a identidade e a intenção disfarçadas, o pesquisador se infiltra em seu cenário de interesse e se torna um participante total no grupo a ser estudado. Então quando eu queria aprender sobre as táticas de influência da organização de vendas de uma revista (de aspiradores de pó ou de suplemento alimentar), respondia a um anúncio para trainee de vendas e fazia com que me ensinassem seus métodos. Usando abordagens semelhantes, mas não idênticas, fui capaz de penetrar em agências de publicidade, de relações públicas e de arrecadação de fundos para examinar suas técnicas. Muitas das evidências apresentadas neste livro, então, vêm de minha experiência posando como profissional de persuasão, ou aspirante a profissional, em uma grande variedade de organizações dedicadas a fazer com que digamos "sim".

Esse período de três anos de observação participativa foi muito instrutivo. Embora haja milhares de táticas diferentes para conseguir o "sim", a maioria se encaixa em sete categorias básicas. Cada uma dessas categorias é governada por um princípio psicológico fundamental que guia o comportamento humano e, ao fazer isso, dá à tática seu poder. Este livro está organizado em torno desses sete princípios, um por capítulo. Os princípios — reciprocidade, afeição, aprovação social, autoridade, escassez, compromisso, consistência e unidade — são discutidos tanto em termos de sua função na sociedade quanto em como sua força pode ser usada por um profissional.[1]

Cada princípio é examinado em relação à capacidade de produzir um tipo distinto de influência automática nas pessoas: uma disposição para dizer "sim" sem parar para pensar primeiro. Os indícios sugerem que o ritmo e a pressão informacional da vida moderna vão tornar essa forma particular de concessão cada vez mais presente no futuro. Portanto, é importante para a sociedade entender o como e o porquê da influência automática.

Finalmente, nesta edição, pus os capítulos em sequência para se encaixarem com os insights de meu colega, o dr. Gregory Neidert, em relação a como certos princípios são mais úteis do que outros, dependendo de qual objetivo persuasivo o comunicador quer alcançar com uma mensagem. Claro, qualquer pessoa que pretende ser um influenciador quer criar mudança nos outros; mas, segundo o Modelo dos Motivos Essenciais da Influência Social do dr. Neidert, o principal objetivo do comunicador afeta qual princípio de influência ele deve priorizar. Por exemplo, o modelo afirma que um dos principais motivos (objetivos) de um persuasor envolve *cultivar um relacionamento positivo*. Pesquisas mostram que mensagens têm mais chances de obterem sucesso se os receptores tiverem sentimentos positivos em relação ao emissor. Três dos sete princípios da influência — reciprocidade, afeição e unidade — parecem especialmente apropriados para isso.

Em outras situações, talvez quando já exista um bom relacionamento, o objetivo de *reduzir a incerteza* pode ser uma prioridade. Afinal de contas, ter uma relação positiva com um comunicador não necessariamente significa que os receptores da mensagem serão convencidos. Antes de mudar de ideia, as pessoas querem garantias de que a decisão que estão sendo impelidas a tomar é sábia. Sob essas circunstâncias, segundo o modelo, os princípios de aprovação social e de autoridade nunca devem ser ignorados — porque evidências de que uma escolha é bem vista pelos pares ou por especialistas fazem com que ela, na verdade, pareça prudente.

Mas, mesmo com um relacionamento positivo cultivado e a redução de incerteza obtida, resta um objetivo a ser alcançado para aumentar a chance de mudança comportamental. Nessa situação, a *ação motivadora* é essencial. Por exemplo, um amigo pode me apresentar provas de que exercícios diários são uma boa escolha, que os principais médicos apoiam seus benefícios para a saúde, mas essas provas podem não ser suficientes para me convencer a fazer isso. Esse amigo seria mais esperto acrescentando em qualquer apelo os princípios da consistência e da escassez. Ele poderia fazer isso me lembrando, por exemplo, de que eu já falei em público sobre a importância da minha saúde (consistência) e sobre os prazeres únicos que eu deixaria de ter se a perdesse (escassez). Essa é a mensagem com mais chance de me influenciar de uma mera decisão para uma ação. Consequentemente, é a mensagem com a melhor chance de me fazer levantar de manhã e ir para a academia.

Portanto, a organização dos capítulos leva em conta quais princípios são especialmente adequados para alcançar esses três motivos de persuasores: reciprocidade, afeição e unidade para quando o *cultivo de relacionamentos* é o mais importante; seguidos por aprovação social e autoridade para quando o essencial for *reduzir a incerteza*; seguidos, por sua vez, por consistência e escassez para quando *motivar a ação* for a principal meta. É importante reconhecer que não estou sugerindo que esses princípios são a única opção para alcançar seus respectivos objetivos. Em vez disso, estou apenas sugerindo que, se eles estiverem disponíveis para alcançá-lo, deixar de empregá-los seria um erro considerável.

CAPÍTULO 1

ARMAS DE INFLUÊNCIA

Ferramentas (poderosas) dos negócios

A civilização avança ampliando o número de operações que podemos desempenhar sem pensar sobre elas.

— **Alfred North Whitehead**

A simplicidade é a maior sofisticação.

— **Leonardo da Vinci**

Este livro apresenta inúmeros resultados de pesquisas que primeiro parecem intrigantes, mas podem ser explicados por meio de uma compreensão de nossas tendências humanas naturais. Há algum tempo, cheguei a essa conclusão quando li um estudo que ofereceu para voluntários energéticos criados para aumentar habilidades mentais. De alguns voluntários cobraram o preço de varejo da bebida (US$ 1,89); para outros disseram que, como o pesquisador havia comprado no atacado, eles teriam que pagar apenas 89 centavos. Em seguida, pediram aos dois grupos para resolver quebra-cabeças mentais por trinta minutos. Eu esperava que o segundo grupo, se sentindo bem com a redução de preço, se esforçasse mais e resolvesse mais problemas. Errado, aconteceu o oposto.[1]

O resultado me trouxe à mente um telefonema que recebi anos antes. A ligação era de uma amiga dona de uma loja de joias feitas por nativos americanos no Arizona. Ela estava empolgada. Algo fascinante tinha acabado de acontecer e ela achou que, como psicólogo, eu poderia explicar. A história envolvia certa remessa de peças de turquesa que ela estava com dificuldade de vender. Era o auge da alta temporada, a loja estava cheia de clientes e as joias eram de boa qualidade. Mesmo assim, elas não estavam sendo vendidas. Minha amiga colocou em prática alguns truques de vendas, tentou chamar atenção para elas mudando sua localização para uma área de exibição mais central. Nada. Mandou até sua equipe de vendas "empurrar" os itens, mais uma vez sem sucesso.

Finalmente, na noite em que partiria para uma viagem de compras em outra cidade, ela escreveu um bilhete desesperado para sua principal vendedora: "Tudo neste mostruário com preço de × 1/2", na esperança de apenas se livrar das peças, mesmo que com prejuízo. Alguns dias depois, quando voltou, ficou espantada ao ver que todos os artigos tinham sido vendidos. Ela ficou ainda mais surpresa ao descobrir que a funcionária havia lido o "1/2" em sua mensagem rabiscada apenas como um "2", e todas as peças tinham sido vendidas por duas vezes o preço original.

Foi quando ela me ligou. Eu acreditava saber o que havia acontecido, mas disse que, se fosse explicar o ocorrido, ela teria que escutar outra história. Na verdade, a história não é minha; é sobre mães peruas, e ela pertence à ciência da etologia — o estudo dos animais em seu ambiente natural. Mães peruas são boas mães — amorosas, vigilantes e protetoras. Elas passam grande parte do tempo cuidando, esquentando, limpando e acariciando seus filhotes; mas há uma coisa estranha em seu comportamento. Basicamente todo o seu sentimento maternal é disparado por uma coisa: o pio dos pequenos perus. Outras características de identificação dos filhotes, como cheiro, toque ou aparência, parecem ter um papel menor no processo de maternidade. Se um filhote pia, sua mãe vai cuidar dele; se não, a mãe vai ignorá-lo ou, às vezes, matá-lo.

A extrema confiança das peruas nesse som foi dramaticamente ilustrada em um experimento envolvendo uma perua mãe e uma doninha empalhada. Para uma perua mãe, uma doninha é um predador natural cuja aproximação deve ser recebida com uma fúria de gritos, bicadas e golpes com as garras. O experimento descobriu que, mesmo empalhada e puxada por um fio, a doninha falsa recebia um ataque imediato e furioso. Entretanto, quando a mesma réplica empalhada levava em seu interior um pequeno gravador que reproduzia o som do pio dos bebês perus, a mãe não apenas aceitava o inimigo que estava chegando, como o recolhia embaixo dela. Quando a máquina era desligada, o modelo de doninha recebia mais uma vez um ataque maligno.

Clique, rode

Vamos analisar a confusão dessa mãe perua: ela abraça um predador natural só porque ele começa a piar, e maltrata ou assassina um de seus filhotes só porque ele não pia. Ela age como um autômato cujos instintos maternais estão sob o controle daquele único som. Os etologistas nos dizem que esse tipo de coisa está longe de ser única do peru. Eles identificaram padrões de ação regulares e cegamente mecânicos em uma grande variedade de espécies.

Chamados de padrões de ação fixa, podem envolver sequências intricadas de comportamento, como rituais de cortejo ou acasalamento. Uma característica fundamental desses padrões é que os comportamentos que o compõem ocorrem da mesma maneira e na mesma ordem todas as vezes. É quase como se os padrões fossem instalados como programas nos animais. Quando uma situação pede um cortejo, o programa de cortejo é rodado; quando uma situação pede maternidade, o programa de comportamento maternal é rodado. *Clique*, e o programa apropriado é ativado; *rode,* e a sequência padrão de comportamentos se desenrola.

O aspecto mais interessante de tudo isso é a maneira como os programas são ativados. Quando um animal age para defender seu território, por exemplo, é a intrusão de outro animal da mesma espécie que faz rodar o programa de defesa territorial de vigilância rígida, ameaça e, se necessário, combate; entretanto, há um detalhe no sistema. Não é o rival como um todo que é o gatilho, e sim uma característica específica.

Frequentemente, a característica-gatilho será um aspecto minúsculo da totalidade que é o intruso em aproximação. Às vezes, uma tonalidade de cor é o suficiente. Os experimentos de etologistas mostraram, por exemplo, que um tordo macho, agindo como se um tordo rival tivesse invadido seu território, atacará vigorosamente nada mais que um monte de penas do peito de tordo colocadas por perto. Ao mesmo tempo, ele ignora uma perfeita réplica empalhada de um tordo macho sem penas vermelhas no peito. Resultados semelhantes foram encontrados em outro pássaro, o rouxinol-de-peito-azul, em que o gatilho para uma defesa territorial é uma tonalidade específica de azul nas penas.[2]

Antes de criticarmos a facilidade com que gatilhos levam animais a reagir de maneiras completamente inapropriadas à situação, nós devemos perceber duas coisas. Primeiro, os padrões automáticos de ação fixa desses animais funcionam bem na maior parte das vezes. Como só filhotes de perus normais e saudáveis emitem o som particular de bebês perus, faz sentido que as mães peruas respondam de maneira maternal a esse pio único. Ao reagir a apenas a esse único estímulo, uma mãe perua normal vai quase sempre se comportar corretamente. É preciso um cientista mal-intencionado para fazer sua resposta automática parecer tola. Segundo, nós também temos nossos programas pré-instalados e, embora eles normalmente trabalhem em nosso proveito, as características de gatilho que os ativam podem nos levar a rodar os programas certos na hora errada.

Essa maneira paralela de automação humana é demonstrada por um experimento da psicóloga social Ellen Langer. Um princípio bem conhecido do comportamento humano diz que, quando pedimos a alguém que nos faça um favor, vamos ter mais sucesso se dermos um motivo. As pessoas simplesmente gostam de ter motivos para o que fazem. Langer demonstrou esse fato nada surpreendente pedindo um pequeno favor para pessoas esperando na fila para usar a copiadora de uma biblioteca: "Com licença, eu tenho cinco páginas. Posso usar a máquina de xerox porque estou com pressa?"

A efetividade desse pedido quando acompanhado de um motivo foi quase total: 94% das pessoas deixaram que ela passasse à frente na fila. Compare essa taxa de sucesso com os resultados quando ela apenas fez o pedido: "Com licença, eu tenho cinco páginas. Posso usar a máquina de xerox?" Sob essas circunstâncias, apenas 60% das pessoas concordaram.

À primeira vista, a diferença crucial entre os dois pedidos foi a informação adicional fornecida pelas palavras *porque estou com pressa*.

Entretanto, um terceiro tipo de pedido mostrou que esse não foi o caso. Parece que não foi toda a série de palavras, mas a primeira, *porque*, que fez a diferença. O terceiro tipo de pedido de Langer usava a palavra *porque* e depois, sem acrescentar nada novo, apenas reafirmava o óbvio: "Com licença, eu tenho cinco páginas. Posso usar a máquina de xerox, porque tenho que fazer cópias?"

O resultado foi mais uma vez que quase todo mundo (93%) concordou, embora nenhuma razão real, nenhuma informação nova tenha sido acrescentada para justificar sua concordância. Assim como o pio dos filhotes de peru dispara uma resposta maternal automática nas mães peruas, mesmo quando emanado de uma doninha empalhada, a palavra *porque* disparou uma resposta automática de concordância dos participantes do estudo de Langer, mesmo quando não recebiam razão subsequente para concordar. *Clique, rode.*[3]

Embora algumas das descobertas adicionais de Langer mostrem que há muitas situações em que o comportamento humano não funciona de um jeito mecânico, ativado por um clique, ela e muitos outros pesquisadores estão convencidos de que, na maior parte do tempo, funciona. Por exemplo, considere o comportamento estranho dos clientes da joalheria que compraram todo um estoque de peças de turquesa só depois que os itens foram oferecidos equivocadamente pelo dobro do preço original. Eu não consigo ver sentido em seu comportamento a menos que seja visto em termos de *clique, rode*.

Os clientes, a maioria pessoas ricas de férias com pouco conhecimento sobre pedras turquesas, estavam usando um princípio simplificador — um estereótipo — para guiar suas compras: caro = bom. Pesquisas mostram que as pessoas que não têm certeza da qualidade de um item frequentemente usam esse estereótipo. Assim os turistas que queriam "boas" joias viram as peças como nitidamente mais valiosas e desejáveis quando nada nelas tinha sido alterado além do preço. O preço sozinho tinha se tornado uma característica para qualidade, e bastou um aumento dramático neste para levar a um aumento dramático nas vendas entre compradores ávidos por qualidade.

DEPOIMENTO DO LEITOR 1.1

De um doutorando de administração de empresas

Um homem que é dono de uma joalheria de peças antigas em minha cidade conta uma história de como aprendeu a lição da influência social do caro = bom. Um amigo seu queria um presente de aniversário especial para a noiva. Então, o joalheiro escolheu um colar que teria vendido em sua loja por US$ 500, mas que estava disposto a deixar o amigo levar por US$ 250. Assim que ele a viu, o amigo ficou entusiasmado com a peça. Mas, quando o joalheiro deu o preço de US$ 250, o homem se decepcionou e começou a recuar porque queria algo "realmente bom" para sua futura noiva.

Quando, um dia depois, o joalheiro entendeu o que tinha acontecido, ligou para o amigo e pediu a ele que voltasse à loja porque tinha outro colar para mostrar. Dessa vez, ele apresentou a peça no preço normal de US$ 500. Seu amigo gostou o suficiente para comprá-lo no ato. Mas antes que qualquer dinheiro fosse pago, o joalheiro disse a ele que, como presente de casamento, ele ia reduzir o preço para US$ 250. O homem ficou empolgado. Agora, em vez de achar o preço de US$ 250 ofensivo, ele estava muito contente — e grato — por consegui-lo.

Nota do autor: No caso dos compradores das joias de turquesa, foram as pessoas que queriam ter certeza de estar levando uma boa mercadoria que desdenharam das peças a preço baixo. Acredito que além da regra caro = bom, há um outro lado, uma regra do barato = ruim que também se aplica a nosso pensamento. Afinal de contas, a palavra para barato em inglês (*cheap*) não significa apenas de baixo custo; ela também significa inferior.

Reduzindo o risco com atalhos

É fácil botar a culpa nos compradores pelas decisões tolas, mas um olhar mais atento oferece uma visão mais simpática. Aquelas eram pessoas que cresceram com a regra "Você recebe pelo que paga", e viram a regra ser confirmada inúmeras vezes em suas vidas. Em pouco tempo elas a traduziram, simplificando como caro = bom. O estereótipo caro = bom funcionou bem para elas no passado porque normalmente o preço de um artigo aumenta junto com seu valor; um preço mais alto tipicamente reflete qualidade mais alta. Então, quando quiseram peças de turquesa de qualidade sem ter muito conhecimento sobre a pedra, elas compreensivelmente confiaram na já conhecida regra do custo para determinar o mérito das joias.

Embora provavelmente não tenham percebido, ao reagir apenas ao preço, elas estavam procurando reduzir os riscos apostando nas probabilidades. Em vez de enumerar todas as probabilidades a seu favor, tentando exaustivamente descobrir todas as características que indicam o valor de joias de turquesa, elas simplificaram as coisas e apostaram que só o preço diria tudo o que precisavam saber. Dessa vez, como alguém confundiu "1/2" com "2", elas apostaram errado. Mas a longo prazo, revendo todas as situações passadas e futuras de suas vidas, usar esse atalho para reduzir os riscos representa a abordagem mais racional.

Agora conseguimos explicar o resultado intrigante do estudo de abertura deste capítulo — aquele que mostrava que as pessoas que tomaram uma bebida que iria aumentar suas habilidades para solucionar problemas resolveram mais quando pagaram mais pela bebida. Os pesquisadores ligaram a descoberta ao estereótipo caro = bom: as pessoas relataram *confiar* que a bebida funcionasse melhor quando custava US$ 1,89 *versus* US$ 0,89; e, incrivelmente, a mera confiança se cumpriu. Um fenômeno parecido aconteceu em outro estudo no qual participantes recebiam um analgésico antes de receberem pequenos choques elétricos. Para metade, disseram que o analgésico custava US$ 0,10 por unidade, enquanto para a outra metade, disseram que custava US$ 2,50. Embora, na verdade, todos tenham recebido o mesmo analgésico, os que achavam que ele era mais caro o consideraram muito mais eficiente em reduzir a dor dos choques.[4]

Tal comportamento automático e estereotipado é dominante na maior parte das ações humanas porque, em muitos casos, é a maneira mais eficiente de se comportar e, em outros, é necessária. Você e eu existimos em um ambiente extraordinariamente complicado. Para lidar com isso, precisamos de atalhos que o simplifiquem. Não se pode esperar que reconheçamos e analisemos todos os aspectos de cada pessoa, acontecimento e situação que encontramos nem mesmo num único dia. Não temos o tempo, a energia nem a capacidade para isso. Em vez disso, precisamos usar nossos estereótipos, nossas regras de bom comportamento, para classificar coisas de acordo com algumas características-chave e então reagir sem pensar quando uma ou outra característica-gatilho está presente.

Figura 1.1: Caviar e habilidade artesanal
A mensagem a ser comunicada por esse anúncio dinamarquês é, claro, que caro significa bom.
Cortesia da Dansk International Designs

Às vezes o comportamento que se desenrola não vai ser apropriado para a situação, porque nem mesmo os melhores estereótipos e características-gatilho funcionam sempre. Aceitamos suas imperfeições porque na verdade não há outra escolha. Sem essas características simplificadoras, nós paralisaríamos — catalogando, avaliando e calibrando — enquanto o momento para a ação passaria e ia embora. Segundo todas as indicações, no futuro confiaremos nesses estereótipos ainda mais. À medida que os estímulos que saturam nossas vidas continuam a ficar cada vez mais intricados e variáveis, todos iremos depender cada vez mais dos atalhos para lidar com todos eles.

Psicólogos descobriram uma variedade de atalhos mentais que usamos ao fazer nossos julgamentos diários. Chamados de *heurísticas de julgamento*, esses atalhos funcionam de um jeito muito parecido com a regra do caro = bom, permitindo um pensamento simplificado que funciona bem na maior parte do tempo, mas nos deixa expostos a erros eventuais e custosos. Especialmente relevantes para este livro são as heurísticas que nos dizem quando acreditar ou fazer o que nos pedem. Pense, por exemplo, na regra de atalho que diz: "Se um especialista falou, deve ser verdade." Como veremos no capítulo 5, há uma tendência preocupante em nossa sociedade de aceitar as afirmações e orientações de indivíduos que parecem ser autoridade em determinado assunto sem pensar. Isto é, em vez de pensar sobre os argumentos de um especialista e se convencer (ou não), frequentemente ignoramos os argumentos e nos permitimos ser convencidos só pelo status que ele tem de "especialista". Essa tendência de reagir a um pedaço de informação é o que chamamos de reação automática ou *clique, rode*; e a tendência a reagir com base em uma análise meticulosa de toda a informação pode ser chamada de reação *controlada*.

Muitas pesquisas de laboratório mostraram que as pessoas têm mais chances de lidar com a informação de forma controlada quando têm tanto o desejo quanto a capacidade de analisá-la com cuidado; do contrário, provavelmente vão usar a abordagem mais fácil do *clique, rode*. Por exemplo, em um estudo, universitários escutaram um discurso gravado defendendo a ideia de que todos os alunos do último ano precisavam passar por provas abrangentes antes de poderem se formar. A questão afetava alguns deles pessoalmente, porque lhes disseram que as provas entrariam em vigor no ano seguinte. Claro que a notícia fez com que analisassem os argumentos com atenção. Entretanto, para outros participantes do estudo, a questão tinha pouca importância pessoal, porque disseram a eles que os exames só iam começar bem depois de sua formatura; consequentemente, esses estudantes não tinham uma necessidade forte de considerar cuidadosamente a validade dos argumentos. Os resultados do estudo foram claros: aqueles estudantes sem interesse pessoal no tópico foram basicamente convencidos pelo conhecimento do especialista no campo da educação; eles usaram a regra "se um especialista disse, deve ser verdade", prestando pouca atenção à força dos argumentos do orador. Por outro lado, os estudantes para quem a questão importava pessoalmente ignoraram o conhecimento do especialista e foram convencidos pela qualidade dos argumentos do orador.

Então parece que, quando se trata da perigosa reação *clique, rode*, nós providenciamos uma rede de segurança para nós mesmos. Quando a questão é importante, resistimos à sedução de registrar e reagir a apenas uma característica (gatilho) da informação disponível. Sem dúvida esse costume ser o caso. Ainda assim, não estou totalmente convencido. Lembre-se de que aprendemos que as pessoas têm a tendência de reagir de maneira controlada e refletida só quando têm tanto o desejo quanto a capacidade de fazer isso. Fiquei impressionado com as provas indicando que o modo e o ritmo da vida moderna não estão nos permitindo tomar decisões totalmente pensadas, nem em vários assuntos pessoalmente relevantes. Às vezes, as questões podem ser tão complicadas, o tempo tão curto, as distrações tão invasivas, a excitação emocional tão forte, ou a fadiga mental tão profunda que não temos condições cognitivas de operar refletidamente. Questão importante ou não, precisamos recorrer ao atalho.

Talvez não exista maneira mais dramática de abordar esse último ponto do que em casos de vida ou morte, em um fenômeno que funcionários da indústria aérea rotularam de *captainitis*. Investigadores da US Federal Aviation Administration perceberam que, frequentemente, um erro óbvio cometido por um comandante não era corrigido pelos outros membros da tripulação e resultava em acidentes. Parece que, apesar da relevância pessoal forte e clara nas questões, os membros da tripulação estavam usando a regra "se um especialista disse, deve ser verdade" ao não cuidarem ou reagirem ao erro desastroso do comandante.[5]

Figura 1.2: as consequências catastróficas do *captainitis*
Minutos antes deste avião cair no rio Potomac perto do Aeroporto Nacional em Washington, D.C., o diálogo a seguir ocorreu entre o piloto e o copiloto em relação à decolagem com gelo nas asas. A conversa ficou gravada na caixa-preta do avião.

> *Copiloto*: Essa leitura não parece certa.
>
> *Piloto*: Está sim.
>
> *Copiloto*: Não, eu acho que não. [Pausa de sete segundos.] Está bem, talvez esteja.
>
> *Copiloto*: Larry, nós estamos caindo.
>
> *Piloto*: Eu sei.
>
> [Som do impacto que matou o piloto, o copiloto e 67 passageiros]

© *Cohen/Liaison Agency*

Os aproveitadores

É estranho que, apesar do atual uso difundido e da enorme importância futura, a maioria de nós conhece muito pouco sobre nossos padrões automáticos de comportamento. Talvez isso aconteça exatamente pela maneira mecânica e sem pensar com que eles ocorrem. Qualquer que seja a razão, é vital que saibamos com nitidez uma de suas propriedades. Ela nos deixa terrivelmente vulneráveis a qualquer um que *saiba* como ela funciona.

Para entender completamente a natureza de nossa vulnerabilidade, vamos dar uma outra olhada no trabalho de etologistas. Na verdade, esses estudiosos do comportamento dos animais com seus pios gravados e montes de penas do peito colorida não são os únicos que descobriram como ativar programas de comportamento de várias espécies. Um grupo de organismos, chamados imitadores, copia as características-gatilho de outros animais em uma tentativa de enganá-los e faz com que rodem os programas de comportamento certos nas horas erradas. Os imitadores então exploram essa ação totalmente inapropriada para benefício próprio.

Veja o truque mortal aplicado pelas fêmeas assassinas de um gênero de vaga-lumes (*Photuris*) sobre os machos de outro gênero (*Photinus*). Compreensivelmente, os machos *Photinus* são escrupulosos em evitar o contato com as fêmeas *Photuris* sedentas de sangue. Entretanto, por meio de séculos de seleção natural, as fêmeas *Photuris* caçadoras localizaram uma fraqueza em sua presa — um código piscante especial de acasalamento por meio do qual membros da espécie da vítima informam uns aos outros que estão prontos para acasalar. Ao imitar os brilhantes sinais de acasalamento de sua presa, a assassina é capaz de se banquetear com os corpos de machos que voam mecanicamente para o abraço da morte, não do amor.

Na luta pela sobrevivência, praticamente toda forma de vida tem suas imitações — até alguns dos patógenos mais primitivos. Adotando certas características críticas de hormônios ou de nutrientes úteis, bactérias e vírus inteligentes pode obter entrada em uma célula hospedeira saudável. O resultado é que a célula saudável ávida e ingenuamente absorve para seu interior as causas de doenças como raiva, mononucleose e o resfriado comum.[6]

Não deve ser surpresa, então, que haja um paralelo forte, dessa vez, no comportamento humano. Nós também temos aproveitadores que imitam características-gatilho para nosso próprio tipo de resposta automática. Diferentemente das sequências de respostas mais instintivas dos não humanos, nossos programas automáticos normalmente se desenvolvem de princípios psicológicos ou estereótipos que aprendemos a aceitar. Embora eles variem em força, alguns dos princípios têm uma capacidade impressionante de dirigir a ação humana. Estamos sujeitos a eles desde muito cedo na vida, e eles nos condicionam de maneira tão ampla que você e eu raramente percebemos seu poder. Aos olhos dos outros, porém, cada um desses princípios é uma arma detectável e pronta, uma alavanca de influência automática. Pegue, por exemplo, o princípio da aprovação social, que afirma que as pessoas tendem a acreditar ou fazer o que veem os outros ao redor acreditando ou fazendo. Nós agimos dessa maneira sempre que lemos as avaliações sobre produtos antes de fazermos uma compra online. Mas, quando estamos no site de avaliações, temos que lidar com os imitadores de nossa espécies — indivíduos que forjam avaliações autênticas e inserem falsas. Felizmente, o e-box 1.1 oferece maneiras de identificar as fraudes.

E-BOX 1.1

Veja como identificar avaliações online falsas com 90% de precisão, segundo a ciência,

Um novo programa de computador identifica avaliações falsas com precisão incrível

Por Jessica Stillman. Colaboradora, Inc.com@EntryLevelRebel

Quando você compra produtos na internet, para você ou para sua empresa, avaliações de consumidores provavelmente têm um grande peso na tomada de decisão. Nós as verificamos para ver a opinião de outros compradores na Amazon e optamos por aquela com cinco estrelas em vez da que tem apenas 4,5, ou reservamos o Airbnb com os ex-hóspedes mais felizes.

Claro, todos sabem que essas avaliações podem ser falsas — pagas pelo vendedor ou colocadas maliciosamente pela concorrência. Uma equipe de pesquisadores da Universidade de Cornell achou que construir um computador que pudesse identificar recomendações falsas parecia algo útil a ser feito.

Então quais são as pistas de que um quarto de hotel cinco estrelas pode acabar sendo mofado e apertado, ou que uma torradeira mais cara pode queimar antes de você chegar ao fim do primeiro pacote de pão? Segundo a pesquisa da Cornell, você deve tomar cuidado se uma avaliação:

- Não tem detalhes. É difícil descrever o que você na verdade não experimentou, e é por isso que avaliações falsas frequentemente fornecem elogios genéricos em vez de detalhar especificamente. "Avaliações verdadeiras de hotéis, por exemplo, têm mais chances de usar palavras concretas para se referir ao hotel, como 'banheiro', 'check-in' ou 'preço'. Enganadores escrevem mais sobre coisas que criam um clima, como 'férias', 'viagem de negócios' ou 'meu marido'."
- Inclui mais pronomes em primeira pessoa. Aparentemente, se você quer parecer sincero, você fala mais sobre si mesmo. É por isso que palavras como *eu* e *mim* aparecem com mais frequência em avaliações falsas.
- Tem mais verbos que substantivos. Análises de linguagem mostram que as mensagens falsas tendem a incluir mais verbos porque quem as escreve costuma substituir histórias que pareçam agradáveis (ou alarmantes) por percepções verdadeiras. Avaliações verdadeiras têm mais substantivos.

Claro, sozinhas, essas pistas sutis provavelmente não vão tornar você um mestre na identificação de conteúdos falsos, mas, ao combinar outros métodos de verificação da veracidade de uma avaliação, como tomar cuidado com os vários tipos de compradores, as datas e os horários suspeitos, você deve se sair melhor do que apenas contando com a sorte.

Nota do autor: Cuidado com os imitadores. Sites de avaliações online estão em uma batalha contra avaliadores falsos. Nós devíamos nos juntar à luta. Um conjunto de comparações mostra por quê. De 2014 a 2018, as respostas favoráveis de clientes a avaliações online subiu em todas as categorias (por exemplo, os que haviam lido avaliações antes de comprar subiram de 88% para 92%), exceto uma: aqueles que confiavam em um negócio que tinha avaliações positivas caiu de 72% para 68%. Parece que os imitadores estão minando nossa confiança no valor da informação de atalho que buscamos.

Há algumas pessoas que sabem muito bem onde estão as armas de influência automática e as usam com regularidade e habilidade para conseguir o que querem. Elas passam de pessoa a pessoa pedindo que cedam a seus desejos, e a taxa de sucesso é incrível. O segredo para a eficácia está na maneira como estruturam seus pedidos, o modo como se munem de uma ou outra arma de influência que existem no ambiente social. Fazer isso pode exigir menos que uma palavra certa com um forte princípio psicológico fazendo rodar um de nossos programas automáticos de sobrevivência. Confie nos aproveitadores humanos para aprender depressa como se beneficiar de nossa tendência a reagir mecanicamente segundo esses princípios.

Você se lembra da minha amiga da joalheria? Embora tenha se beneficiado por acidente na primeira vez, ela não demorou muito para começar a explorar o estereótipo caro = bom com regularidade e intencionalmente. Agora, durante a temporada turística, ela tenta impulsionar a venda de uma peça que está difícil de vender aumentando substancialmente seu preço. Ela diz que isso é maravilhosamente rentável. Quando funciona nos turistas inocentes, o que é comum de acontecer, gera um lucro enorme. E, mesmo quando não é inicialmente um sucesso, ela pode então remarcar o artigo como "Promoção" e o vender pelo preço original para pessoas em busca de um bom negócio enquanto ainda tira proveito de sua relação caro = bom com o preço inflacionado.[7]

Jiu-jitsu

Uma mulher que luta jiu-jitsu, uma arte marcial japonesa, usa minimamente a própria força contra um adversário. Em vez disso, ela explora os poderes inerentes de princípios como gravidade, alavancagem, impulso e inércia. Se ela sabe como e onde empregar esses princípios, pode facilmente derrotar um rival mais forte. É assim com aqueles que exploram as armas de influência automática que existem naturalmente ao nosso redor. Os aproveitadores podem acionar os poderes desses princípios e usá-los contra os alvos enquanto fazem pouco esforço pessoal. Essa última característica do processo dá aos aproveitadores um benefício adicional enorme — a capacidade de manipular sem a aparência da manipulação. Até as próprias vítimas tendem a ver sua aquiescência como resultado da ação de forças naturais em vez dos desígnios de uma pessoa que lucra com a inocência.

Há um exemplo apropriado. Existe um princípio na percepção humana, o princípio do contraste, que afeta o modo como vemos a diferença entre duas coisas que são apresentadas uma após a outra. Se o segundo item é bastante diferente do primeiro, temos a tendência de vê-lo como mais diferente do que realmente é. Então, se levantamos um objeto leve primeiro e em seguida levantamos um objeto pesado, estimamos que o segundo é mais pesado do que teríamos estimado se o tivéssemos erguido antes do primeiro. O princípio do contraste está bem estabelecido no campo da psicofísica e se aplica a todo tipo de percepções. Se estamos cuidando do peso e no almoço tentamos estimar as calorias de um cheeseburguer, julgaremos que ele tem muito mais calorias (38% a mais, segundo um estudo) se primeiro estimarmos as calorias de uma salada. Em contraste com a salada, o cheeseburguer agora *parece* ainda mais calórico. De modo semelhante, se estamos conversando com um indivíduo atraente em uma festa e junta-se a nós um indivíduo comparativamente menos atraente, o segundo vai nos parecer bem menos atraente do que realmente é. Alguns pesquisadores alertam que as pessoas de beleza irreal retratadas nas mídias (atores, modelos) fazem com que fiquemos menos satisfeitos com a aparência de pretendentes disponíveis a nossa volta. Os pesquisadores demonstraram que a exposição crescente à atração sexual exagerada de modelos na mídia reduz a desejabilidade sexual de nossos parceiros atuais.[8]

Outra demonstração de contraste perceptível é uma que empreguei em minhas salas de aula para apresentar alunos ao princípio. Um estudante de cada vez se sentava diante de três baldes de água — um gelado, um à temperatura ambiente e um quente. Depois de botar uma das mãos na água fria e a outra na água quente, o aluno recebe a ordem de botar as duas, simultaneamente, no balde com água à temperatura ambiente. A expressão divertida de espanto que imediatamente ocorre explica tudo: embora as duas mãos estejam no mesmo balde, a mão que estava na água gelada sente como se estivesse em água quente, enquanto a mão que estava na água quente sente como se estivesse em água gelada. A questão é que a mesma coisa — nesse caso, a água à temperatura ambiente — pode ter maneiras diferentes de ser percebida, dependendo da natureza do evento que a precede. Mais ainda: a percepção de outras coisas, como notas de uma matéria na faculdade, podem ser afetadas de maneira semelhante. Veja, por exemplo, a carta de uma estudante universitária para seus pais que passou por minha mesa vários anos atrás.

Queridos mamãe e papai,

Desde que parti para a faculdade, tenho sido descuidada em escrever, e peço desculpas pela atitude irrefletida de não ter escrito antes. Eu vou atualizá-los agora, mas, antes que continuem a ler, por favor, sentem-se. Vocês não devem ler mais nada se não estiverem sentados.

Então, eu estou indo muito bem, agora. A fratura no crânio e a concussão que tive quando pulei a janela de meu alojamento quando ele pegou fogo, logo depois de minha chegada aqui, estão bem melhores. Só passei duas semanas no hospital, e agora posso enxergar quase normalmente e só tenho uma dor de cabeça terrível uma vez ao dia. Felizmente, o incêndio no alojamento e meu salto foram testemunhados por um funcionário do posto de gasolina que fica aqui perto, e foi ele quem ligou para os bombeiros e para a ambulância. Ele também me visitou no hospital e como eu não tinha lugar para morar por conta do alojamento incendiado, foi simpático o suficiente para me convidar para dividir seu apartamento. Na verdade é um quarto em um porão, mas até que é bonitinho. Ele é um cara muito legal e nos apaixonamos profundamente e planejamos nos casar. Nós ainda não escolhemos a data certa, mas vai ser antes que minha barriga comece a aparecer.

Sim, mamãe e papai, eu estou grávida. Sei o quanto vocês estão ansiosos para se tornarem avós e sei que vão receber o bebê e dar a ele o mesmo amor, devoção e carinho que me deram quando eu era criança. A razão pelo atraso em nosso casamento é que meu namorado tem uma pequena infecção que impede que passemos pelo exame de sangue pré-nupcial, e eu descuidadamente me contagiei.

Agora que eu atualizei vocês, quero dizer que não houve incêndio no alojamento, eu não tive uma concussão nem uma fratura no crânio e não estava no hospital. Eu não estou grávida. Eu não estou noiva, eu não

estou contaminada e não tenho namorado. Entretanto, recebi um "D"
em História Americana e um "F" em Química, e quero que vocês vejam
essas notas com a perspectiva adequada.

Sua filha amada,
Sharon

Nota do autor: Sharon pode estar reprovando em Química, mas é nota dez
em psicologia.

Assegure-se de que a arma de influência fornecida pelo princípio do
contraste não permaneça inexplorada. A grande vantagem desse princípio é que não só ele funciona, mas também é indetectável. Os que o
empregam colhem os frutos de sua influência sem nenhuma aparência
de ter estruturado a situação a seu favor.

Vendedores de roupa são um bom exemplo. Imagine que um homem
entra em uma loja masculina elegante para comprar um terno e um
suéter. Se você fosse o vendedor, o que mostraria a ele primeiro para
deixá-lo mais propenso a gastar o máximo de dinheiro? Lojas de roupas
instruem seus funcionários a vender primeiro o item mais caro. O bom
senso poderia sugerir o contrário. Se um homem acabou de gastar muito dinheiro para comprar um terno, ele pode ficar relutante em gastar
muito mais dinheiro na compra de um suéter, mas os vendedores sabem
que não é bem assim. Eles se comportam de acordo com o que o princípio do contraste aconselha: venda o terno primeiro, porque na hora
de olhar os suéteres, mesmo os caros, em comparação, não pareceram
tão caros. O mesmo princípio se aplica a um homem que quer comprar
acessórios (camisa, sapatos, cinto) para combinar com o terno novo. Ao
contrário da visão do senso comum, as evidências comprovam a previsão do princípio do contraste.

Para vendedores é mais lucrativo apresentar o item caro primeiro.
Deixar de fazer isso significa perder a força do princípio do contraste,
além de fazer com que o princípio trabalhe contra eles. Apresentar um
produto barato antes e em seguida um mais caro faz com que o item
caro pareça ainda mais caro — dificilmente seria uma consequência de-

sejável para organizações de vendas. Por isso, da mesma forma que é possível fazer o mesmo balde d'água parecer mais quente ou mais frio dependendo da temperatura dos baldes d'água previamente apresentados, é possível fazer com que o preço de um mesmo item pareça mais alto ou mais baixo dependendo do preço de um item anteriormente apresentado.

O uso inteligente do contraste perceptível não é de jeito nenhum restrito aos vendedores. Descobri uma técnica que usava o princípio do contraste enquanto eu estava investigando, sob disfarce, as táticas de persuasão de imobiliárias. Para aprender o trabalho, acompanhei um vendedor durante um fim de semana em que ele mostraria casas para compradores em potencial. O vendedor — vamos chamá-lo de Phil — daria dicas para me ajudar no início da carreira. Uma coisa que logo percebi foi que, quando começava a mostrar a novos clientes os imóveis com potencial de compra, Phil sempre iniciava com algumas casas indesejáveis. Perguntei a ele sobre isso, e ele riu. Elas eram o que ele chamava de imóveis de "preparação". A empresa mantinha uma ou duas casas desinteressantes com preços altos em sua lista. Essas casas não eram para ser vendidas, mas apenas para serem mostradas aos clientes para que os verdadeiros imóveis no portfólio da empresa se beneficiassem da comparação. Nem toda a equipe de vendas usava essas casas de preparação, mas Phil usava. Ele disse que gostava de ver "os olhos de seus clientes brilharem" quando mostrava os lugares que realmente queria lhes vender, depois que tinham visto os menos atraentes. "A casa que pretendo vender parece ótima depois que eles viram primeiro umas duas espeluncas."

Vendedores de carros usam o princípio do contraste negociando o preço do carro antes de sugerir os acessório um atrás do outro. Perdidas num acordo de muitos milhares de dólares, algumas centenas a mais para um sistema de som melhor parecem quase triviais em comparação. O mesmo acontece com a despesa extra em acessórios como filme nos vidros, pneus melhores ou outras coisas especiais que o vendedor pode oferecer. O truque é apresentar as opções independentemente uma da outra para que cada preço baixo pareça mínimo quando comparado com o preço muito mais alto já acordado. Como compradores de carros experientes podem confirmar, muitos preços finais razoáveis crescem além da proporção com o acréscimo de todos os opcionais aparentemente pequenos. Enquanto os clientes ficam parados, com o contrato na mão, perguntando-se o que aconteceu, sem encontrar ninguém para culpar além de si mesmos, o vendedor sai com o sorriso sábio do mestre do jiu-jitsu.

"Quero que cada um de vocês a caminho de casa esta noite pare,
olhe para o céu, reflita e considere como são realmente
insignificantes nossas perdas no segundo trimestre."

Figura 1.3: "Uma ideia estelar"
Há todo um universo de aplicações para o princípio do contraste
The New Yorker

DEPOIMENTO DO LEITOR 1.2

De um estudante de administração da Universidade de Chicago

Enquanto esperava para embarcar no aeroporto de O'Hare, ouvi um funcionário anunciar que o voo estava com overbooking e, se passageiros estivessem dispostos a pegar um avião mais tarde, seriam compensados com um voucher de US$ 10.000! Claro, essa quantia exagerada foi uma piada. Era para fazer as pessoas rirem. Funcionou. Mas percebi que, quando então ele revelou a verdadeira oferta (um voucher de US$ 200), ninguém aceitou. Na verdade, ele teve que aumentar a oferta por duas vezes, para US$ 300 e depois US$ 500 antes de conseguir qualquer voluntário. Eu estava lendo seu livro na época e percebi que, embora tivesse conseguido fazer as pessoas rirem, segundo o princípio do contraste, ele ferrou tudo. Fez as coisas de um jeito que, em comparação com US$ 10.000, algumas centenas de dólares pareceram uma mixaria. Esses foram risos caros, que custaram à empresa mais um extra de US$ 300 por voluntário.

Nota do autor: Alguma ideia de como o funcionário podia ter usado o princípio do contraste em seu favor e não contra ele? Talvez ele devesse ter começado com uma piada de US$ 2 e depois revelado a verdadeira — e agora muito mais atraente — quantia de US$ 200. Sob essas circunstâncias, tenho quase certeza de que ele teria conseguido as risadas *e* os voluntários.

RESUMO

- Etologistas, pesquisadores que estudam o comportamento animal no ambiente natural, perceberam que em meio a muitas espécies animais, o comportamento frequentemente ocorre em padrões rígidos e mecânicos. Chamadas de padrão fixos de ação, essas sequências mecânicas são notáveis em sua semelhança com certas respostas automáticas (*clique, rode*) humanas. Tanto para humanos quanto para não humanos, os padrões de comportamento automático costumam ser disparados por uma característica de informação relevante na situação. Esta única característica, a característica-gatilho, se revela valiosa, permitindo o indivíduo se decidir por um curso de ação correto sem ter que analisar cuidadosa e completamente cada um dos outros elementos de informação na situação.

- A vantagem dessas reações de atalho está na eficiência e na economia; ao reagir automaticamente a uma característica-gatilho normalmente informativa, o indivíduo preserva tempo, energia e capacidade mental cruciais. A desvantagem de tais reações está na vulnerabilidade a erros tolos e custosos; ao reagir a apenas um elemento da informação disponível (mesmo um elemento normalmente previsível), aumentam-se as chances de erro, especialmente quando o indivíduo reage de forma automática e irrefletida. As chances de erro crescem mais ainda quando outros buscam se beneficiar (através de manipulação ou características-gatilho) estimulando um comportamento desejado em momentos inapropriados.

- Muito do processo de persuasão (quando uma pessoa é levada a atender o pedido de outra) pode ser entendido em termos de uma tendência a reações automáticas e de atalho. A maioria de nós desenvolveu um conjunto de características-gatilho para o consentimento — ou seja, elementos específicos de informação que normalmente nos dizem quando a aceitação de um pedido tem mais chance de estar correta e ser benéfica. Cada uma dessas características-gatilho pode ser usada como uma arma (de influência) para levar as pessoas a concordar com os pedidos.

- O contraste perceptível — tendência a ver duas coisas que são distintas como ainda mais diferentes do que realmente são — é uma arma de influência usada por alguns praticantes de persuasão. Por exemplo, corretores imobiliários podem mostrar uma ou duas opções desinteressantes antes de mostrar aos compradores em potencial uma casa mais atraente, que então parece ainda melhor do que seria se fosse mostrada antes. Uma vantagem de empregar essa arma de influência é que seu uso tático normalmente passa sem ser reconhecido.

CAPÍTULO 2

RECIPROCIDADE

O velho *"é dando que se recebe"*

Que sua mão não esteja estendida para receber e recolhida
quando você deveria retribuir.

— Eclesiásticos 4:30-31

Vários anos atrás, um professor da universidade fez um pequeno experimento. Ele enviou cartões de Natal para um grupo de estranhos. Embora esperasse alguma reação, a resposta que obteve foi incrível — cartões de boas festas começaram a chegar de pessoas que nunca ouviram falar dele. A grande maioria dos que responderam não perguntou a identidade do professor desconhecido. Eles receberam seu cartão de boas festas, *clique* e *rode*, e imediatamente enviaram outro em resposta.

Mesmo com um alcance baixo, o estudo mostra a ação de uma das armas de influência mais potentes ao nosso redor: a regra da reciprocidade. A regra diz que devemos tentar retribuir o que outra pessoa nos forneceu. Se uma mulher nos faz um favor, devemos fazer outro em retorno; se um homem nos envia um presente de aniversário, devemos nos lembrar do dele com um presente nosso; se um casal nos convida para uma festa, devemos convidá-los para uma das nossas. A reciprocidade em cartões de felicitações, presentes de aniversário e convites para festas pode parecer um indício fraco da força da regra. Não se deixe enganar; ela pode promover grandes mudanças em comportamentos. Pesquisadores trabalhando com arrecadadores de fundos para instituições de caridade no Reino Unido abordaram banqueiros e pediram uma grande doação para a caridade — um dia de salário, totalizando, em alguns casos, milhares de dólares. Incrivelmente, se o pedido fosse antecedido por um pacote de balas de presente, as contribuições mais que dobravam.

A regra se estende até a conduta nacional. A Magna Carta de 1215 a usou para definir de que modo, no início de uma guerra, países deviam tratar mercadores das nações inimigas: "Se nossos homens estão seguros aqui, os outros devem estar seguros em nossa terra." Logo, em virtude da regra da reciprocidade, somos *obrigados* a um pagamento futuro por favores, presentes, convites, gestos de amizade e coisas assim. Tão típica é a dívida que acompanha o recebimento de algo que existe a expressão em inglês, "much obliged" (assim como a palavra em português *obrigado*). O alcance futuro de uma obrigação está bem representado na palavra japonesa para obrigado, *sumimasen*, que em sua forma literal significa "isto não vai acabar".

Um aspecto impressionante da reciprocidade é seu alcance na cultura humana. Ela é tão generalizada que Alvin Gouldner, junto com outros sociólogos, relatou que todas as sociedades humanas seguem a regra. O famoso arqueólogo Richard Leakey atribui a essência do que nos torna humanos ao sistema de reciprocidade. Ele diz que somos humanos porque nossos ancestrais aprenderam a compartilhar comida e habilidade "em uma rede honrada de obrigações". Antropólogos culturais como Lionel Tiger e Robin Fox veem essa "teia de dívidas" como um mecanismo de adaptação único dos seres humanos, permitindo a divisão do trabalho, a troca de diversas formas de bens e serviços diferentes e a criação de interdependências que unem indivíduos em unidades extremamente eficientes.

O sentido de obrigação é imprescindível para a produção do tipo de vantagens sociais descrito por Tiger e Fox. Uma sensação de obrigação amplamente compartilhada e fortemente cumprida fez uma diferença enorme na evolução social humana, pois significou que uma pessoa podia dar alguma coisa (por exemplo, comida, energia ou cuidado) para outra com a confiança de que o presente não estava sendo perdido. Pela primeira vez na história evolucionária, um indivíduo podia distribuir uma variedade de recursos sem ter que dá-los de graça. O resultado foi a queda das inibições naturais contra transações que devem ser *iniciadas* por uma pessoa fornecendo recursos pessoais a outra. Sistemas sofisticados e coordenados de ajuda, doação de presentes, defesa e comércio se tornaram possíveis, trazendo benefícios imensos para as sociedades que os possuíam. Com tais consequências adaptativas para a cultura, não é surpresa que a regra da reciprocidade esteja tão profundamente arraigada em nós pelo processo de socialização que todos vivenciamos.[1]

Embora obrigações se estendam para o futuro, o alcance delas não é ilimitado. Especialmente em relação a favores relativamente pequenos, o desejo de pagar parece desaparecer com o tempo. Mas quando os presentes são realmente notáveis e memoráveis, as obrigações podem permanecer por um tempo impressionante. Não conheço exemplo melhor da maneira como obrigações recíprocas podem durar poderosamente no futuro que a história do auxílio assistencial de US$ 5 mil que foi trocado entre o México e a Etiópia.

Em 1985, a Etiópia era a nação que enfrentava o maior sofrimento e as maiores privações do mundo. Sua economia estava em ruínas. Seu fornecimento de alimentos tinha sido destruído por anos de seca e guerras internas. Seus habitantes estavam morrendo aos milhares de doenças e fome. Nessas circunstâncias, não me surpreenderia se uma doação de US$ 5 mil fosse feita pelo México para o país em terrível necessidade. Porém, eu me lembro da sensação de surpresa em ler uma notícia que afirmava que a ajuda tinha ido na direção oposta. Agentes locais da Cruz Vermelha etíope tinham decidido enviar o dinheiro para ajudar as vítimas dos terremotos daquele ano na Cidade do México.

É maldição e uma bênção profissional que, quando estou confuso por algum aspecto do comportamento humano, eu me sinto atraído a investigá-lo mais. Neste caso, consegui localizar um relato mais completo da história. Felizmente, um jornalista que tinha ficado tão perplexo quanto eu pelas ações dos etíopes pediu uma explicação. A resposta que recebeu oferecia uma validação eloquente da regra da reciprocidade: apesar da enorme necessidade na Etiópia, o dinheiro foi enviado para o México porque, em 1935, o México tinha enviado ajuda para a Etiópia quando ela foi invadida pela Itália. Assim, a necessidade de reciprocidade tinha transcendido grandes diferenças culturais, longas distâncias, uma fome cruel, muitos anos e o interesse próprio imediato. Simplesmente, meio século depois, contra todas as forças contrárias, a obrigação triunfou.

Se uma obrigação tão duradoura parece ser um tipo de coisa única, talvez justificada por alguma característica especial da cultura etíope, considere a solução de outro caso inicialmente intrigante. Em 2015, aos 94 anos de idade, o renomado editor britânico lorde Arthur George Weidenfeld fundou a Operação Safe Haven, que resgatava famílias cristãs em risco nas regiões sob o controle do Estado Islâmico no Oriente Médio e as transportava para a segurança em outros países. Embora observadores aplaudissem essa benevolência, eles criticaram sua estreiteza, questionando por que os esforços do lorde não se estendiam aos grupos e às religiões igualmente ameaçados como os drusos, os alauitas e os iazidis, nos mesmos territórios.

Talvez ele estivesse agindo apenas para beneficiar seus irmãos cristãos. Mas essa resposta não se sustenta quando se descobre que lorde Weidenfeld era judeu. Ele chegou à Inglaterra em 1938 em um trem da operação humanitária Kindertransport, organizada por sociedades cristãs para resgatar crianças judias da perseguição nazista na Europa. Respondendo por suas ações, de uma maneira que revelou o poder de priorização da regra da reciprocidade, ele disse: "Não posso salvar o mundo, mas... em relação aos judeus e cristãos... eu tinha uma dívida para pagar." Claramente a força da reciprocidade pode ser ao mesmo tempo salvadora e para toda a vida.[2]

DEPOIMENTO DO LEITOR 2.1

De uma funcionária do estado do Oregon

A pessoa que costumava ter a minha função comentou durante o treinamento que eu ia gostar de trabalhar para meu chefe porque ele é uma pessoa muito simpática e generosa. Ela disse que ele sempre lhe dava flores e outros presentes em diferentes ocasiões. Ela resolveu parar de trabalhar porque teria um bebê e queria ficar em casa; do contrário, tenho certeza de que permaneceria nesse emprego por muitos anos mais.

Estou trabalhando para esse mesmo empregador há seis anos, e experimentei a mesma coisa. Ele dá presentes para mim e para meus filhos no Natal e me presenteia no aniversário. Há mais de dois anos alcancei o topo de minha classificação para um aumento de salário. Não há promoção para o tipo de função que tenho, e minha única opção é tentar o sistema estadual e me inscrever outra vez para mudar de departamento, ou encontrar outro emprego em uma empresa privada. Mas resisto a tentar encontrar outro emprego ou me mudar para outro departamento. Meu chefe está chegando à idade da aposentadoria e estou pensando que talvez consiga sair quando ele se aposentar, porque por enquanto me sinto obrigada a ficar já que ele é tão legal comigo.

Nota do autor: Fico impressionado com o depoimento da leitora descrevendo suas atuais opções de emprego, dizendo que ela só vai "conseguir" mudar para outro emprego depois que seu chefe se aposentar. Parece que seus pequenos gestos simpáticos cultivaram um sentido cego de obrigação que a torna incapaz de buscar um emprego mais bem remunerado. Há uma lição aqui para gerentes tentando inspirar lealdade em funcionários. Mas há uma lição maior para todos nós também: pequenas coisas nem sempre são pequenas — não quando estão ligadas às grandes regras da vida, como a reciprocidade. Veja Martin, Goldstein & Cialdini (2014) para uma descrição de cinquenta pequenas coisas que causam um grande impacto no comportamento humano.

Como a regra funciona

Não se engane, as sociedades humanas obtêm uma vantagem competitiva significativa na regra da reciprocidade e, consequentemente, garantem que seus membros sejam treinados para segui-la. Cada um de nós aprendeu a respeitar essa regra desde a infância, e sabemos as sanções sociais e o desprezo direcionados aos que não a cumprem. Devido à aversão geral por aqueles que recebem, mas não retribuem, frequentemente nos esforçamos para evitar sermos considerados aproveitadores.

Para entender como a regra da reciprocidade pode ser explorada por uma pessoa que a reconhece como a arma de influência, podemos examinar de perto um experimento conduzido pelo psicólogo Dennis Regan. Um voluntário do estudo avaliava, junto a outro participante, a qualidade de algumas pinturas como parte de um experimento sobre "apreciação da arte". O segundo avaliador — vamos chamá-lo de Joe

— estava fingindo ser o outro participante, mas era na verdade o assistente do dr. Regan. Para nossos propósitos, o experimento ocorreu sob duas condições diferentes. Em alguns casos, Joe fazia algum pequeno favor não solicitado para o verdadeiro participante. Durante um curto período de descanso, Joe deixou a sala por alguns minutos e voltou com duas garrafas de Coca-Cola, uma para o participante e outra para si, dizendo: "Perguntei a ele [o condutor do experimento] se podia pegar uma Coca, e ele disse que não tinha problema, aí trouxe uma para você também."

Em outros casos, Joe não fez nenhum favor para o participante; simplesmente voltava do intervalo de dois minutos de mãos vazias. Em todos os outros detalhes, Joe se comportava de forma idêntica.

Depois que todas as pinturas tinham sido avaliadas e o condutor do experimento tinha momentaneamente deixado a sala, Joe pediu um favor ao participante. Ele disse que estava vendendo bilhetes de rifa para um carro novo e, se vendesse mais rifas, ia ganhar um prêmio de US$ 50. O pedido de Joe foi para que o participante comprasse algumas rifas a US$ 0,25 cada. "Qualquer ajuda. Quanto mais, melhor."

A principal descoberta do estudo se refere ao número de bilhetes que os participantes compravam de Joe sob duas condições. Sem dúvida, Joe teve mais sucesso em vender suas rifas para os participantes que tinham recebido seu favor anteriormente. Aparentemente sentindo que lhe deviam alguma coisa, esses participantes compraram duas vezes mais bilhetes que os participantes que não tinham recebido o favor. Embora o estudo de Regan represente uma demonstração razoavelmente simples do funcionamento da regra da reciprocidade, ele ilustra várias características importantes da regra que, após uma observação atenta, nos ajudam a entender como ela pode ser usada de forma proveitosa.

A regra é esmagadora

Uma das razões pela qual a reciprocidade pode ser usada com tanta eficiência como dispositivo de persuasão é o seu poder. A regra possui uma força enorme, frequentemente produzindo uma resposta "sim" para um pedido que, exceto por um sentimento existente de dívida, sem dúvida teria sido recusado. Um indício de como a força da regra pode superar a influência que determina o consentimento pode ser visto no segundo resultado do estudo de Regan. Além de seu interesse pelo impacto da regra da reciprocidade na persuasão, Regan também estava investigando como o gostar de uma pessoa afetaria a disposição para atender ao pedido dessa pessoa. Para avaliar o quanto a afeição por Joe afetava as decisões dos participantes de comprar seus bilhetes de rifa, Regan pediu que preenchessem várias escalas de avaliação indicando o quanto tinham se afeiçoado por Joe. Em seguida comparou suas respostas com o número de bilhetes que tinham comprado, descobrindo que os participantes compravam mais quanto mais gostavam de Joe. Isso está longe de ser uma descoberta surpreendente; a maioria de nós teria adivinhado que as pessoas estão mais dispostas a fazer um favor para alguém que gostam.

Uma descoberta mais interessante foi que o relacionamento entre gostar e ser persuadido foi destruído quando os participantes ganharam uma Coca de Joe. Para aqueles que estavam devendo um favor, não fazia diferença se gostaram dele ou não; eles tinham um sentido de obrigação de recompensá-lo, e fizeram isso. Os participantes que indicaram não gostar de Joe compraram o mesmo número de bilhetes que aqueles que indicaram gostar dele. A regra da reciprocidade foi tão forte que superou a influência de um fator — gostar de quem fez o pedido — que normalmente afeta a decisão de atender ao pedido.

Pense nas implicações. Pessoas das quais podemos não gostar — operadores de vendas desagradáveis ou indesejados, conhecidos mal-educados, representantes de organizações estranhas ou impopulares — podem aumentar muito a chance de fazermos o que desejam apenas realizando um pequeno favor. Vamos pegar um exemplo relativamente recente. Durante todo o envolvimento dos Estados Unidos contra o Talibã no Afeganistão, seus agentes de inteligência enfrentaram um grande problema de influência. Com frequência, precisavam de informações de afegãos locais sobre as atividades e a localização dos talibãs, mas, por certos motivos, muitos moradores não tinham interesse em fornecê-las. Primeiro porque isso os tornaria suscetíveis à retaliação do Talibã. Segundo, muitos alimentavam uma forte aversão à presença, aos objetivos e aos representantes americanos no Afeganistão. Um agente da CIA que havia experimentado essas relutâncias com um patriarca tribal percebeu que o homem parecia esgotado em sua dupla função de líder tribal e marido de quatro esposas mais jovens. Na visita seguinte, o agente chegou com um pequeno presente que entregou discretamente ao ancião, quatro comprimidos de Viagra — um para cada esposa. A "potência" desse presente foi evidenciada quando ele retornou uma semana depois, e o chefe lhe ofereceu uma grande quantidade de informação sobre os movimentos e as rotas de suprimento do Talibã.

Alguns anos atrás, eu passei por uma experiência parecida, embora menos relevante. No início de um voo que atravessaria o país, fiquei no assento do corredor em uma fileira de três poltronas. Embora eu preferisse o corredor, troquei de lugar com um homem da poltrona da janela que disse estar se sentindo claustrofóbico em ter que ficar preso contra a parede por cinco horas. Ele expressou uma gratidão profunda. Em vez de fazer o que haviam me ensinado durante toda a vida e desconsiderar o favor — falsamente —, como sendo trivial demais para me preocupar (eu preferia a poltrona do corredor), disse: "Ah, tenho certeza de que você faria a mesma coisa por mim." Ele me garantiu que eu estava certo.

O resto do voo foi incrível. Os dois homens ao meu lado começaram uma conversa que revelou o quanto tinham em comum. No passado, tinham vivido perto um do outro em Atlanta e eram fãs da NASCAR, assim como colecionadores de armas que compartilhavam visões políticas. Eu pude sentir uma amizade surgindo. Mesmo assim, quando o homem no corredor tinha alguma coisa para nos oferecer — castanhas-de-caju, chicletes, o caderno de esportes do jornal —, ele oferecia primeiro para mim, às vezes empurrando o objeto bem na cara de seu novo amigo. Eu me lembro de pensar: "Uau, não importa de qual de nós ele está mais perto, tem mais afinidade ou com quem está conversando; é a mim que ele devia, e isso importa mais."

Penso que se fosse dar um conselho a alguém que acabou de receber um obrigado por um favor, indicaria não minimizá-lo de uma maneira bem comum que desconecta a influência da regra da reciprocidade: "Não foi nada", "fique tranquilo", "Eu teria feito a mesma coisa por qualquer um". Em vez disso, recomendaria preservar essa influência (obtida) dizendo algo como: "Olhe, se nossas posições fossem o contrário, sei que você faria o mesmo por mim." Os benefícios disso devem ser consideráveis.[3]

DEPOIMENTO DO LEITOR 2.2

De uma secretária do estado de Nova York

Como secretária executiva de uma empresa em Rochester, NY, eu normalmente trabalhava durante o dia, mas certa vez tinha ficado até tarde para terminar um trabalho importante. Enquanto saía da minha vaga no estacionamento, meu carro derrapou sobre o gelo, e acabei presa em uma pequena vala. Era tarde, estava frio e escuro; e todos do meu escritório tinha ido embora. Mas um funcionário de outro departamento apareceu, me rebocou e consegui sair.

Cerca de duas semanas depois, como eu trabalhava ligada ao RH, soube que esse mesmo funcionário estava sendo "advertido" por uma violação séria da política da empresa. Mesmo sem conhecer a moral dele, achei que devia ir até o presidente da empresa para tentar defendê-lo. Até hoje, embora outras pessoas tenham aparecido para questionar o caráter do homem, ainda sinto que tenho uma dívida com ele e estou disposta a defendê-lo.

Nota do autor: Como no experimento de Regan, parece que as características pessoais do homem foram menos relevantes para a decisão da leitora em ajudá-lo do que o simples fato de tê-la ajudado. *Clique, rode.*

Vários tipos de organização aprenderam a empregar o poder de um pequeno presente para induzir ações que, do contrário, não aconteceriam. Pesquisadores descobriram que enviar um presente monetário (por exemplo, um cheque de US$ 5) em um envelope com um questionário aumenta as taxas de preenchimento da pesquisa, quando comparado a oferecer o mesmo valor como uma recompensa posterior ao preenchimento. Na verdade, um estudo mostrou que enviar de "presente" um cheque de US$ 5 junto com uma pesquisa sobre seguros foi duas vezes mais eficiente do que oferecer US$ 50 pelo envio de uma pesquisa completa. Da mesma maneira, empresas que vendem comida descobriram que dar aos clientes um doce ou uma bala junto com a conta aumenta significativamente as gorjetas; e em um restaurante frequentado por turistas estrangeiros, era isso que acontecia, independentemente da nacionalidade dos clientes. Meus colegas Steve J. Martin e Helen Mankin realizaram um estudo que mostra o impacto de "dar primeiro" em um conjunto de McDonald's localizados no Brasil e na Colômbia. Em metade dos locais, os filhos de consumidores adultos ganhavam um balão ao deixarem o restaurante. Na outra metade, as crianças recebiam o balão ao entrar. A conta total da família aumentava em 25% quando ele era dado antes. De maneira extraordinária, isso incluía um aumento de 20% na compra de café — um item improvável de ser pedido por crianças. Por quê? Como posso confirmar, um presente para meu filho é um presente para mim.

Em geral, operadores de negócios descobriram que, depois de aceitar um presente, clientes estão dispostos a comprar produtos e concordam com pedidos que, do contrário, teriam recusado.[4]

E-BOX 2.1

Nota do autor: Em 2011, para comemorar seus quarenta anos, a Starbucks ofereceu vouchers gratuitos na internet. Com o objetivo de aumentar a sensação de obrigação associada ao presente, qualquer cliente que aceitasse o voucher tinha que agradecer explicitamente a empresa nas mídias sociais. Para uma discussão mais extensa de como a reciprocidade funciona nas mídias sociais, ver https://vimeo.com/137374366.

P.S.: Não só os vouchers eram gratuitos, engajando o princípio da reciprocidade, como sua disponibilidade foi reduzida, engajando o princípio da escassez — a força separada que vamos examinar no capítulo 6.

Política

A política é outra área onde o poder da regra da reciprocidade é esmagador. Táticas de reciprocidade aparecem em todos os níveis.

- No topo, autoridades se envolvem em troca de favores que torna a política realmente um local de estranhas alianças. O voto inesperado de um de nossos representantes eleitos frequentemente pode ser entendido como um favor. Especialistas políticos se impressionaram com o sucesso de Lyndon Johnson em conseguir aprovar tantos de seus programas no Congresso durante o início de seu mandato; mesmo os membros considerados fortemente opostos aos programas estavam votando a favor deles. Um exame mais atento por analistas como Robert Caro em sua influente biografia de Johnson (Caro, 2012) descobriu que a causa não era tanto sua habilidade política, mas a longa lista de favores que tinha conseguido prestar a outros legisladores durante seus muitos anos de poder na Câmara e no Senado americanos. Como presidente, conseguiu aprovar uma quantidade notável de lei em curto período cobrando aqueles favores. E esse mesmo processo pode ser responsável pelos problemas que alguns presidentes posteriores — Carter, Clinton, Obama e Trump — tiveram para conseguir aprovar seus programas no Congresso. Eles chegaram ao poder sem serem conhecidos no Capitólio, e se valeram de serem de fora de Washington, afirmando não deverem nada a ninguém na capital. Muito de suas dificuldades iniciais no legislativo pode estar ligado ao fato de que ninguém devia nada a *eles*.

- Em outro nível, podemos ver a força reconhecida da regra da reciprocidade no desejo de empresas e indivíduos de presentear e oferecer favores para funcionários do judiciário e do legislativo, e na série de restrições legais contra esses presentes e favores. Mesmo com contribuições políticas legítimas, o acúmulo de obrigações muitas vezes está por trás do propósito de apoiar um candidato favorito. A lista de empresas e organizações que contribuem para as campanhas dos *dois* candidatos principais em eleições importantes é prova disso. Um cético, exigindo provas diretas do retorno esperado por contribuintes políticos, pode olhar para o depoimento incrivelmente escancarado do empresário Roger Tamraz nas audiências do Congresso sobre a reforma do financiamento de campanhas. Quando lhe perguntaram se ele achava ter recebido um bom retorno em sua contribuição de US$ 300 mil, ele sorriu e respondeu: "Acho que na próxima vez darei US$ 600 mil."

Honestidade desse tipo é rara na política. Na maior parte do tempo, os doadores e os recebedores se unem para descartar a ideia de que contribuições de campanha, viagens grátis e ingressos para o Super Bowl poderiam afetar as opiniões "de funcionários do governo sóbrios e conscientes". Como insistiu o chefe de uma organização lobista, não há motivo para preocupação porque "esses [funcionários do governo] são homens e mulheres inteligentes, maduros e sofisticados no ápice de suas profissões, preparados para terem discernimento e serem críticos e alertas". E, é claro, os políticos concordam. Escutamos com regularidade eles proclamando independência total do sentimento de obrigação que influencia todas as outras pessoas. Um de meus representantes estaduais não deixava espaço para dúvida ao descrever sua responsabilidade com doadores de presentes: "Isso consegue para eles exatamente o que consegue para todas as outras pessoas: nada."

Desculpe-me se, como cientista, acho graça. Cientistas "sóbrios e conscientes" sabem que não é assim. Uma razão para isso é que esses "homens e mulheres inteligentes, maduros e sofisticados no topo de suas profissões [científicas]" descobriram ser tão suscetíveis quanto qualquer um ao processo. Analisando o caso da controvérsia médica em torno da segurança dos bloqueadores de canal de cálcio, uma classe de drogas para doenças cardíacas, um estudo descobriu que 100% dos cientistas que descobriram e publicaram resultados apoiando a droga tinham recebido incentivo anterior (viagens grátis, financiamento de pesquisa ou empregos) das empresas farmacêuticas; mas só 37% dos críticos da droga tinham recebido algum desses apoios. Se cientistas, "dispostos por treinamento a discernir e serem críticos e alertas" podem ser movidos pela contracorrente insistente de trocas, devemos esperar que os políticos também possam. E estaríamos certos. Por exemplo, os repórteres da Associated Press que investigaram os representantes do Congresso dos Estados Unidos que mais receberam dinheiro de grupos de interesse em seis questões-chave durante um ciclo de campanha descobriram que essas autoridades eram sete vezes mais propensas a votar a favor do grupo que havia contribuído com *mais* dinheiro para suas campanhas. Como resultado, esses grupos ganharam 83% das vezes. O mesmo tipo de resultado surgiu de um estudo sobre legisladores americanos que eram membros das comissões de políticas tributárias e que receberam grandes contribuições de doadores corporativos; subsequentemente, as empresas dos doadores receberam reduções significativas de impostos. Autoridades eleitas ou nomeadas frequentemente se consideram acima das regras que se aplicam ao restante de nós — regras de estacionamento e coisas assim. Porém, tolerá-los quanto a isso em relação à regra da reciprocidade não é apenas risível, mas irresponsável.[5]

A história de negociações internacionais está cheia de exemplos de como trocas recíprocas transformaram conflitos potencialmente perigosos em soluções pacíficas. Talvez nenhum caso seja tão histórico quanto um acordo com concessões de ambas as partes que pode ter salvado o mundo, mas, por razões políticas, não ganhou crédito por isso. Em 22 de outubro de 1962, a temperatura da Guerra Fria entre os Estados Unidos e a União Soviética chegou quase ao ponto de ebulição. Em um pronunciamento, o presidente John F. Kennedy anunciou que aviões de reconhecimento americanos haviam confirmado que mísseis nucleares russos foram enviados secretamente para Cuba e apontados para os Estados Unidos. Ele ordenou que o líder soviético, Nikita Khrushchev, retirasse os mísseis, declarando um bloqueio naval de embarcações transportando mais mísseis para Cuba até que os instalados fossem removidos. Khrushchev respondeu que seus navios, em rota para Cuba, iam ignorar essa "pirataria"; além disso, qualquer tentativa de impor o bloqueio seria considerada um ato agressivo que levaria à guerra. Não apenas a qualquer guerra — uma guerra nuclear com potencial de destruir um terço da humanidade. Por treze dias, as pessoas no mundo se agarraram à esperança (e uns aos outros) enquanto os dois líderes se encaravam ameaçadoramente, até que um deles, Khrushchev, recuou, submetendo-se ao estilo de negociação inflexível de Kennedy, e consentiu em levar seus mísseis para casa. Pelo menos, essa foi a história que sempre ouvi sobre como terminou a crise dos mísseis cubanos.

Porém, com fitas e documentos da época vindo a público, há um relato totalmente diferente. A negociação inflexível não foi o que deu a "vitória" a Kennedy, mas, em vez disso, foi sua disposição para remover os mísseis americanos US Jupiter da Turquia e da Itália em troca da remoção dos mísseis de Cuba. Por razões envolvendo sua popularidade política, Kennedy impôs como condição para o acordo final que a troca de mísseis fosse mantida em segredo; ele não queria ser visto como tendo concedido algo para os soviéticos. Parece irônico e lamentável que por muitos anos, e, até mesmo hoje, o fato que "salvou o mundo" — o poder das trocas recíprocas — não tenha tido muito reconhecimento e tenha sido substituído por outro — a recusa de ceder — que podia muito bem ter destruído o mundo.[6]

Fora do campo da política, os benefícios de uma abordagem de dar e receber *versus* uma de não ceder em negociações se refletem em um relato do psicólogo Lee Ross sobre dois irmãos (primos de Ross) que tinham uma grande empresa de artigos para animais de estimação a preços populares no Canadá. Os irmãos precisavam negociar o espaço de armazenamento em várias cidades onde seus produtos eram distribuídos. Um deles afirmava: "Como sei exatamente o preço razoável de armazenamento em cada cidade, minha estratégia é fazer uma oferta

Figura 2.1: "Recuo de Castro"
Esta ilustração política da época retrata a interpretação amplamente aceita de como terminou a crise cubana dos mísseis — com Khrushchev recuando diante da inflexibilidade de Kennedy em negociar com um estado inimigo. Na verdade, aconteceu o contrário. A grande ameaça nuclear foi resolvida por uma grande concessão na qual mísseis nucleares foram removidos, reciprocamente, pelos dois lados.
Biblioteca do Congresso, copyright de Karl Hubenthal

justa e nunca desviar dela nas negociações — e é por isso que meu irmão faz toda a barganha por nós."

A amostra não tão grátis assim

Claro, o poder da reciprocidade também pode ser visto na área da propaganda. Embora o número de exemplos seja grande, vamos examinar um mais conhecido. Como técnica de marketing, a amostra grátis tem uma história longa e eficiente. Na maioria dos casos, uma quantidade pequena do produto é dada a consumidores para ver se eles gostam. Sem dúvida esse é um desejo legítimo do fabricante — expor ao público as qualidades do produto. A beleza da amostra grátis, entretanto, é que também é um presente e, como tal, pode acionar a lei da reciprocidade. Em verdadeiro estilo jiu-jitsu, um promotor de vendas fornecendo amostras grátis pode liberar a força natural de provocar a sensação de dívida inerente a um presente, enquanto parece ter apenas a intenção de informar.

Em uma loja de doces no sul da Califórnia, pesquisadores examinaram os padrões de compra de clientes que recebiam ou não uma amostra grátis quando entravam. Receber o presente tornou seus recebedores 42% mais propensos a fazer uma compra. Claro, é possível que seu aumento em compras não tenha sido causado pela força da reciprocidade. Talvez os clientes tenham simplesmente gostado tanto do que provaram que compraram mais. Mas um olhar atento não sustenta essa explicação. Os recebedores não compraram mais do doce que provaram; eles apenas compraram mais de outros tipos. Aparentemente, mesmo que não tenham gostado do que ganharam, ainda se sentiam obrigados a devolver o favor comprando *alguma coisa*.

Um lugar favorito para amostras grátis é o supermercado, onde clientes recebem pequenas quantidades de certo produto para experimentar. Muitas pessoas têm dificuldade em aceitar as amostras das atendentes sempre sorridentes e apenas devolver os palitos ou os copos e ir embora. Em vez disso, compram o produto, mesmo que não tenham gostado muito dele. Segundo números de vendas de uma grande rede de mercado, todo tipo de produto — cerveja, queijo, pizza congelada, batom — tem grande aumento de vendas a partir de amostra grátis, quase todo relacionado com os consumidores que aceitaram a oferta. Uma variação altamente eficaz dessa técnica de marketing está ilustrada no caso, citado por Vance Packard em seu livro *The Hidden Persuaders* (1957), de um operador de supermercado de Indiana que um dia vendeu impressionantes quinhentos quilos de queijo em algumas horas pegando um queijo e convidando clientes a cortar pedaços para si mesmos como amostras grátis.

Figura 2.2: Buenos nachos
Alguns fabricantes de alimentos não esperam mais os clientes irem até a loja para dar a eles amostras grátis.
© *Alan Carey/ The Image Works*

E-BOX 2.2
No lançamento do livro *Pré-suasão*, o autor fez questão de pedir que disponibilizassem uma amostra grátis do livro para o público. O pedido foi feito por dois motivos:

1. O capítulo grátis dá aos clientes a capacidade de tomar uma decisão mais informada sobre a comprar;

2. Como um presente, o capítulo pode fazer com que se sintam obrigados a comprá-lo.

Por acaso conheço o autor do livro e, quando perguntei a ele qual das duas razões era seu objetivo com o anúncio, ele disse que era completamente a primeira. Sei que ele é um cara honesto, mas, como psicólogo, também sei que as pessoas acreditam no que preferem acreditar. Então não estou convencido.

Uma versão diferente da tática da amostra grátis é usada pela Amway, uma empresa que fabrica e distribui produtos para o lar e de cuidados pessoais em uma vasta rede mundial de consultores de venda. A empresa, que cresceu de uma operação de fundo de quintal para um negócio com vendas anuais de US$ 8,8 bilhões, faz uso de amostras grátis em um dispositivo chamado BUG. O BUG consiste em uma coleção de produtos da Amway — vidros de lustra-móveis, detergente, xampu, desodorante, inseticida ou limpador de janelas — levada até a casa de um cliente em uma bandeja especialmente projetada ou em um saco plástico. O confidencial *Manual de carreira da Amway* instrui o vendedor a deixar o BUG com a cliente "por 24, 48 ou 72 horas, sem custo ou obrigação para ela. Diga apenas que você gostaria que ela experimentasse os produtos... Essa é uma oferta irrecusável". No fim do período de testes, a representante da Amway volta para receber os pedidos do que a cliente quer comprar. Como poucos clientes usam o conteúdo todo dos vidros em tão pouco tempo, o vendedor então pode levar o restante dos produtos no BUG para o próximo cliente potencial na fila ou do outro lado da rua e recomeçar o processo. Muitos representantes da Amway têm vários BUGs circulando em seus bairros ao mesmo tempo.

Claro, a essa altura você e eu sabemos que o cliente que aceitou e usou os produtos do BUG foi pego pela regra da reciprocidade. Muitos desses clientes cedem a um sentido de obrigação para encomendar produtos que já experimentaram e consumiram parcialmente — e, é claro, a essa altura a Amway sabe que esse é o caso. Mesmo em uma empresa com o índice de crescimento excelente como a Amway, o dispositivo do

BUG criou um grande rebuliço. Relatórios de distribuidores estaduais para a empresa-mãe registraram um efeito notável:

> *Inacreditável! Nunca vimos tamanha empolgação. O produto está saindo a um ritmo inacreditável, e nós estamos apenas começando... Distribuidores locais pegaram os BUGs, e tivemos um aumento de vendas incrível [do distribuidor de Illinois].*
>
>   *A ideia mais fantástica de varejo que já tivemos!... Na média, clientes compraram cerca de metade do total do BUG quando ele foi recolhido... Em uma palavra, incrível! Nunca vimos uma resposta como essa em nossa organização [do distribuidor de Massachusetts].*

Os distribuidores da Amway parecem estar perplexos — felizes, mas ainda assim perplexos — pelo poder impressionante do BUG. Logicamente que, a essa altura, eu e você não deveríamos estar.

A regra da reciprocidade governa muitas situações de natureza puramente pessoal na qual nem dinheiro nem trocas comerciais estão em questão. Um ponto instrutivo em relação a isso vem do relato de uma mulher que salvou a própria vida não por *dar* um presente, mas por *recusar* um presente e as poderosas obrigações ligadas a ele. Em novembro de 1978, o reverendo Jim Jones, líder do culto de Jonestown, Guiana, provocou o suicídio em massa de todos os residentes, a maioria dos quais bebeu de boa vontade de um tonel de refresco envenenado e morreu. Porém, Diane Louie, uma residente, rejeitou a ordem de Jones e fugiu de Jonestown para a selva. Ela atribui sua disposição a fazer isso à sua recusa anterior em aceitar favores especiais de Jones quando estava necessitada. Ela recusou a oferta de comida especial quando estava doente porque "Eu sabia que assim que ele me desse esses privilégios, teria a mim. Eu não queria dever nada a ele". Talvez o erro do reverendo Jones tenha sido ensinar as Escrituras bem demais para a srta. Louise, especialmente o 23:8 — "E não deves receber presente, pois um presente cega aqueles que têm visão e perverte as palavras dos virtuosos."[7]

Personalização por meio da customização

Apesar da força impressionante da regra da reciprocidade, há um conjunto de condições que aumenta essa força ainda mais: quando o primeiro presente é customizado, portanto personalizado, de acordo com as necessidades ou preferências atuais do receptor. Uma amiga consultora me contou como faz uso de presentes personalizados para acelerar o pagamento por seus serviços quando apresenta uma conta a um cliente que notoriamente demora a pagar. Algum tempo atrás, junto com sua nota, ela começou a enviar para ele um pequeno presente — um pacote de material de escritório de alta qualidade, uma caixa pequena de chocolates, um cartão do Starbucks — e viu os atrasos em seu pagamento se reduzirem pela metade. Recentemente, ela anexou um postal personalizado do museu de arte local retratando uma obra de arte moderna — uma categoria de arte que, ela sabe, o cliente coleciona. Ela jura que suas notas agora são pagas quase imediatamente. Colegas em seu ramo estão impressionados e querem saber como ela faz isso. Até agora, ela diz que mantém isso em segredo.

Além de personalizar um presente de acordo com as preferências, personalizá-lo de acordo com as necessidades atuais do cliente pode dar ainda mais força ao impacto do presente. Pesquisa feita em uma rede de restaurantes de fast-food revela a efetividade desse tipo de customização. Alguns visitantes do restaurante eram saudados calorosamente quando entravam. Outros eram saudados calorosamente e ganhavam um belo chaveiro de presente. Em comparação com os visitantes que não ganharam presente nenhum, eles compraram 12% mais de comida — tudo de acordo com a regra geral da reciprocidade. Uma terceira amostra de visitantes foi recebida calorosamente e ganhou um copinho de iogurte. Embora o valor do iogurte fosse o mesmo do chaveiro, ele aumentou ainda mais a compra de comida, em 24%. Por quê? Porque visitantes entravam com uma necessidade de comida, e dar um presente de acordo com a necessidade fez a diferença.

Algum tempo atrás, meu colega Brian Ahearn me enviou um artigo de uma revista de vendas, descrevendo a surpresa que um executivo de uma cadeia internacional de hotel teve após analisar os resultados do custoso programa "experiência perfeita do cliente". Não eram hóspedes com uma estadia perfeita que relatavam os maiores índices de satisfação e pretensão de voltar. Em vez disso, eram aqueles que haviam experimentado uma falha no serviço que foi imediatamente reparada pela equipe do hotel. Há várias maneiras de se entender como isso ocorreu. Por exemplo, pode ter sido porque os hóspedes, depois de perceberem que a organização consegue reparar erros com eficiência, passaram a acreditar que o mesmo aconteceria em encontros futuros. Não duvido dessa possibilidade, mas acredito que há também outro fator operando: a providência pode muito bem ser percebida pelos hóspedes como "uma assistência especial, personalizada" que o hotel fez um esforço especial para prestar. Em virtude da regra da reciprocidade, o hotel então torna-se merecedor de algo especial na forma de avaliações superiores e lealdade.

Em palestras de negócios, costumo falar sobre a revelação surpreendente desse executivo e as minhas explicações para isso. Em uma delas, recebi confirmação da explicação com base na reciprocidade quando o gerente-geral do resort onde eu estava se levantou na plateia e relatou um incidente que tinha ocorrido naquele dia. Uma hóspede queria jogar tênis com seus dois filhos, mas o par de raquetes para crianças que o resort tinha já estava em uso. Então o gerente mandou que um funcionário fosse até uma loja local de artigos esportivos, comprasse outras duas e as levasse para a hóspede menos de vinte minutos após sua decepção. Mais tarde, a mãe passou em seu escritório e disse: "Acabei de fazer uma reserva para toda a nossa família para o fim de semana do feriado da independência por causa do que você fez por mim."

Não é curioso que se o hotel tivesse aquelas duas raquetes infantis desde o princípio — para garantir a seus hóspedes uma "experiência perfeita" — sua disponibilidade não teria sido vista como um presente notável ou um serviço que provocasse gratidão e lealdade especiais na forma de novos negócios?

Estou convencido que é a possibilidade única de adaptação da *reação* a um erro que permite que isso seja experimentado como um presente personalizado. Essa característica bota em ação a arma da regra da reciprocidade, que nos faz compreender os níveis elevados de satisfação e lealdade que podem fluir, tão paradoxalmente, a partir de uma gafe. Em resumo, não ter problemas pode não ser tão bom para as pessoas quanto se livrar deles.[8]

A regra impõe dívidas indesejadas

Já dissemos que o poder da regra da reciprocidade é tanto que pode nos levar a aceitar um pedido até de pessoas desconhecidas, de quem não gostamos ou indesejadas. Entretanto, há outro aspecto da regra que permite a ocorrência desse fenômeno. Uma pessoa pode construir essa sensação de endividamento ao nos fazer um favor que não foi solicitado. Lembre-se de que a regra diz que devemos proporcionar aos outros o tipo de ação que eles nos proporcionaram; ela não exige que tenhamos solicitado o que recebemos para nos sentir obrigados a recompensar. Por exemplo, a organização Disabled American Veterans relata que seu simples apelo por correio por doações produz uma taxa de respostas de cerca de 18%. Mas, quando os envios incluem um presente não solicitado (etiquetas adesivas personalizadas de endereço), a taxa de sucesso sobe para 35%. Isso não quer dizer que não tenhamos uma sensação mais forte de obrigação para retribuir um favor que pedimos, mas o pedido não é necessário para produzir nossos sentimentos de obrigação.

Se refletirmos por um momento sobre o propósito social da regra da reciprocidade, podemos ver por que isso acontece. A regra foi estabelecida para promover o desenvolvimento de relações recíprocas entre indivíduos de maneira que uma pessoa possa *iniciar* esse relacionamento sem o medo da perda. Se a regra serve a esse propósito, então um favor não solicitado tem a capacidade de criar uma obrigação. Lembre-se, também, que relacionamentos recíprocos dão uma vantagem extraordinária às culturas que os promovem, e, consequentemente, haverá fortes pressões para garantir que a regra sirva a seu propósito. Não é surpresa que o influente antropólogo francês Marcel Mauss, ao descrever as pressões sociais em torno do processo de presentear, diz que há uma obrigação de dar, uma obrigação de receber e uma obrigação de retribuir.

Mesmo que uma obrigação de retribuição constitua a essência da regra da reciprocidade, é a obrigação de receber que torna a regra tão fácil de ser explorada. A responsabilidade de receber reduz nossa capacidade de escolher de quem queremos ficar endividados, e põe o poder nas mãos dos outros. Vamos reexaminar alguns exemplos anteriores para ver como o processo funciona. Primeiro, no estudo de Regan, entendemos que o favor que fez com que os participantes dobrassem o número de bilhetes de rifa comprados de Joe não tinha sido solicitado por eles. Joe tinha voluntariamente deixado a sala e voltado com uma Coca para si mesmo e outra para o participante. Não houve um único participante que recusou o favor. É fácil entender por que seria estranho recusar o presente de Joe: ele já tinha gastado seu dinheiro; um refrigerante era um favor apropriado na situação, especialmente porque Joe tinha um para si mesmo; e teria sido considerado falta de educação recusar sua ação e consideração. Ainda assim, receber aquela Coca produziu um sentimento de endividamento evidenciado quando Joe anunciou seu desejo de vender bilhetes de rifa. Perceba a importante assimetria aqui — todas as escolhas genuinamente livres foram de Joe. Ele escolheu o favor inicial e escolheu o favor de retribuição. Claro, é possível dizer que o participante tinha a escolha de recusar as duas ofertas de Joe, mas essas teriam sido escolhas difíceis. Dizer não em qualquer momento teria exigido que o participante fosse contra as forças naturais a favor da reciprocidade.

A capacidade que presentes não solicitados têm de produzir sentimentos de obrigação é reconhecida por uma variedade de organizações. Quantas vezes já recebemos pequenos presentes pelo correio — etiquetas de endereço personalizadas, cartões de felicitações, chaveiros — de instituições de caridade que em um cartão a parte pediam doações? Eu recebi cinco só no ano passado, dois de grupos de veteranos incapacitados e os outros de escolas missionárias e hospitais. Em cada caso, havia um ponto em comum na mensagem anexa. Os bens que estavam incluídos eram para ser considerados um presente da organização, e o dinheiro que eu desejasse enviar não devia ser visto como pagamento, mas em vez disso uma oferta em retribuição. Como dizia a carta de um dos programas missionários, o pacote de cartões de felicitações que eu tinha recebido não era para ser pago diretamente, mas tinha sido produzido para "encorajar sua (minha) bondade". Vemos então como é benéfico para a organização ter os cartões vistos como presente em vez de mercadoria: há uma forte pressão cultural para retribuir um presente, mesmo um indesejado, mas não há a mesma pressão para comprar um produto comercial indesejado.[9]

DEPOIMENTO DO LEITOR 2.3

De um universitário

No ano passado, a caminho de casa para o feriado de Ação de Graças, senti a pressão da reciprocidade na pele quando estourei um pneu. Uma mulher de uniforme de enfermeira parou o carro e se ofereceu para me dar uma carona. Eu disse a ela várias vezes que minha casa ficava a quarenta quilômetros na direção oposta à que ela estava seguindo; mas ela insistiu em me ajudar e não quis receber nenhum dinheiro por isso. Sua recusa em me deixar pagar criou uma sensação desagradável e desconfortável.

Os dias após o incidente também causaram ansiedade para meus pais. A regra da reciprocidade e o desconforto associado ao favor não retribuído causaram uma leve agitação em minha casa. Sem sucesso, não parávamos de tentar descobrir a identidade da enfermeira para lhe enviar flores ou um presente. Se a tivéssemos encontrado, acredito que teríamos dado à mulher quase qualquer coisa que ela tivesse pedido. Sem encontrar outra maneira de pagar a obrigação, minha mãe recorreu ao único caminho restante. Em suas orações à mesa do jantar de Ação de Graças, ela pediu a Deus que lá do céu retribuísse a mulher.

Nota do autor: Além de mostrar que um favor não solicitado pode acionar a regra da reciprocidade, esse relato indica outra coisa que vale a pena entender sobre as obrigações que acompanham a regra: elas não estão limitadas aos indivíduos inicialmente envolvidos em dar ou receber a ajuda. Elas se aplicam, também, a membros dos grupos aos quais eles pertençam. A família do estudante não só foi levada a se sentir em dívida pela ajuda que ele recebeu, como, se pudessem, teriam pago a dívida, de acordo com pesquisas, ajudando um membro da família da enfermeira (Goldstein et al., 2017). Pesquisas adicionais mostram que esse tipo de reciprocidade com base em grupo se estende a maus tratos. Se fomos machucados por um membro de outro grupo e não pudermos machucar essa pessoa, temos mais chances de obter nossa vingança maltratando alguma outra pessoa daquele grupo.

A regra pode desencadear trocas desiguais

Há ainda outra característica da regra da reciprocidade que permite que ela seja explorada para o lucro. Paradoxalmente, embora a regra tenha se desenvolvido para promover trocas iguais entre as pessoas, ela pode ser usada para promover resultados certamente desiguais. A regra exige que determinada ação seja retribuída com um tipo parecido de ação. Um favor deve ser respondido com outro favor; não deve ser respondido com negligência e muito menos com ataque; entretanto, é possível uma flexibilização. Um pequeno favor inicial pode produzir uma sensação de obrigação em concordar com um favor de retribuição substancialmente maior. Porque, como já vimos, a regra permite a escolha da natureza do presente que gera a dívida e da natureza do favor para o pagamento da dívida. Podemos ser facilmente manipulados em uma troca injusta por aqueles que desejam explorar a regra.

Mais uma vez, nós nos voltamos ao experimento de Regan. Você se lembra de que naquele estudo Joe dava uma garrafa de Coca-Cola para um grupo de participantes como presente inicial e posteriormente pedia a ele que comprasse alguns de seus bilhetes de rifa por 25 centavos cada? O que deixei de mencionar até agora é que o estudo foi feito no fim dos anos 1960, quando o preço da Coca-Cola era 10 centavos. Em média, participantes que tinham ganhado uma bebida de 10 centavos compravam dois bilhetes de rifa de Joe, e alguns chegassem a comprar até sete. Mesmo que olhemos apenas para a média, podemos dizer que Joe fez um bom negócio. Um retorno de 500% em um investimento é algo respeitável!

No caso de Joe, porém, mesmo um retorno de 500% eram apenas US$ 0,50. Será que a regra da reciprocidade pode produzir diferenças significativamente grandes nos tamanhos dos favores trocados? Sob as circunstâncias certas, com certeza. Tome, por exemplo, o relato de uma aluna sobre um dia do qual ela se lembra com tristeza.

Cerca de um ano atrás, eu não conseguia ligar o carro. Enquanto insistia, um cara no estacionamento se aproximou e conseguiu fazer o carro pegar. Eu agradeci, e ele disse que não era nada; quando ele estava indo embora, disse que se precisasse de um favor era só pedir. Cerca de um mês depois, o cara bateu na minha porta e pediu meu carro emprestado por duas horas porque estava indo fazer compras. Eu me senti um tanto obrigada, mas fiquei em dúvida, já que o carro era novo e ele parecia muito jovem. Mais tarde, descobri que ele era menor de idade e não tinha seguro. De qualquer forma, eu lhe emprestei o carro. Ele o destruiu.

Como uma mulher inteligente concorda em emprestar seu carro novo a um completo estranho (e além disso jovem) só porque ele tinha feito um pequeno favor para ela um mês antes? Ou, mais genericamente, por que pequenos favores estimulam favores maiores em retribuição? Uma razão importante está ligada à característica desagradável de se sentir endividado. A maioria de nós acha extremamente desagradável dever favores. Isso tem um peso grande sobre nós que queremos nos livrar. Não é difícil localizar a origem desse sentimento. Como arranjos recíprocos são tão vitais em sistemas sociais humanos, fomos condicionados a nos sentir desconfortáveis quando nos sentimos na obrigação de retribuir. Se ignorássemos a necessidade de retribuir um favor, acabaríamos com a sequência da reciprocidade e diminuiríamos a chance de nosso benfeitor voltar a fazer tais favores no futuro. E isso não é de interesse da sociedade. Com isso, somos habituados desde a infância a ficar emocionalmente irritados sob o peso da obrigação. É por isso que às vezes concordamos em fazer um favor maior do que o que recebemos, apenas para nos aliviarmos do fardo psicológico da dívida. Um provérbio japonês destaca isso com eloquência: "Não há nada mais caro do que aquilo que vem de graça."

Além disso, há outra razão. Uma pessoa que viola a regra da reciprocidade aceitando os bons gestos de outros sem tentar retribui-lo não é bem vista pelo grupo social. A exceção, é claro, ocorre quando uma pessoa não consegue retribuir por razões de circunstâncias ou habilidade. Na maior parte das vezes, porém, há uma aversão genuína pelo indivíduo que deixa de obedecer aos ditames da regra da reciprocidade. Aproveitador, parasita e ingrato são rótulos desagradáveis, que evitamos receber. Eles são tão indesejáveis que, para evitá-los, as pessoas podem até concordar com uma troca desigual.

Balão: Sou péssimo em dar gorjetas. Então gostaria da sua atendente mais grosseira para não me sentir culpado.

Placa: Por favor, espere sua vez.

Figura 2.3: Troca com culpa

Até as pessoas mais mesquinhas sentem a força da regra da reciprocidade. E a regra também pode ser usada por garçons e garçonetes para aumentar suas gorjetas. Um estudo descobriu que garçons que davam aos clientes uma bala ao entregar a conta aumentavam sua gorjeta em 3,3%. Se dessem duas balas para cada cliente, a gorjeta subia 14% (Strohmetz et al., 2002).

Cartum: © Mark Parisi/offthemark.com

Combinadas, a realidade do desconforto interno e a possibilidade da vergonha externa podem resultar em um alto custo psicológico. Por isso, não é surpreendente que, em nome da reciprocidade, retribuamos com mais do que recebemos. Nem é tão estranho que, quando não estamos em posição de retribuir, evitamos pedir um favor necessário. O custo psicológico pode simplesmente superar a perda material.

Além disso, o risco de outros tipos de prejuízos pode convencer as pessoas a recusarem certos presentes e benefícios. Mulheres falam com frequência do desconforto da obrigação que sentem para retribuir os favores de um homem que lhes deu um presente caro ou pagou por uma dispendiosa saída à noite. Mesmo algo tão simples como o valor de um drinque pode produzir uma sensação de dívida. Uma aluna, em uma das minhas turmas, expressou isso em um trabalho: "Depois de aprender do jeito mais difícil, não deixo ninguém que conheci em uma boate pagar por um drinque, pois não quero que nenhum de nós sinta que tenho uma dívida sexual." Pesquisas sugerem que essa preocupação tem fundamentos. Se, em vez de pagar ela mesma, uma mulher permitir que um homem pague por ela, ela é imediatamente julgada (tanto por homens quanto por mulheres) como mais sexualmente disponível para ele.

A regra da reciprocidade se aplica à maioria dos relacionamentos; entretanto, em sua forma mais pura, como uma troca equivalente de presentes e favores, é desnecessária e indesejável em certos relacionamentos de longo prazo como famílias ou amizades antigas. Nesses relacionamentos "comunitários", o que é trocado reciprocamente é a *disposição de fornecer o que o outro precisa, quando é necessário*. Nessa forma de reciprocidade, não é preciso calcular quem deu mais ou menos, mas apenas se as duas partes estão vivendo de acordo com a regra mais geral.[10]

DEPOIMENTO DO LEITOR 2.4

De um imigrante americano na Austrália

Nós nos mudamos para a Austrália não faz muito tempo e minha filha de 5 anos tem se esforçado para se adaptar à nova cultura e fazer novos amigos. Recentemente, em caminhadas pela vizinhança com minha esposa, nossa filha tentou deixar "presentes" nas caixas de correio dos vizinhos. Eram apenas desenhos de lápis de cera dobrados e fechados em uma carta. Eu achei bastante inofensivo e estava mais preocupado que pudesse ser visto como algum tipo de aborrecimento. Achei que ficaríamos conhecidos como "lixeiros fantasmas das caixas de correio". Então coisas estranhas começaram a acontecer. Em *nossa* caixa de correio, começamos a encontrar cartões — vouchers de compras — de US$ 3 a US$ 5 cada endereçados à minha filha. Então pacotes de balas e pequenos brinquedos começaram a aparecer. Se não fosse pelo seu livro, eu não teria entendido isso; o poder da reciprocidade é inacreditável. Ela agora tem um grupo de amigos com quem brinca no parque do outro lado da rua todo dia.

Nota do autor: Gosto desse relato porque reforça algumas características da regra da reciprocidade que já analisamos: ela não apenas dispara trocas desiguais, como também pode servir de iniciadora de arranjos sociais permanentes. Mesmo crianças pequenas a veem como uma forma de fazer com que esses arranjos aconteçam.

Concessões recíprocas

Há uma segunda maneira de explorar a regra da reciprocidade para induzir alguém a atender a um pedido. É mais sutil, e, de certas maneiras, pode ser mais eficaz que a rota direta de fazer um favor para a pessoa e depois pedir outro em retribuição. Senti na pele como essa técnica funciona bem em uma experiência que vive alguns anos atrás.

Estava andando por uma rua quando um garoto de onze ou doze anos se apresentou e disse estar vendendo ingressos para o circo anual dos escoteiros que seria realizado no sábado seguinte à noite. Ele perguntou se eu não queria comprar um ingresso a US$ 5. Eu recusei. "Bom", disse ele, "se o senhor não quer comprar ingressos, que tal comprar umas de nossas barras de chocolate? Elas custam só US$ 1". Comprei duas e, imediatamente, percebi que algo notável tinha acontecido. Percebi isso pois: (a) não gosto de chocolate, (b) gosto de dólares, (c) eu estava ali parado com duas barras de chocolate e (d) o garoto estava indo embora com dois dos meus dólares.

Para tentar entender o que tinha acontecido em minha interação com o escoteiro, fui para o escritório e chamei meus assistentes de pesquisa para uma reunião. Ao discutir a situação, começamos a ver como a regra da reciprocidade estava implicada em minha concordância com o pedido de comprar chocolates. A regra geral diz que uma pessoa que age de determinada maneira tem direito a uma ação similar em retorno. Já vimos que uma das consequências da regra é a obrigação de retribuir favores. Outra consequência, entretanto, é a obrigação em fazer uma concessão a alguém que nos fez uma concessão. Enquanto meu grupo de pesquisa pensava sobre isso, percebemos que essa foi exatamente a posição em que o escoteiro me botou. Seu pedido para que eu comprasse algumas barras de chocolate a US$ 1 tinha sido feito como uma concessão de sua parte; ele me foi apresentado como um recuo de seu pedido para que eu comprasse ingressos a US$ 5. Para que eu agisse de acordo com o que dita a regra da reciprocidade, tinha que haver uma concessão de minha parte. Como vimos, houve essa concessão: eu mudei de recusar para aceitar quando ele mudou de um pedido maior para um menor, embora eu na verdade não estivesse interessado em nenhuma das coisas que ele ofereceu.

Foi um exemplo clássico da maneira como uma arma de influência pode adicionar poder a um pedido. Eu fui influenciado a comprar, não por um sentimento favorável em relação ao item, mas porque o pedido de compra foi apresentado de um jeito que ganhava a força da regra da reciprocidade. Não importou que eu não gostasse de chocolate; o escoteiro tinha feito uma concessão para mim, *clique, rode*. Eu respondi com minha própria concessão. Claro, a tendência à reciprocidade com uma concessão não é tão forte que vá funcionar em todas as situações, com todas as pessoas; nenhuma das armas de influência apresentadas neste livro é tão forte. Entretanto, em minha interação com o escoteiro, a tendência foi suficientemente poderosa para me deixar na posse perplexa de duas barras de chocolate.

Por que eu deveria me sentir obrigado a retribuir uma concessão? A resposta está mais uma vez no benefício de tal tendência para a sociedade. É do interesse de qualquer grupo ter seus membros trabalhando juntos na direção da realização de objetivos comuns. Entretanto, em muitas interações sociais os membros começam com exigências e pedidos que são inaceitáveis para os outros. Assim, a sociedade deve fazer com que esses desejos iniciais incompatíveis sejam deixados de lado pelo bem da cooperação socialmente benéfica. Isso é alcançado por meio de procedimentos que promovem um consenso. A concessão mútua é um desses procedimentos importantes.

A regra da reciprocidade possibilita a concessão mútua de duas maneiras. A primeira é óbvia: ela pressiona o beneficiário de uma concessão a reagir de maneira equivalente. A segunda, mesmo não tão óbvia, é de fundamental importância. Devido à obrigação de reciprocidade por parte de um receptor, as pessoas têm a liberdade de determinar a concessão *inicial* e assim começar o processo benéfico de troca. Afinal de contas, se não houvesse a obrigação social da reciprocidade de uma concessão, quem ia querer fazer o primeiro sacrifício? Fazer isso seria arriscar abrir mão de uma coisa sem receber nada em retorno. Entretanto, com a regra em ação, podemos nos sentir seguros fazendo o primeiro sacrifício para nosso parceiro, que é obrigado a oferecer um sacrifício em resposta.

Rejeição seguida de recuo

Como a regra da reciprocidade governa o processo de compromisso, é possível usar uma concessão inicial como parte de uma técnica altamente efetiva de persuasão. Esta é uma técnica simples que podemos chamar de técnica da rejeição seguida de recuo, embora também seja chamada de técnica "porta na cara". Suponhamos que você queira que eu concorde com determinado pedido, uma maneira de aumentar as chances é primeiro me fazer um pedido maior, um que eu provavelmente irei recusar. Então, depois que eu recusar, você faz o pedido menor no qual estava interessado inicialmente. Desde que você tenha estruturado seus pedidos com habilidade, verei seu segundo pedido como uma concessão, e ficarei propenso a reagir com outra concessão — atender ao seu segundo pedido.

Teria sido desse jeito que o escoteiro conseguiu que eu comprasse seus chocolates? Seu recuo de US$ 5 para US$ 1 foi artificial, planejado intencionalmente para vender chocolates? Sendo uma pessoa que ainda guarda sua primeira medalha de mérito dos escoteiros, eu espero que não. Planejada ou não, a sequência "pedido grande depois pedido pequeno" teve o mesmo efeito. Funcionou. E como funcionou, a técnica *rejeição seguida de recuo* pode e será usada *intencionalmente* por certas pessoas para conseguir o que querem. Primeiro, vamos examinar como essa tática pode ser usada como um dispositivo seguro de persuasão. Depois, veremos como ele já está sendo usado. Por fim, podemos analisar duas características pouco conhecidas da técnica que a tornam uma das táticas de persuasão mais influentes à disposição.

Lembra-se de que depois de meu encontro com o escoteiro, eu reuni meus assistentes de pesquisa para entender o que tinha acontecido (momento do qual eles comeram as provas)? Na verdade, nós fizemos mais que isso. Criamos um experimento para testar a efetividade do procedimento de seguir para um pedido desejado depois de um pedido inicial maior ter sido recusado. Nós tínhamos dois objetivos com a condução desse experimento. Primeiro, queríamos ver se ele funcionava em outras pessoas além de mim. Sem dúvida parecia que a tática tinha sido eficaz comigo, mas eu tenho um histórico de cair em truques de persuasão de todos os tipos. Então a pergunta persistia: a técnica de rejeição seguida de recuo funciona o suficiente para fazer dela um procedimento útil para conseguir uma concessão? Em caso positivo, seria certamente algo com o que tomar cuidado no futuro.

Nossa segunda razão para fazer o estudo foi determinar o quanto a técnica era um dispositivo poderoso de persuasão. Será que ela conseguiria obter concessão com um pedido realmente grande? Em outras palavras, será que o pedido *menor* para o qual o solicitante recuou tinha de ser *pequeno*? Se a nossa conclusão sobre a causa da eficácia da técnica estivesse correta, o segundo pedido não precisaria ser pequeno; ele só precisaria ser menor que o inicial. Desconfiávamos que o aspecto crítico do recuo de um solicitante de um favor maior para um menor era a aparência de concessão. Então o segundo pedido podia ser objetivamente grande — desde que fosse menor que o primeiro pedido — e a técnica ainda funcionaria.

Depois de pensarmos um pouco, decidimos testar a técnica em um pedido que acreditávamos que poucas pessoas concordariam em fazer. Posando como representantes do Programa de Aconselhamento de Jovens do Condado, abordamos universitários que andavam pelo *cam-*

pus e perguntamos se eles estariam dispostos a acompanhar um grupo de delinquentes juvenis em um passeio ao zoológico. A ideia de ficar responsável por um grupo de delinquentes de idades não especificadas por horas em um lugar público sem pagamento não era algo muito convidativo para os estudantes. Como esperávamos, a grande maioria (83%) recusou. Entretanto, obtivemos resultado muito diferente em uma amostra semelhante de universitários a quem fizemos a mesma pergunta, com uma diferença. Antes de convidá-los para servir como acompanhantes não remunerados no passeio ao zoológico, pedimos a eles um favor ainda maior — passar duas horas por semana como conselheiros para delinquentes juvenis por um mínimo de dois anos. Era só depois que recusavam esse pedido extremo, como todos fizeram, que fazíamos o pedido menor do passeio ao zoológico. Ao apresentar o passeio ao zoológico como um recuo de nosso pedido inicial, nossa taxa de sucesso cresceu dramaticamente. Três vezes mais estudantes abordados dessa maneira foram voluntários para servir de acompanhantes no zoológico.

Tenha certeza de que qualquer estratégia capaz de triplicar o percentual de concordância com um pedido substancial (de 17% a 50% em nosso experimento) é usada em uma variedade de contextos corriqueiros. Negociadores sindicais, por exemplo, usam com frequência a tática de fazer exigências que eles não esperam obter, mas de onde podem recuar e obter verdadeiras concessões do lado oposto. Aparentemente o procedimento será mais efetivo quanto maior for o pedido inicial porque haveria mais espaço disponível para concessões ilusórias. Mas isso é verdade só até certo ponto. Uma pesquisa realizada na Universidade Bar-Ilan, em Israel, sobre a técnica de rejeição seguida de recuo mostra que, se o primeiro conjunto de pedidos é tão extremo a ponto de não parecer razoável, a tática tem o efeito oposto. Nesses casos, a parte que fez o pedido extremo não é vista como se estivesse barganhando de boa-fé. Qualquer recuo subsequente dessa posição inicial totalmente irrealista não é visto como uma concessão verdadeira e, portanto, não é retribuído. O negociador realmente talentoso é aquele cujo pedido inicial é exagerado apenas o suficiente para permitir uma série de pequenas concessões e contrapropostas recíprocas que vão resultar em uma oferta final desejada do oponente.[11]

DEPOIMENTO DO LEITOR 2.5

De um engenheiro de software da Alemanha

Depois de concluir a faculdade de engenharia elétrica e trabalhar por quatro anos no setor energético, decidi largar meu emprego, seguir meu coração e começar do zero em uma carreira de desenvolvimento de softwares. Como todo meu conhecimento sobre o assunto foi aprendido por conta própria, comecei por baixo em uma pequena empresa (dez pessoas) como engenheiro de software. Depois de dois anos, decidi pedir um aumento. Um problema: o dono era conhecido por não dar aumentos. Eis o que eu fiz.

Primeiro, preparei meu patrão com informação sobre as horas extras de trabalho que eu fazia e, mais importante, os lucros que ajudava a trazer para a empresa. Então eu disse: "Não acho que sou o funcionário mediano; faço mais que o funcionário mediano, e gostaria de ter o salário médio do mercado para meu cargo, que é de XX.XXX euros por ano." (Meu salário, na época, estava 30% abaixo da média.) Ele foi rápido em recusar. "Não." Eu fiquei quieto por cinco segundos e disse: "Está bem, então pode me dar mais XXX euros por mês e a possibilidade de trabalhar um dia de casa?" Ele disse sim.

Eu sabia que ele não ia me dar o salário médio do mercado. O que eu realmente queria era conseguir um aumento razoável e trabalhar um dia de casa, onde podia passar mais tempo com minha noiva. Eu saí de sua sala com duas coisas: (1) um aumento de salário de 23% e (2) uma nova paixão por jogos de rejeição seguido de recuo.

Nota do autor: Perceba de que maneira o uso da tática da rejeição seguida de recuo provoca a ação do princípio do contraste. Não só a quantia inicial maior fez a menor parecer um recuo, como fez o segundo pedido parecer ainda menor, também.

P.S. O nome deste leitor não aparece na lista de outros autores de Depoimento do Leitor no início do livro pois ele pediu que apenas suas iniciais (M.S.) fossem usadas.

Concessões recíprocas, contraste perceptível e o mistério de Watergate

Já discutimos uma razão do sucesso da técnica da rejeição seguida de recuo — sua incorporação da regra da reciprocidade. Mas essa estratégia do pedido maior e depois menor é eficaz por outras razões. A primeira está relacionada ao princípio do contraste perceptível que analisamos no capítulo 1. Entre outras coisas, esse princípio é responsável pela tendência de alguém gastar mais dinheiro do que gastaria em um suéter depois de ter comprado um terno. Depois de ser exposto ao preço do item maior, o preço do item menos caro é visto, em comparação, como *aparentemente* ainda menor. Assim, se eu quero que você me empreste US$ 10, posso fazer o pedido parecer menor do que é ao pedir inicialmente que me empreste US$ 20. Uma das belezas dessa tática é que, ao pedir US$ 20 e depois recuar para US$ 10, vou ter simultaneamente utilizado da força da regra da reciprocidade e do princípio do contraste. Não só meu pedido de US$ 10 vai parecer uma concessão a ser retribuída, como parecerá uma solicitação menor que se eu tivesse apenas pedido US$ 10 imediatamente.

Combinadas, as influências da reciprocidade e do contraste perceptível apresentam uma força poderosa e temível. Unidas na sequência rejeição-recuo, são capazes de efeitos impressionantes. Eu acredito que forneçam a única explicação plausível de uma das decisões políticas mais intrigantes de nosso tempo: a famosa decisão de invadir o Comitê Nacional Democrata americano que ocasionou a ruína da presidência de Nixon. Um dos participantes dessa decisão, Jeb Stuart Magruder, ao saber que os invasores de Watergate tinham sido pegos, respondeu com perplexidade: "Como fomos tão estúpidos?" É verdade. Como?

Para entender como foi terrivelmente mal concebida a ideia, vamos rever alguns fatos:

- O plano foi de G. Gordon Liddy, que estava encarregado das operações de coleta de inteligência para o Comitê de Reeleição do Presidente. Liddy era conhecido pelo alto escalão de gestão como "louco", e havia questões sobre sua estabilidade e capacidade de julgamento.

- A proposta dele era extremamente cara, exigindo um orçamento de US$ 250 mil em dinheiro não rastreável.

- No fim de março, quando a proposta foi aprovada em uma reunião com o diretor do comitê, John Mitchell, e seus assistentes Magruder e Frederick LaRue, as perspectivas para a vitória de Nixon na eleição de novembro não podiam ser melhores. Edmund Muskie, o único candidato ao qual as pesquisas iniciais tinham dado uma chance de derrotar o presidente, tinha se saído mal nas primárias. Tudo indicava que o candidato mais facilmente derrotável, George McGovern, obteria a indicação democrata. Uma vitória republicana parecia certa.

- O plano de invasão em si era uma operação de alto risco que exigiu a participação e o sigilo de dez homens.

- O Comitê Nacional Democrata e seu presidente, Lawrence O'Brien, cujo escritório em Watergate seria invadido e grampeado, não tinham nenhuma informação comprometedora o suficiente para derrotar o então presidente no cargo. E os democratas provavelmente não conseguiriam nenhuma, a menos que a administração fizesse alguma coisa *muito, muito* estúpida.

Apesar de contraindicada pelas razões que mencionamos, a proposta cara, arriscada, sem sentido e com potencial desastroso feita por um homem cujo julgamento era reconhecidamente questionável foi aprovada. Como homens inteligentes e competentes como Mitchell e Magruder fizeram algo *tão, tão* estúpido? Talvez a resposta esteja em um fato pouco discutido: o plano de US$ 250 mil que eles aprovaram não foi a primeira proposta. Na verdade, representava uma concessão significativa a duas propostas anteriores de proporções imensas. O primeiro desses planos, surgido dois meses antes em uma reunião com Mitchell, Magruder e John Dean, descrevia um programa de US$ 1 milhão que incluía (além do grampo nos escritórios no edifício Watergate) um observatório de comunicações especialmente equipado, invasões, raptos e esquadrões de assalto, além de um iate com garotas de programa de luxo para chantagear políticos democratas. Um segundo plano de Liddy, apresentado uma semana depois para o mesmo grupo, eliminava parte do programa e reduzia o custo para US$ 500 mil. Só depois que essas duas propostas foram rejeitadas por Mitchell, um plano enxuto foi submetido por US$ 250 mil, dessa vez para Mitchell, Magruder e LaRue. O plano, ainda estúpido mas menos que os anteriores, foi aprovado. Será que eu, um trouxa de longa data, e John Mitchell, um político cascudo e inteligente, fomos manipulados tão facilmente a fazer acordos ruins pela mesma tática de persuasão — eu por um escoteiro vendendo chocolate e ele por um homem vendendo desastre político?

Se examinarmos o testemunho de Magruder, que, segundo a maioria dos investigadores de Watergate, fornece o relato mais fiel da reunião crucial na qual o plano de Liddy foi aprovado, há algumas pistas. Primeiro, em seu livro *An American Life: One Man's Road to Watergate* (1974), Magruder conta que "inicialmente ninguém ficou empolgado com o projeto"; mas "depois de começar com a soma grandiosa de US$ 1 milhão, achamos que US$ 250 mil seria um número aceitável... Nós estávamos relutantes em dispensá-lo sem nada". Mitchell, apanhado pela "sensação de que devíamos dar alguma coisinha para Liddy...", deu sua aprovação no sentido de dizer: "Está bem, vamos dar a ele US$ 250 mil e vamos ver o que ele vai fazer com isso." No contexto das solicitações iniciais de Liddy, "US$ 250 mil" passou a ser "alguma coisinha" para ser dada como concessão de retribuição. Ao recordar a abordagem de Liddy, Magruder oferece o exemplo mais sucinto da técnica da rejeição seguida de recuo que eu já vi: "Se ele tivesse chegado para nós no começo e dito: 'Tenho um plano para invadir e grampear o escritório de Larry O'Brien', talvez tivéssemos recusado na hora. Em vez disso, ele nos apresentou seu esquema elaborado de garotas de programa, sequestros, agressões, sabotagem e grampos... Ele pediu o bolo inteiro, quando estava bem satisfeito em ficar com a metade ou mesmo um quarto."

Quadro 1
Já que não posso ter um cavalo, posso pegar um biscoito?
Acho que é o mínimo que podemos fazer.

Quadro 2
Quem diria...

Quadro 3
Um cavalo invisível que vale seu peso em biscoitos

Figura 2.4: G. Gordon, o pimentinha
Será que estilos similares levam a sorrisos de satisfação similares? É o que parece, pelo menos para G. Gordon e essa tirinha de Dennis, o Pimentinha.
HQ © Dennis the Menace/ Hank Ketcham e Field Enterprises; foto de G. Gordon Liddy: UPI

Também é instrutivo que, apesar de ter concordado com a decisão do chefe, apenas um membro do grupo, LaRue, tenha expressado qualquer oposição direta à proposta. Dizendo, com um bom senso óbvio, "Eu não acho que vale o risco", ele deveria estar se perguntando por que seus colegas Mitchell e Magruder não compartilhavam de seu ponto de vista. Claro, muitas diferenças entre LaRue e os outros homens poderiam ser responsáveis por suas opiniões distintas em relação à prudência de Liddy. Mas uma se destaca: dos três, La Rue não esteve presente nas duas reuniões anteriores, nas quais Liddy tinha esboçado seus programas muito mais ambiciosos. Talvez por isso apenas LaRue tivesse sido capaz de ver a terceira proposta como o fiasco que era e reagir a ela objetivamente sem ser influenciado pelas forças da reciprocidade e do contraste perceptível que agiam sobre os outros.

O azar é todo seu

Anteriormente, dissemos que a técnica de rejeição seguida de recuo tinha, além da regra da reciprocidade, alguns outros fatores trabalhando a seu favor. Nós já discutimos o primeiro desses fatores, o princípio do contraste perceptível. A vantagem adicional da técnica não é realmente um princípio psicológico, como no caso dos outros dois fatores. Na verdade, ela é mais um aspecto estrutural da sequência do pedido. Digamos que eu queira US$ 10 emprestados. Começando com um pedido de US$ 20, só posso sair ganhando. Caso concorde, terei recebido de você duas vezes a quantia que teria me deixado satisfeito. Por outro lado, se você recusar meu pedido inicial, posso recuar para o favor de US$ 10 que eu desejava desde o princípio e, por meio dos princípios da reciprocidade e do contraste, eu me benefício; é um caso de cara eu ganho, coroa você perde.

Levando-se em conta as vantagens da técnica de rejeição seguida de recuo, é possível pensar que há alguma desvantagem substancial. As vítimas da estratégia podem se ressentir de terem sido manipuladas. O ressentimento pode surgir de dois jeitos. Primeiro, a vítima pode decidir não cumprir o acordo verbal feito com o solicitante. Segundo, a vítima pode deixar de confiar no solicitante manipulador, escolhendo nunca mais se relacionar com essa pessoa. Se um ou dois desses casos ocorrerem com alguma frequência, o solicitante pensaria seriamente antes de usar o procedimento da rejeição seguido de recuo outra vez. Porém, pesquisas indicam que essas reações das vítimas não ocorrem com frequência quando a técnica da rejeição seguida de recuo é usada. Surpreendentemente, parece que elas ocorrem com *menos* frequência. Antes de tentar entender por que isso acontece, vamos olhar para as evidências.

Aceito doar sangue — e pode pedir outra vez

Um estudo publicado no Canadá questionou o seguinte aspecto: uma vítima da tática da rejeição seguida de recuo cumprirá o combinado e fará um segundo favor ao solicitante? Além de avaliar se a pessoa-alvo disse sim ou não ao pedido desejado (trabalhar por duas horas sem pagamento em uma agência comunitária de saúde mental), esse experimento também registrou se ela apareceria para cumprir com seus deveres como prometido. Como de hábito, o procedimento de começar com um pedido maior (ser voluntário por duas horas de trabalho por semana na agência por dois anos) produziu mais concordância verbal com o pedido menor de recuo (76%) do que o procedimento de fazer só o pedido menor (29%). O resultado importante, porém, estava relacionado com a taxa de comparecimento daqueles que tinham se voluntariado; e, mais uma vez, o procedimento de rejeição seguido de recuo foi o mais efetivo (85% *versus* 50%).

Um experimento diferente examinou se a sequência rejeição seguida de recuo fazia com que as vítimas se sentissem tão manipuladas que recusavam qualquer outro pedido. Nesse estudo, os alvos eram universitários, a quem pediam para doar sangue como parte da campanha anual do *campus*. Aos alvos de um grupo pediam primeiro para doar sangue uma vez a cada seis semanas por um mínimo de três anos. Aos outros alvos pediam apenas uma doação de sangue. Àqueles dos dois grupos que concordaram e mais tarde apareceram no centro hematológico perguntaram se estariam dispostos a dar seus contatos para que pudessem ser convocados para futuras doações. Quase todos os estudantes que estavam prestes a doar sangue como resultado da técnica de rejeição seguida de recuo concordaram em doar outra vez (84%), enquanto menos da metade dos outros estudantes que apareceram no centro hematológico fez isso (43%). Mesmo para favores futuros, a estratégia rejeição seguida de recuo mostrou ser superior.

Os agradáveis efeitos colaterais

Estranhamente, parece que a tática de rejeição seguida de recuo estimula as pessoas não apenas a concordarem com um pedido desejado, mas a realizarem o pedido e, por fim, se oferecerem para atender a pedidos futuros. O que poderia haver nessa técnica que leva aqueles manipulados a continuarem concordando? Para chegar a uma resposta podemos olhar para o ato de concessão do solicitante, que é o centro do procedimento. Já entendemos que, desde que não seja percebida como um truque, a concessão provavelmente estimulará outra concessão em retorno. O que ainda não examinamos, entretanto, são dois subprodutos positivos do ato de concessão: sentimentos de maior responsabilidade e satisfação com o acordo. É esse conjunto de efeitos colaterais agradáveis que permitem à técnica manipular suas vítimas a cumprirem os acordos e a se envolverem em outros.

Os efeitos colaterais desejáveis de fazer concessões durante uma interação com outras pessoas são demonstrados em estudos sobre a maneira como elas barganham umas com as outras. Um experimento, conduzido por psicólogos sociais da UCLA, oferece uma demonstração apropriada. Um participante desse estudo encararia um adversário e lhe instruíram a negociar com ele a divisão de certa quantia de dinheiro fornecida pelos organizadores do experimento. O participante também foi informado que, se não conseguissem chegar a um acordo mútuo após determinado período de barganha, ninguém ganharia o dinheiro. Sem que o participante soubesse, o adversário era na verdade um assistente do experimento que tinha sido previamente instruído a negociar de uma entre três maneiras diferentes. Com alguns participantes, o adversário fez uma primeira exigência extrema, exigindo quase todo o dinheiro para si, e persistiu teimosamente nessa exigência durante as negociações. Com outro grupo, ele começava com uma exigência que era moderadamente a favor de si mesmo; e, também, recusava-se a flexibilizar essa posição durante as negociações. Com um terceiro grupo, o adversário começava com a exigência extrema, então recuava, aos poucos, para a mais moderada ao longo da negociação.

Três descobertas importantes nos ajudam a entender por que a técnica de rejeição seguida de recuo é tão efetiva. Primeiro, em comparação com as outras duas abordagens, a estratégia de começar com uma exigência extrema e depois recuar para a mais moderada foi a que produziu mais dinheiro para a pessoa que a usou. Esse resultado não é surpreendente quando consideramos as evidências anteriores do poder da tática de pedido maior depois menor para produzir acordos lucrativos. São as duas descobertas adicionais do estudo que mais chamam a atenção.

RESPONSABILIDADE

A concessão do solicitante dentro da técnica de rejeição seguida de recuo fez com que os alvos não só dissessem sim com mais frequência, mas se sentissem mais responsáveis por terem "influenciado" o acordo final. Com isso se torna compreensível a incrível capacidade da técnica de rejeição seguida de recuo em fazer com que os alvos cumpram seus compromissos: uma pessoa que se sente responsável pelos termos de um contrato estará mais propensa a cumprir esse contrato.

SATISFAÇÃO

Embora, na média, o adversário que usou a estratégia das concessões tenha ganhado mais dinheiro, os participantes que foram alvo dessa estratégia foram os mais satisfeitos com o arranjo final. Parece que um acordo que foi forjado através da concessão de um adversário é bem satisfatório. Com isso em mente, podemos começar a explicar a segunda característica intrigante da tática da rejeição seguida de recuo — a habilidade de levar sua vítima a concordar com outros pedidos. Como a tática usa a concessão de um solicitante para promover concordância, a vítima provavelmente vai se sentir mais satisfeita com o resultado. É compreensível que pessoas que estão satisfeitas com determinado resultado sejam mais propensas a concordar com resultados semelhantes. Como mostraram alguns estudos feitos pelo especialista em pesquisa sobre consumo Robert Schindler: sentir-se responsável por conseguir um acordo melhor em uma loja resultar em maior satisfação com o processo e mais retorno à loja.[12]

DEPOIMENTO DO LEITOR 2.6

De um ex-vendedor de TVs e aparelhos de som

Por um bom tempo, trabalhei para uma grande varejista em seu departamento de TV e som. A permanência no trabalho estava baseada na habilidade de vender contratos de serviços que são extensões da garantia oferecidas pelo lojista. Quando me explicaram esse fato, desenvolvi o seguinte plano que usava a técnica da rejeição seguida de recuo, embora eu não soubesse seu nome na época.

Um cliente tinha a oportunidade de comprar de um a três anos de cobertura contratual de serviços na hora da venda, embora o crédito que eu recebesse fosse o mesmo independentemente da extensão da cobertura. Ao perceber que a maioria das pessoas não estaria disposta a comprar três anos de cobertura, inicialmente, eu oferecia para o consumidor o plano mais longo e mais caro. Isso me dava uma oportunidade excelente para, depois de ser rejeitado em minha tentativa de vender o plano de três anos, recuar para a extensão de um ano e seu preço relativamente baixo, que eu ficava feliz em conseguir. Essa técnica se revelou muito efetiva, pois vendia contratos de serviços para uma média de 70% de meus clientes, que pareciam muito satisfeitos no processo, enquanto outros no meu departamento se amontoavam em torno dos 40%. Eu nunca contei a ninguém como fazia isso até agora.

Nota do autor: Como sugerem as pesquisas, a tática da rejeição seguida de recuo aumentou o número de concordância dos clientes *e* sua satisfação com esses argumentos.

Defesa

Em um solicitante que emprega a regra da reciprocidade, nós encontramos um inimigo poderoso. Ao apresentar um favor ou uma concessão inicial, ele emprega um aliado poderoso na campanha por nosso consentimento. À primeira vista, a sorte não parece estar do nosso lado nesse contexto. Nós podemos concordar com o pedido do solicitante e, ao fazer isso, sucumbir à regra da reciprocidade. Ou podemos nos recusar a concordar e com isso sofrer o golpe da força da regra sobre nossos sentimentos profundamente condicionados de justiça e obrigação. Render-se ou sofrer baixas pesadas. Perspectivas realmente nada animadoras.

Felizmente, essas não são nossas únicas escolhas. Com a compreensão adequada da natureza de nosso oponente, podemos sair do campo de batalha da persuasão ilesos e, às vezes, até em melhor situação que antes. É essencial reconhecer que o solicitante que invoca a regra da reciprocidade (ou qualquer outra arma de influência) para ganhar nossa concessão não é o verdadeiro adversário. Tal solicitante escolheu se tornar um guerreiro do jiu-jitsu que se alinha com o vasto poder da reciprocidade e então apenas libera esse poder fornecendo um primeiro favor ou concessão. O verdadeiro oponente é a regra. Se não queremos ser manipulados por ela, precisamos dar passos para enfraquecer sua energia.

Rejeitando a regra

Como uma pessoa faz para neutralizar o efeito de uma regra social como a da reciprocidade? Quando ativada, ela parece ser ampla demais para fugir e forte demais para ser superada. Talvez a resposta seja evitar sua ativação. Talvez possamos evitar um confronto com a regra nos recusando, desde o começo, a permitir que um solicitante utilize sua força contra nós. Talvez rejeitando um favor inicial ou concessões iniciais, possamos evitar o problema. Talvez sim, talvez não. Invariavelmente recusar a oferta inicial de um favor ou esforço funciona melhor na teoria que na prática. A principal dificuldade é que, quando apresentada inicialmente, é difícil saber se essa oferta é honesta ou se é o primeiro passo em uma tentativa de exploração. É um problema tipo gostosuras ou travessuras: se sempre supusermos o pior (travessuras), não seria possível receber o benefício de nenhum favor ou concessão (gostosuras) legítimos oferecidos por indivíduos que não tenham a intenção de explorar a regra da reciprocidade.

Tenho um colega que recorda com indignação a maneira como sua filha de dez anos ficou magoada com um homem cujo método para evitar as presas da regra da reciprocidade foi recusar a bondade dela. As crianças de sua turma estavam dando uma festa na escola para os avós, e o trabalho dela era dar uma flor para cada visitante quando entrassem na escola. O primeiro homem que ela abordou com uma flor foi ríspido. "Não quero." Sem saber o que fazer, ela a estendeu novamente em sua direção, e ele perguntou quanto custava.

"Nada, é um presente", respondeu ela.

Ele a encarou fixamente com um olhar descrente e saiu andando. A menina ficou tão abalada pela experiência que não conseguiu abordar mais ninguém e teve que ser substituída de sua tarefa — uma tarefa que ela havia aguardado com carinho. É difícil saber quem culpar mais, o homem insensível ou os exploradores que abusaram de sua tendência de retribuir um presente até que sua resposta passou a acarretar uma recusa automática. Não importa quem você acredita que merece a culpa, a lição é evidente: sempre vamos encontrar indivíduos verdadeiramente generosos, assim como muitas pessoas que tentam jogar limpo com a regra da reciprocidade em vez de explorá-la. Elas vão, sem dúvida, ficar ofendidas por alguém que consistentemente recusa seus esforços; atrito ou isolamento social podem muito bem ser o resultado. Logo, uma política de rejeição geral não parece aconselhável.

Outra solução pode ser mais promissora. Ela nos aconselha a aceitar as ofertas dos outros, mas aceitá-las apenas pelo que elas fundamentalmente são, não pelo que foram representadas para ser. Se uma pessoa nos oferece um favor, podemos muito bem aceitá-lo, reconhecendo que estamos nos endividando com um favor em retribuição em algum momento no futuro. Se envolver nesse tipo de acordo com outra pessoa não é ser explorado por ela por meio da regra da reciprocidade. Muito pelo contrário; é participar com justiça na "teia honrada de obrigações" que nos serviu tão bem, tanto individual quanto socialmente, desde a origem da humanidade. Entretanto, se o favor inicial revela-se um dispositivo, um truque, um artifício projetado especificamente para estimular nossa concordância com um favor maior em retribuição, isso é outra história. A pessoa não será uma benfeitora, mas alguém que almeja o lucro, e é nesse contexto que devemos responder à ação nos devidos termos. Depois que determinamos que a oferta inicial não foi um favor, mas uma tática de persuasão, precisamos reagir a ela de acordo para nos livrarmos de sua influência. Quando percebemos e definimos a ação como um dispositivo de persuasão em vez de um favor, o doador não tem mais a regra da reciprocidade como aliada: a regra diz que favores devem ser retribuídos com favores; ela não exige que truques sejam retribuídos com favores.

Desmascarando o inimigo

Um exemplo prático pode deixar as coisas mais concretas. Imaginemos que uma mulher telefonou e se apresentou como membro da Associação de Segurança Contra Incêndios Domésticos em sua cidade. Vamos supor que ela, então, perguntou se você estaria interessado em saber sobre segurança doméstica contra incêndios, ter a casa avaliada em busca de riscos e receber um extintor para a casa — tudo sem nenhum custo. Além disso, vamos supor que você tenha se interessado e marcado uma visita à noite para que um dos inspetores da associação fosse até sua casa para analisá-la. Quando o inspetor chegou, ele lhe deu um pequeno extintor e começou a examinar os possíveis riscos de incêndio de sua casa. Depois, ele passou informações interessantes, embora assustadoras, sobre os riscos de incêndios domésticos, junto com uma avaliação da vulnerabilidade do lugar. Por fim, sugeriu que você obtivesse um sistema de alarme de incêndio doméstico e foi embora.

Essa sequência de acontecimentos não é implausível. Várias cidades americanas têm associações sem fins lucrativos, em geral formadas por bombeiros trabalhando em seu tempo livre, que fornecem inspeções de segurança contra incêndio gratuitas. Se esses eventos acontecessem, você teria recebido um favor do inspetor. E, de acordo com a regra da reciprocidade, estaria mais disposto a fornecer outro em retribuição se o visse em necessidade em algum momento no futuro — talvez parado ao lado de seu carro enguiçado no acostamento. Uma troca de favores desse tipo estaria de acordo com as melhores tradições da regra da reciprocidade.

Uma série de eventos similares com um final diferente também é possível. Em vez de ir embora depois de recomendar um sistema de alarme contra incêndios, o inspetor inicia uma apresentação de vendas com a intenção de convencê-lo a comprar um sistema caro, acionado por calor, fabricado pela empresa que ele representa.

Empresas de alarme contra incêndios que vendem de porta em porta usam essa abordagem. Normalmente, seu produto, embora bastante eficaz, está acima do preço. Sabendo que você não estará familiarizado com os custos no varejo de um sistema desses e, se decidir comprar um, se sentirá comprometido em relação à empresa que lhe deu um extintor de incêndio e uma inspeção gratuitos, essas empresas vão pressioná-lo por uma venda imediata. Usando esse truque de informação e inspeção grátis, as organizações de vendas de proteção a incêndios prosperaram.

Se você se visse nessa situação, com a percepção de que o motivo principal da visita do inspetor foi lhe vender um sistema de alarme caro, sua ação seguinte mais efetiva seria uma manobra simples e particular. Ela envolveria o ato mental da redefinição. Apenas defina o que você recebeu do inspetor — extintor, informação de segurança, inspeção de riscos — não como presentes, mas como artifícios de venda, e estará livre para recusar (ou aceitar) a oferta de compra sem nenhuma influência da regra da reciprocidade. Um favor é corretamente retribuído com um favor — não com um esquema de vendas.

Desde que você esteja disposto, isso pode até virar a arma de influência do inspetor contra ele. Lembre-se que a regra da reciprocidade dá o direito à pessoa que agiu de determinada maneira uma dose da mesma coisa. Se você determinou que os "presentes do inspetor de incêndios" foram usados não como presentes verdadeiros mas como forma de obtenção de lucro, então pode querer usá-los para lucrar você mesmo. Simplesmente aceite qualquer coisa que o inspetor esteja disposto a fornecer — informação de segurança, extintor doméstico —, agradeça-o com educação e o conduza até a porta. Afinal de contas, a regra da reciprocidade diz que se a justiça deve ser feita, tentativas de exploração devem ser exploradas.

DEPOIMENTO DO LEITOR 2.7

De um estudante de engenharia química de Zurique, Suíça

Tenho grande interesse em biologia comportamental, o que me levou a seu livro *As armas da persuasão*. Ontem mesmo terminei o capítulo sobre reciprocidade. Hoje fui ao supermercado e um homem me abordou dizendo ser um iogue. Ele começou a ler a minha aura e disse que podia ver que eu era uma pessoa calma e prestativa. Então ele pegou uma pequena pérola no bolso e me deu de presente. No momento seguinte, queria uma doação. Quando disse a ele que sou um estudante pobre que não tenho dinheiro sobrando, ele começou a enfatizar que tinha me dado a pérola e que seria justo que eu doasse algo em retribuição. Como eu tinha lido o capítulo da reciprocidade menos de 24 horas antes, eu sabia exatamente o que ele estava tentando com o presente, e recusei. Sem argumentos, ele foi embora.

Nota do autor: O velho ditado "O conhecimento nos liberta" se aplica nesse caso. Saber como se defender contra um explorador das regras da reciprocidade liberou o estudante para resistir à força de um presente desonesto não solicitado. Além disso, tenho certeza de que a doação para o estudante não foi uma pérola verdadeira, exceto, talvez, uma pérola de sabedoria que seu relato traz para o resto de nós.

RESUMO

- Segundo sociólogos e antropólogos, uma das normas mais básicas e difundidas da cultura humana está exemplificada na regra da reciprocidade. A regra exige que uma pessoa tente retribuir, na mesma maneira, o que outra pessoa forneceu. Ao obrigar o receptor de um ato a retribuí-lo no futuro, a regra permite que um indivíduo dê algo para outro com a confiança de que isso não está sendo perdido. Esse sentimento de obrigação dentro da regra torna possível o desenvolvimento de vários tipos de relações, transações e trocas contínuas que são benéficas para a sociedade. Consequentemente, todos os membros de todas as sociedades são habituados desde a infância a respeitar essa lei ou sofrer com desaprovação social.

- A decisão de atender ao pedido de outra pessoa é frequentemente influenciada pela regra da reciprocidade. Uma tática apreciada e lucrativa de certos profissionais da persuasão é dar algo antes de pedir um favor. A possibilidade de exploração da tática deve-se a três características da regra da reciprocidade. Primeiro, a regra é poderosa, superando a influência de outros fatores que normalmente determinam a concordância com um pedido. Ela torna-se potente quando o presente, favor ou serviço é personalizado ou customizado de acordo com as atuais preferências e necessidades do beneficiário. Segundo, a regra se aplica até mesmo a favores não solicitados, reduzindo nossa capacidade de decidir a quem queremos dever e transferindo essa escolha para as mãos dos outros. Finalmente, a regra pode gerar trocas desiguais; para se livrar da sensação desconfortável de endividamento, um indivíduo pode concordar com um pedido por um favor substancialmente maior do que aquele que recebeu.

- Outra maneira da regra da reciprocidade aumentar a cooperação envolve uma variação simples sobre o tema: em vez de fornecer um favor inicial que estimule outro em retribuição, um indivíduo pode fazer uma concessão inicial que estimule uma concessão em retribuição. Um procedimento de persuasão, chamado de técnica de rejeição seguida de recuo, baseia-se na pressão por concessões recíprocas. Ao começar com um pedido extremo que sem dúvida será rejeitado, um solicitante pode então recuar lucrativamente para um pedido menor (aquele desejado desde o início), que tem mais chances de ser aceito porque parece ser uma concessão. Pesquisas indicam que, além de aumentar as chances de uma pessoa dizer sim a um pedido, a técnica de rejeição seguida de recuo também aumenta a probabilidade de que a pessoa atenda ao pedido e concorde com outros pedidos no futuro. Isso acontece pois, depois de participar de uma troca recíproca de concessões, as pessoas se sentem mais responsáveis e mais confortáveis com o resultado.

- Nossa melhor defesa contra o uso das pressões da reciprocidade para ganhar nossa aceitação não é a rejeição sistemática de ofertas iniciais dos outros. Em vez disso, devemos aceitar favores ou concessões iniciais de boa-fé, mas estarmos prontos para redefini-los como truques se mais tarde se revelarem serem assim. Quando são redefinidos dessa maneira, não devemos mais sentir necessidade de retribuir com um favor ou uma concessão.

CAPÍTULO 3

AFEIÇÃO

O ladrão amigável

Não há nada mais eficaz nas vendas que fazer os clientes acreditarem, realmente acreditarem, que você gosta deles.

— Joe Girard, "Maior vendedor de carros do mundo" segundo o *Guinness*

Poucos ficariam surpresos ao saber que somos mais influenciados por pessoas de quem gostamos — por exemplo, nossos amigos. O surpreendente, entretanto, é que essa regra pode se aplicar a indivíduos com quem nunca interagimos. Veja como esse comportamento oferece uma solução para um problema que há décadas intriga pesquisadores: como fazer com que mais pessoas aceitem a teoria da evolução de Darwin, que afirma que todas as coisas vivas, incluindo humanos, chegaram a sua forma atual por meio do processo sistemático de evolução como a seleção natural. Tem sido uma batalha para os cientistas porque os princípios evolucionários frequentemente vão contra as crenças religiosas que veem Deus como determinante do que nos faz humanos. Na verdade, em uma pesquisa recente sobre o assunto, apenas 33% dos americanos concordaram que nos desenvolvemos como espécie por meio de processos naturais evolucionários.

Em resposta, pesquisadores, professores e defensores da ciência buscaram aumentar o número de pessoas que acreditam: (a) explicando a validade da teoria evolucionária aceita pela maioria dos cientistas, (b) apontando os milhares de estudos que confirmaram o pensamento evolucionário, (c) destacando os avanços na medicina, na genética, na agricultura e na farmacologia que vieram da aplicação de princípios evolucionários e (d) defendendo uma maior aceitação da lógica da teoria evolucionária por meio de um ensino mais intensivo. Tudo sem muito sucesso. A última abordagem, por exemplo — tentar construir a crença na teoria evolucionária por meio do ensino —, não é eficaz porque pesquisas mostram que não há conexão entre a crença de uma pessoa na evolução e a compreensão de sua lógica. Há uma boa razão para essa desconexão: a resistência à teoria da evolução não vem de inconsistências percebidas em sua lógica; ela vem das inconsistências percebidas da teoria com as preferências, crenças e valores com base na emoção, que estão frequentemente fundamentadas em afiliações religiosas existentes.

Por isso, é uma tarefa impossível tentar combater crenças baseadas na fé e na emoção com argumentos lógicos, pois cada um desses fatores representa um jeito diferente de conhecimento. O escritor britânico Jonathan Swift percebeu isso trezentos anos atrás e declarou: "É inútil tentar mudar em um homem algo pela razão que ele nunca tenha usado a razão para conhecer" — e proporcionou uma lição que pesquisadores ainda não conseguiram aprender. Como priorizam o raciocínio acima de toda forma de sabedoria, divulgadores científicos insistem que os fatos prevalecerão sobre a forma que o público reage em relação à evolução. Há alguma abordagem de persuasão que podia ajudar esses cientistas equivocados?

Mergulhe na regra da afeição. Uma equipe de psicólogos canadenses acreditou que podia melhorar as atitudes em relação à evolução com a simples notícia de que um indivíduo amplamente admirado apoiava a teoria da evolução. Quem eles usaram como "embaixador" dos princípios darwinianos? George Clooney.

No estudo, quando as pessoas eram levadas a crer que Clooney tinha feito comentários favoráveis sobre um livro pró-evolucionário, elas se tornavam muito mais propensas a aceitar a teoria. Além disso, a mudança ocorreu independentemente da idade, sexo ou nível de religiosidade dos participantes. Para garantir que o resultado não se deu devido a uma característica única do ator ou a uma celebridade do sexo masculino, os pesquisadores refizeram o estudo usando uma celebridade muito conhecida do sexo feminino, a atriz Emma Watson (famosa pelos filmes de Harry Potter), e encontraram o mesmo padrão. Para pessoas que desejam convencer outras, a mensagem é simples: para mudar sentimentos, é necessário confrontá-los com outros sentimentos; e a afeição pelo comunicador é a chave para isso.

Para se ter uma ideia de como sentimentos de afeição podem ser poderosos em relação às escolhas das pessoas, considere a resposta de uma advogada especializada em erros médicos Alice Burkin para a seguinte pergunta em entrevista:

Entrevistador: Todo médico comete um erro eventualmente. Mas a maioria desses erros não vira processos. Por que alguns médicos são mais processados que outros?

Burkin: Diria que o fator mais importante em muitos de nossos casos, além da própria negligência, é a qualidade do relacionamento médico-paciente. Em todos os anos em que estou nessa área, nunca vi um cliente chegar e dizer: "Eu gosto muito desse médico, mas quero processá-lo." As pessoas simplesmente não processam médicos de quem gostam.[1]

Afeição para lucrar

O melhor exemplo que conheço da exploração comercial da regra da afeição são as festas da Tupperware, que considero um clássico ambiente de persuasão. Qualquer um familiarizado com o funcionamento de uma reunião da Tupperware vai reconhecer o uso de vários princípios de influência cobertos neste livro.

- **Reciprocidade:** Para começar, há jogos com prêmios para os convidados; qualquer pessoa que não ganhe um prêmio pode escolher outro de uma bolsa, de modo que todos recebem um presente antes que as compras comecem.

- **Autoridade:** A qualidade e a segurança dos produtos Tupperware são certificadas por especialistas.

- **Aprovação social:** Quando as compras começam, cada compra reforça a ideia de que pessoas parecidas querem os produtos; portanto, eles devem ser bons.

- **Escassez:** Benefícios únicos e ofertas por tempo limitado estão sempre presentes.

- **Compromisso e consistência:** No início, pede-se aos participantes para se comprometer publicamente com a Tupperware relatando os usos e benefícios que descobriram para os produtos da marca que já tinham.

- **Unidade:** Após fazer uma compra, os convidados são recebidos na "família Tupperware".

Todas as armas de influência estão presentes para ajudar, mas o verdadeiro poder das festas da Tupperware vem de um arranjo em especial que utiliza a regra da afeição. Apesar das habilidades divertidas e persuasivas da demonstradora da Tupperware, o pedido para comprar não vem de uma estranha; vem da amiga de todas as pessoas na reunião. Sim, a representante da Tupperware pode solicitar o pedido de cada pessoa, mas a solicitante mais influente está sentada ao lado, sorrindo, conversando e servindo comes e bebes. Ela é a anfitriã da festa, que reuniu suas amigas para a demonstração em sua casa, e quem, todo mundo sabe, obtém lucro com cada peça vendida na reunião.

Ao dar à anfitriã um percentual das vendas, a Tupperware Brand Corporation faz com que seus consumidores comprem de e com um amigo, em vez de um vendedor desconhecido. Dessa maneira, a atração, o calor, a segurança e a obrigação da amizade têm efeito no ambiente de venda. Na verdade, pesquisadores do consumo que examinaram os laços sociais entre a anfitriã e as convidadas no formato da venda em reuniões em casas afirmaram o poder da abordagem da empresa: a força desse elo social é duas vezes mais provável de determinar compras que a preferência pelo próprio produto.

Os resultados têm sido impressionantes. Estimou-se recentemente que as vendas de Tupperware superam US$ 5,5 milhões por dia. Na verdade, o sucesso da Tupperware se espalhou pelo mundo para países na Europa, na América Latina e na Ásia, onde a posição de uma pessoa em uma rede social de amigos e família é ainda mais importante que nos Estados Unidos. Em consequência, menos de um quarto das vendas de Tupperware hoje acontece nos Estados Unidos.

O interessante é que os consumidores parecem estar totalmente conscientes das pressões da afeição e da amizade envolvidas nas reuniões da Tupperware. Algumas pessoas não parecem se importar; outras, sim, mas não parecem saber como evitar as pressões. Uma mulher me descreveu suas reações com certa frustração.

Chegou a um ponto em que odeio ser convidada para festas da Tupperware. Eu tenho todos os potes que preciso; e se eu quisesse mais, podia comprar de outra marca mais barata. Mas, quando uma amiga liga, sinto que tenho que ir. E quando chego, sinto que tenho que comprar alguma coisa. O que posso fazer? É por uma de minhas amigas.

Com um aliado tão irresistível como a amizade, não é de se surpreender que a Tupperware Brands tenha abandonado seus pontos de venda no varejo e estimulado o conceito das festas em casa. Por exemplo, em 2003 a empresa fez algo que desafiaria a lógica para praticamente qualquer outro negócio: ela encerrou sua relação lucrativa com a grande varejista Target — porque as vendas de seus produtos nas lojas estavam fortes demais! A parceria tinha de ser encerrada devido a seus efeitos nocivos sobre o número de festas em casa que podia ser organizado.

Atualmente, estatísticas revelam que uma reunião da Tupperware é feita a cada 1,8 segundos pelo mundo. Claro, todo tipo de profissionais da persuasão reconhecem a pressão de dizer sim para alguém que conhecemos e de quem gostamos. Veja, por exemplo, o número crescente de organizações de caridade que recrutam voluntários para recolher doações perto das próprias casas. Elas entendem perfeitamente como é mais difícil para nós recusar um pedido de caridade quando ele vem de um amigo ou vizinho.

Figura 3.1: Uma celebração de vendas em casa
Em festas em casa, como as festas da Tupperware de uma linha de produtos de limpeza ecológicos, a ligação que existe entre os convidados e a anfitriã geralmente é o que fecha a venda.
Hiroko Masuike/ New York Times

Outros profissionais da persuasão descobriram que o amigo nem precisa estar presente para ser efetivo; frequentemente, só a menção do nome dele é suficiente. A Shaklee Corporation, especializada na venda de vários produtos nutricionais, aconselha seus vendedores a usar o método da "corrente interminável" para descobrir novos clientes. Quando um cliente admite que ele ou ela gosta de um produto, esse cliente pode ser convencido a dar os nomes de amigos que também gostariam de saber sobre ele. Os indivíduos nessa lista podem ser abordados para *vendas* e uma lista dos amigos deles pode servir de fonte para ainda mais clientes em potencial, e assim por diante em uma corrente interminável.

A chave para o sucesso do método é que cada possível cliente é visitado por um vendedor munido com o nome de um amigo "que sugeriu que eu entrasse em contato com você". Rejeitar o vendedor sob essas circunstâncias é difícil; é quase como rejeitar o amigo. O manual de vendas da Shaklee insiste que seus funcionários usem esse sistema: "É quase impossível superestimar seu valor. Telefonar ou visitar um possível cliente e dizer que o sr. Fulano de Tal, um amigo dele, achou que iria se beneficiar se me desse alguns momentos de seu tempo é quase como uma venda 50% feita antes de você chegar." Uma pesquisa da Nielsen Company informa como a técnica da "corrente interminável" da Shaklee Corporation é bem-sucedida: 92% dos clientes confiam em recomendações de produtos feitas por alguém que conheça, como um amigo, o que é muito mais que qualquer outra fonte e 22% mais que a segunda fonte mais recorrida, recomendações na internet. Esse nível de confiança elevado dos amigos se torna o que pesquisadores chamaram de "lucros estonteantes" para as empresas recomendadas. Uma análise de um programa de indicação de amigos de um banco descobriu que, em comparação com novos clientes comuns, os que vinham com a indicação se revelaram 18% mais leais ao banco durante um período de três anos e 16% mais lucrativos.[2]

DEPOIMENTO DO LEITOR 3.1

De um morador de Chicago

Embora nunca tenha ido a uma festa da Tupperware, recentemente passei pelo mesmo tipo de pressão de amigos quando recebi uma ligação de uma vendedora de uma empresa telefônica de interurbanos. Ela me disse que um de meus amigos tinha posto meu nome em algo chamado "círculo de chamadas de amigos e familiares da MCI".

Brad, o amigo, é um cara com quem cresci e que se mudou para Nova Jersey no ano passado pelo trabalho. Ele ainda me telefona com regularidade para ter notícia da velha turma. A vendedora me disse que ele podia economizar 20% em todas as ligações que fazia para as pessoas em seu círculo de amizades, desde que elas fossem assinantes da empresa telefônica MCI. Então ela me perguntou se eu queria mudar para a MCI para obter todo o blá-blá-blá de benefícios do serviço, assim Brad podia economizar 20% em todas as suas ligações para mim.

Bom, eu não tinha interesse algum nos benefícios do serviço da MCI; estava perfeitamente feliz com a empresa que usava. Mas a parte sobre querer economizar o dinheiro de Brad em nossas ligações me pegou. Dizer que não queria estar em seu círculo de chamadas e não me importava em economizar dinheiro dele seria uma verdadeira afronta a nossa amizade. Então, para evitar ofendê-lo, eu disse a ela que me mudaria para a MCI.

Eu costumava me perguntar por que as mulheres iam a uma festa da Tupperware só porque estava sendo organizada por uma amiga, e então compravam coisas que não queriam. Eu não me questiono mais.

Nota do autor: Este leitor não é a única testemunha do poder das pressões representado pela ideia do círculo de ligações da MCI. Quando a revista *Consumer Reports* investigou a prática, o vendedor da MCI que ela entrevistou foi bem sucinto. "Funciona quase todas as vezes", disse.

Eu optei por manter esse exemplo, embora a MCI e seu círculo de chamadas estejam ultrapassados, porque ele é muito instrutivo. Mais versões modernas ainda aparecem em programa de indicação de amigos de muitas empresas. Esses programas se revelaram bastante efetivos. Quando um único dono de um Tesla indicou 188 pessoas de suas redes sociais, ele ganhou US$ 135 mil em recompensas, e a Tesla ganhou US$ 16 milhões em vendas. Em um exemplo pessoal, um amigo da academia recentemente recebeu uma promoção de "Indique um amigo" de seu provedor de internet, a Cox Communications, que ofereceu uma redução de US$ 100 em sua conta se ele indicasse com sucesso um novo cliente para a Cox. Quando ele me mostrou isso, recusei a oferta porque eu sabia o que a Cox estava fazendo. Mas, mesmo assim, passei semanas me sentindo desconfortável quando o via.

Amizade estratégica: fazendo amigos para influenciar pessoas

O uso amplo da amizade por praticantes de persuasão nos diz muito sobre o poder da regra da afeição para gerar concordância. Na verdade, vemos que esses profissionais procuram se beneficiar da arma mesmo quando amizades já formadas não estão presentes para serem empregadas por eles. Sob essas circunstâncias, os profissionais fazem uso da ligação afetiva empregando uma estratégia de persuasão bem direta: eles primeiro fazem com que gostemos deles.

Um homem em Detroit, Joe Girard, se especializou em usar a regra da afeição para vender Chevrolets. Ele ficou rico no processo, ganhando centenas de milhares de dólares por ano. Com esse salário, podemos pensar que ele era um executivo de alto nível da General Motors ou o dono de uma concessionária Chevrolet. Mas não. Ele ganhava seu dinheiro como vendedor no showroom. Ele era fenomenal no que fazia. Por doze anos seguidos, ganhou o título de "Vendedor de carros número um"; ele vendia mais de cinco carros e picapes todo dia; e foi chamado de "O maior vendedor de carros do mundo" pelo *Guinness*.

Figura 3.2: Joe Girard: "Eu gosto de você."
O sr. Girard revela o que dizia a seus treze mil clientes todos os anos, doze vezes por ano (em cartões enviados pelo correio), que o ajudaram a se tornar o "maior vendedor de carros do mundo".
Getty Images

Apesar de todo esse sucesso, a fórmula que empregava era surpreendentemente simples. Ela consistia em oferecer às pessoas apenas duas coisas: um preço justo e alguém de quem elas gostassem de comprar. "E é isso", disse ele em uma entrevista. "Encontrar um vendedor de quem você goste, além do preço. Some os dois e você tem um negócio."

A fórmula de Joe Girard nos diz o quanto é vital a regra da afeição para os negócios, mas não revela tudo. Uma das razões é não dizer por que os clientes gostavam mais dele do que de outros vendedores que ofereciam um preço justo. Há uma questão crucial que a fórmula de Joe deixa sem resposta: quais os fatores que fazem uma pessoa gostar de outra? Se soubéssemos *essa* resposta, estaríamos mais perto de entender como pessoas como Joe têm tanto sucesso em fazer com que gostemos delas e, inversamente, como poderíamos fazer com que os outros gostassem de nós. Felizmente, cientistas comportamentais têm feito essa pergunta há décadas. As provas permitiram que identificassem vários fatores que confiavelmente desenvolvem a afeição. Cada um é usado com inteligência por profissionais da persuasão para nos levar a conquistar um sim.

Os motivos pelos qual gostamos de alguém

ATRAÇÃO FÍSICA

Mesmo que reconheçamos que pessoas de boa aparência têm uma vantagem na interação social, pesquisas indicam que podemos ter subestimado o tamanho e o alcance dessa vantagem. Parece haver uma reação *clique, rode* para pessoas atraentes. Como todas as reações assim, ela acontece automaticamente, sem premeditação. A resposta em si cai em uma categoria que os cientistas chamam de *efeito halo*. Um efeito halo ocorre quando uma característica positiva de uma pessoa determina a forma como ela é vista em relação à maioria das outras coisas. Os indícios são claros de que a beleza física frequentemente é essa característica.

Nós automaticamente atribuímos a indivíduos de boa aparência traços favoráveis como talento, bondade, honestidade, afabilidade, confiança e inteligência. Além disso, fazemos esses julgamentos sem perceber que a característica atraente desempenhou um papel no processo. Algumas consequências dessa suposição inconsciente de que "bonito = bom" podem assustar. Por exemplo, um estudo de uma eleição federal no Canadá descobriu que candidatos atraentes recebiam 2,5 vezes mais votos dos que não eram atraentes. Apesar dessa prova de favoritismo em relação a um político de melhor aparência, pesquisa posterior mostrou que os eleitores não percebiam essa tendência. Na verdade, 73% dos eleitores canadenses pesquisados negaram fortemente que seus votos tivessem sido influenciados pela aparência física; só 14% chegaram a levantar a possibilidade dessa influência. Eleitores podem negar o impacto da beleza na possibilidade de eleição o quanto quiserem, mas indícios continuaram a confirmar sua presença perturbadora.

Um efeito parecido foi encontrado em situações de contratação. Em um estudo, candidatos mais bem arrumados para uma entrevista de emprego simulada influenciaram mais decisões favoráveis de contratação que as qualificações profissionais — embora os entrevistadores dissessem que a aparência tinha um papel pequeno em suas escolhas. A vantagem dada a trabalhadores atraentes vai da contratação até o pagamento. Economistas examinando amostras americanas e canadenses descobriram que indivíduos atraentes recebem consideradamente mais que seus colegas de trabalho menos atraentes. Um cientista, Daniel Hamermesh, estimou que, ao longo da duração da carreira de uma pessoa, ser atraente gera para um trabalhador US$ 230 mil extras. Hamermesh nos garante que suas descobertas não são uma forma de se gabar, declarando que em uma escala de um a dez: "Eu sou um três."

Outros experimentos demonstraram que pessoas atraentes têm mais chance de obter ajuda e são mais persuasivas para mudar as opiniões de um público. Assim, é evidente que pessoas bonitas desfrutam de uma enorme vantagem social em nossa cultura. Gosta-se mais delas, ganham mais, são mais persuasivas, ajudadas com mais frequência e vistas como possuidoras de traços de personalidade mais desejáveis e maior capacidade intelectual. Além disso, os benefícios sociais de ter boa aparência começam desde cedo. Adultos veem atos agressivos como menos graves quando desempenhados por crianças bonitas no ensino fundamental, e professores presumem que crianças de boa aparência são mais inteligentes que seus colegas menos bonitos.

Não é surpresa, então, que o efeito halo da beleza física seja explorado com regularidade por profissionais da persuasão. Como gostamos de pessoas atraentes e temos a tendência de concordar com aqueles de quem gostamos, faz sentido que programas de treinamento em vendas incluam dicas de vestuário, lojas de roupa da moda selecionem seus vendedores entre os candidatos mais bonitos, e vigaristas sejam atraentes.[3]

SEMELHANÇA

Mas e se a aparência não for realmente a questão? Afinal de contas, a maioria das pessoas tem aparência mediana. Há outros fatores que podem ser usados para desenvolver afeição? Pesquisadores e profissionais da persuasão sabem que há vários, e um dos mais importantes é a semelhança.

Gostamos de pessoas que são semelhantes a nós. É um fato que se aplica a crianças de nove meses e continua valendo para o resto da vida seja a semelhança na área de opiniões, traços de personalidade, criação ou estilo de vida. Em um estudo amplo de 421 milhões de potenciais combinações românticas de um site de encontros online, o fator que mais previa o favorecimento em relação a um parceiro era a semelhança. Como disseram os pesquisadores: "Para quase todas as características, quanto mais semelhantes eram os indivíduos, maior a probabilidade de acharem um ao outro desejável e optarem por se conhecer pessoalmente."

Consequentemente, aqueles que querem que gostemos deles para que os favoreçamos podem alcançar seu objetivo tentando ser semelhantes em diversas maneiras. As roupas são um bom exemplo. Vários estudos indicam que somos mais propensos a ajudar aqueles que usam roupas parecidas com as nossas. Uma pesquisa mostrou como nossa resposta pode ser automática para essas pessoas. Descobriram, primeiro, que manifestantes em um protesto antiguerra tinham mais chance de assinar uma petição de um solicitante vestido de maneira semelhante e, segundo, que faziam isso sem se dar ao trabalho de ler o documento. *Clique, rode.*

Outra forma com que solicitantes podem manipular a semelhança para aumentar a afeição e a persuasão é afirmar que têm interesses parecidos com os nossos. Vendedores de carros, por exemplo, são treinados para procurar indícios enquanto examinam o carro de um cliente. Se houver equipamento de camping no porta-malas, os vendedores podem mencionar, mais tarde, como adoram sair da cidade sempre que podem; se houver bolas de golfe no banco de trás, podem comentar que esperam que não chova antes que terminem a partida que combinaram para o dia seguinte.

Por mais triviais que esses pontos em comum possam parecer, eles trazem resultados. Depois de descobrirem um ponto em comum, indivíduos se tornam mais solícitos. As pessoas têm muito mais chance de comprar um produto se o nome da marca tiver as mesmas iniciais de seus nomes. Em uma pesquisa relacionada, um investigador aumentou a percentagem de receptores que respondiam a uma pesquisa pelo correio trocando uma pequena característica da solicitação: em uma carta de apresentação, ele mudou o nome do pesquisador para ficar parecido com o receptor da pesquisa. Assim, Robert Greer recebeu a pesquisa de um funcionário chamado Bob Gregar, enquanto Cynthia Johnston recebeu a dela de uma funcionária chamada Cindy Johanson. Acrescentar esse detalhe da semelhança de nomes quase dobrou o preenchimento da pesquisa.

Até organizações podem ser suscetíveis à tendência de sobrevalorizar coisas que incluem elementos de seus nomes. Para celebrar os cinquenta anos do rock'n'roll, a revista *Rolling Stone* publicou uma lista com as quinhentas maiores músicas da era do rock. As músicas que ficaram no primeiro lugar, após a compilação e avaliação dos editores da *Rolling Stone*, foram "Like a Rolling Stone", de Bob Dylan, e "Satisfaction", dos Rolling Stones. Na época em que estava escrevendo este livro, verifiquei dez listas comparáveis das maiores músicas de rock, e nenhuma delas listava as escolhas da *Rolling Stone* como suas escolhas número um ou número dois.[4]

Há mais. Em ambientes de ensino, o fator de maior influência no sucesso de programa de mentoria de jovens é a semelhança inicial de interesses entre o estudante e o mentor; além disso, quando professores e seus alunos do nono ano receberam informação sobre semelhanças entre eles, as notas dos estudantes melhoraram significativamente nas matérias desses professores. Da mesma maneira, em negociações, há muito mais chances de chegar a um acordo quando se descobre semelhanças com o adversário de negociação ("Ah, você corre. Eu também corro!"). Não é de se surpreender que eleitores prefiram candidatos que tenham pequenas semelhanças faciais com eles ou que estilos de linguagem (tipos de palavras e expressões usadas por parceiros de conversa) e de escrita de mensagens de texto aumentem a atração romântica e — algo um tanto impressionante — a probabilidade de que uma negociação de reféns termine pacificamente.

Larry Alpiste
Corretor imobiliário para pássaros
Superliquidação

Figura 3.3: Imobiliária aviária
A influência potente da semelhança em vendas é algo que profissionais da persuasão há muito tempo entenderam.
The Penguin Leunig, ©1983 por Michael Leunig, publicado pela Penguin Books Australia

Como pequenas semelhanças podem gerar afeição e uma pequena camada de semelhança pode ser fabricada com muita facilidade, é bom ter cuidado especial na presença de solicitantes que dizem ser "iguais a você". Na verdade, atualmente é aconselhável tomar cuidado perto de influenciadores que apenas *parecem* ser iguais a você. Isso porque subestimamos o grau em que a semelhança afeta o quanto gostamos de outra pessoa. Além disso, muitos programas de treinamento de influência ensinam seus participantes a deliberadamente imitar a postura corporal e o estilo verbal de seu alvo, pois já está comprovado que semelhanças nesses aspectos levam a resultados positivos. Veja por exemplo que (a) garçons e garçonetes treinados para imitar as palavras do cliente conseguem gorjetas maiores; (b) vendedores instruídos a copiarem comportamento verbal e não verbal de clientes venderam mais equipamentos eletrônicos; e (c) negociadores que aprenderam a imitar a linguagem e os movimentos corporais de adversários conseguem melhores resultados, sejam eles americanos, holandeses ou tailandeses. Para não serem superados por seus concorrentes, conselheiros de relacionamentos agora defendem o uso de pontos em comum — com bom sucesso: mulheres que, em interações em encontros rápidos, foram instruídas a imitar o discurso e a linguagem corporal dos homens foram consideradas mais sexualmente atraentes, o que levou a mais pedidos de contatos posteriores.[5]

E-BOX 3.1

Nota do autor: Manipuladores online usam das mesmas práticas de influência que os que operam cara a cara. Consequentemente, devemos ter cuidado com elas quando ocorrem em plataformas de comércio eletrônico. Por exemplo, considere como o site Psychology for Marketers aconselha profissionais de marketing digital a utilizar o princípio da afeição por meio de práticas de semelhança e amizade.

Afeição

Tenho certeza que você já experimentou esse princípio várias vezes. Para nós é muito mais difícil dizer não quando um pedido é feito por um ami-

go. Você pode fazer uma pessoa gostar de você usando algumas técnicas simples: esteja em torno dela para criar uma sensação de familiaridade, observe semelhanças entre vocês, imite seu comportamento, faça pequenos favores para ela e mostre que te agradam.

Como usar isso no marketing online: *Use a linguagem do seu público. O uso de palavras, frases e gírias comuns ao grupo vai funcionar ainda melhor. Por outro lado, se você usar palavras que seu público não usa ou não entende, estará abrindo uma distância entre vocês e não dará à pessoa nada com o que se relacionar.*

Mídias sociais e e-mails são perfeitos para interagir com seu público. Certifique-se de não pedir nada na primeira vez que entrar em contato — da mesma forma que faria com um amigo.

Concordo que pontos em comum calculados parecem antiéticos e que imitações parecem um truque. O desejo de ser apreciado é uma vontade humana básica, mas alcançar isso não justifica falsificação, como na apresentação de semelhanças fabricadas. Se esforçar estrategicamente para ser valorizado, trabalhando para descobrir e comunicar verdadeiras afinidades com outros, não me parece algo errado. Na verdade, recomendaria isso em muitas situações como forma de promover interações harmoniosas. Recomendável ou não, esse objetivo não é fácil de alcançar porque, em regra, costumamos prestar atenção a diferenças em vez de semelhanças.

As pessoas são mais propensas a reconhecer e registrar distinções do que conexões. Isso acontece com dimensões físicas, como o peso e o tamanho de objetos, onde observadores veem primeiro as diferenças e não pontos em comum. E acontece em dimensões mais sociais, como a presença ou ausência de harmonias existentes em meio a partes que interagem. Uma análise do dr. Leigh Thompson de 32 estudos diferentes sobre negociação descobriu que negociadores rivais deixaram de identificar e fazer referência a interesses e objetivos em comum 50% das vezes — mesmo quando esses pontos em comum eram reais, presentes e à espera de serem usados para aumentar a afeição e os resultados mutuamente benéficos.

Essa tendência pode ser responsável pelo distanciamento social que membros de grupos étnicos mantêm entre eles e indivíduos de outros grupos. Eles se concentram principalmente em diferenças comuns ao grupo, o que faz com que subestimem a positividade de interações em potencial com pessoas de fora, e isso, compreensivelmente, reduz o número de interações verdadeiras. Pesquisadores realizaram uma série de estudos com base nesse raciocínio. Estudantes universitários brancos que anteciparam um diálogo com estudantes negros e realmente tiveram uma conversa subestimaram o verdadeiro prazer da conversa em si porque, antes, tinham se concentrado demais em diferenças perceptíveis de seu parceiro. Quando, no mesmo contexto experimental, pediu-se a uma amostra diferente de estudantes que prestassem atenção a qualquer semelhança entre seus futuros parceiros de conversa, tudo mudou. Esse foco estratégico em semelhanças autênticas corrigiu as ideias previamente negativas que os estudantes brancos levavam para suas conversas. Sob essas circunstâncias, suas expectativas novas e agora positivas se equipararam às experiências positivas verdadeiras em relação aos estudantes negros.

Resultados como esses nos oferecem um meio de expandir o alcance de nossas interações pessoais satisfatórias. Podemos procurar e nos concentrar nas semelhanças que temos com outras pessoas aparentemente diferentes, eliminando o erro de esperar menos delas.[6]

ELOGIOS

Em 1713, Jonathan Swift declarou em um famoso verso: "É uma velha máxima nas escolas: a lisonja é o alimento dos tolos." Mas ele não nos avisou o quanto as pessoas eram ávidas por engolir essas calorias vazias. Por exemplo, com uma observação tão instrutiva quanto bem-humorada, o comediante McLean Stevenson descreveu como sua mulher o "enrolou" para que se casasse com ela: "Ela disse que gostava de mim."

Hoje em dia os "likes" frequentemente ocorrem online e com um efeito significativo nas sensações positivas. Em um estudo de ressonância cerebral, pesquisadores descobriram que os setores de recompensa nos cérebros dos jovens se acendiam como árvores de Natal quando suas fotos recebem curtidas nas mídias sociais. Esses são os mesmos setores de recompensa ativados por eventos desejáveis, como comer chocolate ou ganhar dinheiro.

Saber que alguém gosta de nós pode ser um meio magicamente eficaz para produzir afeição retribuidora e consentimento. Portanto, quando as pessoas elogiam ou dizem ter afinidades conosco, elas podem muito bem estar querendo alguma coisa em troca. Se estiverem, elas provavelmente vão conseguir. Depois de ser elogiado por um garçom em um restaurante ("o senhor fez uma boa escolha") ou por uma cabeleireira em um salão ("Qualquer corte vai ficar bem em você"), os clientes reagem com gorjetas significativamente maiores. Da mesma forma, se elogiam o entrevistador, os candidatos em entrevistas de emprego recebem recomendações de contratação melhores e, ao final, mais ofertas de emprego.

Mesmos nossos dispositivos podem se beneficiar de emitir um elogio. Indivíduos que trabalhavam em um projeto digital e recebiam um elogio de seu computador ("Você parece ter uma habilidade incomum para estruturar dados de maneira lógica") desenvolveram sentimentos mais favoráveis em relação à *máquina*, embora eles soubessem que o comentário tinha sido previamente programado e não refletia seu verdadeiro desempenho nas tarefas. O mais impressionante é que também ficaram mais orgulhosos de seu desempenho depois de receber esse elogio artificial. É óbvio que, acreditamos em elogios de todo tipo e nos afeiçoamos a quem os diz.[7]

Lembra-se de Joe Girard, o "maior vendedor de carros do mundo", que diz que o segredo de seu sucesso era fazer os clientes gostarem dele? Ele fazia uma coisa que, aparentemente, parece tola e dispendiosa. Todo mês ele mandava para cada um de seus mais de treze mil ex-clientes um cartão de felicitações com uma mensagem impressa. O cartão mudava todo mês (Feliz Ano-Novo, Feliz Dia dos Namorados, Feliz Dia de Ação de Graças e assim por diante), mas a mensagem impressa no cartão nunca variava. Ela dizia: "Eu gosto de você." Como Joe explicou: "Não há mais nada no cartão além do nome. E estou apenas dizendo que gosto deles."

Quadro 1
Robochefe. Este relacionamento pode funcionar? Afinal, sou humana.

Quadro 2
E você é uma máquina sem alma feita para fazer elogios vazios aos funcionários.

Quadro 3
Seu trabalho está ótimo.
Pare... Não me faça gostar de você.

Figura 3.4: Elogios produzem atração automática (mecânica)
Dilbert: Scott Adams 25/06/02. Distribuído por United Features Syndicate, Inc.

"Eu gosto de você." A mensagem vinha na correspondência doze vezes por ano, todo ano, sem falhar. "Eu gosto de você" em um cartão impresso que seguia para treze mil outras pessoas. Será que uma declaração de gostar tão impessoal, tão obviamente projetada para vender carros, realmente funciona? Joe Girard achou que sim e, como um homem bem-sucedido no que fazia, ele merece nossa atenção. Joe entendeu um fato importante sobre a natureza humana: somos grandes otários quando se trata de elogios.

Um experimento feito com um grupo de homens na Carolina do Norte mostra o quanto podemos ficar indefesos diante de elogios. Os homens receberam comentários sobre si feitos por outra pessoa que precisava de um favor. Alguns dos homens receberam apenas comentários positivos, outros apenas comentários negativos e um grupo recebeu uma mistura de bons e ruins. Foram feitas três descobertas interessantes. Primeiro, os homens gostaram mais do avaliar que fez apenas elogios. Segundo, essa tendência se manteve mesmo quando os homens percebiam que a pessoa que fez os elogios seria beneficiada se gostassem dela. Por fim, ao contrário de outros tipos de comentário, o elogio não precisava ser preciso para funcionar. Fazer comentário positivo gerava afeição tanto quando eram falsos quanto quando eram verdadeiros.

Aparentemente, temos uma reação tão automaticamente favorável a elogios que podemos ser vítimas de alguém que os use na tentativa de se beneficiar. *Clique, rode.* Quando vista sob essa luz, a despesa de imprimir e enviar mais de 150 mil cartões de "Eu gosto de você" todo ano não parece tola nem tão dispendiosa quanto antes.[8]

Felizmente, assim como semelhanças falsas, elogios forjados não são a única variedade disponível para nós. Um elogio honesto provavelmente será tão eficaz quanto um falso em gerar resultados favoráveis. Dito isso, é hora de uma confissão. De todas as práticas de influência descritas neste livro, aqui está meu ponto fraco: por alguma razão (provavelmente isso vem da minha educação), sempre tive dificuldade em fazer elogios apropriados. Já perdia a conta das vezes em que estava em uma reunião de pesquisa com alunos da pós-graduação e pensei: "O que Jessica [ou Brad, ou Linda, ou Vlad, ou Noah, ou Chad, ou Rosanna] acabou de dizer mostra grande entendimento da situação" — só que esse pensamento ficava comigo. Eu ficava sem jeito de dizer isso para eles! Por nunca deixar esse comentário sair pela boca, perdia com regularidade todos os benefícios que acompanhariam essa ação.

Isso não acontece mais. Luto conscientemente contra essa dificuldade, expressando em voz alta qualquer admiração que manteria em particular. Os resultados têm sido bons para todos os envolvidos. Eles foram tão bons que comecei a tentar identificar as circunstâncias nas quais um elogio pode ser especialmente benéfico para quem elogia. Uma é óbvia — quando o elogio valoriza o receptor em um momento ou dimensão de fraqueza perceptível; consequentemente, não perderei muito tempo com ela. Há, porém, outras duas que são pouco reconhecidas e merecem atenção.

Elogie uma pessoa sem ela estar presente. Meu novo hábito de elogiar meus alunos publicamente em reuniões de pesquisa funcionou bem para mim, em parte porque estou no comando. Em muitas reuniões, porém, você pode não ser o líder, e pode não ser apropriado ser aquele que faz os elogios. Suponha que você está no trabalho e, em uma reunião, seu chefe diz algo que você considera muito inteligente. Pode ser estranho ou parecer algo feito em proveito próprio se você elogiar isso. O que você pode fazer, em vez disso? Para ser claro, meus alunos nunca se confrontaram com esse problema. Mesmo assim, tenho uma solução: durante o intervalo para o café ou ao fim da reunião, diga sua opinião para o assistente do chefe: "Sabe, achei brilhante o que Sandy disse sobre XYZ."

Vários resultados são prováveis. Primeiro, como pessoas gostam de ser associadas a boas notícias na mente dos outros e se preparam ativamente para isso, o assistente muito provavelmente irá contar ao seu chefe o que você disse. Segundo, como você não emitiu sua avaliação positiva nos ouvidos do chefe, ninguém (observadores e chefe) vai pensar que existem segundas intenções. Terceiro, por causa do que sabemos sobre a psicologia de elogios recebidos, seu chefe vai acreditar em seu elogio (sincero) e gostará mais de você.[9]

Descubra e faça elogios verdadeiros aos quais você quer que o receptor corresponda. As pessoas se sentem bem consigo mesmas depois de um elogio, e orgulhosas de qualquer traço ou comportamento que produziu o comentário. Apropriadamente, uma forma particularmente benéfica de lisonja sincera é elogiar as pessoas quando fazem uma coisa boa que queremos que continuem a fazer. Assim, elas ficarão motivadas a fazer mais no futuro para corresponder à reputação admirável que temos dela. Essa ideia está relacionada a uma tática de influência chamada *altercasting*, na qual atribui-se um papel social em particular para um indivíduo na esperança de que a pessoa então aja de acordo com o papel. Por exemplo, ao valorizar o papel de *protetor*, um corretor de seguros tornaria os pais mais dispostos a comprar a proteção de um seguro de vida para suas famílias.

Enquanto estava fazendo a pesquisa preliminar para este livro, testemunhei, por acidente, o poder da técnica. Na época, queria ir além das descobertas de pesquisas feitas em laboratório sobre táticas de influência eficazes e aprender o que os profissionais da persuasão — vendedores, profissionais de marketing, publicitários, recrutadores, funcionários de organizações de caridade — descobriram. Afinal de contas, eles ganham a vida com o sucesso das táticas que empregavam e isso me fazia pensar que, depois de décadas de tentativas e erros, eles teriam identificado as práticas mais poderosas. Lamentavelmente, eu também pensava que eles não entregariam seu conhecimento aprendido a duras penas só porque eu perguntaria. Profissionais da influência são famosos por serem reservados e guardar suas táticas mais eficazes para si mesmos.

Então, em vez disso, comecei a responder anúncios e a me inscrever, incógnito, em seus programas de treinamento, onde estavam ávidos para comunicar todo tipo de lições aprendidas para seus trainees. Como esperado, posar como um aspirante a profissional de persuasão nesses ambientes me deu acesso a um tesouro de informações que, do contrário, me seria negado. Eu estava preocupado, porém, que quando revelasse minha identidade e os propósitos verdadeiros no fim do treinamento e pedisse permissão para usar os dados que havia recolhido, a resposta quase sempre seria não. Em minha proposta, todo o ganho seria meu, e todos os prejuízos em potencial, deles.

Na maioria dos casos, as coisas caminhavam para isso com rostos ficando vermelhos e os olhares endurecendo quando eu finalmente admitia que meu nome não era Rob Caulder, que eu não era um trainee, que estava planejando escrever um livro revelando a informação que tinha coletado, e que queria a autorização por escrito para usar a informação pertencente a eles no livro — até que eu acrescentava mais um fato sem saber o impacto que teria. Eu dizia aos profissionais das práticas que era um professor universitário que estudava influência social e queria "aprender sobre o assunto com vocês". Normalmente, eles diziam algo como: "Quer dizer que você é um professor universitário especialista nesse tema, e *nós* fomos seus professores?" Quando eu confirmava esse comentário, eles normalmente estufavam o peito e respondiam (com um dar de ombros): "Claro que você pode compartilhar nosso conhecimento."

Repensando o assunto, posso ver por que essa resposta colaborativa vinha com bastante frequência. Meu último comentário colocava os influenciadores profissionais no papel de professores; e professores não guardam informação. Eles a disseminam.

Desde então, descobri como a técnica de *altercasting* pode ser combinada com sucesso a um elogio sincero. Isso é, em vez de apenas atribuir um *papel* para outra pessoa, como o de um protetor ou professor, podemos elogiar honestamente outra pessoa que exibiu um *traço* elogioso como prestar ajuda ou ser cuidadosa. Com isso, deveremos ver mais desse traço no outro no futuro. Pesquisas apoiam essa expectativa. Crianças que recebem elogios por seu cuidado em uma tarefa tinham um desempenho mais cuidadoso em uma atividade relacionada dias depois. De forma parecida, adultos que recebem elogios por suas tendências a ajudar se tornaram significantemente mais colaborativos em um ambiente diferente tempos depois.

Tentei essa técnica recentemente em casa. Meu jornal era entregue havia anos por um entregador, Carl, que passava pela casa todo dia e jogava o jornal da manhã na entrada de carros. Na maioria das vezes, ele caía perto o bastante da entrada para não ficar molhado pelo sistema que rega a grama dos dois lados que são acionados mais ou menos na mesma hora. Todo ano durante as festas de fim de ano, Carl deixava um envelope endereçado para ele mesmo em um dos jornais entregues. A intenção era lhe enviar um cheque em agradecimento por seu serviço, o que eu sempre fazia. Porém, mais recentemente, junto com o cheque, incluí um bilhete elogiando o cuidado que ele demonstrava ao posicionar com tamanha frequência meu jornal onde ele não ficava molhado. No passado, Carl atingia a área central da entrada de carros 75% das vezes. Este ano, 100%.

Qual a implicação? Se há alguém com um desempenho louvável — talvez um colega cuidadoso que se prepara para as reuniões ou um amigo solícito que se esforça muito para dar um feedback útil para suas ideias —, elogie-o não apenas pelo comportamento, mas pelo traço. Você provavelmente receberá mais dele.[10]

DEPOIMENTO DO LEITOR 3.2

De um estudante de MBA do Arizona

Enquanto trabalhava em Boston, um de meus colegas, Chris, estava sempre tentando empurrar mais trabalho em minha mesa superlotada. Normalmente sou bastante bom em resistir a esse tipo de tentativa. Mas Chris era fantástico em me elogiar antes de pedir minha ajuda. Ele começava dizendo: "Soube que você fez um ótimo trabalho com tal e tal projeto, e tenho um parecido com o qual espero que você me ajude." Ou: "Como você sabe tanto sobre X, poderia me ajudar a montar esta tarefa?" Eu não simpatizava muito com Chris. Entretanto, nesses poucos segundos, sempre mudava de ideia pensando que talvez ele fosse um cara legal, no fim das contas; e então, normalmente cedia a seu pedido de ajuda.

Nota do autor: Chris era mais que uma pessoa elogiosa. Perceba como ele estruturou seu elogio para dar ao leitor uma reputação a zelar que servia aos seus interesses.

CONTATO E COOPERAÇÃO

Em geral, gostamos de coisas que nos são familiares. Para provar isso, faça uma pequena experiência. Tire uma selfie de seu rosto e a imprima. Depois volte para a selfie em seu celular e a edite para mostrar uma imagem invertida (de modo que os lados direito e esquerdo de seu rosto sejam trocados) e imprima essa também. Você vai ter duas fotos — uma que mostra você como realmente é (a segunda) e uma que mostra sua imagem invertida (a primeira). Agora decida de qual versão de seu rosto você gosta mais e peça a um amigo para fazer a escolha também. Se você for minimamente como o grupo de mulheres de Milwaukee em quem esse tipo de procedimento foi testado, você deve perceber algo estranho: seu amigo vai preferir a imagem verdadeira, mas você vai preferir a imagem invertida. Por quê? Porque vocês dois vão estar respondendo favoravelmente ao rosto mais conhecido — seu amigo àquele que o mundo vê, e você ao que encontra no espelho todos os dias.

Poucas vezes percebemos que nossa atitude em relação alguma coisa foi influenciada pelo número de vezes que fomos expostos a ela. Por exemplo, em um estudo de anúncios online, banners de anúncios de uma câmera apareciam cinco vezes, vinte vezes ou nenhuma vez no alto de um artigo lido pelos participantes. Quanto mais frequentemente o anúncio aparecia, mais os participantes passavam a gostar da câmera, embora nem tivessem consciência de terem visto os anúncios dela. Um efeito semelhante aconteceu em um experimento no qual o rosto de vários indivíduos piscava em uma tela tão rápido que, mais tarde, os participantes que foram expostos aos rostos não conseguiam se lembrar de tê-los visto na tela. Mesmo assim, quanto mais vezes o rosto de uma pessoa piscava na tela, mais esses participantes passavam a gostar da pessoa quando se conheciam em interações posteriores. E como se afeiçoar cada vez mais leva a maior influência social, esses participantes também foram mais convencidos por afirmações opinativas dos indivíduos cujos rostos tinham aparecido na tela com mais frequência.

Em uma era de "fake news", bots de internet e políticos viciados em mídia, é preocupante pensar que as pessoas possam acreditar nas comunicações às quais são expostas com mais frequência; isso faz um paralelo contemporâneo à afirmação do chefe da propaganda nazista, Joseph Goebbels: "Repita uma mentira com bastante frequência que ela se torna a verdade." Particularmente preocupante são as descobertas relacionadas de que até mesmo alegações inacreditáveis — o tipo de alegação preferida dos criadores de "fake news" — se tornam mais críveis com a repetição.[11]

Com base nas evidências de que temos a favorecer aquilo com que temos contato, algumas pessoas recomendam uma abordagem de "contato" para melhorar as relações raciais. Elas firmam que ao dar mais exposição a pessoas de grupos diferentes numa situação de igualdade fará com que naturalmente passem a gostar mais um do outro. Há muitas pesquisas consistentes com esse argumento. Entretanto, quando cientistas examinaram a integração escolar — a área que oferecia o melhor teste individual de aplicação da abordagem do contato —, eles descobriram o padrão oposto. A dessegregação escolar tem mais chances de aumentar o preconceito entre negros e brancos que diminuí-lo.

Indo à escola para aprender sobre o assunto: Vamos examinar um pouco a questão da dessegregação escolar. Por mais bem-intencionados que sejam os proponentes da harmonia inter-racial por meio do contato, sua abordagem provavelmente não será benéfica porque o argumento no qual está embasado não se aplica a escolas. Primeiro, o ambiente escolar não é um caldeirão de misturas, onde crianças interagem tão facilmente com membros de grupos étnicos distintos. Após anos de integração escolar formal, há pouca integração social. Os estudantes se agrupam por razões étnicas, separando-se em grande parte de outros grupos. Segundo, mesmo que houvesse muito mais interação interétnica, pesquisas mostram que se tornar familiar com algo por meio do contato repetido não necessariamente aumenta a afeição. Na verdade, a exposição contínua a uma pessoa ou a um objeto sob circunstâncias desagradáveis como frustração, conflito ou competição leva à diminuição da afeição.[12]

A sala de aula americana típica favorece exatamente essas condições desagradáveis. Considere o relatório esclarecedor do psicólogo Elliot Aronson, que foi chamado para dar consultoria a autoridades escolares sobre problemas em escolas de Austin, Texas. Sua descrição da forma que viu a educação ocorrer numa sala de aula padrão podia se aplicar a quase todas as escolas públicas nos Estados Unidos:

Em geral, as coisas funcionam assim: o professor fica de pé diante da turma e faz uma pergunta. De seis a dez crianças se agitam em suas cadeiras e levantam a mão, ávidas para serem chamadas e mostrarem o quanto são inteligentes. Várias outras permanecem sentadas em silêncio, desviando o olhar, tentando se tornar invisíveis. Quando o professor escolhe uma das crianças, você vê expressões de desapontamento e decepção no rosto dos outros estudantes que perderam uma chance de conseguir a aprovação; e vê alívio no rosto dos outros que não sabiam a resposta... Este jogo é extremamente competitivo, e as apostas são altas, porque as crianças estão competindo pelo amor e pela aprovação de uma das duas ou três pessoas mais importantes do mundo.

Além disso, esse processo de ensino faz com que as crianças não aprendam a gostar e entender umas às outras. Relembre sua própria experiência. Se você soubesse a resposta certa e a professora escolhesse outra pessoa, você torceria para que ela cometesse um erro e então você pudesse ter uma chance de exibir seu conhecimento. Se você fosse escolhido e falhasse, ou se nem mesmo tivesse levantado a mão para competir, você invejaria e se ressentiria de seus colegas que sabiam a resposta. Crianças que falham nesse sistema se tornam invejosas e ressentidas com o sucesso, reduzindo as outras a queridinhas do professor ou mesmo recorrendo à violência contra elas no pátio da escola. Por outro lado, os estudantes de sucesso frequentemente desprezam crianças que não são bem-sucedidas, chamando-as de "burras" ou "estúpidas".

Então será que não devíamos nos perguntar por que a dessegregação nas escolas — seja ela imposta pelo sistema de ônibus escolares, por mudanças no zoneamento dos distritos ou fechamento de escolas — produz com frequência mais que menos preconceito? Quando os contatos sociais e as amizades de nossos filhos se dão dentro de seus limites étnicos e a exposição repetida a outros grupos se dá apenas no caldeirão competitivo da sala de aula, o resultado não poderia ser diferente.

Há soluções para esse problema? Felizmente, uma esperança de reduzir essa hostilidade emergiu da pesquisa de especialistas em educação sobre o conceito de "aprendizado cooperativo". Como muito do preconceito exacerbado na sala de aula parece vir da exposição de membros de grupos externos como rivais, os educadores têm tentado aplicar formas de aprendizado em cooperação em vez de competição com os colegas de classe.[13]

Colônia de férias. Para entender a lógica da abordagem cooperativa, convém analisar o clássico programa de pesquisa do cientista social nascido na Turquia Muzafer Sherif e seus colegas, incluindo sua mulher, a psicóloga social Carolyn Wood Sherif. Intrigada com a questão dos conflitos entre grupos, a equipe de pesquisa decidiu investigar esse processo no contexto de uma colônia de férias para garotos. Embora os meninos nunca tivessem se dado conta de que eram participantes em um experimento, Sherif e seus parceiros se envolveram constantemente com manipulações habilidosas do ambiente social do acampamento para observar os efeitos nas relações de grupo.

Os pesquisadores aprenderam que não era preciso muito para despertar certos tipos de animosidade. Separar os garotos em duas cabanas foi o suficiente para estimular um sentimento de "nós contra eles" entre os grupos; deixá-los dar nome aos grupos (os águias e os cascavéis) acelerou o sentimento de rivalidade. Os meninos logo começaram a minimizar as qualidades e as realizações daqueles no outro grupo; entretanto, essas formas de hostilidade foram pouca coisa em comparação com o que aconteceu quando os pesquisadores introduziram atividades competitivas nas interações. Caça ao tesouro, cabos de guerra e competições esportivas levaram a xingamentos e confrontos. Durante as competições, membros da equipe adversária foram chamados de "trapaceiros", "traidores" e "vagabundos". Mais tarde, as cabanas foram atacadas e estandartes rivais foram roubados e queimados, cartazes ameaçadores foram pendurados e conflitos no refeitório se tornaram comuns.

A essa altura, estava evidente que a fórmula para a desarmonia era rápida e fácil. Apenas separe os participantes em grupos e deixe que os sentimentos venham à tona. Então misture-os novamente sobre a chama da competição. E então você terá o ódio entre os grupos em ponto de ebulição.

Os pesquisadores, então, encararam um problema mais complicado: como remover a hostilidade. Primeiro tentaram a abordagem do contato, juntando os grupos com mais frequência. Mesmo quando as atividades em conjunto eram agradáveis, como filmes e eventos sociais, os resultados foram desastrosos. Piqueniques produziram guerras de comida, programas de entretenimento davam lugar a discussões aos gritos, e filas no refeitório levavam a empurra-empurras. A equipe de pesquisa começou a se preocupar que, no estilo dr. Frankenstein, pudesse ter criado um monstro que não conseguisse mais controlar. Então, no auge do conflito, eles tentaram uma estratégia ao mesmo tempo simples e eficaz.

Como tinham construído uma série de situações nas quais a competição entre os grupos teria prejudicado o interesse de todo mundo, agora seria necessário a cooperação para o benefício mútuo. Em uma excursão de um dia, "descobriram" que a única caminhonete disponível para ir à cidade buscar comida estava com defeito. Os meninos foram reunidos e todos puxaram e empurraram juntos até o veículo seguir seu caminho. Em outra situação, os pesquisadores armaram uma interrupção no fornecimento de água do acampamento, que vinha por canos de um tanque distante. Apresentados a uma crise comum e percebendo a necessidade de ação unificada, os garotos se organizaram harmoniosamente para descobrir e consertar o problema antes do fim do dia. Em mais uma situação que exigia cooperação, os participantes do acampamento foram informados que um filme que queriam assistir estava disponível para aluguel, mas o acampamento não tinha dinheiro para isso. Sabendo que a única solução era combinar esforços, os garotos juntaram seu dinheiro e passaram uma noite agradável desfrutando do filme.

As consequências dessas atividades cooperativas, embora não instantâneas, foram mesmo impressionantes. Esforços conjuntos bem-sucedidos na direção de objetivos comuns reduziram constantemente as divergências entre os dois grupos. Em pouco tempo, as disputas verbais tinham acabado, os empurrões nas filas cessaram, e os meninos tinham começado a se misturar nas mesas de refeição. Além do mais, quando pedidos para listarem seus melhores amigos, vários mudaram de citar apenas nomes de amigos de seu grupo para uma lista que incluía garotos do outro grupo. Alguns até agradeceram os pesquisadores pela oportunidade de avaliar os amigos outra vez porque tinham mudado de ideia desde a avaliação anterior. Em um episódio revelador, os meninos estavam voltando de uma fogueira juntos em um ônibus — algo que produziria um transtorno antes, mas, a essa altura, foi solicitado especificamente pelos garotos. Quando o ônibus parou em frente ao quiosque de uma lanchonete, os garotos de um grupo, com vários dólares sobrando em seu tesouro, decidiram pagar milk-shakes para seus antigos adversários ferrenhos!

Podemos traçar a origem dessa mudança aos momentos em que os meninos tiveram que ver uns aos outros como aliados. O procedimento crucial foi a imposição por parte dos pesquisadores de objetivos comuns para os grupos. Foi a cooperação necessária para atingir esses objetivos que permitiu que os membros dos grupos rivais vissem uns aos outros como pessoas razoáveis, colaborativas, amigos e amigos de amigos. Quando o sucesso foi obtido por meio de esforços das duas partes, tornou-se especialmente difícil manter sentimentos de hostilidade em relação àqueles que tinham estado do mesmo lado no triunfo.

De volta à escola. Nas inúmeras situações de tensão racial que se seguiram à dessegregação escolar, certos psicólogos educacionais passaram a entender a relevância das descobertas de Sherif para a sala da aula. Se a experiência de aprendizado pudesse ser modificada para incluir pelo menos uma cooperação interétnica eventual na direção do sucesso mútuo, talvez amizades entre os grupos pudessem florescer. Embora projetos semelhantes estivessem em andamento em vários estados, uma abordagem interessante nessa direção — chamada de a sala de aula quebra-cabeça — foi desenvolvida por Elliot Aronson e seus colegas no Texas e na Califórnia.

A essência da sala de aula quebra-cabeça para o aprendizado é exigir que os estudantes trabalhem juntos para aprenderem a matéria que cairá na prova. Este objetivo é alcançado agrupando os estudantes em equipes cooperativas e dando a cada aluno apenas parte da informação — uma peça do quebra-cabeça — necessária para passar no teste. Sob esse sistema, os estudantes devem se revezar ensinando e ajudando uns aos outros. Todos precisam das outras pessoas para se sair bem. Como os garotos do acampamento de Sherif, trabalhando em tarefas que só podiam ser feitas com sucesso em conjunto, os estudantes se tornam aliados em vez de adversários.

Figura 3.5: Misturando-se para o sucesso
Como estudos revelam, a sala de aula quebra-cabeça é um modo eficaz não só de gerar amizade e cooperação entre grupos étnicos diferentes, mas também de aumentar a autoestima, o apreço pela escola e os resultados de provas de alunos de minorias.
Nicholas Prior/ Stone/ Getty Images

Quando testada em salas de aula recém-dessegregadas, a abordagem do quebra-cabeça gerou resultados impressionantes. Em comparação com outras na mesma escola usando o método competitivo tradicional, o aprendizado quebra-cabeça estimulou significativamente mais amizade e reduziu o preconceito entre grupos étnicos. Além dessa redução vital de hostilidade, houve outras vantagens: a autoestima, o apreço pela escola e os resultados em provas de alunos de minorias aumentaram. Os estudantes brancos se beneficiaram também. Autoestima e o apreço deles pela escola aumentaram, e o desempenho em provas foi pelo menos tão alto quanto o de outros alunos brancos em salas de aula tradicionais.

Diante de resultados positivos, como os da sala de aula quebra-cabeça, tendemos a nos entusiasmar com uma solução simples para um problema difícil. Porém, a experiência nos diz que problemas como esse raramente aceitam uma solução simples. Isso, sem dúvida, também é verdade neste caso. Mesmo dentro dos limites de procedimentos de aprendizado cooperativos, as questões são complexas. Antes de conseguirmos nos sentir realmente confortáveis com a abordagem do quebra-cabeça ou similar do aprendizado e da afeição, mais pesquisa é necessária para determinar com que frequência, em que doses, em que idades e em que tipos de grupo as estratégias cooperativas vão funcionar. Também precisamos saber a melhor maneira para professores instituírem os novos métodos — se é que irão instituí-los. Afinal de contas, as técnicas de aprendizado cooperativo estão radicalmente longe da rotina tradicional e conhecida da maioria dos professores. Além disso, elas podem ameaçar a sensação que eles têm de sua própria importância na sala de aula ao transferir parte do ensino para os alunos. Por fim, precisamos entender que a competição também tem seu lugar. Ela pode servir como um motivador valioso de uma ação desejável e um formador importante de autoimagem. Logo, a tarefa não é eliminar a competição acadêmica, mas romper seu monopólio na sala de aula com a apresentação regular de experiências cooperativas que incluam membros de todos os grupos étnicos e levem a resultados de sucesso.

Considere, por exemplo, a definição de inferno e céu fornecida pelo professor de judaísmo, o rabino Haim de Romshishok:

Inferno: *Um salão com banquetes suntuosamente abastecidos cheio de pessoas com os cotovelos rígidos que não conseguem se alimentar porque seus braços, que não dobram, não permitem.*
Céu: *Tudo igual, mas as pessoas estão alimentando umas às outras.*

Talvez essa explicação seja uma boa forma de pensar sobre a aplicação de técnicas cooperativas na sala de aula. Elas devem ser selecionadas para maximizar a chance de que todos se beneficiem do processo. É importante observar que, como na ilustração do rabino, os melhores gestos de cooperação além de gerarem sentimentos interpessoais favoráveis, também produzem soluções mútuas para problemas compartilhados. Por exemplo, pesquisas indicam que um negociador que inicia um aperto de mão no início da conversa sinaliza sua intenção cooperativa sincera, que então leva a melhores resultados financeiros para todas as partes.[14]

Qual o objetivo desse relato sobre os efeitos da dessegregação escolar nas relações? O objetivo é dizer duas coisas. Primeiro, embora a familiaridade produzida pelo contato gere mais afeição, o contrário pode correr se o contato levar a experiências desagradáveis ou ameaçadoras. Portanto, em contextos em que crianças americanas de grupos étnicos diferentes são colocadas em um ambiente de competição intensa, devíamos ver — e vemos — as hostilidades piorarem. Segundo, as evidências de que o aprendizado orientado para equipes é um antídoto para a desordem nos fala sobre o forte impacto da cooperação no processo de gostar.

Antes de acreditarmos que a cooperação é uma causa poderosa de afeição, devemos refletir: profissionais da persuasão usam a cooperação como arma para gostarmos deles e concordarmos com seus pedidos? Eles a enfatizam quando ela está presente em uma situação? Tentam amplificá-la quando existe apenas de forma fraca? E o mais instrutivo de todos: eles a fabricam quando ela não existe?

Na verdade, a cooperação passa no teste com ótimos resultados. Profissionais da persuasão estão sempre tentando mostrar que nós e eles estamos trabalhando pelos mesmos objetivos; que devemos nos unir para obter benefício recíproco; que eles são, em essência, nossos *colegas de equipe*. Há uma série de exemplos. A maioria é identificável, como um vendedor de carros que fica do nosso lado e "batalha" com seus chefes para nos garantir um bom negócio. Na verdade, pouca luta é travada quando o vendedor entra no escritório do gerente nessas circunstâncias. Frequentemente, como vendedores sabem o limite do qual não podem passar, eles e o chefe nem mesmo conversam. Em uma concessionária de carros em que eu me infiltrei enquanto fazia a pesquisa para este livro, era comum que certo vendedor, Gary, bebesse um refrigerante ou café em silêncio enquanto o gerente continuava a trabalhar. Depois de um tempo adequado, Gary afrouxava a gravata e voltava para os clientes, parecendo exausto, carregando o negócio que ele tinha acabado de "discutir com veemência" para eles — o mesmo acordo que ele tinha em mente antes de entrar no escritório do gerente.

Outro exemplo espetacular ocorre em um ambiente que poucos de nós conheceriam pessoalmente, porque os profissionais são policiais cujo trabalho é fazer com que os suspeitos confessem seus crimes. Nos anos recentes, a lei impôs uma variedade de restrições à forma como a polícia pode se comportar ao lidar com pessoas suspeitas de crimes durante um interrogatório. Muitos procedimentos que, no passado, levavam a admissões de culpa não podem mais ser empregados por medo de que resultem na improcedência dos casos. Até o momento, contudo, a lei americana não vê ilegalidade no uso de psicologia sutil. Por essa razão, interrogadores de criminosos passaram cada vez mais a usar tais ardis, como o que eles chamam de policial bom/policial mau.

A tática funciona da seguinte maneira: um jovem suspeito de roubo — vamos chamá-lo de Kenny — que foi informado de seus direitos e afirma ser inocente é levado para uma sala para ser interrogado por dois policiais. Um deles, por combinar com o papel ou por ser a sua vez, interpreta o policial mau. Antes mesmo que o suspeito se sente, ele o xinga pelo roubo. Pelo resto da sessão, suas palavras saem apenas com um rosnado ou um grunhido. Ele chuta a cadeira do preso para enfatizar as coisas. Quando olha para o suspeito, parece ver um monte de lixo. Se o suspeito desafia as acusações do policial mau ou apenas se recusa a respondê-las, ele fica furioso. Sua raiva aumenta. Ele jura que vai fazer todo o possível para garantir uma sentença máxima. Ele diz que tem amigos no gabinete do promotor e que comunicará sobre a atitude não cooperativa do suspeito e que vão pegar pesado no processo.

No início da performance do policial mau, seu parceiro, o policial bom, fica sentado no fundo. Então, lentamente, ele começa a entrar no jogo. Primeiro, fala só com o colega, tentando acalmar sua raiva crescente: "Calma, Frank, calma." Mas o policial mau grita em resposta: "Não diga para eu me acalmar quando ele está mentindo bem na minha cara! Odeio esses canalhas mentirosos!" Um pouco depois, o policial bom diz algo em defesa do suspeito. "Pegue leve, Frank, ele é só um garoto." Não é um grande apoio, mas em comparação com os berros do policial mau, as palavras parecem música para os ouvidos do suspeito. Ainda assim, o policial mau não está convencido. "Garoto? Ele não é um garoto. É um marginal. É isso o que ele é, um marginal. E vou lhe dizer mais uma coisa. Ele tem mais de dezoito anos, e isso é tudo de que eu preciso para mandá-lo para a cadeia para o resto da vida."

Agora o policial bom começa a falar direto com o suspeito, chamando-o pelo primeiro nome e destacando qualquer detalhe positivo do caso. "Vou lhe dizer, Kenny, você tem sorte por ninguém ter se machucado e por não estar armado. Na hora de receber seu veredicto, isso vai contar a seu favor." Se o suspeito continua a alegar inocência, o policial mau se lança em outro discurso de xingamentos e ameaças. Desta vez, o policial bom o detém. "Está bem, Frank", diz ele, entregando algum dinheiro para o parceiro. "Acho que um café ia cair bem para todos nós. Que tal você ir buscar?"

Quando o policial mau sai, é hora da grande cena do policial bom: "Olhe, cara, não sei por quê, mas meu parceiro não gosta de você, e ele vai tentar pegá-lo. E vai conseguir fazer isso. Temos provas suficientes. E ele tem razão sobre a promotoria pegar pesado com caras que não colaboram. Você pode pegar cinco anos de prisão, cara! Não quero que isso aconteça com você. Então se confessar, antes que ele volte, que assaltou o lugar, vou cuidar de seu caso e conversar com a promotoria. Se trabalharmos juntos, podemos reduzir os cinco anos para dois, talvez menos. Faça um favor a nós dois, Kenny. Só me diga como fez isso, e vamos começar a trabalhar para aliviar a sua barra." Frequentemente, segue-se uma confissão completa.

A tática policial mau/policial bom funciona tão bem por algumas razões: o medo de uma longa sentença de prisão, que foi provocado pelas ameaças do policial mau; o princípio do contraste perceptível (ver capítulo 1) garante que em comparação com o policial mau irracional e furioso, o profissional interpretando o policial bom pareça uma pessoa razoável e simpática; e, como ele interveio repetidamente em defesa do suspeito — chegou até a gastar do próprio dinheiro para uma xícara de café —, a regra da reciprocidade pressiona por um favor em retribuição. A principal razão da eficácia dessa técnica, porém, é que ela dá a ideia de que tem alguém do lado dele, alguém preocupado com seu bem-estar, alguém que está colaborando. Na maioria das situações, um colaborador já seria visto de uma maneira bem favorável, mas na encrenca que o suspeito se encontra, essa pessoa assume o caráter de um salvador. E o salvador está a um pequeno passo de ser o padre confiável.

CONDICIONAMENTO E ASSOCIAÇÃO

"Por que eles *me* culpam, doutor?", perguntava o apresentador das previsões do tempo de uma emissora de TV local ao telefone. Deram meu contato a ele quando ligou para o departamento de psicologia da universidade para encontrar alguém que pudesse responder sua pergunta — uma que sempre o havia intrigado, mas recentemente tinha começado a incomodá-lo e deprimi-lo. "Quero dizer, é loucura, não é? Todo mundo sabe que eu apenas noticio a previsão do tempo, que eu não a influencio, não é? Então como eu posso receber tantas críticas quando o tempo está ruim? Durante a enchente no ano passado, recebi e-mails de ódio! Um cara ameaçou atirar em mim se não parasse de chover. Droga, eu ainda estou com medo disso. E as pessoas com quem eu trabalho na emissora também fazem isso! Às vezes, enquanto estamos no ar, eles me criticam por conta de uma onda de calor ou coisa assim. Eles precisam saber que eu não sou responsável, mas isso não os impede. Você pode me ajudar a entender? Isso está me deixando deprimido."

Marcamos de conversar em meu escritório, onde eu tentei explicar que ele era a vítima de uma velha resposta *clique, rode* que as pessoas têm em relação a coisas que percebem como meramente conectadas umas com as outras. Embora exemplos dessa resposta sejam abundantes na vida moderna, senti que o exemplo com mais chance de ajudar o meteorologista ia exigir um pouco de história antiga. Pedi para que ele pensasse no destino precário dos mensageiros imperiais da Pérsia antiga. Quem estivesse na função de mensageiro militar tinha um motivo especial para torcer pelo sucesso persa nos campos de batalha. Com as notícias da vitória em mãos, ele seria tratado como herói ao chegar no palácio. Poderia comer e beber até se fartar. Mas se sua mensagem falasse de um desastre militar, a recepção seria bem diferente. Ele seria sumariamente morto.

Torci para que o meteorologista entendesse o ponto central da história. Queria que entendesse que esse fato é tão verdadeiro hoje quanto era no tempo da Pérsia antiga: como Shakespeare escreveu em *Antônio e Cleópatra*: "A natureza da má notícia contamina quem a conta." Há uma tendência humana natural de não gostar da pessoa que nos traz informação desagradável, mesmo quando essa pessoa não causou a má notícia. A simples associação é suficiente para estimular nossa aversão (ver figura 3.6, "Homem do tempo paga o preço pelas tramas da natureza"). Em um conjunto de onze estudos, alguém que estava simplesmente lendo notícias ruins se tornava desagradável aos olhos dos ouvintes; de forma interessante, o leitor também era visto como alguém tendo motivos malévolos e era avaliado como um indivíduo menos competente. Lembre-se de que certas características favoráveis de uma pessoa (por exemplo, a beleza física) podem produzir um efeito de halo, no qual a característica faz com que os observadores vejam a pessoa de forma positiva em outros contextos. Então, ser o portador de más notícias pode causar uma reação oposta — algo que chamamos de "efeito chifres". O ato de comunicar as notícias fez surgir no mensageiro um par de chifres que, aos olhos dos receptores, se aplica a várias outras características.

Eu esperava que o apresentador entendesse uma coisa: além de ter como companheiros em seu problema centenas de mensageiros, em comparação com alguns (como os mensageiros persas) ele estava em melhor situação. No fim de nossa sessão, ele disse algo para me convencer de que tinha gostado desse detalhe. "Doutor", disse ele quando estava de saída, "eu agora me sinto muito melhor pelo meu emprego. Quero dizer, eu estou em Phoenix, onde o sol brilha trezentos dias por ano, certo? Graças a Deus eu não faço o tempo de Buffalo."

O comentário de despedida do meteorologista revela que ele entendeu mais do que eu havia explicado sobre o princípio que influenciava a opinião dos seus telespectadores em relação a ele. Estar conectado com tempo ruim tem um efeito negativo, mas estar conectado ao sol poderia fazer maravilhas para sua popularidade. E ele estava certo. O princípio da associação é geral, governando tanto conexões negativas quanto positivas. Uma associação com coisas ruins *ou* coisas boas influencia como as pessoas se sentem em relação a nós.

Nossa instrução na forma como a associação negativa funciona parece ter sido fornecida pelos nossos pais. Lembra como sempre nos alertavam sobre brincar com os garotos maus da rua? Lembra como diziam que, não importava se nós não tivéssemos feito nada ruim, ficaríamos conhecidos pelas companhias que mantínhamos? Nossos pais estavam nos ensinando sobre culpa por associação; eles estavam nos dando uma lição sobre o lado negativo do princípio da associação. E eles, também, estavam certos. As pessoas supõem que temos os mesmos traços de personalidade de nossos amigos.

Homem do tempo paga o preço pelas tramas da natureza

Por David L. Langford

Associated Press

Jornalistas que apresentam a previsão do tempo na TV ganham a vida falando sobre o clima, mas, quando a natureza arma uma das suas, eles correm para se proteger.

Conversas com vários jornalistas do tempo veteranos esta semana revelou histórias em que eram atacados por velhinhas com guarda-chuvas, assediados por bêbados em bares, recebidos com bolas de neve, tinham galochas jogadas contra eles, eram ameaçados de morte e acusados de tentar brincar de Deus.

...computadores e meteorologistas anônimos do National Weather Service ou de uma agência privada.

Mas é do rosto na tela da televisão que as pessoas vão atrás.

Tom Bonner, 35, que trabalha na KARF-TV em Little Rock, Arkansas, há onze anos, se lembra da vez em que um fazendeiro corpulento se aproximou dele em um bar, enfiou o dedo em seu peito e disse: "Foi você quem mandou aquele tornado que destruiu minha casa... eu vou arrancar sua cabeça." Bonner disse que procurou pelo segurança do local, não o encontrou e respondeu: "Você tem razão sobre o tornado. E vou lhe dizer mais uma coisa: vou mandar outro se você não se afastar."

Vários anos atrás, quando uma grande enchente inundou o vale Mission em San Diego, Mike Ambrose, da KGTV, lembra que uma mulher se aproximou de seu carro, bateu no para-brisa com um guarda-chuva e disse: "Esta chuva é culpa sua."

"Um cara me telefonou para dizer que, se nevasse no Natal, eu não sobreviveria até o Ano-Novo", disse Bob Gregory, que divulga a previsão do tempo na WTHR-TV em Indianápolis há nove anos.

A maioria dos profissionais do tempo disse que acertam de 80% a 90% das vezes em previsões feitas com um dia de antecedência, mas previsões de prazo mais longo são traiçoeiras. E a maioria reconheceu que eles estão apenas noticiando informação fornecida.

Chuck Whitaker da WSBT-TV em South Bend, Indiana, diz: "Uma velhinha ligou para o departamento de polícia e queria que o homem do tempo fosse preso por trazer toda a neve."

Uma mulher, aborrecida por ter chovido no casamento de sua filha, ligou para Tom Jolls da WKBW-TV em Buffalo, Nova York, para expressar sua raiva. "Ela me considerava o responsável e disse que se algum dia me encontrasse provavelmente ia me bater", disse ele.

Sonny Elliot da WJBK-TV, com uma experiência de trinta anos como meteorologista em Detroit, se lembra de prever de cinco a dez centímetros de neve na cidade há alguns anos e de terem caído mais de vinte. Para retaliar, seus colegas na emissora armaram uma geringonça que fez chover cerca de duzentas galochas sobre ele quando estava noticiando a previsão do tempo no dia seguinte. "Ainda tenho os calombos para provar", diz ele.

Figura 3.6: "Homem do tempo paga o preço pelas tramas da natureza"
Observe as semelhanças do relato do meteorologista que veio ao meu escritório e esses outros apresentadores do tempo.
David L. Langford, Associated Press

Em relação a associações positivas, a lição fica a cargo dos profissionais da persuasão. Eles estão sempre tentando conectar a si mesmos ou seus produtos com as coisas de que gostamos. Você já se perguntou por que as modelos são contratadas para os anúncios de automóveis? O que os publicitários buscam é usar os traços positivos da modelo — beleza e desejabilidade — e transferi-los aos carros. Eles estão apostando que responderemos a seus produtos das mesmas maneiras que reagimos às modelos atraentes que estão associadas a eles, e fazemos isso.

Em um estudo, homens que olhavam um anúncio de carro que incluía uma modelo sedutora consideraram o carro muito mais rápido, mais atraente, de aparência mais cara e melhor design do que aqueles que olhavam o mesmo anúncio sem a modelo. Mesmo assim, quando lhes perguntaram, os homens se recusaram a acreditar que a presença da mulher tivesse influenciado seus julgamentos.

Talvez a evidência mais intrigante da forma como o princípio da associação pode nos fazer gastar dinheiro venha de uma série de investigações sobre cartões de créditos e gastos. Na vida moderna, cartões de crédito são um dispositivo com uma característica psicologicamente notável: eles nos permitem ter os benefícios imediatos de produtos e serviços enquanto transferem os custos para as semanas seguintes. Consequentemente, temos mais chances de associar cartões de crédito e suas bandeiras, símbolos e marcas que os representam com os aspectos positivos em gastar em vez dos negativos.

O pesquisador do consumo Richard Feinberg se perguntou quais eram os efeitos da presença dos cartões de crédito e suas marcas em nosso consumo. Em um conjunto de estudos, ele obteve alguns resultados fascinantes — e perturbadores. Primeiro, em restaurantes, clientes davam gorjetas maiores quando pagavam com cartão de crédito em vez de dinheiro. Em um segundo estudo, estudantes universitários estavam dispostos a gastar em média 29% mais dinheiro encomendando itens de catálogos quando eles examinavam os itens em uma sala que continha logos da Mastercard; além disso, não tinham consciência de que os símbolos eram parte do experimento. Um estudo final mostrou que, quando pediam que contribuíssem com uma instituição de caridade (a United Way), estudantes universitários ficaram nitidamente mais propensos a dar dinheiro se a sala em que estivessem tivesse as logomarcas da Mastercard que se não tivesse

(87% contra 33%). Esta última descoberta é simultaneamente a mais perturbadora e instrutiva em relação ao poder do princípio da associação. Embora os cartões de crédito em si não fossem usados para as doações, a mera presença de seu símbolo (com suas associações positivas) levou as pessoas a gastarem mais *dinheiro*. Este último fenômeno foi reproduzido em estudos em restaurantes nos quais os clientes recebiam suas contas em bandejinhas que tinham ou não tinham logos de cartões de crédito. Os clientes deram consideravelmente mais gorjeta na presença dos logos, mesmo quando pagaram em dinheiro.

A pesquisa subsequente de Feinberg reforça a explicação da associação para seus resultados. Ele descobriu que a presença das logomarcas só facilita o gasto para pessoas que tiveram uma história positiva com cartões de crédito. Aqueles que tiveram uma história negativa com os cartões — porque pagaram juros um número de vezes acima da média no ano anterior — não apresentam o efeito da facilitação. Na verdade, esses indivíduos são mais conservadores em suas tendências de gasto quando estão na presença de logos de cartões de crédito.[15]

Como o princípio da associação funciona tão bem — e tão inconscientemente —, fabricantes tentam sempre associar seus produtos à força cultural vigente. Quando o conceito cultural mágico mudou para a "naturalidade", a nova tendência foi usada de diversas maneiras. Às vezes as conexões com a naturalidade nem faziam sentido: "Mude a cor de seu cabelo naturalmente", provocava um anúncio popular da TV. Leia o que um grupo de estudiosos tinha a dizer sobre o assunto em 2019:

Pessoas que preferem produtos classificados como "naturais" estão em pleno consumo, considerando fartura de produtos e serviços naturais que existe. Em um dia de verão, elas podem se sentar em suas varandas desinfetadas com Seventh Generation Natural Cleaner e saborear uma salsicha de carne natural da Applegate em um pão natural da Vermont Bread Company com ketchup e mostarda da Nature's Promise. Batatas fritas naturais Lay's e refrigerante natural Hansen's podem acompanhar o cachorro-quente. Elas podem até fumar um cigarro Natural American Spirit enquanto observam os técnicos da Natural Lawn of America cuidar do gramado. Nessa noite, se tiverem indigestão, podem tomar o antiácido natural Naturight.

Durante os dias da primeira missão americana à Lua, tudo, desde bebidas para o café da manhã até desodorante, era vendido com alusões ao programa espacial americano; além disso, o valor percebido dessa conexão resistiu ao teste do tempo: em 2019, nos cinquenta anos do pouso na lua, os relógios Omega, a IBM e a salsicha Jimmy Dean (!) fizeram anúncios de página inteira proclamando suas ligações com o famoso acontecimento.

Em anos de Olimpíada, sabemos até quais são os sprays de cabelo e toalhas de rosto de nossas equipes. Os direitos a essa associação não são baratos. Empresas gastam milhões para serem patrocinadoras das Olimpíadas. Mas esse número parece pequeno em comparação ao muitos milhões mais que gastam para comunicar sua conexão com o evento. Mas pode ser que a quantidade em dólares para os patrocinadores corporativos esteja nos lucros. Uma pesquisa da revista *Advertising Age* descobriu que um terço de todos os consumidores estariam mais propensos a comprar um item se ele estivesse ligado aos Jogos Olímpicos.

De forma semelhante, fez muito sentido que os números das vendas de carros de brinquedo para andar em Marte tivessem saltado após um foguete U.S. Pathfinder pousar um de verdade no planeta vermelho em 1997. Não faria muito sentido se o mesmo acontecesse com os chocolates Mars, que nada tem a ver com o projeto espacial, mas é o nome do fundador da empresa de doces, Franklin Mars. As vendas do SUV Rogue da Nissan tiveram um salto comparável — e inexplicável — depois que o filme *Rogue One: uma história Star Wars* foi lançado. Em um efeito relacionado, pesquisadores descobriram que letreiros promocionais proclamando LIQUIDAÇÃO aumentam as compras (mesmo quando não há, na verdade, nenhuma economia), mas não porque os consumidores pensam: "Ah, posso economizar dinheiro aqui." E sim devido a uma tendência diferente, a compra torna-se mais provável porque esses letreiros foram repetidamente associados com bons preços no passado do comprador. Consequentemente, qualquer produto conectado com um letreiro de liquidação ganha imediatamente uma avaliação mais favorável.

Relacionar celebridades a produtos é outra maneira com a qual publicitários faturam em cima do princípio da associação. Atletas profissionais, por exemplo, são pagos para se conectarem a itens que podem ser relevantes para seus papéis (tênis de corrida, raquetes de tênis, bolas de golfe) ou totalmente irrelevantes (refrigerantes, pipocas, relógios). O importante para o anunciante é estabelecer a conexão; não precisa ser lógica, basta ser positiva. O que Matthew McConaughey realmente sabe sobre os carros da Lincolns, afinal?

Claro, artistas fornecem outra forma de desejabilidade pela qual os fabricantes sempre estão dispostos a pagar para associar a seus produtos. Mais recentemente, políticos reconheceram a capacidade de uma celebridade mudar a opinião de eleitores. Candidatos presidenciais reúnem grandes quantidades de celebridades bem conhecidas que participam ativamente ou apenas emprestam seus nomes para uma campanha. Mesmo em nível estadual e local, isso também se aplica. Veja, por

Figura 3.7: Celebridades honradas pelo tempo
Nota do autor: Você consegue identificar os dois jeitos com que esse anúncio associa aos relógios Breitling a entidades positivas? O primeiro é óbvio: a conexão com celebridades atraentes e bem-sucedidas. A segunda associação é menos evidente, mas provavelmente é eficaz. Dê uma olhada na posição dos ponteiros do relógio no anúncio. Eles estão na forma de um sorriso. Essa configuração de sorriso, com todas as suas associações favoráveis, se tornou o padrão em quase todos os anúncios de relógio — por boa razão. Colocar os ponteiros do relógio nessa posição em um anúncio leva observadores a experimentar mais prazer ao vê-lo e a expressar maior intenção de compra (Karim *et al.*, 2017).
Cortesia da Breitling USA, Inc.

exemplo, o comentário de uma mulher de Los Angeles que expressou seus sentimentos conflitantes em relação a um referendo na Califórnia para proibir o fumo em todos os lugares públicos. "É uma decisão muito difícil. Eles têm essas grandes estrelas falando a favor, e grandes estrelas falando contra. Você não sabe como votar."[16]

Políticos se esforçam há muito tempo para se associarem com os valores de maternidade, do país e da torta de maçã americana, e pode ser nessa última conexão — com a comida — que eles são mais inteligentes. É uma tradição da Casa Branca, por exemplo, tentar mudar o voto de membros do legislativo resistentes durante uma refeição. Pode ser um piquenique, um café da manhã extravagante ou um jantar elegante; mas, quando uma lei importante está em jogo, usa-se o faqueiro de prata. A arrecadação de fundos para políticos hoje em dia envolve regularidade a oferta de comida. No típico jantar para arrecadar fundos, os discursos e apelos para maiores contribuições e esforços nunca vêm antes que a refeição seja servida, só durante ou depois. Há várias vantagens para essa técnica. Por exemplo, poupa-se tempo, e a regra da reciprocidade é explorada. O benefício menos reconhecido, entretanto, pode ser aquele descoberto em uma pesquisa conduzida nos anos 1930 pelo famoso psicólogo Gregory Razran.

Usando o que chamou de "técnica do almoço", ele descobriu que seus participantes passavam a gostar mais das pessoas e das coisas que experimentavam enquanto comiam. No exemplo mais relevante para nossos objetivos, apresentaram aos participantes algumas declarações políticas que já tinham avaliado antes. No fim do experimento, Razran descobriu que apenas algumas haviam obtido maior aprovação — aquelas que foram mostradas enquanto se comia alguma coisa. Essas mudanças no gostar parecem ter ocorrido inconscientemente, pois os participantes não conseguiam se lembrar de quais afirmações viram enquanto a comida lhes foi servida.

Para demonstrar que o princípio da associação também funciona para experiências desagradáveis, Razran modificou o contexto no qual os participantes sentiam odores pútridos bombeados para a sala enquanto lhes mostravam slogans políticos. Nesse caso, os índices de aprovação dos slogans caiu. Outra pesquisa indica que mesmo os odores mais suaves que escapem da consciência ainda podem ser influentes. Pessoas julgaram fotografias de rostos de acordo com os que mais gostavam e os que menos gostavam, dependendo de como avaliavam enquanto experimentavam odores subliminares agradáveis ou desagradáveis.

Como Razran desenvolveu a técnica do almoço? O que o fez pensar que iria funcionar? A resposta pode estar em dois trabalhos realizados por ele durante sua carreira. Ele era não apenas um pesquisador independente respeitado, mas também foi um dos primeiros tradutores para o inglês dos pioneiros da literatura russa de psicologia; uma literatura dedicada ao estudo do princípio da associação e dominada pelo pensamento de um homem brilhante, Ivan Pavlov.

Embora um cientista de talentos diversos — Pavlov tinha ganhado um prêmio Nobel anos antes por seu trabalho sobre o sistema digestivo —, sua demonstração experimental mais importante era puramente simples. Ele descobriu que podia fazer com que a resposta típica de um animal à comida (salivação) fosse dirigida a algo irrelevante para a comida (uma campainha) apenas conectando as duas coisas na experiência do animal. Se a apresentação de comida a um cachorro fosse sempre acompanhada pelo som de uma campainha, logo o cachorro começaria a salivar apenas ao ouvir a campainha, quando não havia nada a comer.

Figura 3.8: Ei, esse som parece o gosto de comida
Um dos cães de Pavlov é retratado com o tubo coletor de saliva usado para medir o quanto sua resposta de salivação à comida podia ser mudada (condicionada) para o som de uma campainha.
Cortesia de Rklawton

A demonstração clássica de Pavlov e a técnica do almoço de Razran estão bem próximas. Obviamente, uma reação normal à comida pode ser transferida para alguma outra coisa pelo processo puro de associação. A compreensão de Razran foi que há muitas respostas normais à comida além da salivação, uma delas é um sentimento bom e favorável. Portanto, é possível ligar essa sensação prazerosa, essa atitude positiva, a qualquer coisa (declarações políticas sendo apenas um exemplo) intimamente associada à boa comida.

Essas técnicas se aproximam quando todo tipo de coisa desejável pode substituir a comida emprestando suas qualidades para ideias, produtos e pessoas artificialmente ligadas a elas. Logo é por isso que as modelos bonitas estão nos anúncios de revista. É por isso que programadores de rádio são instruídos a inserir a vinheta com o nome da estação imediatamente antes de tocar uma música de grande sucesso. E é por isso até que mulheres jogando bingo em uma festa da Tupperware gritam a palavra *Tupperware* em vez de *bingo* antes de ir para o meio da sala escolher seu prêmio. Pode ser Tupperware para as jogadoras, mas é um *bingo!* para a empresa.

Só porque somos vítimas inconscientes do uso feito por praticantes de persuasão do princípio da associação não significa que não entendemos como ela funciona nem o usemos nós mesmos. Existem muito indícios, por exemplos, de que entendemos completamente os problemas do mensageiro imperial persa e do jornalista que anunciava tempo ruim. Na verdade, fazemos um esforço para fugir de posições parecidas. Um pesquisa feita na Universidade da Georgia mostra como operamos quando nos deparamos com a tarefa de contar boas ou más notícias. Estudantes esperando pelo início de um experimento recebiam o trabalho de informar outro estudante que atenderam uma ligação importante para este. Metade das vezes a ligação devia trazer boas notícias, e metade delas, más notícias. Os pesquisadores descobriram que os estudantes transmitiram a informação de forma muito distinta dependendo de sua qualidade. Quando a notícia era positiva, os que estavam contando a notícia não deixavam de mencionar essa característica. "Você acabou de receber uma ligação com ótimas notícias. É melhor procurar o pesquisador para saber detalhes." Quando a notícia era desfavorável, eles se mantinham afastados. "Você acabou de receber uma ligação. É melhor procurar o pesquisador para saber detalhes." Obviamente os estudantes já tinham aprendido que, para que gostassem deles, deviam se conectar com boas notícias, não más.[17]

DAS NOTÍCIAS E DA PREVISÃO DO TEMPO PARA OS ESPORTES

Vários comportamentos estranhos podem ser explicados quando sabemos que as pessoas entendem o princípio da associação o suficiente para se ligarem a eventos positivos e se afastarem de eventos negativos — mesmo quando não são elas as causadoras desses eventos. Alguns dos comportamentos mais estranhos ocorrem na grande arena dos esportes. As ações dos atletas, porém, não são a questão. Afinal de contas, no calor do jogo, eles têm direito a uma eventual explosão excêntrica. Em vez disso, é o fervor frequentemente furioso, irracional e sem limites dos torcedores que parece, à primeira vista, tão intrigante. Como explicamos manifestações esportivas selvagens na Europa, ou o assassinato de jogadores e árbitros por torcedores de futebol sul-americanos, ou ainda o desnecessário luxo dos presentes dados por fãs para jogadores de beisebol já ricos no "dia" especial para homenageá-los? Racionalmente, nada disso faz sentido. É só um jogo! Não é?

Dificilmente. A relação entre o esporte e o torcedor é tudo menos uma brincadeira. É algo muito sério. Pegue, por exemplo, o caso de Andrés Escobar que, como membro da seleção nacional colombiana, chutou a bola contra as redes do próprio time durante um jogo da Copa do Mundo de 1994. O gol contra levou a uma vitória dos Estados Unidos e à eliminação dos colombianos. De volta para seu país, duas semanas mais tarde, Escobar foi executado em um restaurante por dois pistoleiros, que lhe deram doze tiros em função de seu erro.

Então, queremos que o time pelo qual torcemos ganhe para mostrar nossa própria superioridade, mas para quem estamos querendo provar isso? Para nós mesmos, sem dúvida, mas também para todas as outras pessoas. Segundo o princípio da associação, se pudermos nos cercar de sucesso com o qual nos conectamos mesmo de forma superficial (por exemplo, pelo local de residência), nosso prestígio público crescerá.

Isso indica que manipulamos deliberadamente a visibilidade de nossas conexões com os vencedores e os perdedores para fazer com que pareçamos bem para qualquer um que veja essas conexões. Ao exibir as associações positivas e esconder as negativas, estamos tentando fazer com que os outros nos admirem e gostem mais de nós. Há muitas maneiras de fazer isso, mas uma das mais simples e mais onipresentes são os pronomes que usamos. Você já percebeu como após uma vitória do time da casa os torcedores se aglomeram diante do alcance das câmeras de TV, levantam o dedo indicador para o alto e gritam: "Nós somos o número um! Nós somos o número um!" Observe que o grito não é "Eles são o número um". O pronome utilizado, *nós*, sugere uma identidade mais próxima possível com o time.

Observe também que isso não ocorre em caso de fracasso. Nenhum espectador de TV ouvirá os gritos de "Estamos em último! Estamos em último". Derrotas do time são momentos dos quais se distanciar. Aqui o *nós* não é nem de longe o escolhido em relação ao termo isolador *eles*. Para provar isso, fiz um pequeno experimento no qual alunos Universidade do Arizona recebiam um telefonema em que era solicitado que contassem sobre uma determinada partida de futebol americano da universidade de algumas semanas antes. Para alguns dos estudantes foi perguntado sobre o resultado de um jogo que seu time tinha perdido; para outros foi perguntado sobre o resultado de um jogo diferente — um jogo que seu time tinha ganhado. Minha colega pesquisadora Avril Thorne e eu simplesmente ouvimos o que era dito e registramos o percentual de estudantes que usaram a palavra *nós* em suas descrições.

Quando os resultados foram analisados, ficou óbvio que os estudantes tinham tentado se conectar com o sucesso usando o pronome *nós* para descrever a vitória do time — "Nós ganhamos de Huston por 17 a 14", ou "Nós ganhamos". No caso do jogo perdido, porém, o *nós* foi raramente usado. Em vez disso, os estudantes usaram termos para se manterem separados de seu time derrotado — "Eles perderam para Missouri por 30 a 20", ou "Não sei quanto foi o placar, mas a Arizona State perdeu". Os desejos de se conectar com vencedores e se distanciar de perdedores se combinaram de forma habilidosa nas observações de um estudante em particular. Depois de relatar o placar da derrota de seu time — "Arizona State perdeu por 30 a 20" —, ele disse angustiado: "*Eles* jogaram fora *nossa* chance de ganhar o campeonato nacional!"

A tendência de ostentar a conexão com vitoriosos não é exclusividade do campo esportiva. Depois de eleições gerais na Bélgica, pesquisadores observaram para descobrir quanto tempo levava para os donos das casas removerem os cartazes em seus jardins a favor de um ou outro partido político. Quanto melhor era o resultado da eleição para um partido, mais tempo os proprietários de casas nadavam na conexão positiva deixando os cartazes no lugar.

Embora o desejo de *desfrutar da glória refletida* exista em algum nível em todos nós, parece haver algo especial nas pessoas que levam essa tendência longe demais. Que tipo de pessoas são elas? Acredito que não sejam apenas torcedores leais que apoiam seus times em tempos bons e tempos ruins; elas são o que chamamos de "torcedores de tempo bom", que exibem sua associação só com times vencedores. A menos que eu esteja enganado, são indivíduos com uma falha oculta de personalidade: um baixo conceito de si mesmos. Bem no fundo há um sentimento de baixo valor pessoal que os faz buscar prestígio não de suas próprias realizações, mas de suas associações com as realizações de outros. Há diversas indivíduos que operam dessa forma em nossa cultura. A pessoa que sempre cita sua associação com pessoas famosas é um exemplo clássico. Assim, também, é a groupie de rock, que troca favores sexuais pelo direito de dizer aos amigos que esteve "com" um músico famoso por algum tempo. Não importa que forma assume, o comportamento desses indivíduos compartilha de um tema semelhante — a visão um tanto trágica da realização como algo que se origina fora do eu.

Figura 3.9: Torcedores fanáticos de esportes
O espírito de equipe vai além de usar o emblema da universidade quando esses alunos da Universidade da Georgia usam as letras da universidade de um jeito diferente e torcem pela vitória de seu time.
Chris Graythen/ Getty images

DEPOIMENTO DO LEITOR 3.3

De um funcionário de estúdio cinematográfico em Los Angeles

Como trabalho na indústria, sou um grande cinéfilo. A maior noite do ano para mim é a noite do Oscar. Eu até gravo o programa para poder rever os discursos de agradecimento dos artistas que realmente admiro. Um de meus discursos favoritos foi o de Kevin Costner quando *Dança com lobos* ganhou o prêmio de melhor filme em 1991. Gostei porque ele estava respondendo aos críticos que diziam que os filmes não eram importantes. Na verdade, gostei tanto que o copiei. Mas tem uma parte nesse discurso que não tinha entendido antes. Eis o que Kevin Costner disse ao receber o prêmio de melhor filme:

"Embora isso possa não ser tão importante quanto a situação no resto do mundo, sempre vai ser importante para nós. Minha família nunca vai se esquecer do que aconteceu aqui; meus irmãos e irmãs nativos americanos, especialmente os Lakota Sioux, nunca esquecerão; e os colegas da escola nunca vão se esquecer."

Está bem, eu entendo por que Kevin Costner jamais se esqueceria daquela homenagem. E também entendo por que sua família nunca esqueceria. E até entendo por que nativos americanos iriam se lembrar, já que o filme é sobre eles. Mas eu nunca entendi por que ele mencionou as pessoas com quem estudou. Então li sobre como torcedores acham que podem "desfrutar da glória refletida" dos astros e times de suas cidades. E percebi: é a mesma coisa. No dia seguinte ao Oscar, todos que estudaram com Kevin Costner contariam sobre sua conexão, considerando que conseguiriam algum prestígio com isso, embora não tivessem nenhuma relação com o filme. Eles estariam certos, porque é assim que funciona. Você não precisa ser um astro para obter a glória. Às vezes você só precisa estar associado de alguma forma com o astro. É muito interessante.

Nota do autor: Já vi esse tipo de coisa funcionar em minha vida quando contei a amigos arquitetos que eu tinha nascido na mesma cidade que o grande Frank Lloyd Wright. Eu não consigo nem desenhar uma linha reta; mas puder ver uma linha reta entre mim e o herói deles se formando aos olhos de meus amigos... olhos que parecem dizer: "*Você* e Frank Lloyd Wright? Uau!"

Certas dessas pessoas trabalham o princípio da associação de um jeito um pouco diferente. Em vez de se esforçar para inflar suas conexões visíveis com o sucesso dos outros, elas se esforçam para inflar o sucesso de outras pessoas com os quais são visivelmente conectados. A ilustração mais evidente é a notória "mãe de artista", obcecada por garantir o estrelato de seu filho. Claro, essas mulheres não estão sozinhas nesse aspecto. Alguns anos atrás, um obstetra em Davenport, Iowa, interrompeu o atendimento de três esposas de funcionários da escola supostamente porque seu filho não ganhou tempo de jogo suficiente nos jogos de basquete escolares. Uma delas estava grávida de oito meses na época.[18]

DEFESA

Como é possível aumentar a afeição por muitos meios, uma lista de defesa contra profissionais da persuasão que empregam a regra do gostar deve, o que é estranho, ser curta. Seria inútil desenvolver uma porção de táticas de reação específicas para combater cada uma das inúmeras versões das várias maneiras de influenciar a afeição. Há rotas demais a serem bloqueadas com eficácia por estratégias especificamente desenvolvidas. Além disso, descobriu-se que vários dos fatores — atração física, semelhança, familiaridade, associação — funcionam inconscientemente para produzir os efeitos da afeição, tornando improvável que possamos reunir uma proteção no momento certo contra eles.

Em vez disso, precisamos levar em consideração uma abordagem geral, uma que possa ser aplicada a qualquer dos fatores relacionados ao gostar para neutralizar sua influência indesejada sobre nossas decisões. O segredo dessa abordagem está em saber o momento certo. Em vez de tentar reconhecer e prevenir a ação antes de terem uma chance de agir, podemos querer deixar que os fatores entrem em ação. Nossa vigilância não deve ser dirigida às coisas que podem gerar afeição desnecessária por um praticante de persuasão, mas sim ao fato de que um gostar desnecessário *foi* produzido. O momento para convocar as defesas é quando passamos a sentir afeição pelo praticante mais do que devíamos sob as circunstâncias.

Ao concentrar nossa atenção nos efeitos em vez de nas causas, podemos evitar a tarefa trabalhosa e quase impossível de tentar detectar e desviar das muitas influências psicológicas no gostar. Em vez disso, precisamos ser sensíveis a apenas uma coisa relacionada com a afeição em nossos contatos com praticantes de persuasão: a sensação de que passamos a gostar do praticante com mais rapidez ou mais profundamente do que teríamos esperado. Quando percebemos essa sensação, nos tornamos alerta de que há provavelmente alguma tática sendo usada, e podemos tomar as contramedidas necessárias. A estratégia que estou sugerindo emprega muito do estilo jiu-jitsu usado pelos próprios profissionais da persuasão. Nós não tentamos restringir a influência dos fatores que produzem a afeição. Muito pelo contrário. Permitimos que esses fatores exerçam sua força, e então usamos essa força em nossa campanha contra aqueles que lucrariam com eles. Quanto maior a força, mais ostensiva e mais sujeita a nossas defesas alertas ela se torna.

Suponha que estivéssemos negociando o preço de um carro novo com Vitor Vitorioso, um candidato ao posto deixado por Joe Girard, "maior vendedor do mundo". Depois de conversar por algum tempo e de negociar um pouco, Vitor quer fechar o negócio, quer que compremos o carro. Antes que qualquer decisão seja tomada, devemos fazer a nós mesmos a pergunta crucial: "Nos 45 minutos em que conheço esse cara, eu passei a gostar dele mais do que teria esperado?" Se a resposta for sim, devemos refletir sobre as maneiras como Vitor se comportou durante esses poucos minutos. Podemos lembrar que ele nos alimentou (café e donuts), nos elogiou pela escolha de combinações de cores e acessórios, nos fez rir e colaborou conosco contra o gerente de vendas para conseguir um negócio melhor.

Embora esse relato dos fatos possa ser informativo, não é um passo necessário para nos protegermos da regra da afeição. Quando descobrimos que passamos a gostar mais de Vitor do que teríamos esperado, não precisamos saber por quê. O simples reconhecimento de um gostar desnecessário deve ser o suficiente para nos fazer reagir. Uma reação possível seria inverter o processo e na verdade não gostar dele, mas isso pode ser injusto com ele e contrário a nossos próprios interesses. Afinal de contas, gostamos naturalmente de alguns indivíduos, e Vitor pode ser um desses. Não seria correto nos voltarmos automaticamente contra os profissionais da persuasão que por acaso são agradáveis. Além disso, para nosso bem, não é interessante nos fecharmos para interações comerciais com pessoas tão simpáticas, especialmente quando podem estar nos oferecendo um bom negócio.

Eu recomendaria uma reação diferente. Se nossa resposta à pergunta essencial é "Sim, nessas circunstâncias, eu gosto bastante desse cara", isso deve sinalizar que chegou a hora de uma contramanobra rápida; separe mentalmente Vitor daquele Chevrolet ou Toyota que ele está tentando vender. É vital se lembrar nesse momento de que se escolhermos o carro de Vitor, nós é que vamos sair dirigindo-o, não ele, do estacionamento da concessionária. O fato de gostarmos de Vitor porque ele tem boa aparência, diz se interessar por nosso hobby favorito, é engraçado ou tem parentes onde nós crescemos é irrelevante para uma compra sábia.

Nossa resposta adequada, então, é um esforço consciente para nos concentrarmos exclusivamente nos méritos do negócio e do carro que Vitor tem para nós. Claro, quando tomamos uma decisão de persuasão, sempre é uma boa ideia separar nossos sentimentos sobre o solicitante do que está sendo solicitado. Ao estar imerso, mesmo em um contato pessoal e sociável breve com um solicitante, podemos nos esquecer dessa distinção. Nos casos em que não temos opinião formada sobre um solicitante, nos esquecermos de fazer a distinção não nos conduzirá de maneira muito errada. Os erros perigosos têm mais chance de vir quando gostamos da pessoa que está fazendo o pedido.

Por isso é tão importante estar alerta a uma sensação de gostar indevidamente de um praticante de persuasão. Saber disso pode servir como um lembrete de separar o negociador dos méritos do negócio e tomar nossa decisão com base em considerações relacionadas apenas aos acordos. Se todos seguirmos esse procedimento, tenho certeza de que ficaríamos muito mais satisfeitos com os resultados — embora eu desconfie que Vitor Vitorioso não ficaria.

RESUMO

- As pessoas preferem dizer sim para indivíduos de quem gostam. Sabendo dessa regra, profissionais da persuasão normalmente aumentam sua eficácia enfatizando vários fatores que influenciam nas chances de gostarmos deles.

- Uma dessas características é a atração física. Embora há muito se desconfie que a beleza física forneça uma vantagem na interação social, pesquisas indicam que a vantagem pode ser maior do que o imaginado. Ela gera um efeito de halo que leva à atribuição de outras características como talento, bondade e inteligência. Como resultado, pessoas atraentes são mais persuasivas em termos de conseguirem o que pedem e mudarem as atitudes dos outros.

- Um segundo fator que influência a afeição por alguém e a persuasão é a semelhança. Gostamos de pessoas que são como nós e somos mais propensos a dizer sim a seus pedidos sem pensar.

- Outro desses fatores são os elogios. Elogios em geral aumentam a afeição e portanto a persuasão. Dois tipos úteis de elogios verdadeiros são aqueles emitidos pelas costas do receptor e aqueles pensados para qualificar o receptor com uma reputação a qual ele deve corresponder, continuando a desempenhar o comportamento desejado.

- Um aumento da familiaridade por meio do contato repetido com uma pessoa ou coisa é mais um fator que normalmente facilita o gostar. Esse relacionamento se mostra verdadeiro principalmente quando o contato ocorre sob circunstâncias positivas em vez de negativas. Uma circunstância positiva que funciona especialmente bem é a cooperação recíproca e bem-sucedida. Um quinto fator ligado ao gostar é a associação. Ao conectar a si mesmo ou seus produtos com coisas positivas, publicitários, políticos e vendedores buscam compartilhar a positividade por meio do processo de associação. Outros indivíduos (torcedores, por exemplo) parecem reconhecer o efeito de conexões simples e tentam se associar com eventos favoráveis e se distanciar de eventos desfavoráveis aos olhos dos observadores.

• Uma estratégia potencialmente eficaz para reduzir a influência indesejada do gostar em decisões de persuasão exige sensibilidade à reação de afeição desnecessariamente de um solicitante. Ao reconhecermos que gostamos excessivamente de um solicitante sob certas circunstâncias, devemos recuar da interação, separar mentalmente o solicitante de sua oferta e tomar qualquer decisão com base apenas nos méritos da oferta.

CAPÍTULO 4

APROVAÇÃO SOCIAL

Nós somos a verdade

Quando as pessoas são livres para fazerem o que querem, elas normalmente imitam umas às outras.

— Eric Hoffer

Anos atrás, os gerentes de uma cadeia de restaurantes em Pequim, China, se juntaram a pesquisadores para realizarem algo decididamente lucrativo — aumentar a compra de certos itens do cardápio de maneira eficiente e sem custos. O objetivo deles era entender se era possível: fazer com que os clientes escolhessem os itens com mais frequência sem baixar os preços, usar ingredientes mais caros, contratar um chef com mais experiência ou pagar um consultor para escrever descrições mais tentadoras no cardápio. Além disso, queriam escrever um rótulo, algo que atraísse os consumidores para os pratos. Tendo encontrado esse rótulo, a equipe ficou surpresa por não ser algo parecido com o que pensaram inicialmente, como "especialidade da casa" ou "a recomendação do chef para esta noite". O rótulo escolhido simplesmente descrevia os itens do cardápio como os "mais pedidos" do restaurante.

O resultado foi impressionante. As vendas de cada prato saltaram uma média de 13% a 20%. Simplificando, os pratos se tornaram mais pedidos por conta da popularidade. É interessante que esse aumento tenha ocorrido através de uma prática persuasiva não onerosa, completamente ética (os itens eram realmente os mais pedidos), fácil de implementar e, ainda assim, nunca antes usada pela empresa. Algo parecido aconteceu com uma cervejaria/pub em Londres que concordou em tentar um experimento. Colocaram uma placa no bar afirmando, verdadeiramente, que a cerveja mais pedida da semana era a *porter*. As vendas de porter dobraram imediatamente. *Clique, rode.*

Resultados como esse me fazem questionar por que outros varejistas não adotam estratégias parecidas. Em lojas de frozen yogurt e sorveterias, os clientes normalmente podem escolher entre uma variedade de acompanhamentos para seu pedido: chips de chocolate, coco ralado, pedaços de biscoito, e assim por diante. Devido ao apelo popular, era de se pensar que os gerentes colocariam letreiros descrevendo os acompanhamentos ou combinações mais pedidos do mês, mas não era o que se via. Lamentável. Especialmente para clientes que pediam o sorvete sem acompanhamentos ou que pediam apenas com um, uma informação real sobre os itens mais pedidos resultaria em mais escolhas. Por exemplo, muitos McDonald's servem uma sobremesa, o "McFlurry". Quando os atendentes disseram aos clientes: "Que tal uma sobremesa? O McFlurry é o mais pedido!", as vendas de McFlurry aumentaram 55%. Então, depois que o cliente pedia o McFlurry, se o balconista acrescentasse: "A cobertura X é a mais pedida", a compra de cobertura extra subia 48%.

E-BOX 4.1

Embora nem todos os vendedores entendam como utilizar a popularidade de forma lucrativa, a gigante da mídia Netflix aprendeu essa lição a partir de seus próprios dados e começou a agir em cima disso imediatamente. Segundo a repórter de tecnologia e entretenimento Nicole LaPorte (2018), a empresa há muito "se orgulhava de ser extremamente reservada em relação aos índices de tempo assistido e audiência, comemorando o fato de não precisar revelar os números por não ter que responder a anunciantes". Mas, em uma inesperada mudança de política interna em 2018, a empresa começou a divulgar grandes quantidades de informação sobre suas atrações mais bem-sucedidas. Como disse LaPorte "em sua carta aos acionistas, a Netflix discorreu sobre seus títulos e números de acesso como se um marinheiro bêbado tivesse assumido o controle de um navio de guerra fortificado e estivesse despejando segredos comerciais".

Mas por quê? Àquela altura, os representantes da empresa já haviam observado que popularidade leva a mais popularidade. Greg Peters, diretor de produto, divulgou resultados de testes internos demonstrando que programas descritos como mais populares para o usuário acabavam se tornando ainda mais populares. Outros executivos foram rápidos em entender isso. Ted Sarandros, chef de conteúdo, declarou que a Netflix se tornaria mais aberta "em relação ao que as pessoas estão assistindo ao redor do mundo". O presidente do conselho e CEO Reed Hastings reafirmou essa promessa: "Estamos apenas começando a compartilhar dados. Vamos nos dedicar mais a isso a cada trimestre."

Nota do autor: Essas declarações dos executivos da Netflix nos dizem que não há ignorantes em matéria de liderança na empresa. Mas outra declaração de Sarandros foi a que mais me impressionou: "A popularidade é um dado que as pessoas podem escolher usar... Não queremos escondê-la se for útil para os membros." O principal insight nesse sentido foi: esconder a popularidade real de um produto, como a empresa fazia no passado, não colaborava com os lucros imediatos nem com as escolhas de seus assinantes e a satisfação resultante disso. Não colaborava, portanto, com os lucros da empresa *a longo prazo*.

O princípio da aprovação social

Para descobrir por que a popularidade é tão eficiente, é preciso entender a natureza de mais uma arma de influência poderosa: o princípio da provação social. Esse princípio afirma que nós determinamos o que é correto descobrindo o que outras pessoas acham ser correto. Ele se aplica à forma como decidimos o que constitui comportamento correto. *Consideramos um comportamento adequado em determinada situação na medida em que o vemos sendo seguindo por outros.* Sendo assim, os publicitários amam nos informar quando o produto é o de "crescimento mais rápido" ou "o mais vendido" porque assim não precisam nos convencer diretamente de que o produto é bom; basta mostrar que muitas pessoas pensam dessa maneira, o que parece ser prova suficiente.

A tendência de considerar uma ação como apropriada porque está sendo seguida por outras pessoas em geral funciona muito bem. Via de regra, cometemos menos erros agindo de acordo com as evidências sociais. Normalmente, quando muitas pessoas estão fazendo uma coisa, trata-se de uma ação. Essa característica do princípio da aprovação social é ao mesmo tempo sua maior força e sua maior fraqueza. Assim como as outras armas de influência, ela fornece um atalho conveniente para determinar a forma de se comportar, mas, ao mesmo tempo, quem o usa, torna-se vulnerável aos ataques de quem visa o lucro.

O problema começa quando começamos a responder à aprovação social de forma impensada e por reflexo; é nesse momento que podemos ser enganados por uma evidência parcial ou falsa. Erramos não em usar o comportamento dos outros para nos ajudar a decidir o que fazer em determinada situação; isso está de acordo com o princípio bem fundamentado da aprovação social. Erramos ao fazer isso automaticamente em resposta a uma falsa evidência fornecida por pessoas que visam o lucro. Os exemplos são muitos. Certos donos de casas noturnas produzem uma forma de aprovação social visível criando longas filas na porta de entrada mesmo que exista muito espaço disponível lá dentro. Vendedores aprendem a melhorar suas campanhas de venda salpicando relatos de inúmeros indivíduos que compraram o produto. No início da noite, os bartenders colocam algumas notas no pote para simular gorjetas deixadas por clientes anteriores. Igrejas às vezes fazem o mesmo com os cestos de coleta do dízimo e o efeito no faturamento é igualmente positivo. Pastores evangélicos são conhecidos por usar pessoas ensaiadas em momentos específicos de testemunhos e doações. E, é claro, sites de avaliação de produtos estão infestados de resenhas positivas que os próprios fabricantes forjaram ou pagaram pessoas para publicar.[1]

O PODER DAS PESSOAS

Por que as pessoas que visam lucro usam com tanta liberalidade a aprovação social para lucrar? Elas sabem que a nossa tendência de julgar tal ação como a mais correta, quando está sendo endossada por terceiros, opera com força em uma variedade de cenários. O consultor de vendas e motivação Cavett Robert usou esse princípio em seu conselho para trainees de vendas: "Como 95% das pessoas são imitadoras e apenas 5%

iniciadoras, elas são mais facilmente convencidas pelas ações dos outros do que por qualquer prova que possamos apresentar." Há evidências disso em toda parte. Examinemos uma pequena amostra.

Moralidade: Depois de serem informados que a maioria de seus semelhantes era favorável ao uso da tortura em interrogatório, 80% dos universitários participantes de um estudo passaram a enxergar a prática como mais moralmente aceitável. *Criminalidade*: beber e dirigir; estacionar em vagas para deficientes, furto em lojas e atropelamento seguido de fuga tornam-se mais prováveis se os possíveis infratores acreditam que o comportamento é desempenhado com frequência por outras pessoas. *Comportamento pessoal problemático*: homens e mulheres que acreditam que a violência contra um parceiro é comum são mais propensos a se envolver posteriormente nessa mesma violência. *Alimentação saudável*: depois de saberem que a maioria de seus colegas tenta comer frutas para ficar saudável, alunos do ensino médio na Holanda aumentaram o consumo de frutas em 35% — embora, de forma tipicamente adolescente, não tenham alegado nenhuma intenção de mudar após receber a informação. *Compras online*: embora testemunhos sobre produtos não sejam novidade, a internet mudou o jogo dando acesso imediato às avaliações do produto feitas por inúmeros usuários anteriores; como resultado, 98% dos compradores online dizem que relatos autênticos de clientes são o fator que mais influencia suas decisões de compra. *Pagar contas*: a cidade de Louisville, Kentucky, enviou para pessoas que haviam recebido multas de estacionamento uma carta dizendo que a maioria delas era paga em menos de duas semanas. Como resultado, os pagamentos aumentaram em 130%, mais que dobrando a receitas de multas de estacionamento da cidade. *Recomendações com base científica*: no início da pandemia de Covid-19 em 2020, pesquisadores examinaram as razões utilizadas pelos japoneses para decidirem com que frequência usariam máscaras faciais, como estimulados pelas autoridades sanitárias do país; embora diversas razões tenham sido avaliadas — como a percepção da gravidade da doença ou a probabilidade da máscara proteger da infecção —, só uma fez uma diferença relevante na frequência no uso de máscaras: ver outras pessoas usando. *Ação ambiental*: quando percebem muita gente reciclando, economizando energia ou água em suas casas, as pessoas acabam agindo de forma parecida.

Na arena das ações ambientais, a aprovação social funciona também em organizações. Muitos governos gastam recursos significativos regulando, monitorando e sancionando empresas que poluem o ar e a água; esses gastos aparecem nas contas das empresas que desrespeitam as regulações ou que estão dispostas a pagar as multas que são menores que a despesa para cumpri-las. Mas certos países desenvolveram programas rentáveis que funcionam estimulando o motor (não poluente) da provação social. Eles passaram a avaliar o desempenho ambiental das empresas poluentes de determinada indústria, depois publicaram essa avaliação para que todas as empresas pudessem ver em que posição estão em relação a seus semelhantes. A melhoria foi dramática — crescimento de 30% —, e quase toda advinda de mudanças feitas por poluidores relativamente significantes, após reconhecerem como estavam agindo mal em comparação aos outros.

Pesquisadores também descobriram que experimentos com base em aprovação social podem funcionar em estágios iniciais, às vezes com resultados impressionantes. Um psicólogo em particular, Albert Bandura, foi pioneiro no desenvolvimento desses experimentos para eliminar comportamentos indesejáveis. Bandura e seus colegas demonstraram como pessoas que sofrem de fobias podem se livrar desses medos extremos de forma incrivelmente simples. Por exemplo, em um estudo inicial, crianças em idade pré-escolar, escolhidas por terem muito medo de cachorro, observaram ao vivo um menino brincar alegremente com um cão durante vinte minutos por dia. Isso produziu mudanças tão marcantes para essas crianças temerosas que, depois de apenas quatro dias, 67% das crianças com medo estavam dispostas a entrar em uma área estabelecida e permanecer lá acariciando e brincando com o animal, sem supervisão. Quando os pesquisadores testaram os níveis de medo das crianças outra vez, um mês mais tarde, descobriu-se que a melhoria não tinha decaído com o tempo; na verdade, as crianças estavam mais dispostas que nunca a interagir com cães.

Uma descoberta importante foi feita em um segundo estudo com crianças com medo excepcional de cachorros: para reduzir o medo não foi necessário fornecer demonstrações ao vivo de outra criança brincando com um cachorro; trechos de filmes tiveram o mesmo impacto. Os mais eficazes foram os trechos que mostravam várias crianças interagindo com seus cães. O princípio da aprovação social funciona melhor quando a aprovação é fornecida pelas ações de *muitas* pessoas. Em breve, teremos muito a acrescentar sobre o papel amplificador "dos muitos".[2]

DEPOIMENTO DO LEITOR 4.1

Do diretor de recrutamento e treinamento de uma concessionária da Toyota em Tulsa, Oklahoma

Trabalho para a maior revendedora de automóveis de Oklahoma. Um dos nossos maiores desafios é encontrar vendedores talentosos. Tivemos um retorno baixo com nossos anúncios em jornais, então decidimos fazer nossos anúncios de recrutamento no rádio, durante o horário de saída de trabalho. Focamos na grande demanda por nossos veículos, quantas pessoas os estavam comprando e, consequentemente, como precisávamos expandir nossa força de vendas para acompanhar o crescimento. Como esperávamos, houve um aumento significativo no número de inscrições para se juntar à nossa equipe de vendas.

Mas os maiores efeitos observados foram o aumento do tráfego de consumidores, o aumento das vendas, tanto no departamento de veículos novos quanto de usados, e uma diferença perceptível na atitude de nossos clientes. O mais impactante foi o aumento do número total de compras em 41,7% em relação ao mês de janeiro do ano anterior!!! Fizemos quase uma vez e meia a quantidade de negócios em um mercado automotivo que caiu 4,4%. Pode haver outras razões para nosso sucesso, é claro, como uma mudança na gerência e uma reforma da concessionária. Mas, mesmo assim, sempre que colocamos anúncios de recrutamento dizendo que a ideia é acompanhar a demanda por nossos veículos, observamos um aumento significativo na venda de veículos nesses meses.

Nota do autor: A referência a uma grande demanda por parte dos consumidores afetou enormemente o comportamento de outros consumidores em relação aos carros e picapes da concessionária, fato consistente com o que já descrevemos neste capítulo. Mas há uma coisa ainda não comentada que também ajuda a explicar os efeitos anormais testemunhados pela concessionária. A informação da demanda elevada foi "incluída" em um anúncio para recrutar vendedores. Seu sucesso coaduna as evidências de que as pessoas estão mais propensas a serem convencidas por informações, incluindo informações sobre aprovação social, quando acham que não há uma intenção de convencê-las (Bergquist, Nilsson & Schultz, 2019; Howe, Carr & Walton, no prelo). Tenho certeza de que, se o anúncio da concessionária tivesse feito um apelo direto para compras — "Nossos automóveis estão vendendo loucamente! Venha adquirir o seu!" — ele teria sido menos eficaz.

APÓS O DILÚVIO

Quando se trata de demonstrar a força da aprovação social, um exemplo é de longe o meu o favorito. Várias características contribuem para sua atratividade: ele oferece um exemplo incrível do pouco usado método da observação participativa, no qual cientistas estudam um processo mergulhando em sua ocorrência natural; isso fornece informações-chave para grupos diversificados como historiadores, psicólogos e teólogos; e, o mais importante, demonstra como a aprovação social pode ser usada — não por outros, mas por nós mesmos — para fazer com o que nós preferimos que seja verdade se pareça com a verdade.

É uma história antiga que exige um exame de dados igualmente antigos, pois o passado está cheio de momentos religiosos que giram em torno do fim do mundo. Várias seitas e cultos profetizaram que, em determinada data, começaria um período de redenção e maior felicidade para aqueles que acreditassem nos ensinamentos do grupo. Em cada caso, previu-se que o início de um período de salvação seria marcado por um evento importante e inegável, em geral o fim cataclísmico do mundo. Claro que, para a grande decepção dos membros desses grupos, tais previsões se revelaram invariavelmente falsas.

Entretanto, imediatamente após o fracasso óbvio da profecia, a história registra um padrão enigmático. Em vez de se dispersarem desiludidos, frequentemente os membros dos cultos se tornam mais radicais em sua convicção. Correndo o risco de serem ridicularizadas, essas pessoas vão para a rua, afirmando publicamente seu dogma e buscando convertidos com um fervor intensificado pela nítida não confirmação de uma crença central. Isso aconteceu com os montanistas da Turquia no século II, com os anabatistas da Holanda do século XVI, com os sabataístas de Izmir do século XVII e com os mileritas dos Estados Unidos no século XIX. E, como pensou um trio de cientistas sociais, o mesmo podia acontecer com um culto do juízo final com base em Chicago no século XX. Leon Festinger, Henry Riecken e Stanley Schachter, que na época eram colegas na Universidade de Minnesota, ouviram falar de um grupo apocalíptico de Chicago e acharam que ele merecia um estudo mais atento. A decisão de se unirem ao grupo de maneira incógnita, como novos adeptos, e colocar alguns observadores remunerados extras em sua empreitada, resultou em um relato exclusivo e incrivelmente rico dos acontecimentos antes e depois da catástrofe prevista. Tudo isso foi registrado no interessante livro *When Prophecy Fails* (*Quando a profecia falha*, em tradução livre).

A seita era pequena, nunca teve mais de trinta membros. Os líderes eram um homem e uma mulher de meia-idade que, para propósitos de publicação, os pesquisadores chamaram de dr. Thomas Armstrong e sra. Marian Keech. O dr. Armstrong, médico na equipe saúde de uma universidade, tinha interesse pelo misticismo, ocultismo e discos voadores havia muito tempo; desse modo, servia como uma autoridade respeitada nos assuntos para o grupo. A sra. Keech, no entanto, era o centro das atenções e das atividades. No início do ano, ela começara a receber mensagens de seres espirituais que chamava de guardiões, instalados em outros planetas. Essas mensagens, que fluíam pelas mãos de Marian Keech através do dispositivo da "escrita automática", formavam a maior parte do sistema de crenças religiosas do culto. Os ensinamentos dos guardiões eram uma coleção de conceitos da nova era, ligados muito sutilmente ao pensamento cristão tradicional. Era como se os guardiões tivessem lido a Bíblia enquanto visitavam o norte da Califórnia.

As mensagens dos guardiões, sempre objeto de muitas discussões e interpretações entre o grupo, ganharam novo significado quando começaram a prever um grande desastre iminente: um dilúvio que começaria no hemisfério ocidental e acabaria engolindo o mundo. Embora os membros do culto a princípio tenham ficado compreensivelmente alarmados, mensagens posteriores garantiram que eles, e todos os que acreditavam nas lições enviadas por meio da sra. Keech, sobreviveriam. Antes da calamidade, homens chegariam do espaço em discos voadores e levariam os fiéis para um lugar seguro, supostamente em outro planeta. Poucos detalhes foram passados sobre o resgate, exceto que os adeptos deviam se preparar para o resgate ensaiando algumas senhas ("Deixei meu chapéu em casa", "Qual é sua pergunta?", "Sou meu próprio porteiro") e removendo todo o metal de suas roupas — porque carregar metal tornava a viagem nos discos voadores "perigosa".

Enquanto acompanhavam os preparativos durante as semanas anteriores à data do dilúvio, os pesquisadores também notaram com especial interesse dois aspectos significativos do comportamento dos fiéis. Primeiro, o nível de compromisso com o sistema de crenças do culto era muito alto. Prevendo o abandono da Terra condenada, os membros da seita deram passos irreversíveis. A maioria enfrentava oposição da família e dos amigos, mas persistia mesmo assim em suas convicções, mesmo que isso significasse a perda do afeto dos entes queridos. Vários membros foram ameaçados por vizinhos ou pela família com processos de interdição. A irmã do dr. Armstrong entrou com um pedido para que os dois filhos mais novos do irmão fossem tirados de sua guarda. Muitos fiéis deixaram seus empregos ou negligenciaram seus estudos para se dedicar integralmente ao movimento. Alguns doaram ou jogaram fora seus pertences pessoais, imaginando que em pouco tempo não teriam mais uso. A certeza da verdade permitia que resistissem a enormes pressões sociais, econômicas e políticas e seu compromisso com o dogma crescia à medida que resistiam a cada uma delas.

O segundo aspecto significativo no comportamento dos fiéis pré--dilúvio era uma forma de inação curiosa. Para indivíduos convencidos da validade de sua crença, era surpreendente o pouco que faziam para difundir a palavra. Embora tivessem originalmente publicado a notícia do desastre, não fizeram outras tentativas de buscar novos adeptos ou de realizar um proselitismo ativo. Os fiéis estavam dispostos a dar o alarme e a aconselhar aqueles que respondessem voluntariamente, nada mais.

A aversão do grupo a esforços de recrutamento era evidente de diversas maneiras. O ar de mistério era mantido em muitas questões — cópias extras das lições foram queimadas, senhas e sinais secretos foram instituídos e o conteúdo gravado em certas fitas não devia ser discutido com pessoas de fora (as fitas eram tão secretas que até mesmo fiéis de longa data eram proibidos de fazer anotações a respeito). A publicidade era evitada. Com a aproximação do dia do desastre, números crescentes de repórteres de jornal, TV e rádio convergiram para a sede do grupo na casa de Marian Keech. Em geral, essas pessoas foram dispensadas ou ignoradas. A resposta mais frequente a suas perguntas era: "Sem comentários."

Embora desencorajada por algum tempo, a mídia voltou com sede de vingança quando as atividades religiosas do dr. Armstrong provocaram sua demissão da equipe de saúde da universidade; um jornalista especialmente persistente foi ameaçado com um processo. Um cerco semelhante foi repelido na véspera do dilúvio, quando um enxame de repórteres assediou os fiéis em busca de informações. Posteriormente, os pesquisadores resumiram a posição dos adeptos em relação à exposição pública e ao recrutamento em tom respeitoso: "Expostos a uma tremenda explosão de publicidade, os fiéis tentaram evitar a fama de todas as formas; com dezenas de oportunidades para o proselitismo, ainda assim permaneceram evasivos e reservados, agindo com indiferença quase superior."

Por fim, quando todos os repórteres e curiosos haviam sido retirados, os fiéis começaram a fazer os preparativos finais para a chegada da espaçonave, marcada para a meia-noite daquele dia. A cena vista por Festinger, Riecken e Schachter deve ter parecido um teatro de absurdos. Pessoas comuns — donas de casa, universitários, um garoto do ensino médio, um editor, um médico, um balconista de loja de ferragens e a mãe — participavam com sinceridade da comédia trágica. Recebiam instruções de dois membros que estavam periodicamente em contato com os guardiões; naquela noite, as mensagens de Marian Keech estavam sendo complementadas por "Bertha", uma ex-cabeleireira que era usada pelo "Criador". Todos ensaiaram suas falas com empenho, entoando em coro as respostas a serem dadas antes de entrar no disco voador de resgate: "Sou meu próprio porteiro." "Sou meu próprio indicador." Discutiram seriamente se uma ligação de uma pessoa identificada como o Capitão Vídeo — um personagem de uma série de ficção científica da época — devia ser interpretada como um trote ou uma comunicação codificada daqueles que vinham resgatá-los.

Obedecendo o alerta de não levar nada metálico a bordo do disco voador, os adeptos usavam roupas das quais todas as peças de metal haviam sido removidas. Os ilhoses dos sapatos haviam sido arrancados. As mulheres estavam sem sutiã ou com sutiãs sem aro. Os homens tinham tirado os zíperes das calças, mantidas no lugar por cordas em vez de cintos.

O fanatismo do grupo em relação a esse aspecto foi vivenciado com clareza por um dos pesquisadores que, 25 minutos antes da meia-noite, notou que tinha se esquecido de remover o zíper da calça. Como contam os observadores, "o fato promoveu uma reação quase de pânico. Ele foi levado às pressas para o quarto, onde o dr. Armstrong, com as mãos trêmulas e os olhos buscando o relógio a cada segundo, cortou o zíper com uma lâmina de barbear e arrancou as presilhas com um cortador de arame". Com a operação urgente encerrada, o pesquisador voltou à sala — um homem um pouco menos metálico, porém muito mais pálido.

Com a aproximação da hora marcada para a partida, os fiéis entraram em um estado de calma silenciosa em antecipação. Felizmente, os cientistas treinados foram capazes de fornecer um relato detalhado dos eventos ocorridos durante esse período tão importante.

Os últimos dez minutos foram tensos para o grupo na sala de estar. Eles não tinham nada a fazer além de ficarem sentados aguardando, com os casacos no colo. No silêncio tenso, dois relógios tiquetaqueavam alto, um cerca de dez minutos adiantado que o outro. Quando o mais adiantado marcou meia-noite e cinco, um dos observadores indicou o fato em voz alta. Um coro de pessoas retrucou que a meia-noite ainda não tinha chegado. Bob Eastman afirmou que o relógio atrasado estava correto, que ele o havia acertado pessoalmente naquela tarde. Faltava apenas quatro minutos para a meia-noite.

Esses quatro minutos se passaram em silêncio completo, exceto por uma única frase. Quando o relógio [mais atrasado] na lareira mostrava apenas um minuto para a chegada do guia para o disco voador, Marian exclamou com uma voz tensa e estridente: "E nenhum plano deu errado!" O relógio marcou meia-noite, cada badalada dolorosamente nítida em meio ao silêncio cheio de expectativa. Os fiéis estavam sentados imóveis.

Era de se esperar alguma reação visível. A meia-noite havia passado, e nada tinha acontecido. O cataclismo em si estava a menos de sete horas de distância. Mas havia pouco a ser visto nas reações das pessoas ali presentes. Não havia conversa, não havia som. As pessoas estavam sentadas imóveis, com os rostos aparentemente congelados e inexpressivos. Mark Post foi a única pessoa que se mexeu. Ele se deitou no sofá e fechou os olhos, mas não dormiu. Mais tarde, quando falaram com ele, respondeu de forma monossilábica, mas fora isso permaneceu imóvel. Os outros não demonstraram nenhuma alteração, embora mais tarde tenha ficado claro que tinham sido duramente atingidos...

Lenta e dolorosamente, uma atmosfera de desespero e confusão se abateu sobre o grupo. Eles reexaminaram a previsão e as mensagens que a acompanhavam. O dr. Armstrong e a sra. Keech reiteraram sua fé. Os fiéis refletiram profundamente a respeito da situação e descartaram inúmeras respostas como insatisfatórias. Em determinado momento, perto das quatro da manhã, a sra. Keech desmoronou e chorou amargamente. Ela sabia que havia algumas pessoas começando a duvidar, mas que o grupo devia continuar a iluminar aqueles que mais precisavam de luz e que era importante se manterem unidos. O restante dos fiéis também estava perdendo a compostura. Estavam todos visivelmente abalados e muitos à beira das lágrimas. Eram quase 4h30, e ainda não havia sido descoberto nenhum meio para lidar com a não confirmação. A essa altura, também, a maior parte do grupo estava falando da ausência da espaçonave à meia-noite. O grupo parecia perto da dissolução. (págs. 162-63, 168)

Em meio à dúvida crescente, enquanto a confiança dos fiéis começava a ser abalada, os pesquisadores testemunharam dois incidentes impressionantes. O primeiro ocorreu por volta das 4h45, quando a mão de

Marian Keech de repente começou a transcrever por meio de "escrita automática" uma mensagem sagrada vinda do além. Lida em voz alta, a comunicação se revelou uma explicação elegante dos acontecimentos daquela noite. "O pequeno grupo, sozinho a noite inteira, tinha espalhado tanta luz que Deus havia salvado o mundo da destruição." Embora simples e eficiente, a explicação não foi satisfatória; após ouvi-la, um membro se levantou, vestiu o chapéu e o casaco e foi embora sem nunca mais retornar. Era preciso algo mais para restaurar os fiéis a seus níveis anteriores de fé.

E então um segundo acontecimento notável veio para suprir essa necessidade. Mais uma vez, as palavras das pessoas que estavam presentes oferecem uma descrição vívida:

> *A atmosfera no grupo mudou abruptamente, bem como seu comportamento. Poucos minutos depois da mensagem explicando a não confirmação, a sra. Keech recebeu outra instruindo-a a tornar pública essa explicação. Ela pegou o telefone e começou a ligar para o número de um jorna local. Enquanto esperava ser atendida, alguém perguntou: "Marian, essa é a primeira vez que você liga para o jornal?" A resposta dela foi imediata: "É, sim. Eu nunca tive nada para dizer a eles antes, mas agora sinto que é urgente." Todo o grupo poderia ter ecoado esse sentimento, todos compartilhavam dessa urgência. Assim que Marian terminou a ligação, as pessoas se revezaram para telefonar para outros jornais, agências de notícias, estações de rádio e revistas de circulação nacional a fim de divulgar a explicação do fracasso do dilúvio. Em seu desejo para espalhar a palavra rapidamente e de forma eficiente, os fiéis revelaram ao público assuntos que até então eram extremamente secretos. Se poucas horas antes o grupo evitara os repórteres, ressentindo-se da atenção da mídia, agora ele se tornara ávido por publicidade. (pág. 170)*

Não apenas as antigas políticas em relação ao segredo e à publicidade mudaram, mas também a atitude do grupo em relação aos convertidos em potencial. Enquanto prováveis recrutas tinham sido em sua maioria ignorados, dispensados ou tratados com uma atenção indiferente, no dia após a não confirmação se observou uma história diferente. Todas as pessoas que telefonaram foram admitidas, todas as perguntas foram respondidas, houve proselitismo com todos os visitantes. A disposição sem precedentes dos fiéis para receber novos recrutas talvez tenha sido melhor demonstrada quando nove alunos do ensino médio chegaram na noite seguinte para conversar com a sra. Keech.

A sra. Keech foi vista ao telefone, profundamente envolvida em uma discussão sobre discos voadores com uma pessoa que havia ligado e, mais tarde revelou-se, ela acreditava ser um homem do espaço. Ávida para continuar a conversar com ele, e ao mesmo tempo ansiosa para dar atenção aos seus novos convidados, Marian simplesmente os incluiu na conversa e, por mais de uma hora, ela conversou alternadamente com seus convidados na sala e o "homem do espaço" do outro lado do telefone. Tão dedicada estava ao proselitismo que parecia incapaz de deixar qualquer oportunidade passar. (pág. 178)

A que podemos atribuir essa reviravolta dos fiéis? Em poucas horas, tinham ido de acumuladores fechados e taciturnos da Palavra para disseminadores expansivos e ávidos. O que os teria levado a escolher um momento tão pouco propício para essa virada — bem quando o fracasso do dilúvio tinha grandes chances de fazer com que os não crentes vissem o grupo e seu dogma como ridículos?

O acontecimento crucial ocorreu em algum momento durante "a noite do dilúvio", quando se tornou cada vez mais evidente que a profecia não seria cumprida. Estranhamente, não foi a crença anterior que levou os membros a propagarem a fé, mas um sentido crescente de incerteza. A compreensão de que, se as previsões sobre a nave espacial e o dilúvio estavam erradas, o mesmo podia acontecer com todo o sistema de crenças em que se apoiavam. Para as pessoas amontoadas na sala de Marian Keech, essa possibilidade crescente deveria parecer assustadora.

Os membros do grupo tinham ido longe demais, aberto mão de muita coisa por suas crenças para vê-las destruídas; a vergonha, o custo econômico e a zombaria seriam pesados demais para suportar. A necessidade de se aferrarem a essas crenças emanava de forma tocante de suas palavras. Como disse uma jovem com um filho de três anos:

Preciso acreditar que o dilúvio virá no dia 21 porque gastei todo meu dinheiro. Larguei meu emprego, larguei a escola de informática... Eu preciso acreditar. (pág. 168)

Para um dos pesquisadores, quatro horas depois que os homens dos discos voadores não chegaram, o dr. Armstrong afirmou:

Precisei ir ao extremo. Abri mão de praticamente tudo. Cortei todos os laços. Desfiz conexões. Dei as costas para o mundo. Não posso me dar ao luxo de duvidar. Preciso acreditar. E não há nenhuma outra verdade. (pág. 168)

Imagine o beco sem saída em que se viam com a aproximação daquela manhã. Tão enorme era o comprometimento com suas crenças que nenhuma outra verdade era tolerada. Ainda assim, essas crenças haviam recebido um golpe impiedoso da realidade física: nenhum disco voador tinha aterrissado, nenhum homem do espaço tinha batido à porta, nenhum dilúvio havia chegado, nada profetizado se realizara. Como a única forma de verdade aceitável tinha sido solapada pelas provas físicas, havia apenas um modo de escapar daquele beco sem saída. O grupo precisava de outra forma de comprovar a verdade de suas crenças: a aprovação social.

Isso explica a mudança repentina do papel de conspiradores secretos para missionários enérgicos. Também explica o momento da mudança — exatamente quando uma não confirmação direta de suas crenças os havia tornado menos convincentes para as pessoas de fora. Era necessário correr o risco do desprezo e do escárnio dos não fiéis, uma vez que a publicidade e os esforços de recrutamento eram a última esperança. Se pudessem espalhar a palavra, se pudessem informar os desinformados, se pudessem convencer os céticos e, com isso, obter novos convertidos, suas crenças ameaçadas, porém estimadas, poderiam se tornar *mais verdadeiras*. O princípio da aprovação social diz isso: *Quanto maior for o número de pessoas pensando que uma ideia é correta, mais um determinado indivíduo a perceberá da mesma forma*. A missão do grupo era evidente; como as evidências físicas não podiam ser alteradas, era preciso fazer isso usando evidências sociais. Convença e você será convencido.[3]

Otimizadores

Todas as armas de influência discutidas neste livro funcionam melhor sob certas circunstâncias. Se queremos nos defender delas de forma adequada, é vital conhecer suas condições ideias de operação para reconhecer o momento em que estaremos mais vulneráveis à sua influência. No caso da aprovação social, há três principais condições de otimização: quando não temos certeza do que é melhor a fazer (incerteza); quando as evidências do que é melhor a fazer vêm de várias pessoas (os muitos); e quando essas evidências vêm de pessoas como nós (semelhança).

INCERTEZA: EM SUAS DIFICULDADES, CRESCE A CONFORMIDADE

Já temos uma pista de quando o princípio da aprovação social funcionou melhor com os fiéis de Chicago. Foi quando o sentimento de confiança abalada disparou a necessidade por convertidos, para que novos fiéis pudessem validar a verdade das visões dos fiéis originais. Em geral, quando não estamos certos sobre nós mesmos, quando a situação não está clara ou é ambígua, quando reina a incerteza, é quando estamos mais propensos a aceitar as ações dos outros — pois essas ações reduzem nossa incerteza em relação a qual comportamento é correto no momento.

Um dos modos pelos quais a incerteza se desenvolve é através da falta de familiaridade com a situação. Nessas circunstâncias, as pessoas ficam propensas a seguirem lideranças. Lembra-se do relato neste capítulo sobre os gerentes de restaurante em Pequim que aumentaram as compras de certos pratos do cardápio ao descrevê-los como os mais pedidos? Embora a popularidade alardeada de um item aumentasse sua escolha por todos os tipos de clientes (homens, mulheres, de qualquer idade), um tipo específico estava mais propenso a escolher o prato com base na popularidade: os visitantes não habituais e que, portanto, não estavam familiarizados. Clientes que não estavam em posição de contar com a própria experiência tendiam mais fortemente à aprovação social.

Essa simples sacada transformou um homem em multimilionário. Depois de adquirir várias pequenas mercearias em 1934, Sylvan Goldman percebeu que seus clientes paravam de comprar quando seus cestos de compras ficavam pesados demais. Isso o inspirou a criar o carrinho de compras, que em sua forma inicial era uma cadeira dobrável equipada com rodinhas e duas de cestas de metal. A engenhoca tinha um aspecto tão inusitado que, no início, nenhum dos clientes quis usá-la, nem quando ele construiu uma versão mais ajustada e colocou vários em um lugar de destaque na loja, junto a cartazes descrevendo seus usos e benefícios. Frustrado e prestes a desistir, Goldman tentou mais uma ideia para reduzir a incerteza de seus clientes, com base na aprovação social. Ele contratou consumidores para circularem com os carrinhos pela loja. Os verdadeiros clientes logo começaram a imitá-los, sua invenção tomou o país e Goldman morreu com uma fortuna de mais de US$ 400 milhões.[4]

DEPOIMENTO DO LEITOR 4.2

De um estudante universitário dinamarquês

Em Londres, quando estava visitando minha namorada, estava sentado em um trem de metrô parado em uma estação. O trem não partiu na hora e não houve anúncio da causa. Do outro lado da plataforma, havia outro trem parado quando uma coisa estranha aconteceu. Algumas pessoas começaram a sair do meu trem e a embarcar no outro e logo se observava uma reação em cadeia amplificada. Em pouco tempo, cerca de duzentas pessoas, incluindo eu, desembarcaram do trem e embarcaram no outro. Então, passados vários minutos, algo ainda mais peculiar aconteceu. Algumas pessoas começaram a sair do segundo trem, e todo o movimento aconteceu outra vez na ordem inversa, fazendo com que todos (incluindo eu) voltassem para o trem original, ainda sem nenhum anúncio que justificasse o atraso.

É desnecessário dizer que isso me deixou com a sensação um tanto tola de ser um peru descerebrado seguindo qualquer impulso coletivo de aprovação social.

Nota do autor: Além da falta de familiaridade, a falta de sinais objetivos de correção pode gerar sentimentos de incerteza. Nessa situação, por exemplo, não houve qualquer anúncio. Consequentemente, a provação social assumiu para guiar o comportamento, não importa o quão ridícula a situação fosse. *Clique, rode* (várias vezes).

Conforme examinamos as reações de outras pessoas para tentar solucionar nossa incerteza, são grandes as chances de deixar passar um fato sutil, mas importante: especialmente em uma situação ambígua, as outras pessoas provavelmente também estão examinando as aprovações sociais. Essa tendência a olhar o que as outras pessoas estão fazendo pode levar a um fenômeno fascinante chamado ignorância pluralista. Observar esse fenômeno ajuda a explicar uma ocorrência perturbadora: transeuntes que negam socorro a alguém precisando muito de ajuda.

O relato clássico dessa inação que produziu mais debate nos círculos jornalísticos, políticos e científicos surgiu em um artigo no *New York Times*: uma mulher de vinte e poucos anos, Kitty Genovese, foi assassinada em um ataque tarde da noite enquanto os 38 vizinhos que assistiam das janelas de seus apartamentos não se mexeram para ajudá-la. A notícia gerou revolta em todo o país e levou a uma linha de pesquisa científica sobre a possibilidade de um transeunte ajudar ou não em caso de emergência. Mais recentemente, detalhes sobre a falta de ação dos vizinhos — e até mesmo se isso tinha ocorrido — foram desmentidos por pesquisadores que descobriram métodos jornalísticos de baixa qualidade nesse caso específico. Mas, uma vez que eventos continuam a surgir, o questionamento permanece importante. Uma resposta a isso envolve as consequências potencialmente trágicas da ignorância pluralística, bruscamente ilustrada em uma notícia da UPI de Chicago:

Uma universitária foi espancada e estrangulada à luz do dia perto de uma das atrações turísticas da cidade, relatou a polícia no sábado.

O corpo despido de Lee Alexis Wilson, 23, foi encontrado na sexta-feira nos arbustos junto ao muro do Instituto de Arte por um menino de doze anos que brincava por ali.

A polícia especula que a vítima podia estar sentada ou parada perto de uma fonte na praça sul do local quando foi atacada. O agressor, aparentemente, arrastou Wilson para os arbustos, e, segundo a polícia, há indícios de agressão sexual.

De acordo com a polícia, centenas de pessoas devem ter passado pelo local, e um homem relatou ter ouvido um grito por volta das 14h, mas não fez nada para investigar porque mais ninguém parecia estar prestando atenção (grifo do autor).

Quase sempre uma emergência não é uma emergência óbvia. Um homem deitado no beco teve um ataque cardíaco ou é só um bêbado dormindo? A confusão na porta ao lado é uma agressão que precisa de intervenção da polícia ou uma discussão conjugal acalorada onde a intervenção seria inapropriada e indesejada? O que está acontecendo? Em momentos de incerteza, a tendência natural é olhar para as ações das outras pessoas à procura de pistas. É pelo princípio da aprovação social, ou seja, pela forma como as outras testemunhas estão reagindo, que determinamos se o caso em questão é ou não uma emergência.

O que é fácil esquecer, porém, é que todas as pessoas observando o acontecimento provavelmente estarão à procura de aprovações sociais para reduzir *a própria* incerteza. Como todos preferimos parecer controlados, relaxados e tranquilos aos olhos dos outros, estamos propensos a procurar essas aprovações com calma, com olhares breves e camuflados para aqueles à nossa volta. É provável que cada indivíduo veja os demais se comportando com frieza e deixando de agir. O evento será nitidamente interpretado como uma não emergência.

UMA ABORDAGEM CIENTÍFICA

Cientistas sociais têm uma boa ideia de quando as pessoas oferecerão ajuda em uma emergência. Primeiro, a ajuda é muito provável quando a incerteza é removida e as testemunhas estão convencidas de que a emergência realmente existe. Sob essas condições, o número de transeuntes que intervém ou chama ajuda é bem reconfortante. Por exemplo, em quatro experimentos separados feitos na Flórida, foram criadas cenas de acidentes com um profissional de manutenção. Quando estava claro que o homem estava ferido e precisava de ajuda, em 100% das vezes ele recebeu auxílio em dois dos experimentos. Nos outros dois, onde a ajuda envolvia contato com cabos elétricos potencialmente perigosos, a vítima ainda assim recebeu a ajuda dos transeuntes em 90% dos casos. A situação ficou muito diferente quando as pessoas não conseguiam determinar com certeza se o acontecimento era uma emergência.

DESVTIMIZAÇÃO

Explicar os perigos da vida moderna em termos científicos não nos livra deles. Felizmente, nossa compreensão atual do processo de intervenção dos transeuntes oferece esperança. Munida de conhecimento científico, uma pessoa pode aumentar significativamente as chances de receber a ajuda em uma situação de emergência. A chave está em perceber que as pessoas deixam de ajudar porque estão inseguras, não porque são cruéis. As pessoas não se manifestam quando não têm certeza de que existe uma situação de risco acontecendo e quando não sabem precisar se são as responsáveis por tomar uma atitude. Quando estão confiantes de sua responsabilidade de intervir diante de uma emergência evidente, elas são reativas.

Figura 4.1: Vítima?
Em momentos como esse, em que a emergência não é evidente, é improvável que mesmo vítimas reais recebam ajuda no meio de uma multidão. Se você fosse a segunda pessoa a passar por essa cena, pense em como o transeunte anterior poderia tê-lo feito achar que não existe uma emergência acontecendo.

Quando se entende que o inimigo é o estado de incerteza, é possível reduzir essa dinâmica e se resguardar em caso de emergência. Imagine, por exemplo, que você está em um show em um parque durante uma tarde de verão. Quando o show termina e as pessoas começam a ir embora, você percebe uma leve dormência no braço, mas pensa que não é nada com que se preocupar. Mas, enquanto caminha em meio à multidão em direção às distantes áreas de estacionamento, sente a dormência se espalhar pelas mãos e subir por um lado do rosto. Desorientado, você se senta encostado em uma árvore para descansar por um momento. Em minutos você percebe que há alguma coisa muito errada.

Sentar não ajudou; na verdade, o controle da musculatura piorou e você está com dificuldade para mexer a boca e a língua para falar. Você tenta se levantar, mas não consegue. Um pensamento aterrorizante toma sua mente: "Meu Deus, estou tendo um AVC!" As pessoas estão passando sem prestar atenção. Os poucos que percebem o jeito estranho com que você está curvado junto a árvore ou a expressão esquisita em seu rosto buscam as aprovações sociais ao redor e, quando não veem ninguém reagindo com preocupação, seguem em frente, certos que não há nada de errado, deixando você aterrorizado e sozinho.

Se se visse nessa situação, o que poderia fazer para superar a probabilidade de não receber ajuda? Como suas capacidades físicas diminuindo a cada momento, o tempo seria crucial. Se, antes de pedir ajuda, você perdesse a fala, a mobilidade ou a consciência, suas chances de receber ajuda cairiam drasticamente. É essencial pedir socorro com urgência, mas qual seria a forma mais eficaz desse pedido? Gemidos, grunhidos ou gritos provavelmente não adiantariam. Talvez atraíssem alguma atenção para você, mas não forneceriam informação suficiente para garantir às pessoas que existe uma emergência real em curso.

Se meros gritos não têm muita chance de produzir ajuda da multidão, talvez você devesse ser mais específico. Na verdade, deve fazer mais do que tentar chamar atenção; é preciso gritar claramente sua necessidade de ajuda. Não permita que as pessoas definam o caso como não emergencial. Use a palavra "Socorro" para demonstrar a gravidade da situação e não se preocupe em estar errado. Em situações como essa, o constrangimento é um vilão a ser vencido. Se você acha que está tendo um AVC, não pode se dar ao luxo de ficar preocupado com a possibilidade de estar superestimando seu problema. A diferença está entre um momento de constrangimento e a possível morte ou paralisia para a vida inteira.

Mas mesmo um pedido retumbante de ajuda não é a tática mais eficiente. Embora isso possa reduzir a dúvida dos transeuntes, não vai eliminar várias outras incertezas na mente de cada observador: que tipo de ajuda é necessária? Devo ser eu a prestar ajuda ou deve ser alguém mais qualificado? Mais alguém está agindo para conseguir ajuda profissional, ou é minha responsabilidade? Enquanto as pessoas ficam paradas olhando para você, tentando resolver essas questões, um tempo vital para sua sobrevivência pode estar passando.

Enquanto vítima, é necessário fazer mais do que alertar as pessoas de sua necessidade de ajuda; é preciso também eliminar a incertezas delas sobre como essa ajuda deve ser fornecida e quem deve fornecê-la. Qual seria a forma mais eficiente e confiável de fazer isso? Com base nas pesquisas, meu conselho é: concentre-se em um indivíduo da multidão, olhe e fale diretamente para essa pessoa e mais ninguém. "Você, senhor de jaqueta azul, preciso de ajuda. Chame uma ambulância." Assim, você eliminará todas as incertezas que podem impedir ou atrasar a ajuda. Com essa única afirmação, você terá colocado o homem de jaqueta azul no papel de responsável pelo resgate. Ele agora possivelmente entende que assistência médica é necessária; que ele, mais ninguém, é responsável por prestar essa ajuda; e, por fim, estará ciente de como prestá-la. Todas as evidências científicas indicam que o resultado deve ser um socorro rápido e eficiente.

DEPOIMENTO DO LEITOR 4.3

De uma moradora da Breslávia, Polônia

Eu estava passando por um cruzamento bem-iluminado quando pensei ter visto alguém caindo em uma vala deixada por funcionários de alguma construção. A vala estava bem protegida e eu não tinha certeza se tinha realmente visto aquilo — talvez tivesse sido apenas a minha imaginação. Um ano antes, eu teria continuado andando, acreditando que outros, mais perto da cena, poderiam ter visto melhor. Mas eu tinha lido seu livro. Por isso, parei e voltei para conferir. Havia um homem caído no buraco, em estado de choque. A vala era bem profunda, então as pessoas que passavam por perto não conseguiam ver nada. Quando tentei fazer alguma coisa, dois caras que estavam andando pela rua pararam para me ajudar a resgatar o homem.

Hoje, uma matéria no jornal revelou que durante as três últimas semanas do inverno, 120 pessoas morreram congeladas na Polônia. O homem que encontrei podia ter sido o 121 — naquela noite, a temperatura foi de -21°C.

Ele deve agradecer ao livro por estar vivo.

Nota do autor: Alguns anos atrás, eu me envolvi em um acidente de carro bem sério em um cruzamento. Tanto eu quanto o outro motorista nos machucamos: ele ficou inconsciente por cima volante, enquanto eu saí do carro cambaleando e sangrando. Outros carros começaram a reduzir ao passar por nós; os motoristas olhavam, mas não paravam. Como a polonesa, eu conhecia meu próprio livro, por isso sabia o que fazer. Apontei diretamente para o motorista de um carro e disse: "Chame a polícia." Para um segundo motorista, eu disse: "Pare, precisamos de ajuda." A ajuda não só foi rápida como contagiosa. Mais motoristas começaram a parar — espontaneamente — para ajudar a outra vítima. O princípio da aprovação social trabalhava *a nosso favor*, agora. O truque tinha sido fazer as coisas andarem na direção da ajuda. Quando isso aconteceu, o impulso natural da aprovação social fez o resto.

De maneira geral, a melhor estratégia quando estiver precisando de ajuda em uma emergência é reduzir as incertezas das pessoas em relação à sua condição e às responsabilidades deles. Seja tão objetivo quanto possível. Não permita que as pessoas tirem as próprias conclusões. O princípio da aprovação social e a ignorância plural subsequente podem muito bem fazer com que enxerguem a sua situação como não emergencial. De todas as técnicas deste livro criadas para produzir respostas positivas a um pedido, esta é a mais importante de se lembrar. Afinal de contas, fracassar pode significar a morte.

Além desse conselho, existe um tipo especial de incerteza a ser eliminada pelas mulheres: o momento em que ela está sendo agredida fisicamente por um homem. Preocupados, alguns pesquisadores desconfiaram que diante desse tipo de confronto, algumas pessoas não intervêm porque não estão certas quando à natureza do relacionamento, e em geral tendem a pensar que a intervenção pode ser indesejada. Para testar essa hipótese, os pesquisadores expuseram os participantes a um confronto público entre um homem e uma mulher. Quando não houve indícios do tipo de relacionamento entre os dois, a maioria dos participantes homens e mulheres (quase 70%) imaginaram que o casal estava romanticamente envolvido; só 4% acharam que eles eram estranhos completos. Em outros experimentos onde havia sinais que definiam o relacionamento — a mulher gritava "Não sei por que eu me casei com você" ou "Eu não conheço você" —, os estudos apresentaram um resultado horrível. Embora a seriedade da briga fosse idêntica, os observadores estavam menos dispostos a ajudar a mulher casada, pensando se tratar de um assunto privado no qual uma intervenção seria indesejada e embaraçosa para todos os envolvidos.

Figura 4.2: Para conseguir ajuda, grite corretamente
Observadores de confrontos entre homens e mulheres frequentemente supõem que o casal tem um envolvimento romântico e que uma intervenção seria indesejada e inapropriada. Para evitar essa ideia e obter ajuda, a mulher deve gritar: "Eu não conheço você." *Tatagatta/ Fotolia*

Assim, em uma situação de confronto com um homem, qualquer homem, a mulher não deve esperar ajuda de outras pessoas simplesmente gritando por isso. Os observadores são propensos a definir o acontecimento como uma disputa doméstica e, com essa definição, podem muito bem supor que ajudar seja socialmente inapropriado. Felizmente, os dados dos pesquisadores sugerem uma forma de superar esse problema: identificando em voz alta seu agressor como um estranho — "Eu não conheço você!" —, a vítima aumenta muito suas chances de receber ajuda.[5]

OS MUITOS: QUANTO MAIS VEMOS, MAS VAI HAVER

Um pouco antes afirmei que o princípio da aprovação social, assim como todas as outras alavancas de influência, funciona melhor sob certas condições que outras. Já exploramos uma dessas condições: a incerteza. Sem dúvida, quando *não têm certeza* as pessoas ficam mais propensas a usar as ações de terceiros para decidir como elas devem agir. Além disso, há outra condição de otimização: os muitos. Qualquer leitor que duvide de que uma ação é fortemente influenciada pelo número de pessoas que a estão desempenhando pode tentar um pequeno experimento. Pare em uma calçada, escolha um ponto vazio no céu ou em um prédio alto e fique olhando fixamente para ele por um minuto. Muito pouco vai acontecer durante esse tempo — a maioria vai passar por você sem olhar para cima e praticamente ninguém vai parar e se juntar a você. No dia seguinte, volte ao mesmo lugar e leve junto um grupo de amigos para olhar para cima com você. Em menos de sessenta segundos, uma multidão terá parado e espichado o pescoço na direção do céu. A pressão de olhar para cima, ao menos por um momento, será quase irresistível; se os resultados do seu experimento forem iguais aos obtidos por pesquisadores em Nova York, você e seus amigos farão 80% dos transeuntes olharem para seu ponto vazio. Além disso, até certo ponto (em torno de vinte pessoas), quanto mais amigos você levar, mais pessoas vão se juntar.

Informações fornecidas por aprovação social não precisam ser necessariamente visuais para arrastar as pessoas em sua direção. Pense na exploração desse princípio na história da ópera, uma de nossas formas de arte mais veneráveis. Existe um fenômeno chamado claque,

que dizem ter começado em 1820 com uma dupla de frequentadores de óperas em Paris. Sauton e Porcher, no entanto, eram mais do que aficionados por ópera: eram homens de negócios cujo produto era o aplauso. E os dois descobriram um meio de estruturar a aprovação social para provocá-lo.

Figura 4.3: "À procura de um significado cada vez mais elevado"
A atração dos muitos é diabolicamente forte. © *Punch/Rotchco*

Organizando seu negócio sob o título de *l'assurance des succès dramatiques*, ofereciam eles mesmos e seus empregados para cantores e diretores de ópera que desejavam garantir reações positivas do público. Sauton e Porcher eram tão eficientes em estimular reações verdadeiras do público com suas reações forjadas que, em pouco tempo, as claques (usualmente consistindo de um líder — *chef de claque* — e vários outros *claqueurs*) transformaram-se em uma tradição estabelecida e persistente por todo o mundo da ópera. Como o especialista em história da música Robert Sabin (1964) observa: "Em 1830, a claque era uma instituição plenamente desenvolvida, sendo paga durante o dia, aplaudindo à noite... Mas é provável que nem Sauton nem Porcher tivessem noção da extensão em que seu esquema de aplauso pago seria adotado e aplicado em qualquer lugar onde a ópera fosse cantada."

Com o crescimento das claques, seus praticantes ofereciam uma variedade de estilos e forças — a *pleureuse*, escolhida por sua habilidade de chorar no momento certo; o *bisseur*, que pedia bis em tons extáticos; e o *rieur*, escolhido pela qualidade contagiante de seu riso. Para nossos propósitos, porém, há um paralelo mais instrutivo a ser observado no modelo de negócio de Sauton e Porcher e seus sucessores: eles cobravam pelo número de pessoas, reconhecendo que, quanto mais numerosa a claque enviada para se espalhar em meio a uma plateia, maior seria a impressão persuasiva de que *muitos* outros gostaram da performance. *Clique, rode.*

Frequentadores de ópera não estão sozinhos nesse aspecto. Observadores atuais de acontecimentos políticos, como os debates presidenciais norte-americanos, podem ser significativamente afetados pela magnitude da reação do público. Os desempenhos percebidos dos candidatos nesses debates não foram de pouca importância no resultado das eleições, e especialistas em política observam seu impacto crítico. Pesquisadores vêm investigando fatores que levaram ao sucesso ou ao fracasso nos debates. Um deles foi como as respostas do público presente afetaram as reações das pessoas que observavam remotamente pela TV, mas também no rádio e em *streaming* de vídeo. Apresentando o verdadeiro desempenho dos candidatos, mas modificando por meio de recursos tecnológicos as respostas das plateias *in loco* (aplausos, vivas, risos), pesquisadores examinaram a influência das respostas alteradas na visão das audiências remotas sobre os candidatos. Suas descobertas foram consistentes: em um debate de 1984 entre Ronald Reagan e Walter Mondale, um debate de 1992 entre Bill Clinton e George Bush, e um debate em 2016 entre Donald Trump e Hilary Clinton, o candidato que aparentemente recebeu a reação mais forte do público *in loco* ganhou o dia com as plateias remotas em termos de desempenho no debate, qualidades de liderança e afabilidade. Certos pesquisadores ficaram preocupados com uma tendência nos debates presidenciais de encher as plateias com seguidores barulhentos e rudes cujas respostas efusivas dão a impressão de um apoio maior do que o real. A prática da claque está longe de morrer.[6]

DEPOIMENTO DO LEITOR 4.4

De um executivo de marketing da América do Sul

Enquanto lia o capítulo sobre aprovação social, reconheci um interessante exemplo local. No meu país, Equador, é possível contratar uma pessoa ou grupos de pessoas (tradicionalmente formados por mulheres) para chorarem no enterro de algum parente ou amigo, um estímulo que, sem dúvida, faz mais pessoas começarem a chorar. Esse trabalho era bem popular alguns anos atrás e essas pessoas ficaram conhecidas como *lloronas* (choronas).

Nota do autor: Podemos ver como, em diferentes épocas e diferentes culturas, foi possível lucrar a partir de uma aprovação social fabricada. Nos sitcoms de TV atuais não há mais *claqueurs* e *rieurs* para nos estimularem a rir mais e com mais força. Em vez disso, temos "profissionais de trilhas de riso" — técnicos de áudio cujo trabalho é aumentar a risada das plateias nos estúdios para tornar o produto mais engraçado para seus verdadeiros alvos: espectadores como você e eu. É lamentável dizer que somos propensos a cair nesses truques. Experimentos demonstram que o uso de risadas fabricadas leva as audiências a rirem com mais frequência e por mais tempo, além de avaliarem o material como mais engraçado (Provine, 2000).[7]

POR QUE "OS MUITOS" FUNCIONAM TÃO BEM?

Alguns anos atrás, um shopping em Essex, Inglaterra, tinha um problema. Durante o horário de almoço, a praça de alimentação ficava tão congestionada que os clientes enfrentavam longas filas e escassez de mesas para suas refeições. Para tentar resolver a questão, os administradores recorreram a uma equipe de pesquisadores que desenvolveu um estudo fornecendo uma solução simples com base na força psicológica "dos muitos". A solução também incorporou as três razões para que esse otimizador de aprovação social funcionasse tão fortemente: validade, viabilidade e aceitação social.

O estudo em si era simples: os pesquisadores criaram dois cartazes estimulando os visitantes do shopping a saborearem o almoço mais cedo na praça de alimentação. Um dos cartazes incluía a imagem de uma pessoa fazendo isso; o outro era idêntico, mas a imagem era de vários visitantes fazendo o mesmo. Lembrar os clientes da oportunidade de almoçar cedo (como fez o primeiro cartaz) foi um sucesso, produzindo um aumento de 25% na atividade de clientes na praça de alimentação antes do meio-dia. Mas o verdadeiro sucesso veio com o segundo cartaz, que aumentou a atividade dos consumidores antes do meio-dia em 75%.

Validade

Seguir o conselho ou os comportamentos da maioria frequentemente é visto como um atalho para boa tomada de decisões. Usamos as ações dos outros como forma de localizar e validar a escolha certa. Se todo mundo está elogiando um restaurante novo, provavelmente é um bom restaurante do qual eu também gostaria. Se a maioria das avaliações está recomendando um produto, ficaremos mais propensos em ter confiança ao apertar o botão de compra. Os visitantes do shopping expostos a um cartaz com outros clientes almoçando antes do meio-dia foram levados a ver a ideia como boa. Estudos adicionais demonstraram que anúncios apresentando percentuais cada vez maiores de clientes preferindo uma marca ("quatro em sete", "cinco em sete", "seis em sete") fazem um número cada vez maior de observadores preferir a marca; basicamente, isso acontece porque os observadores supõem que a marca preferida pelo maior percentual de consumidores deve ser a escolha certa.

Nenhuma operação cognitiva complexa é necessária para agregar validade às escolhas dos outros: o processo pode ser mais automático que isso. Por exemplo, as moscas-da-fruta não possuem capacidades cognitivas complexas, mesmo assim, quando as fêmeas observam outras fêmeas acasalando com um macho que havia sido colorido de uma tonalidade especial (rosa ou verde), elas se tornaram muito mais dispostas a escolher um parceiro da mesma cor: 70% das vezes. Mas não são apenas moscas-da-fruta que respondem à provação social sem direção cognitiva. Pense no famoso escritor de viagens Doug Lansky que, durante uma visita às corridas inglesas de Royal Ascot, captou um vislumbre da família real britânica e preparou a câmera para tirar uma foto. "Eu estava com a rainha em foco, com o príncipe Charles e o príncipe Philip sentados ao lado dela. De repente, pensei: por que eu quero essa foto? Não é como se houvesse uma escassez de fotos da família real. Nenhum tabloide me pagaria muito pelo registro, eu não era um paparazzo. Mas, com botões de disparo sendo acionados ao meu lado como metralhadoras, me juntei ao frenesi. Não consegui me segurar." *Clique, clique, clique. Clique, rode.*

Prosseguiremos na Inglaterra para uma esclarecedora ilustração histórica do poder "dos muitos" na validação de uma escolha e na criação de um efeito contagioso. Durante séculos, as pessoas foram submetidas a surtos, manias e pânicos irracionais de vários tipos. Em seu texto clássico *Popular Delusions and the Madness of Crowds* (*Ilusões populares e a loucura das multidões*, em tradução livre), Charles MacKay listou centenas de casos ocorridos antes da primeira publicação do livro em 1841. A maioria compartilhava de uma característica instrutiva: o contágio. O comportamento das pessoas se espalhava pelos observadores, que então passavam a agir de maneira semelhante, validando a correção do ato para outros observadores, que por sua vez agiam de maneira semelhante. Em 1761, Londres vivenciou dois terremotos de intensidade moderada com exatamente um mês de diferença. Convencido de que um terceiro terremoto muito maior aconteceria na mesma data no mês seguinte, um soldado chamado Bell começou a espalhar sua previsão de que a cidade seria destruída no dia 5 de abril. No início, poucas pessoas lhe deram atenção. Mas esses poucos tomaram a precaução de mudar suas famílias e bens para áreas um pouco mais distantes. A visão desse pequeno êxodo levou mais pessoas a fazerem o mesmo e, no efeito cascata que se deu ao longo da semana seguinte, instalou-se o pânico e uma quase evacuação em grande escala foi criada. Um grande número de londrinos foi para vilas próximas, pagando preços absurdos por qualquer acomodação. Na multidão estavam muitos que, segundo MacKay: "Tinham rido da previsão uma semana antes, [mas] empacotaram suas coisas quando viram as pessoas fazerem o mesmo e fugiram às pressas."

Depois que o dia designado veio e se foi sem qualquer tremor, os fugitivos voltaram para a cidade furiosos com o sr. Bell por fazê-los acreditar na ideia. Como a descrição de MacKay deixa claro, a raiva estava dirigida para a pessoa errada. Não foi o sujeito meio doido o indivíduo mais convincente, mas sim os próprios londrinos que validaram a teoria de Bell entre si.[8]

E-BOX 4.2

Não precisamos nos valer de acontecimentos da Inglaterra do século XVIII para encontrar exemplos de situações de pânico sem qualquer fundamento e estimuladas pela aprovação social. Na verdade, graças a características e capacidades particulares da internet, hoje vemos ocasiões assim brotando como ervas daninhas.

No final de 2019 e início de 2020, viralizaram rumores de que homens em vans brancas estavam sequestrando mulheres para tráfico sexual e de órgãos. Impulsionada pelos algoritmos do Facebook, que dão relevância às publicações mais compartilhadas ou mais populares, a história, que começou em Baltimore, cresceu como uma bola de neve pelos Estados Unidos e além. Donos de vans brancas em várias cidades relataram estar sendo ameaçados e assediados por moradores depois que os rumores começaram a circular em suas comunidades. Um homem perdeu o emprego depois de ser alvo de uma publicação no Facebook. Outro foi baleado e morto por dois homens que reagiram a um alarme falso de tentativa de sequestro. E tudo isso aconteceu mesmo as autoridades nunca tendo encontrado nem um único incidente verdadeiro.

Não importa. Por exemplo, o prefeito de Baltimore Bernard Young foi suficientemente afetado pela história para emitir um alerta na TV para as mulheres de sua cidade: "Não estacionem perto de qualquer van branca. Mantenham sempre o celular ao alcance em caso de tentativa de sequestro." Qual era a prova que o prefeito Young tinha dessas ameaças? Certamente nenhuma vinda da própria polícia.

Em vez disso, ele alegou: "Estava por todo o Facebook."

Nota do autor: A validade percebida do rumor sendo difundida com base em temores sem fundamento, viralizados pelos algoritmos de uma rede social bastante acessada, nos diz bastante coisa. A "verdade" foi estabelecida sem provas, com base apenas na validação social. Nesse caso, como acontece frequentemente, isso foi o bastante.

Há um velho ditado que mostra isso: "Se uma pessoa diz que você tem um rabo, você ri e acha idiotice; se três pessoas dizem o mesmo, você olha para trás."

Viabilidade

Muitas pessoas fazendo determinada coisa não significa que ela é uma boa ideia. Também não significa que provavelmente podemos fazê-la também. No estudo do shopping britânico, diante do cartaz com várias pessoas almoçando cedo, as pessoas podem muito bem ter dito a si mesmas algo como: "Bem, essa ideia parece factível. Acho que não é nada demais organizar meus itinerário no shopping e meu horário de trabalho para almoçar mais cedo." Assim, além da validade percebida, uma segunda razão para o conceito de "os muitos" ser eficaz e é a comunicação da ideia de viabilidade: se muitas pessoas podem fazer isso, não deve ser difícil conseguir. Um estudo realizado em várias cidades italianas descobriu que, quando acreditavam que *muitos* vizinhos reciclavam em casa, as pessoas ficavam mais dispostas a reciclar também, em parte porque viam a reciclagem como uma tarefa menos difícil de administrar.

Seguindo o caminho de um conjunto de colegas, certa vez fiz um estudo para ver quais seriam as melhores maneiras de levar as pessoas a economizarem energia em casa. Enviamos uma das quatro mensagens, uma vez por semana durante um mês, pedindo que reduzissem seu consumo de energia. Três das mensagens continham uma razão frequentemente empregada para se conservar energia — "Isso vai beneficiar o meio-ambiente"; "É a coisa socialmente responsável a se fazer"; ou "Isso vai fazer você economizar bastante na próxima conta de luz" —, enquanto a quarta trazia o trunfo da aprovação social, afirmando (com honestidade): "A maioria das pessoas em sua comunidade está se esforçando para economizar energia em casa." No fim do mês, registramos a quantidade de energia utilizada e descobrimos que a mensagem com base na aprovação social tinha gerado 3,5 vezes mais economia de energia do que as demais. O tamanho da diferença surpreendeu quase todos os envolvidos no estudo, incluindo eu, mas os pesquisadores e até uma amostra de outros proprietários residenciais, na verdade, esperavam que a mensagem da aprovação social fosse a menos eficaz.

Quando comento a respeito dessa pesquisa com funcionários de empresas de serviços públicos, as pessoas não dão crédito em virtude de uma crença arraigada de que o motivador mais forte da ação humana é o interesse econômico. Essas pessoas dizem: "Ah, qual é? Como você quer que eu acredite que dizer às pessoas que os vizinhos estão economizando é três vezes mais eficaz do que dizer que podem reduzir a conta de luz significativamente?" Embora haja várias respostas possíveis para essa pergunta, uma sempre se mostrou convincente para mim. Ela tem a ver com a segunda razão, além da validade, pela qual a aprovação social funciona tão bem: viabilidade. Dizer às pessoas que ao economizar energia elas também *poderão* economizar muito dinheiro não significa que seriam capazes de fazer isso acontecer. Afinal de contas, eu *poderia* reduzir minha próxima conta de luz a zero se desligasse toda a eletricidade da casa e me encolhesse no chão no escuro por um mês, mas isso não é algo que seria razoavelmente capaz de fazer. A grande força "dos muitos" é que eles destroem a incerteza de viabilidade. Se as pessoas descobrem que muitas outras estão conseguindo economizar energia, não resta muitas dúvidas sobre a viabilidade da estratégia. Isso a torna realista e, portanto, factível.[9]

Aceitação social

Nos sentimos mais socialmente aceitos quando somos um em muitos. É fácil entender o motivo. Retomemos o estudo do shopping. Os frequentadores encontravam um cartaz mostrando um único consumidor almoçando cedo na praça de alimentação ou outro cartaz com vários frequentadores fazendo o mesmo. Seguindo o exemplo do primeiro cartaz, as pessoas correriam o risco da reprovação social de serem vistas como solitárias, estranhas, forasteiras. O contrário acontecia ao seguir o segundo exemplo, que garantia aos observadores o conforto pessoal de estar em meio a muitos. A diferença emocional entre essas duas experiências é significativa. Em relação a uma opinião que se encaixe com a do grupo, uma opinião desalinhada cria aflição psicológica.

Em um estudo, participantes foram conectados a um scanner cerebral enquanto recebiam informação de terceiros que entravam em conflito com as próprias opiniões. A informação conflituosa vinha de quatro participantes ou de quatro computadores. A concordância foi maior quando a informação conflituosa vinha de humanos em vez das máquinas, embora os participantes tenham avaliado os dois tipos de julgamentos como igualmente confiáveis. Se os participantes viam como igual a confiabilidade das duas fontes de informação, o que fez com que concordassem mais com as escolhas dos outros humanos? A resposta está no que acontecia quando esses indivíduos resistiam ao consenso das outras pessoas. A área do cérebro associada às emoções negativas (a amígdala) era ativada, refletindo o que os pesquisadores chamaram de "dor da independência". Desafiar outras pessoas produzia um estado emocional doloroso que levava os participantes a concordar com elas. Desafiar um conjunto de computadores não gerava as mesmas consequências comportamentais, uma vez que não tinha as mesmas consequências da aprovação social. Quando se trata de dinâmica de grupo, existe um velho ditado que acerta na mosca: "Para se dar bem, você precisa ir junto."

Pegue, por exemplo, o relato de Irving Jannis, psicólogo de Yale, sobre o que aconteceu em um grupo de fumantes que buscavam tratamento para a dependência. Durante a segunda reunião do grupo, quase todos aceitaram a posição de que, como o tabaco era tremendamente viciante, não se podia esperar que ninguém parasse de fumar imediatamente. Mas um homem contrariou a visão do grupo anunciando que tinha parado de fumar desde que se juntara a eles na semana anterior e que os outros podiam muito bem fazer o mesmo. Em resposta, os ex-colegas se juntaram contra ele, lançando uma série de ataques contra sua posição. Na reunião seguinte, o dissidente contou que, após refletir sobre o ponto de vista dos demais, tinha chegado a uma decisão importante: "Voltei a fumar dois maços por dia e não farei nenhum esforço para parar outra vez até a última reunião." Os outros membros do grupo imediatamente o receberam de volta de braços abertos, saudando com aplausos sua decisão.

Essas duas necessidades — promover aceitação social e escapar da rejeição social — ajudam a explicar por que alguns cultos são tão eficazes em recrutar e manter seus membros. Uma torrente inicial de afeição em relação a membros potenciais, chamada bombardeio de amor, é típica na prática de indução a cultos. Ela é responsável pelo sucesso em atrair novos membros, especialmente indivíduos que se sentem solitários ou desconectados. Posteriormente, a ameaça de remoção dessa afeição explica a disposição de alguns membros em permanecer no grupo: depois de cortar laços com o exterior, como os cultos invariavelmente estimulam seus membros a fazer, as pessoas não têm mais para onde se voltar em busca de aceitação social.[10]

SEMELHANÇA: A PERSUASÃO DOS SEMELHANTES

O princípio da aprovação social opera com mais força quando observamos o comportamento de pessoas iguais a nós. É a conduta dessas pessoas que nos estimula a perceber melhor aquilo que constitui um comportamento correto para nós mesmos. Como acontece com o conceito de "os muitos", a ação escolhida por *semelhantes* aumenta nossa confiança de que ela será válida, viável e socialmente aceita se nós mesmos a desempenharmos. Desse modo, tendemos a seguir o exemplo dos demais em um fenômeno que podemos chamar de persuasão dos semelhantes.

Estudos demonstraram que estudantes preocupados com o desempenho acadêmico ou com a habilidade de se encaixar em determinada escola melhoraram significativamente quando informados que muitos alunos como eles experimentaram e superaram as mesmas preocupações. Consumidores se tornaram mais propensos a seguir o consenso sobre determinada marca de óculos escuros quando lhes foi informado que os outros compradores eram semelhantes a eles. Na sala de aula, quando a violência entre os adolescentes é comum, esse comportamento costuma se espalhar de forma contagiosa — mas quase inteiramente dentro de um grupo de iguais; por exemplo, a frequente agressão de meninos em uma turma tem pouco efeito sobre a agressividade nas garotas, e vice-versa. No ambiente de trabalho, as pessoas passam a ser mais propensas em compartilhar informação quando veem esse comportamento em colegas de trabalho e não em seus gerentes. Médicos que receitam certos medicamentos em excesso, como antibióticos ou antipsicóticos, dificilmente mudarão de comportamento de forma duradoura a menos que sejam informados que seu nível de receitas está acima da média dos demais. Depois de um estudo extenso sobre mudança de comportamento ambiental, o economista Robert Frank afirmou: "O previsor mais forte para indicar se instalaremos painéis solares, compraremos carros elétricos, comeremos com mais responsabilidade e apoiaremos políticas mais sustentáveis é o percentual de pares que está dando os mesmos passos."[11]

Figura 4.4: "Juventude livre-pensante"
Frequentemente pensamos em adolescentes como seres rebeldes, capazes de pensar por si. Porém, é importante reconhecer que isso geralmente só é verdade em relação aos pais. Entre seus semelhantes, eles se conformam ao que a aprovação social diz ser apropriado. ©*Eric Knoll, Tauris Photos*

É por isso que acredito que estamos vendo cada vez mais relatos de experiências de pessoas comuns na TV. Os publicitários sabem que uma ótima maneira de vender para o espectador médio (que formam o maior mercado em potencial) é demonstrar que outras pessoas "comuns" gostam e usam determinado item. Seja o produto uma marca de refrigerante, um analgésico ou um carro, temos uma série de fulanos e fulanas para falar bem dele.

Um estudo de um arrecadação de fundos realizado em um *campus* universitário nos dá evidências convincentes da importância da semelhança. As doações mais que dobraram quando os solicitantes afirmaram ser pessoas parecidas, dizendo "Eu também sou aluno daqui", sugerindo que, portanto, as pessoas deveriam querer apoiar a mesma causa. Esses resultados sugerem uma consideração importante para qualquer um que deseje usar o princípio da aprovação social. As pessoas se basearão nas ações das outras para decidirem como se comportar, *especialmente quando enxergam essas outras pessoas como semelhantes.*

Usei isso em consideração quando, por três anos, trabalhei como cientista chefe do que na época era uma startup, a Opower, que faz parcerias com empresas prestadoras de serviço para enviar aos moradores informação sobre o quanto de energia suas casas estão usando em comparação com seus vizinhos. Uma característica crucial da informação é que a comparação não é com *qualquer* vizinho, mas especificamente com vizinhos cujas casas são perto e comparáveis em dimensões. Em outras palavras, "casas como a sua". Os resultados, gerados principalmente pela redução do consumo de energia por parte dos moradores se ele era maior que o de seus semelhantes, foram impressionantes. Pela última contagem, essas comparações entre os pares evitaram que mais de dezesseis milhões de toneladas de emissões de CO_2 fossem lançadas ao ambiente e mais de 23 trilhões de watts por hora de eletricidade deixassem de ser consumidos. E tem mais: as comparações geram atualmente uma economia de US$ 700 milhões por ano em contas de luz.

O convencimento pelos semelhantes se aplica não só a adultos, mas também a crianças. Pesquisadores da saúde descobriram, por exemplo, que um programa antitabagismo nas escolas tinha efeitos duradouros apenas quando usava líderes da mesma idade. Outro estudo descobriu que crianças que viam um filme que retratava uma visita prazerosa ao dentista reduziram a ansiedade em relação a essas consultas, especialmente quando as crianças no filme eram da mesma faixa etária. Confesso que gostaria de ter tido acesso a esse segundo estudo alguns anos antes, quando estava tentando reduzir um tipo diferente de ansiedade em meu filho, Chris.

Moro no Arizona, onde há muitas casas com piscina no quintal. Infelizmente, todos os anos várias crianças pequenas se afogam ao cair em uma piscina sem nenhum adulto por perto. Eu estava determinado, portanto, a ensinar Chris a nadar desde pequeno. O problema não era que ele tinha medo da água; ele adorava, mas não entrava na piscina sem a boia inflável, por mais que eu tentasse agradá-lo, convencê-lo ou até mesmo envergonhá-lo por aquilo. Depois de dois meses sem avanços, contratei um de meus alunos de pós-graduação para ajudar. Apesar de ter sido salva-vidas e instrutor de natação, ele também não conseguiu convencer Chris a tentar nem uma braçada fora de seu anel inflável.

Por volta dessa época, Chris frequentava uma colônia de férias durante o dia que fornecia diversas atividades, incluindo o uso de uma piscina grande, que ele evitava escrupulosamente. Um dia, logo depois do incidente com o aluno de pós-graduação, fui buscar meu filho na colônia de férias e, boquiaberto, o vi correr pelo trampolim e pular na parte mais funda da piscina. Em pânico, comecei a tirar os sapatos para pular atrás dele quando o vi voltar à superfície e nadar em segurança até a borda da piscina. Corri para me encontrar com ele.

— Chris, você sabe nadar! — eu disse com empolgação. — Você sabe nadar!

— Sei — respondeu ele distraidamente. — Eu aprendi hoje.

— Isso é incrível! Isso é simplesmente incrível. Mas por que você não precisou de sua boia de plástico hoje?

— Bom, eu tenho três anos, e Tommy tem três anos. E Tommy consegue nadar sem boia, então eu também consigo.

Me senti um idiota. Claro que seria ao *pequeno Tommy*, e não a um estudante de pós-graduação de 1,85 metro, que Chris recorreria para obter informação relevante sobre o que ele podia ou devia fazer. Se tivesse pensado mais seriamente em como resolver o problema, teria usado o exemplo de Tommy mais cedo e talvez me poupado alguns meses de frustração. Eu podia simplesmente ter percebido na colônia que Tommy sabia nadar e então combinado com os pais dele para que os garotos passassem uma tarde de fim de semana na piscina de casa. Meu palpite é que a boia de plástico de Chris teria sido deixada de lado antes do fim do dia.[12]

DEPOIMENTO DO LEITOR 4.5

De um professor universitário do Arkansas

Durante as férias de verão, nos meus tempos de faculdade, eu vendia de porta em porta obras literatura bíblica no Tennessee, no Mississippi, na Carolina do Sul e no Kansas. Minhas vendas melhoraram quando tive a ideia de usar como referência clientes mulheres para vender para outras mulheres, homens para outros homens e casais para casais. Depois de quinze semanas no emprego, eu fazia uma média respeitável de US$ 550,80 por semana seguindo à risca a conversa padrão de vendas que a empresa tinha nos ensinado, enfatizando as características dos livros.

Mas um novo gerente de vendas começou a nos ensinar a citar nome de clientes anteriores em nossas apresentações — por exemplo, "Sue Johnson quis comprar a coleção para poder ler histórias da Bíblia para os filhos". Comecei a usar essa abordagem na 16ª semana e descobri que, da semana dezesseis à semana dezenove, minhas vendas em média subiram para US$ 893, um aumento de 62,13%! E tem mais. Eu me lembro explicitamente de que, durante a 19ª semana, percebi que usar os nomes tinha aumentado minhas vendas no geral, ao mesmo tempo que tinha feito com que perdesse alguns negócios. O evento-chave aconteceu quando um dia estava fazendo uma apresentação para uma dona de casa. Ela parecia interessada nos livros, mas estava bastante indecisa. A certa altura, mencionei alguns amigos dela casados que tinham comprado. Ela então disse algo como: "Mary e Bill compraram...? Bom, é melhor eu falar com Harold antes de decidir. Seria melhor se decidíssemos juntos."

Pensando sobre esse incidente no dia seguinte, tudo começou a fazer sentido. Se eu falasse para uma *dona de casa* sobre outro *casal* que tinha comprado, eu estava dando a ela uma boa razão para não tomar a decisão na hora — ela precisaria falar com o marido primeiro. Mas, se muitas outras donas de casa como ela estivessem comprando, não haveria problema em fazer o mesmo. Desse momento em diante, decidi que ia usar apenas o nome de outras donas de casa quando fizesse apresentações para uma dona de casa. Minhas vendas na semana seguinte aumentaram para US$ 1.506. Logo estendi a estratégia para maridos e casais, usando apenas o nome de homens quando estivesse fazendo a apresentação para homens, e os nomes de casais quando estivesse fazendo a apresentação para casais. Durante as 20 semanas seguintes (e últimas) de minha carreira em vendas, fiz uma média de US$ 1.209,15. No fim da carreira, minhas vendas caíram um pouco porque estava ganhando tanto dinheiro que achava difícil me motivar para sair e trabalhar duro.

Cabe uma pequena ressalva aqui. Sem dúvidas eu aprendia coisas novas todo o tempo e elas ajudavam a aumentar minhas vendas. Mas, depois de experimentar em primeira mão a velocidade dessas mudanças, não restam dúvidas que a "aprovação social de pessoas semelhantes" foi a razão número um para minha melhoria de 119,17%.

Nota do autor: Quando o leitor, um amigo pessoal, me contou essa história dos efeitos surpreendentes da persuasão dos semelhantes, acho que ele notou meu ceticismo. Então, como forma de evidência comprobatória, ele me enviou os registros mensais de seus números de vendas durante o período — números que ele havia registrado cuidadosamente na época e guardado por décadas. Não surpreende, então, que ele ensine estatística na universidade de sua cidade.

IMITAÇÕES FATAIS

Embora já tenhamos visto o impacto poderoso que a aprovação social pode ter sobre a tomada de decisões, para mim o exemplo mais revelador dessa força começa com uma estatística aparentemente absurda: depois que um suicídio vira notícia de primeira página, aviões — particulares, corporativos, de empresas aéreas — passam a cair do céu em números alarmantes.

Foi mostrado que imediatamente após certas histórias de suicídio extremamente divulgadas, o número de pessoas que morrem em acidentes com voos comerciais aumentou em 1000%! Mais alarmante ainda: esse aumento não se limita a morte com aviões. O número de fatalidades em automóveis também cresce.

Uma explicação logo vem à mente: as mesmas condições sociais que fazem algumas pessoas cometerem suicídio fazem com que outras morram acidentalmente. Por exemplo, certos indivíduos, que têm tendências suicidas, podem reagir a acontecimentos sociais estressantes (crises econômicas, taxas crescentes de criminalidade, tensões internacionais) dando fim à própria vida. Outros reagirão de forma diferente a esses mesmos acontecimentos; tornando-se mais agressivos, impacientes, nervosos ou distraídos. Como algumas dessas pessoas são responsáveis pela manutenção e operação de carros e aviões, esses veículos se tornarão menos seguros e veremos um aumento pronunciado no número de mortes.

De acordo com essa interpretação das "condições sociais", alguns dos fatores sociais que causam mortes intencionais também causam mortes acidentais, e é por isso que vemos uma conexão tão forte entre histórias de suicídio e acidentes fatais. Mas outra estatística fascinante indica que essa não é a explicação correta. Acidentes fatais aumentam dramaticamente apenas nas regiões onde o suicídio foi divulgado. Em outros lugares, que existem sob condições sociais semelhantes e cujos jornais *não* divulgaram a história, não se revela um aumento comparável em mortes. Além disso, nas áreas onde se dedicou espaço nos jornais, quanto maior publicidade dada ao suicídio, maior foi o crescimento de acidentes subsequentes. Assim, não é um conjunto de eventos sociais comuns que estimula os suicídios, por um lado, e os acidentes fatais, por outro. É a própria divulgação do suicídio que produz os acidentes de carro e avião.

Para explicar a associação entre o suicídio reportado e os acidentes subsequentes, tem-se recorrido ao luto. Seguindo a argumentação de que os suicídios que chegam aos jornais envolvem pessoas conhecidas e figuras públicas respeitadas, suas mortes extremamente divulgadas talvez levem muitas pessoas a um estado de tristeza e choque. Atônitos e preocupados, esses indivíduos se tornam descuidados em carros e aviões, gerando um aumento brusco em acidentes fatais. Embora a teoria do luto possa justificar a conexão entre o grau de divulgação dado para uma história e as posteriores fatalidades — quanto mais pessoas souberem do suicídio, maior será o número de indivíduos de luto e descuidados —, ela não explica outro fato surpreendente. Reportagens sobre vítimas de suicídio que morreram sozinhas aumentam a frequência de acidentes com uma única fatalidade, enquanto histórias sobre incidentes de suicídio e assassinato produzem aumento apenas no número de acidentes com múltiplas fatalidades.

A influência do suicídio em desastres de carro e avião, então, é fantasticamente específica. Histórias de suicídio, nas quais apenas uma pessoa morre, geram acidentes em que só uma pessoa morre; histórias de combinação suicídio/assassinato, na qual há múltiplas mortes, geram acidentes com múltiplas mortes. Se nem as "condições sociais" nem o "luto" conseguem dar sentido a esse conjunto confuso de fatos, como explicar o que acontece? O sociólogo David Phillips alega ter uma resposta. Ele aponta para o chamado "efeito Werther".

A história do efeito Werther é ao mesmo tempo assustadora e intrigante. Mais de dois séculos atrás, Johann Wolfgang von Goethe, um dos grandes nomes da literatura alemã, publicou um romance chamado *Die Leiden des jungen Werther* (*Os sofrimentos do jovem Werther*). O livro, o qual o herói chamado Werther comete suicídio, teve um impacto impressionante. Não só valeu ao autor fama imediata, como despertou uma onda de suicídios por toda a Europa. Esse efeito foi tão forte que autoridades em vários países proibiram o romance.

O trabalho de Phillips traça o efeito Werther até os tempos modernos. Sua pesquisa demonstrou que imediatamente após uma manchete de suicídio, a taxa aumenta dramaticamente nas áreas geográficas em que a história teve grande divulgação. Segundo Phillips, pessoas perturbadas ao lerem sobre uma morte autoinfligida se matam em imitação. Em uma ilustração mórbida do princípio da aprovação social, essas pessoas decidem como agir com base em como outra pessoa perturbada agiu.

Phillips obteve suas comprovações para o efeito Werther dos dias atuais examinando vinte anos de estatísticas de suicídio nos Estados Unidos. Ele descobriu que em até dois meses após um caso de suicídio ser noticiado, em média de 58 pessoas a mais que o habitual cometem suicídio. Em certo sentido, cada manchete de suicídio matava cinquenta pessoas que, do contrário, teriam continuado vivas. Phillips também descobriu que essa tendência incitava suicídios principalmente nas regiões do país onde o primeiro caso ganhou grande repercussão. Ele observou que, quanto mais ampla a divulgação dada para o primeiro suicídio, maior o número dos posteriores (ver figura 4.5). Pesquisas recentes indicam que o padrão não se limita a reportagens em jornais. Em 31 de março de 2017, estreou na Netflix a série *13 Reasons Why*, na qual uma jovem estudante do ensino médio comete suicídio e deixa para trás um conjunto de treze fitas detalhando suas razões. Nos trinta dias seguintes, os suicídios entre adolescentes aumentou 28,9% — para um número mais alto que qualquer mês no período de cinco anos analisado pelos pesquisadores, que excluíram "condições sociais" como explicações para esse aumento.

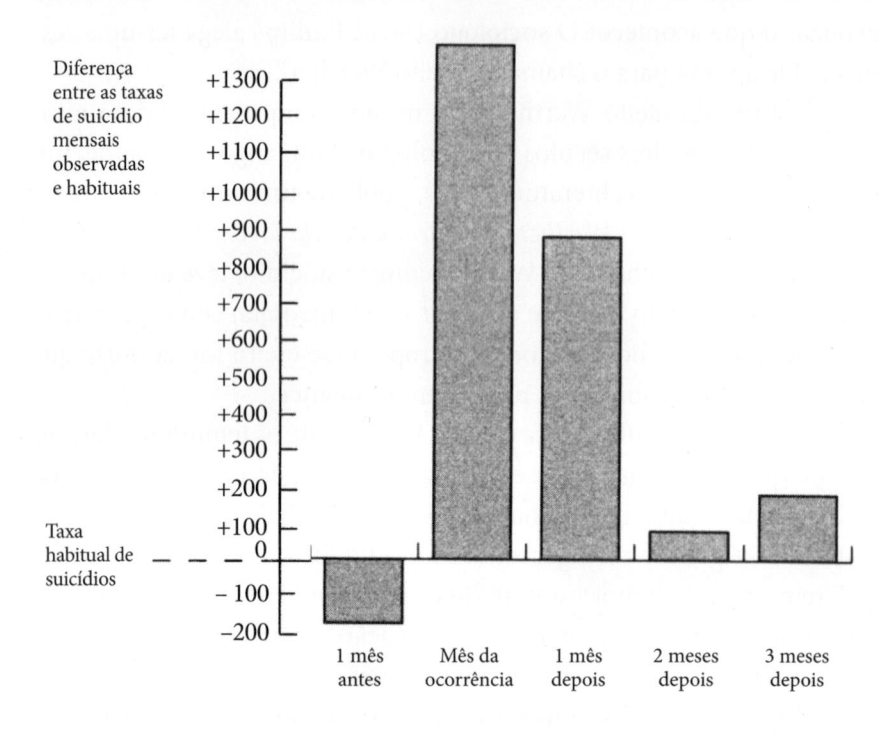

(Com base em 35 histórias de suicídio 1947—1968)

Figura 4.5: Flutuação no número de suicídios antes, durante e depois do mês da ocorrência de suicídio noticiado

Nota do autor: Essa evidência levanta uma questão ética importante. Os suicídios posteriores a essas histórias são mortes excedentes. Depois da onda inicial, as taxas de suicídio não caem abaixo dos níveis iniciais, apenas retornam a esses níveis. Estatísticas como essas devem dar o que pensar aos editores de jornal e emissoras de TV tentados a explorar suicídios de forma sensacionalista. Esses relatos provavelmente levarão à morte de muitas pessoas. Dados indicam que além de editores de jornal, emissoras de TV causam preocupação com as histórias de suicídio que apresentam. Quer figurem em reportagens, documentários ou filmes de ficção, essas histórias criam um acúmulo imediato de mortes autoinfligidas, com adolescentes impressionáveis e propensos a imitar as vítimas mais frequentes (Bollen & Phillips, 1982; Gould & Shaffer, 1986; Phillips & Cartensen, 1986, 1988; Schmidtke & Hafner, 1988).

Se os fatos em torno do efeito Werther lhe parecem estranhamente semelhantes àqueles em torno da influência de histórias de suicídio sobre fatalidades em acidentes aéreos e de automóveis, as semelhanças não passaram despercebidas para Phillips. Na verdade, ele defende que todas as mortes excessivas após uma manchete de suicídio podem ser explicadas pelo mesmo fator: imitação. Ao saber do suicídio, um número grande de pessoas decide que isso é uma atitude apropriada para elas também. Alguns desses indivíduos cometem explicitamente o ato e fazem as taxas darem um salto.

Outros, entretanto, são menos diretos. Por alguma razão — para proteger suas reputações, para poupar suas famílias da vergonha e da dor, para permitir que seus dependentes recebam as apólices de seguro — não querem dar a entender que se mataram. Preferem morrer acidentalmente. Então, deliberada, mas furtivamente, provocam o acidente de um carro ou avião que estão operando ou no qual estão simplesmente viajando. Para isso recorrem a uma variedade de maneiras conhecidas. Um piloto de empresa aérea pode inclinar o nariz da aeronave num ponto crucial da decolagem ou inexplicavelmente aterrissar em uma pista já ocupada contrariando as instruções da torre de comando; o motorista de um carro pode virar na direção de uma árvore ou do tráfego vindo na direção oposta; um passageiro em um carro ou jato corporativo pode incapacitar o operador, provocando o acidente fatal; o piloto de um avião particular pode, apesar de todos os alertas no rádio, bater em outra aeronave. Assim, muito provavelmente o crescimento de fatalidades em acidentes após um suicídio ser noticiado deve-se, segundo Phillips, à aplicação do efeito Werther.

Considero esse insight brilhante. Ele explica muito bem todos os dados. Se esses acidentes são na verdade casos ocultos de suicídio de imitação, faz sentido vermos um aumento nos acidentes depois do aparecimento de suicídios noticiados. Faz sentido também que o aumento em acidentes ocorra após as histórias de suicídio mais divulgadas que, consequentemente, alcançaram mais pessoas. Além disso, explica por que o número de acidentes cresce apenas nas áreas geográficas onde as histórias foram divulgadas. Faz até sentido que vítimas únicas de suicídio levem a acidentes com uma única vítima, enquanto incidentes de suicídio com múltiplas vítimas levam a acidentes com múltiplas vítimas. A imitação é a chave.

Existe ainda um segundo aspecto importante no entendimento de Phillips. Ele nos permite explicar, não apenas, os fatos existentes, mas também prever novos fatos que ainda não foram descobertos. Por exemplo, se os acidentes anormalmente frequentes após suicídios divulgados resultam de imitação, e não são ações acidentais, devem ser mais mortais. Ou seja, pessoas tentando se matar provavelmente garantirão (com o pé no acelerador em vez de no freio, com o bico do avião para baixo em vez de para cima) que o impacto seja o mais letal possível. A consequência deveria ser uma morte rápida e certa. Quando Phillips examinou os registros para verificar a previsibilidade, descobriu que o número médio de pessoas mortas em um acidente fatal de um voo comercial era mais de três vezes maior se o acidente acontecia uma semana depois, em vez de uma semana antes, de uma manchete sobre suicídio. Um fenômeno similar se vê nas estatísticas de trânsito, onde há evidências da eficiência mortal de acidentes de carro pós-relatos de suicídio. Vítimas de acidentes de carro fatais que sucedem manchetes de suicídio morrem quatro vezes mais rápido que o normal.

Há mais um previsão fascinante da ideia de Phillips. Se um aumento de acidentes após relatos de suicídio realmente representa um conjunto de mortes por imitações, então os imitadores deveriam ser mais propensos a copiar os suicídios de pessoas que são parecidas com eles. O princípio da aprovação social afirma que usamos informações sobre o comportamento de terceiros para nos ajudar a determinar uma conduta adequada que tomaremos. Como pesquisas demonstram, somos mais influenciados pelas ações de pessoas que são como nós — pela persuasão dos semelhantes. Phillips concluiu então que se o princípio da aprovação social está por trás do fenômeno, deve haver alguma semelhança entre a vítima de um suicídio extremamente divulgado e aquelas que provocaram acidentes subsequentes. O teste mais evidente dessa possibilidade viria dos registros de acidentes de automóveis envolvendo um único carro e um motorista solitário. Phillips então comparou a idade da vítima da história com as idades dos motoristas solitários mortos em acidentes envolvendo apenas um carro imediatamente após a publicação do relato. Mais uma vez, as previsões foram incrivelmente precisas: quando o jornal detalhava o suicídio de uma pessoa jovem, eram motoristas jovens que batiam seus carros em árvores, postes e barrancos com resultados fatais; mas quando a notícia envolvia o suicídio de uma pessoa mais velha, eram motoristas mais velhos que morriam nesses acidentes.

Esta última estatística é um argumento conclusivo para mim. Fico convencido e, ao mesmo tempo, impressionado com ela. A persuasão dos semelhantes é tão poderosa que seu domínio se estende à decisão de vida ou morte. As descobertas de Phillips ilustram uma tendência preocupante: a divulgação dos suicídios motiva pessoas que são parecidas com a vítima a se matarem. Essas pessoas passam a achar a ideia de suicídio mais legítima. Os dados indicando que muitas pessoas inocentes morrem nesse processo (ver figura 4.6) são realmente assustadores.

Pense nas consequências fatais de um suicídio divulgado a nível local, onde um adolescente se jogou na frente de um trem. Nos seis meses seguintes, um segundo, um terceiro e um quarto aluno da mesma escola do ensino médio seguiram o exemplo e se mataram do mesmo jeito. Um outro suicídio foi impedido pela mãe de um quinto colega de escola que percebeu que o filho não estava em casa e desconfiou. Como ela soube aonde ir para intervir e impedir a ação do adolescente? Ela foi direto para o cruzamento ferroviário onde os colegas dele tinham morrido.

Talvez em nenhum lugar estejamos em contato mais próximo com o lado perturbador do princípio da aprovação social do que no campo dos crimes por imitação. Nos anos 1970, nossa atenção foi despertada pelo fenômeno na forma de sequestros de avião, que pareciam se espalhar como um vírus. Nos anos 1980, nosso foco mudou para as sabotagens, como os famosos casos de cápsulas de Tylenol com cianeto e papinha para bebê Gerber na qual botaram pedaços de vidro. Segundo especialistas forenses do FBI, cada incidente com divulgação nacional desse tipo gerava uma média de trinta incidentes a mais. Desde então, fomos abalados pelo espectro de assassinatos em massa contagiosos, ocorrendo primeiro em ambientes de trabalho e depois, incrivelmente, nas escolas de nossos filhos.

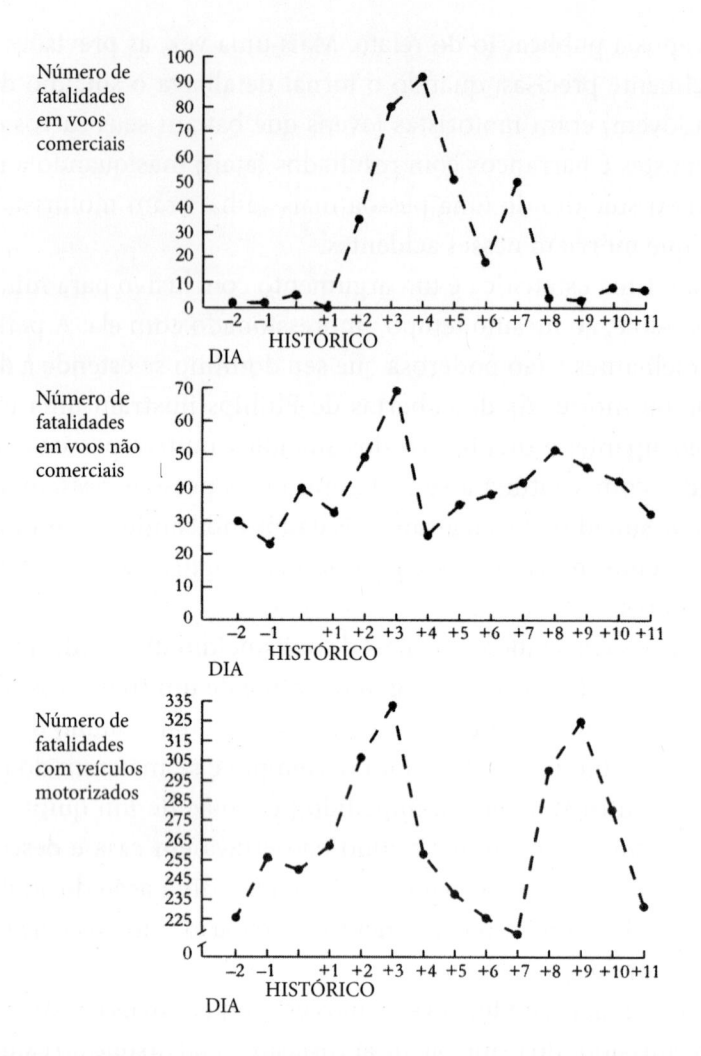

Figura 4.6: Flutuação diária no número de fatalidades em acidentes antes, durante e depois da data de um suicídio noticiado

Nota do autor: Como está nestes gráficos, o maior risco ocorre de três a quatro dias após a divulgação da notícia. Depois de uma queda breve, há outro pico em aproximadamente uma semana. No 11° dia não há sinal de efeito. Esse padrão em vários tipos de dados indica algo digno de nota sobre suicídios. Pessoas que tentam disfarçar um suicídio por imitação na forma de um acidente esperam alguns dias antes de cometer o ato — talvez para reunir coragem, para planejar ou colocar seus negócios em ordem. Qualquer que seja a razão da regularidade desse padrão, sabemos que a segurança dos viajantes é colocada mais seriamente em risco três ou quatro dias após uma notícia de suicídio com assassinato e depois, mais uma vez, em menor grau, alguns dias seguintes. Seria aconselhável, então, tomar um cuidado especial com nossas viagens nesses momentos.

Tomemos o seguinte exemplo. Logo após o ataque violento de dois alunos do ensino médio de Littleton, Colorado, a polícia respondeu a várias ameaças, tramas e tentativas semelhantes por parte de jovens atormentados. Duas das tentativas se revelaram um "sucesso": um garoto de catorze anos em Taber, Alberta, e um de quinze anos em Conyers, Geórgia, mataram ou feriram um total de oito colegas de classe em um período de até dez dias depois do massacre de Littleton. Na semana após o horrendo ataque homicida seguido de suicídio na Universidade Virginia Tech, a mídia por todo o país noticiou mais assassinatos com suicídios, incluindo três apenas em Huston. É instrutivo que, após o massacre de Virginia Tech, o evento seguinte semelhante em tipo e tamanho tenha ocorrido não em uma escola do ensino médio, mas em outra universidade, a Universidade Northern Illinois. Mais recentemente, disparos em massa se espalharam para locais de entretenimento — cinemas e casas noturnas.

Eventos dessa magnitude exigem explicações. Alguns pontos em comum precisam ser identificados para dar sentido a eles. No caso de assassinatos no local de trabalho, pesquisadores perceberam a frequência com que os locais de matança eram as salas dos fundos das agências de correios norte-americanas. Então o dedo da culpa foi apontado para as "tensões intoleráveis" dessa empresa, tanto que uma nova expressão em inglês surgiu — "*going postal*", para um ato motivado pelo estresse de violência no local de trabalho. Em relação a massacres com base em escolas, pesquisadores observaram um estranho ponto em comum: quase todas as escolas afetadas estavam em comunidades rurais ou de subúrbio americano e não nos caldeirões dos bairros urbanos. Dessa vez, a mídia nos instruiu sobre as "tensões intoleráveis" de crescer em uma cidade pequena ou nos subúrbios dos Estados Unidos. Segundo esses relatos, a geração de estresse nos ambientes dos correios norte-americanos e da vida em uma cidade pequena criaram as reações explosivas das pessoas que trabalhavam e viviam ali. A explicação é simples: condições sociais semelhantes criam respostas semelhantes.

Mas já percorremos o caminho das "condições sociais semelhantes" tentando entender padrões anômalos de fatalidades. Lembra-se de como Phillips considerou a possibilidade de que um conjunto de condições sociais em um ambiente pudesse explicar uma onda de suicídios na região? Não era uma explicação satisfatória para os suicídios; e também não acho que seja para as ondas de assassinato. Vejamos se é possível localizar uma alternativa melhor tentando recuperar o contato com a realidade: as "tensões insuportáveis" de trabalhar no correio ou de morar no interior ou nos subúrbios dos Estados Unidos, seriam piores do que trabalhar em minas de carvão ou viver nas ruas perversas e governadas por gangues urbanas? Vamos lá. Com certeza os ambientes onde os assassinatos em massa ocorreram têm suas tensões. Mas elas não parecem mais severas (e frequentemente não são) que muitos outros ambientes onde esses incidentes não ocorreram. Não, a teoria das condições sociais semelhantes não nos dá uma explicação plausível.

Então onde encontrá-la? Eu apontaria para o princípio da aprovação social, que afirma que as pessoas, principalmente quando inseguras de si mesmas, seguem o exemplo de seus semelhantes. Quem é mais parecido com um funcionário dos correios insatisfeito que outro funcionário dos correios insatisfeito? E quem é mais parecido com adolescentes norte-americanos de cidades pequenas que outros adolescentes norte-americanos de cidades pequenas? É uma constante lastimável da vida moderna, muitas pessoas vivem suas vidas em sofrimento psicológico. Como elas lidam com esse sofrimento depende de vários fatores, um dos quais é o reconhecimento de como outros *iguais a elas* escolheram lidar com ele. Como vimos nos dados de Phillips, um suicídio muito divulgado resulta em suicídios de imitadores que, por sua vez, são pessoas parecidas. Acredito que o mesmo pode ser dito de um assassinato coletivo muito divulgado.

Desse modo, executivos de mídia precisam refletir profundamente sobre como e com que relevância apresentar reportagens sobre ondas de assassinatos. Essas reportagens não são apenas interessantes, incríveis e dignas de nota; elas também são malignas, uma vez que pesquisas importantes indicam seu caráter contagioso.

ILHA DOS MACACOS

Trabalhos como o de Phillips nos ajudam a apreciar a incrível influência da persuasão dos semelhantes. Quando a enormidade dessa força é reconhecida, torna-se possível entender talvez o ato mais espetacular e mortal de influência de grupo dos tempos modernos: o suicídio em massa em Jonestown, Guiana. Certas características do acontecimento merecem uma análise.

Figura 4.7: "Imitador criminoso"
Cinco minutos antes do início das aulas em 20 de maio de 1999, Thomas "TJ" Solomon, de quinze anos, disparou contra seus colegas de turma, baleando seis antes de ser detido por um professor heroico. No esforço de compreender as causas subjacentes, precisamos reconhecer o efeito da publicidade em torno de uma série de acontecimentos semelhantes no ano anterior — primeiro em Jonesboro, Arkansas; depois em Springfield, Oregon; depois em Littleton, Colorado; e depois, apenas dois dias antes, em Taber, Alberta. Um de seus amigos, justificando o motivo pelo qual jovens abalados estavam de repente se tornando assassinos na escola, afirmou: "Garotos como TJ estão vendo e ouvindo sobre isso o tempo inteiro, agora. Parece uma saída nova para eles" (Cohen, 1999). *AP Photo/ John Bazemore*

Sediada em São Francisco, o Templo do Povo era uma organização em forma de culto que buscava seus adeptos entre as camadas mais pobres da cidade. Em 1977, o reverendo Jim Jones — líder político, social e espiritual do grupo — levou a maior parte de seus membros para um povoado na selva de Guiana. Lá, o Templo do Povo existiu em relativa obscuridade até 18 de novembro de 1978, quando o congressista Leo R.

Ryan da Califórnia (que tinha ido para a Guiana investigar o culto), três membros do grupo investigativo de Ryan e um desertor foram assassinados quando tentavam deixar Jonestown de avião. Convencido de que seria preso e culpado pelas mortes, o que resultaria no fim do Templo do Povo, Jones resolveu controlar a extinção da seita de seu jeito. Ele reuniu toda a comunidade e fez um apelo para que todos morressem em um ato unificado de autodestruição.

A primeira resposta foi de uma mulher que se aproximou calmamente do agora famoso tanque de veneno sabor morango, deu uma dose para seu bebê, tomou outra, e então se sentou na grama. Outros se seguiram em um fluxo constante. Embora um punhado de moradores de Jonestown tenha escapado e relatos afirmem que outros tenham resistiram, os sobreviventes relatam que a maioria dos 910 mortos fez isso de maneira organizada e espontânea.

Notícias do acontecimento chocaram o mundo. Rádios, TVs e jornais fizeram uma bombardeio de reportagens, atualizações e análises. Por dias, as conversas ficaram cheias de tópicos como "Quantos mortos até agora?"; "Um cara que escapou disse que eles estavam bebendo o veneno como se estivessem hipnotizados ou coisa assim"; "O que eles estavam fazendo na América do Sul, afinal de contas?"; e "É tão difícil acreditar. Qual foi o motivo".

"Qual foi o motivo?" é justamente a pergunta crítica. Como explicar esse ato tão impressionante de influência? Várias explicações foram oferecidas. Algumas se concentravam no carisma de Jim Jones, um homem cujo estilo lhe permitia ser amado como um salvador, confiado como um pai e tratado como um imperador. Outras explicações apontavam para o tipo de gente que foi atraído para o Templo do Povo. A maioria era composta por indivíduos pobres e sem instrução, dispostos a abrir mão de sua liberdade de pensamento e ação pela segurança de um lugar onde todas as decisões seriam tomadas por outrem. Outras explicações, ainda, enfatizavam a natureza quase religiosa do Templo do Povo, na qual a fé inquestionável no líder do culto era a mais alta prioridade.

Sem dúvida cada uma dessas características de Jonestown tem méritos para explicar o acontecido, mas não acho que elas sejam suficientes. Afinal de contas, o mundo está cheio de cultos frequentados por pessoas dependentes, sempre lideradas por uma figura carismática. Jamais houve escassez dessa combinação de circunstâncias no passado, mas, ainda assim, em mais nenhum lugar encontramos evidências de um evento que se aproxime do incidente de Jonestown. Deve haver algo mais que tenha sido crucial.

Uma pergunta especialmente reveladora nos dá uma pista: se a comunidade tivesse permanecido em São Francisco, a ordem de suicídio do reverendo Jones teria sido obedecida? Certamente trata-se de uma pergunta especulativa, mas o especialista mais familiarizado com o Templo do Povo não tinha dúvidas da resposta. O dr. Louis Jolyon West, presidente do conselho de psiquiatria e ciências comportamentais da UCLA e diretor da unidade de neuropsiquiatria dessa universidade, é uma autoridade em cultos que passou oito anos observando o Templo do Povo antes das mortes de Jonestown. Quando entrevistado logo após o incidente, ele fez uma afirmação esclarecedora: "Isso não teria acontecido na Califórnia. Aconteceu lá porque lá eles viviam em total alienação em relação ao resto do mundo, no meio da selva, em um país hostil."

Embora perdida entre os muitos comentários que se seguiram à tragédia, a observação de West, junto com o que sabemos sobre o princípio da aprovação social, me parece importante para um entendimento satisfatório dos suicidas obedientes. Para mim, o ato individual na história do Templo do Povo que mais contribuiu para o consentimento impensado dos membros ocorreu um ano antes com a realocação do Templo em um país de selva com costumes e pessoas desconhecidos. Se vamos acreditar nas histórias do gênio malévolo de Jim Jones, ele percebeu o enorme impacto psicológico que tal mudança teria sobre seus seguidores. De repente, eles se viram em um lugar sobre o qual nada sabiam. A América do Sul, e as florestas tropicais da Guiana, especialmente, eram diferentes de tudo o que já tinham visto em São Francisco. O ambiente — tanto físico quanto social — onde foram largados devia parecer assustadoramente inseguro.

Ah, a incerteza, o braço direito do princípio da aprovação social. Já vimos que quando as pessoas estão inseguras, olham para as ações dos outros para guiar as próprias. No estranho ambiente da Guiana, então, os membros do Templo estavam especialmente prontos para seguir a liderança de outra pessoa. Como também já vimos, são pessoas de um

tipo especial que serão seguidas de forma inquestionável: os semelhantes. Aí está a beleza da estratégia de realocação do reverendo Jones. Em
um país como a Guiana, não havia outros semelhantes para um residente de Jonestown além das próprias pessoas de Jonestown.

O que era certo para um membro da comunidade era determinado
em nível desproporcional pelo que outros membros da comunidade —
influenciados por Jones — faziam e acreditavam. Quando vistas sob essa
luz, a organização absoluta, a ausência de pânico, a sensação de calma
com a qual as pessoas seguiam na direção do tanque envenenado parecem mais compreensíveis. Elas não foram hipnotizadas por Jones; elas
foram convencidas — em parte por ele mas, mais importante, pela persuasão dos semelhantes — de que o suicídio era a conduta correta. A insegurança que eles sentiram ao ouvir pela primeira vez a ordem de morte deve tê-los feito olhar ao redor para identificar a reação apropriada.

Merece especial atenção o fato de terem encontrado dois exemplos
de aprovação social, ambos apontando na mesma direção. Primeiro, o
conjunto inicial de compatriotas que rápida e espontaneamente bebe-
ram os goles de veneno. Sempre vai haver indivíduos de obediência fa-
nática em qualquer grupo dominado por um líder forte. Se, nesse caso,
eles tinham sido instruídos antecipadamente a servir de exemplo, ou
se eram naturalmente os mais submissos aos desejos de Jones, é difícil saber. Não importa; o efeito psicológico das ações desses indivíduos
deve ter sido potente. Se o suicídio de semelhantes em noticiários pode
influenciar estranhos a se matarem, imagine como um ato desses foi
enormemente mais convincente quando desempenhado sem hesitação
pelo vizinho de alguém em um lugar como Jonestown.

A segunda fonte de aprovação social veio das reações da própria multidão. Levando-se em conta as condições, desconfio que o que ocorreu
foi um caso em grande escala do efeito da ignorância pluralista. Cada
morador de Jonestown olhou para as ações dos indivíduos ao seu redor
para avaliar a situação e — encontrando calma porque todos estavam
discretamente avaliando antes de reagir — "aprendeu" que esperar sua
vez pacientemente era o comportamento correto. Era de se esperar que
essa aprovação social mal interpretada, mas ainda assim convincente,
resultasse precisamente na sensação de calma assustadora do grupo que
esperava pela morte nos trópicos da Guiana.

Do meu ponto de vista, a maioria das tentativas de analisar o incidente de Jonestown se concentrou nas qualidades pessoais de Jim Jones. Embora ele sem dúvida fosse um homem de raro dinamismo, o poder que detinha chama minha atenção menos por seu estilo pessoal marcante que por sua compreensão de princípios psicológicos fundamentais. Sua verdadeira genialidade como líder foi perceber as limitações da liderança individual. Nenhum líder pode esperar convencer, com regularidade e sozinho, todos os membros do grupo. Porém, um líder confiante e influente pode esperar razoavelmente persuadir uma proporção considerável de membros do grupo. Então, a informação de que um número substancial de outros membros foi convencido pode, por si só, convencer o restante. Assim, os líderes mais influentes são aqueles que sabem preparar as condições do grupo para permitir que o princípio da aprovação social trabalhe em seu favor.

Figura 4.8: Fileiras organizadas de morte eficiente
Corpos jazem em fileiras em Jonestown, demonstrando o ato mais espetacular de consentimento de nosso tempo. *© Bettmann/CORBIS*

É nisso que Jones parece ter sido inspirado. Seu golpe de mestre foi a decisão de mudar a comunidade do Templo do Povo da urbana São Francisco para a distante América do Sul, onde a combinação de insegurança e semelhança exclusiva faria com que o princípio da aprovação social trabalhasse para ele como talvez em nenhum outro lugar. Ali, um povoado de mil pessoas, grande demais para ser mantido sob domínio persistente pela força da personalidade de um homem, podia ser mudado de um grupo de seguidores em um rebanho. Como operadores de abatedouros sabem há muito tempo, a mentalidade de rebanho torna-o fácil de ser administrado. Basta fazer com que alguns membros se movam na direção desejada, e os outros — respondendo não tanto ao animal líder quanto àqueles imediatamente à sua volta — irão segui-los pacífica e mecanicamente. Os poderes do incrível reverendo Jones, então, são mais bem compreendidos não em termos de seu estilo pessoal, mas em termos de seu profundo conhecimento do poder da persuasão dos semelhantes.

Embora nem de perto tão assustadores, outros tipos de evidência revelam a força notável dos lugares habitados por pessoas semelhantes. Uma análise dos fatores de impacto sobre a parcela de mercado de marcas americanas revelou que a passagem do tempo teve surpreendentemente pouca influência no desempenho das marcas, menos de 5% ao longo de três anos. A geografia, por outro lado, faz uma enorme diferença. A maior influência na parcela de mercado, 80%, deveu-se à região geográfica. A escolha de marcas pelas pessoas seguiu alinhada com as escolhas daqueles à sua volta. Os efeitos de regiões distintas foram tão grandes que os pesquisadores questionaram o conceito e relevância das "marcas nacionais". Gerentes de marketing podem considerar estratégias descentralizadas tendo como alvo regiões diferentes em um nível maior do que fazem atualmente, uma vez que as pesquisas indicam que as pessoas são regionalmente semelhantes em atitudes, valores e traços de personalidade — provavelmente devido a efeitos de contágio.[13]

O Grande Erro

O Arizona, estado em que moro, se autointitula o Estado do Grand Canyon, por causa do famoso e admirado ponto turístico em sua extremidade norte que se assemelha a uma cadeia de montanhas de cabeça para baixo. Outras maravilhas naturais também existem dentro dos limites do estado. Uma, o Parque Nacional da Floresta Petrificada, é uma maravilha geológica com centenas de troncos petrificados, lascas e cristais formados 225 milhões de anos atrás durante o período triássico tardio. As condições ambientais na época — água de rios levando árvores caídas e sedimentos vulcânicos cheios de sílica — se combinaram para enterrar os troncos e substituir seu interior orgânico por quartzo e óxido de ferro, transformando-os em fósseis espetaculares e multicoloridos.

A ecologia do parque é ao mesmo tempo robusta e vulnerável. Caracteriza-se por estruturas de pedra resistentes pesando várias toneladas e, simultaneamente, por sua suscetibilidade a serem danificadas por visitantes, que são com frequência culpados de pegar, deslocar e roubar lascas de rocha petrificada e cristais do chão da floresta. Embora os dois dos primeiros comportamentos pareçam pouco importantes, eles são aspectos preocupantes para os pesquisadores que estudam os antigos padrões de movimento das árvores para identificar a localização precisa onde foram depositadas. Ainda assim, o roubo é uma ameaça permanente e motivo de grande preocupação. Em reação a isso, os gerentes do parque puseram uma grande placa na entrada pedindo às pessoas para não removerem os fósseis.

Há algum tempo, um de meus antigos alunos de pós-graduação decidiu explorar o parque com sua noiva, que ele descrevia como a pessoa mais honesta que conhecia — alguém que devolvia até mesmo um clipe de papel ou elástico que pedira emprestado. Porém, quando o casal leu a grande placa de "não roubem" na entrada do parque, alguma coisa em seu enunciado provocou-a a reagir fora de sua personalidade que deixou seu parceiro perplexo. Em seu pedido, a placa declarava:

SUA HERANÇA ESTÁ SENDO VANDALIZADA TODOS OS DIAS PELA PERDA POR FURTO DE MADEIRA PETRIFICADA, TOTALIZANDO CATORZE TONELADAS POR ANO, QUASE SEMPRE UM PEDAÇO PEQUENO POR VEZ.

Em consequência, a nova visitante escrupulosamente honesta sussurrou: "É melhor pegarmos o nosso também."

O que havia na redação da placa que transformou uma jovem honesta em uma criminosa ambiental tramando para saquear um tesouro nacional?! Leitores deste capítulo não precisam ir muito longe para ter a resposta. Foi a força da aprovação social, lamentavelmente com um propósito equivocado. As palavras continham um erro, dos grandes, frequentemente cometido por comunicadores do serviço público. Para mobilizar o público contra uma atividade indesejável, reclama-se que ela é lamentavelmente frequente. Em um anúncio publicado por muito tempo na imprensa intitulado "Produto Interno Bruto", a mascote do Serviço Florestal Americano, Woodsy, a coruja, proclamava: "Este ano, os norte-americanos produzirão mais lixo e poluição do que antes." No Arizona, o Departamento de Transportes empilhava o lixo coletado nas estradas toda semana em "torres de lixo" ao longo das autoestradas para todos verem. E em uma série de seis semanas de duração intitulada "Lixo no Arizona", o maior jornal do estado pediu aos moradores que enviassem para publicação fotos dos lugares mais sujos na região.

O erro não é exclusivo de programas ambientais. Campanhas de informação destacam que o consumo de álcool e o uso de drogas estão absurdamente altos, que os índices de suicídio de adolescentes estão altos e que muito poucos cidadãos exercem seu direito de votar. Embora essas afirmações possam ser ao mesmo tempo verdadeiras e bem-intencionadas, os criadores das campanha não perceberam algo muito crítico: dentro do lamento "Vejam todas essas pessoas que estão fazendo essa coisa indesejável" oculta-se a mensagem destruidora "Vejam todas essas pessoas que *estão* fazendo isso". Ao tentar alertar o público para a natureza amplamente difundida de um problema, os comunicadores podem acabar agravando-o por causa da provação social.

Para explorar a possibilidade, meus colegas e eu realizamos um experimento no Parque Nacional da Floresta Petrificada, onde uma média de 2,95% dos visitantes por dia se envolviam com o furto de fósseis. Alternamos duas placas nas áreas de grande furto no parque. Com as placas, queríamos registrar os efeitos de pedidos antifurto informando aos visitantes ou que muitos outros roubam do parque ou que poucos outros o fazem. Refletindo a mensagem da sinalização na entrada do parque, nossa primeira placa pedia que os visitantes não levassem madeira, enquanto retratava uma cena mostrando três ladrões em ação.

O número de roubos quase triplicou, subindo para 7,92%. Nossa outra placa também pedia que os visitantes não levassem madeira; mas, ao contrário da mensagem de aprovação social contraproducente, ela comunicava que poucas pessoas roubavam do parque retratando um ladrão solitário. Essa placa, que marginalizava o roubo (em vez de normalizá-lo), reduziu os roubos para 1,67%.

Outros estudos documentaram as consequências negativas não intencionais de tentar afastar pessoas de uma ação danosa lamentando a frequência do ato. Depois de um programa educativo no qual várias mulheres jovens descreviam seus transtornos alimentares, as participantes começaram a mostrar maiores sintomas de transtornos. Depois de um programa de prevenção ao suicídio que informava os adolescentes de Nova Jersey sobre o número alarmante de adolescentes que tiram a própria vida, os participantes começaram a ver o suicídio como uma solução para os próprios problemas. Depois da exposição a um programa para evitar o uso de álcool no qual os participantes interpretavam cenas em que resistiam à insistência de seus semelhantes para beber, alunos do penúltimo ano do ensino médio passaram a acreditar que o uso de álcool era mais comum entre eles do que pensavam a princípio. Em suma, comunicações persuasivas devem evitar empregar informações que possam normalizar a conduta indesejável.

Figura 4.9: Pedras roubadas
Embora esses visitantes do Parque Nacional da Floresta Petrificada estejam tirando fotos de fósseis de madeira petrificada, alguns visitantes levam os fósseis. *Cortesia do Serviço Florestal Americano*

A tendência de denunciar a extensão de uma atividade indesejada pode ser conduzida de outra forma equivocada. Frequentemente a atividade não é difundida. Ela só parece assim em virtude de uma apresentação vívida e passional de sua ocorrência. Pegue, por exemplo, o roubo dos fósseis. Tipicamente, poucos visitantes removem pedaços de madeira do parque — menos de 3%. Ainda assim, como o parque recebe dois terços de milhão de visitantes por ano, o número de furtos é coletivamente elevado. Portanto, a sinalização na entrada estava correta ao afirmar que um grande número de fósseis estava sendo levado por visitantes. Mesmo assim, ao fazer com que os visitantes foquem exclusivamente no fato de que os furtos ocorriam com regularidade destrutiva, os funcionários do parque cometeram um erro duplo. Ele não apenas usaram a força da aprovação social contra os objetivos do parque (ao implicar, equivocadamente, que o furto era amplamente difundido), como também perderam a oportunidade de empregar a força da verdadeira aprovação social em benefício dos objetivos do parque (ao deixar de indicar os visitantes honestos como a grande maioria). Grande erro.[14]

UM ATALHO DA APROVAÇÃO SOCIAL (PARA O FUTURO)

Há um segundo tipo de erro de aprovação social, e eu mesmo o cometia com frequência. Isso ocorria quando fazia apresentações e um ou dois ouvintes faziam uma série importante de perguntas: "O que eu faço se não tiver provação social para indicar? E se eu tenho uma startup pouco conhecida ou tenho um produto novo sem nada impressionante sobre o qual falar em termos de parcela de mercado, números de vendas ou popularidade em geral até o momento? O que fazer, então?" Eu sempre respondia: "Bem, você sem dúvida não deve mentir sobre a falta de aprovação social; em vez disso, use um dos outros princípios que podem estar a seu favor, como o da autoridade ou da afeição. Escassez pode ser bom."

Pesquisas recentes indicam que meu conselho de se afastar das evidências de aprovação social caso elas não estejam presentes está equivocado. Em vez de confiar apenas nas evidências de aprovação social *existente*, um comunicador pode conseguir resultados quase tão bons confiando em evidências de aprovação social futura.

Pesquisadores identificaram algo estranho na percepção humana. Quando percebemos uma mudança, esperamos que ela siga na mesma direção quando é vista como tendência. Essa foi a suposição que alimentou todo investimento financeiro em mercados em alta e bolhas imobiliárias de que se tem registro. Observadores de uma sucessão de avaliações crescente as projetam no futuro na forma de aumentos maiores. Apostadores que experimentam alguns ganhos consecutivos acreditam estar em uma maré de sorte e que a aposta seguinte vai gerar um novo ganho. Golfistas amadores como eu podem confirmar o mesmo fenômeno: depois de ver a pontuação em dois dias de jogo melhorar, esperamos — contra todas as probabilidades e histórico pessoal — melhorar no terceiro. Na verdade, devido a um amplo processo de comportamento, incluindo aqueles empreendidos por uma minoria de pessoas — como economizar água, escolher refeições sem carne e preencher pesquisas sem remuneração —, indivíduos acreditam que as tendências seguem continuamente a mesma trajetória. Aferrando-se ao Grande Erro, ciente de que apenas uma minoria faz uma dessas ações desejadas, as pessoas ficam relutantes em fazê-las elas mesmas. Entretanto, se descobrem que, dentro da minoria, cada vez mais pessoas estão agindo de determinada maneira, elas embarcam na tendência e começam a reproduzir o comportamento também. Tomemos como exemplo o estudo com o qual sou mais familiarizado — porque fui membro da equipe de pesquisa. Nós convidamos universitários para um experimento no qual alguns participantes liam informação indicando que apenas uma minoria de seus colegas economizava água em casa. Para outra amostra de nossos participantes, a informação dizia que, embora apenas uma minoria de alunos economizasse água, o percentual com essa atitude estava crescendo ao longo dos dois últimos anos. Finalmente, houve um terceiro grupo de participantes (dentro do grupo de controle) que não recebeu nenhuma informação sobre economia de água.

A essa altura, estávamos prontos para testar, em segredo, como esses três tipos de circunstância afetariam o uso de água de nossos participantes. Pediu-se a todos que participassem de um teste de preferência de consumo de uma nova marca de pasta de dente, que eles deviam avaliar depois de escovar os dentes em uma pia no laboratório. Eles não sabiam que tínhamos equipado a pia com um medidor que registrava quanta água usavam enquanto testavam a pasta de dente.

Os resultados foram claros. Em comparação com os participantes no grupo de controle — que, lembre-se, não receberam nenhuma informação de seus colegas sobre os esforços para economizar água em casa —, aqueles que souberam que apenas uma minoria dos pares tentava conservar passaram a usar ainda mais água; na verdade, foram os participantes que mais usaram água. Eles ligaram os pontos, reconhecendo que se apenas uma minoria se dava ao trabalho de economizar, então a maioria *não* se dava ao trabalho; então seguiram o exemplo da maioria. Mas esse padrão foi invertido pelos participantes que souberam que, embora apenas uma minoria de seus semelhantes poupasse, o número dos que faziam isso estava crescendo. Assim informados, eles foram os que usaram menos água de todos enquanto escovavam os dentes.

Como compreender essa última descoberta? Ela parece ir contra os outros estudos que abordamos que mostram que as pessoas preferem seguir a maioria. Isso significa que quando uma tendência é visível, a aprovação social não é mais todo-poderosa? Sim e não. Níveis existentes de aprovação social podem não ser mais soberanos, mas uma outra versão do conceito é. Como supomos que as tendências continuarão na mesma direção, elas não apenas nos revelam onde os comportamentos dos outros estiveram e onde estão agora; como também consideramos que nos dizem onde os comportamentos deles estarão no futuro. Assim, tendências nos dão acesso a uma forma especial e potente de aprovação social — a aprovação social futura. Quando pedimos aos participantes de nosso estudo para prever o percentual de seus colegas que economizariam água em casa durante os seis anos seguintes, só aqueles que souberam da tendência na direção da economia previram um aumento. Na verdade, muitos participantes previram que, após esse período, a economia de água seria o comportamento da maioria.

Com base nesses resultados, não dou mais o mesmo conselho de antes para pessoas que querem oferecer um item de popularidade limitada. Em vez de insistir que se afastem do princípio de aprovação social e sigam na direção de outros princípios, pergunto se, durante um período razoável de tempo, eles têm evidências honestas de uma popularidade crescente. Em caso afirmativo, recomendo fazer *desse* fato a característica central das mensagens — porque, como seu público vai supor, essa evidência será um indicador de valor verdadeiro e popularidade futura. Se durante esse período de tempo a resposta for não, peço a eles para repensar o que têm a oferecer e, talvez, mudar significativamente ou se afastar disso.[15]

Defesa

Comecei este capítulo com o relato de um pequeno ajuste no cardápio de um restaurante e segui para descrições de táticas bem-sucedidas de vendas de literatura bíblica, depois para noticiários de assassinatos e suicídios — tudo explicado pelo princípio da aprovação social. Como podemos nos defender contra uma arma de influência que permeia uma gama tão ampla de comportamentos? A dificuldade aumenta quando percebemos que, na maior parte do tempo, não queremos nos proteger contra a informação fornecida pela aprovação social. As evidências que ela oferece sobre a forma como devíamos agir são em geral válidas e valiosas. Com elas, podemos enfrentar com confiança inúmeras decisões sem ter de investigar os prós e contras detalhados de cada uma. Nesse sentido, o princípio nos equipa com um dispositivo maravilhoso de piloto automático parecido com o que há a bordo da maioria das aeronaves.

Mas os problemas com pilotos automáticos, embora ocasionais, são reais. Esses problemas aparecem sempre que a informação registrada no mecanismo de controle está errada. Nesses casos, seremos desviados do caminho. Dependendo do tamanho do erro, as consequências podem ser drásticas; mas, como o piloto automático fornecido pelo princípio da aprovação social é mais frequentemente um aliado que um inimigo, não podemos simplesmente desconectá-lo. Assim, nos deparamos com um problema clássico: como usar um equipamento que ao mesmo tempo beneficia e coloca em risco nosso bem estar?

Felizmente, existe uma saída para esse dilema. Como as desvantagens dos pilotos automáticos surgem principalmente quando são inseridos dados incorretos no sistema, nossa melhor defesa contra é reconhecer quando os dados estão errados. Se pudermos nos tornar sensíveis a situações em que o piloto automático da aprovação social está funcionando com informação equivocada, podemos desligar o mecanismo e assumir os controles quando necessário.

SABOTAGEM

Há dois tipos de situação em que os dados incorretos levam o princípio de aprovação social a nos dar maus conselhos. O primeiro ocorre quando evidências sociais foram deliberadamente falsificadas. Invariavelmente, essas situações são fabricadas por exploradores com a intenção de criar a impressão — a realidade pouco importa — de que uma multidão está agindo do jeito que os exploradores desejam. O riso amplificado das plateias de programas de comédia da TV é um tipo de dado falso dessa categoria, mas há muito mais, e grande parte da falsificação é detectável.

Já que os pilotos automáticos podem ser ligados e desligados à vontade, podemos continuar confiando no curso orientado pelo princípio da aprovação social até reconhecermos que dados imprecisos estão sendo usados. Aí nós podemos assumir os controles e fazer as correções necessárias da informação equivocada e reiniciá-lo. Sem nenhum custo além da vigilância contra evidências sociais falsas, nós podemos nos proteger. Lembre-se, por exemplo, do e-box em nosso primeiro capítulo, falando sobre como avaliações de produtos na internet têm características que, juntas, nos permitem identificá-las como falsas — falta de detalhes, muitos pronomes em primeira pessoa e mais verbos que substantivos.

Fontes adicionais de informação estão disponíveis para nos proteger. Por exemplo, em 2019, a Comissão Federal de Comércio dos Estados Unidos acusou com sucesso a empresa de cosméticos Sunday Riley Skincare de publicar avaliações positivas que na verdade eram escritas pelos próprios funcionários, pressionados a fazer isso pelos líderes da empresa. O caso foi divulgado em várias mídias. Com isso, é bom estarmos atentos a novos relatos de avaliações de produtos fabricadas.

Em outro exemplo, analisei o aumento do uso de pessoas comuns em anúncios, quando elogiam um produto, sem saber que suas palavras estão sendo gravadas. Como seria esperado de acordo com o princípio da aprovação social, esses testemunhos de "pessoas comuns, como você e eu" rendem campanhas publicitárias eficazes. Elas sempre incluem um tipo relativamente sutil de distorção: nós só ouvimos aqueles que gostam do produto; como resultado, temos um quadro bastante tendencioso da quantidade de apoio social para ele.

Um tipo mais rústico e antiético de falsificação também pode surgir. Produtores de comerciais podem não se dar ao trabalho de conseguir testemunhos verdadeiros — eles contratam atores para fazer o papel das pessoas comuns, falando sem edições para um entrevistador. A Sony Pictures Entertainment foi pega fazendo com que seus funcionários retratassem fãs elogiando o filme *O patriota* para um anúncio que depois foi exibido em rede de TV. A empresa justificou a prática enganadora de usar atores ou funcionários para darem testemunhos como um "padrão da indústria" que não era exclusivo da Sony Pictures ou sequer da indústria do entretenimento. Uma versão diferente desse tipo de falsificação ocorre quando atores são contratados para fazer fila na porta de cinemas ou lojas para simular um grande interesse. Outro exemplo de como pessoas que visam lucro às vezes recorrem à falsa popularidade para seus produtos ocorreu no lançamento do iPhone da Apple na Polônia. A agência de publicidade responsável pela conta da empresa admitiu ter falsificado aprovação social em favor do celular de seu cliente. Como eles fizeram isso? Segundo um porta voz, no dia do lançamento: "Nós criamos filas falsas [de atores pagos] em frente a vinte lojas em todo o país para aumentar o interesse."

Sempre que me deparo com ou fico sabendo de uma tentativa de influenciar desse tipo, isso dispara em mim uma espécie de alarme com um aviso claro: *Atenção! Atenção! Pode haver uma aprovação social ruim nesta situação. Desconectar temporariamente o piloto automático.* É fácil fazer isso. Só precisamos tomar a decisão consciente de estar alertas a evidências de aprovação social tendenciosa. Podemos seguir de forma mais calma até a fraude do explorador ser identificada e nesse momento podemos reagir.

E nós devíamos reagir com vingança. Estou falando de mais do que simplesmente ignorar a informação falsa, embora essa tática defensiva seja certamente necessária. Falo de um contra-ataque agressivo. Sempre que possível, devemos apontar os responsáveis pela falsificação de uma aprovação social. Não devemos comprar produtos com comerciais com "entrevistas não ensaiadas" tendenciosas ou filas de espera artificiais. Além do mais, cada fabricante deveria receber um comentário severo em seu site explicando nossa reação e recomendando que deixem de usar a agência de publicidade ou de marketing que produziu uma apresentação enganosa de seu produto.

Embora nem sempre estejamos dispostos a confiar nas ações dos outros para dirigir nossa conduta — especialmente em situações importantes o suficiente para merecer nossa investigação pessoal dos prós e contras, ou aquelas em que somos especialistas —, queremos poder contar com o comportamento social como fonte de informação válida em uma ampla variedade de ambientes. Se nesses contexto descobrimos que não podemos confiar que a informação é válida pois alguém falsificou a evidência, devemos estar prontos para contra-atacar. Nesses casos, é mais do que minha completa aversão a ser enganado que me impulsiona. Odeio ser forçado a uma situação inaceitável por gente que usaria contra mim as barreiras que ergui para me defender da sobrecarga de decisões da vida moderna. Sinto uma verdadeira sensação de virtuosismo moral em atacar quando alguém tenta me atingir dessa forma. Se você for como eu, devia fazer o mesmo.

ERGUENDO O OLHAR

Além das vezes em que a aprovação social é deliberadamente forjada, há outro momento em que o princípio vai nos conduzir na direção errada. Nesse caso, um erro inocente e natural é o que produz a aprovação social crescente que nos leva a uma decisão incorreta. O fenômeno da ignorância pluralista, na qual todo mundo em uma emergência não vê motivo para alarme, é um exemplo disso.

O melhor exemplo que conheço vem de Singapura, onde alguns anos atrás, sem explicação, clientes de um banco começaram a sacar seu dinheiro em um frenesi. A corrida para esse banco respeitado permaneceu um mistério até muito mais tarde, quando, entrevistando participantes, pesquisadores descobriram a causa peculiar que motivou isso: uma greve de ônibus inesperada tinha criado uma multidão extraordinariamente grande esperando no ponto de ônibus em frente ao banco naquele dia. Confundindo a aglomeração com clientes esperando para sacar seus fundos de um banco com problemas, as pessoas que passavam ficaram em pânico e entraram na fila, o que levou mais pessoas que passavam a fazer o mesmo. Logo após abrir suas portas, o banco foi forçado a fechar para evitar um colapso completo.

O relato fornece certos insights sobre como respondemos à aprovação social. Primeiro, supomos que, se muitas pessoas estão fazendo a mesma coisa, elas devem saber de alguma coisa que não sabemos. Especialmente quando estamos indecisos, ficamos dispostos a depositar nossa confiança no conhecimento coletivo da multidão. Segundo, com muita frequência a multidão está errada porque seus membros não estão agindo com base em nenhuma informação superior, mas estão reagindo, eles mesmos, ao princípio da aprovação social.

Há uma lição aqui: nunca se deve confiar totalmente em um dispositivo de piloto automático como a aprovação social; ele às vezes pode apresentar problemas mesmo quando nenhum sabotador inseriu informação equivocada no mecanismo. Precisamos checar a máquina de vez em quando para garantir que ela não saiu de sintonia com as outras fontes de evidências na situação — os fatos objetivos, nossas experiências prévias e nossas próprias avaliações.

Felizmente, essa precaução não exige esforço nem muito tempo. É necessário apenas dar uma olhada ao redor. E essa pequena preocupação vale muito a pena. A consequência de confiar apenas em evidência social é assustadora. Por exemplo, uma análise de pesquisadores de segurança aérea descobriu as decisões equivocadas de muitos pilotos que sofreram acidentes enquanto tentavam aterrissar depois que as condições climáticas tinham se tornado perigosas. Os pilotos não se focaram suficientemente na crescente evidência física para abortar o pouso. Em vez disso, se concentraram demais na crescente evidência social para tentar — o fato de que todos em uma fila anterior de pilotos tinham aterrissado em segurança.

Com certeza, um piloto seguindo uma fila de outras aeronaves deveria olhar de vez em quando para o painel de instrumentos ou as condições do tempo fora da janela. Da mesma forma, precisamos olhar para cima e para os lados periodicamente sempre que estamos presos nas evidências da multidão. Sem essa salvaguarda simples contra a aprovação social equivocada, nossos resultados podem muito bem correr em paralelo com aqueles dos pilotos azarados e do banco de Cingapura: os desastre.[16]

DEPOIMENTO DO LEITOR 4.6

De um ex-funcionário de um hipódromo

Descobri um método de forjar a aprovação social em benefício próprio enquanto trabalhava em um hipódromo. Para diminuir as probabilidades e ganhar mais dinheiro, alguns apostadores conseguem levar o público a apostar em cavalos ruins.

As probabilidades de ganho em um hipódromo são baseadas em onde o dinheiro está sendo colocado. Quanto mais dinheiro em um cavalo, maior a probabilidade. Muitas pessoas que apostam têm surpreendentemente pouco conhecimento de corridas e estratégias de aposta. Por isso, quando não sabem muito sobre os cavalos em um páreo em especial, apostam no favorito. Como os placares exibem as probabilidades minuto a minuto, o público sempre sabe quem é o favorito. O sistema que um grande apostador pode usar para alterar essas probabilidades é bem simples. A pessoa tem em mente um cavalo que acredita ter chance de vitória. Em seguida, ele escolhe um cavalo com baixa probabilidade (digamos, quinze para um), que não tem chances realistas de vitória. No minuto em que os guichês de apostas se abrem, a pessoa faz uma aposta de US$ 100 no cavalo inferior, gerando um favorito instantâneo cujas probabilidades caem para cerca de dois para um.

Nesse momento, os elementos da aprovação social começam a funcionar. Pessoas que estão inseguras de como apostar olham para o placar para ver qual cavalo os primeiros apostadores decidiram ser o favorito, e vão atrás. Ocorre, então, um efeito de bola de neve conforme outras continuam a apostar no favorito. A essa altura, o grande apostador pode voltar ao guichê e apostar pesado em seu verdadeiro favorito, que terá uma cotação melhor agora, já que o "novo favorito" desceu no quadro de apostas. Se o apostador ganhar, o investimento inicial de US$ 100 terá valido a pena muitas vezes.

Eu mesmo já vi isso acontecer. Me lembro de uma vez em que uma pessoa apostou US$ 100 antes de um páreo em um cavalo com rateio de dez para um, tornando-o o favorito inicial. Rumores começaram a circular pelo hipódromo — os primeiros apostadores sabiam de alguma coisa. De repente, todo mundo (até eu) estava apostando nesse cavalo. Ele acabou chegando em último por causa de um problema na pata. Muita gente perdeu dinheiro. Alguém, porém, se deu bem. Nunca vamos saber quem. Mas foi ele que ficou com todo o dinheiro. Ele entendeu a teoria da aprovação social.

Nota do autor: Mais uma vez podemos dizer que a aprovação social é mais reveladora para aqueles que não se sentem familiarizados nem seguros em uma situação específica e que, consequentemente, têm de procurar fora de si evidências da melhor maneira de se comportar em determinado contexto. Nesse caso, podemos ver como pessoas que visam o lucro tiram proveito da tendência.

RESUMO

- O princípio da aprovação social afirma que, em geral, para decidir no que acreditar ou como agir em uma situação, as pessoas tendem a observar o que os outros estão acreditando ou agindo. Efeitos poderosos como esses foram encontrados em meio tanto a crianças quanto a adultos, e em atividades tão diferentes quanto decisões de compra, doações para caridade e remissão de fobias. O princípio da aprovação social pode ser usado para estimular o consentimento de uma pessoa a um pedido, informando-lhe que muitos outros indivíduos (quanto mais, melhor) estão ou estiveram concordando com isso. Portanto, apenas apontar a popularidade de um item aumenta sua popularidade.

- A aprovação social exerce maior influência sob três condições. A primeira é a incerteza. Quando as pessoas estão inseguras, quando a situação é ambígua, elas ficam mais propensas a seguir a ação de outros e a aceitar essas ações como corretas. Em situações ambíguas, por exemplo, a decisão de transeuntes de oferecer ajuda é muito mais influenciada pela ação de outras pessoas do que quando a situação é uma emergência clara.

- Uma segunda condição sob a qual a aprovação social age com mais força envolve "os muitos": as pessoas tendem mais a seguir o exemplo dos outros na proporção do número desses outros. Quando vemos várias pessoas desempenhando uma ação, tornamo-nos dispostos a fazer o mesmo porque a ação parece ser mais (1) correta/válida, (2) viável e (3) socialmente aceitável.

- A terceira condição de otimização para informação de aprovação social é a semelhança. As pessoas seguem as crenças e ações de pessoas semelhantes, um fenômeno que podemos chamar de persuasão dos semelhantes. Evidências da influência poderosa das ações de pessoas semelhantes podem ser vistas em estatísticas de suicídios compiladas pelo sociólogo David Phillips. As estatísticas indicam que depois de notícias extremamente divulgadas de suicídio, outros indivíduos perturbados, que são semelhantes à vítima da notícia, decidem se matar. Uma análise do suicídio em massa em Jonestown, Guiana, sugere que o líder do grupo, o reverendo Jim Jones, usou tanto o fator da semelhança quanto da incerteza para induzir uma resposta suicida de rebanho da maioria da população de Jonestown.

- O Grande Erro da aprovação social que muitos comunicadores cometem é reprovar a frequência de determinado comportamento indesejado (beber e dirigir, suicídio de adolescentes etc.) como forma de detê-lo. Em geral, não se percebe que no lamento "Olhe só quanta gente está fazendo essa coisa indesejada" se esconde uma mensagem oculta que destrói sua força, "Olhe só quantas pessoas *estão* fazendo isso".

- Quando comunicadores não conseguem usar a provação social existente porque sua ideia, causa ou produto não tem apoio amplo, eles podem utilizar o poder da aprovação social *futura* ao descrever honestamente a tendência de apoio, que as audiências esperam que continue.

- Recomendações para reduzir nossa suscetibilidade às aprovações sociais equivocadas incluem cultivar uma sensibilidade a evidências falsas e reconhecer que as ações de nossos semelhantes não devem ser a única base para nossas decisões.

AUTORIDADE

Deferência direcionada

Siga um especialista.

— Virgílio

Há pouco tempo, um jornalista sul-coreano me perguntou: "Por que a ciência comportamental está tão na moda?" Há várias razões, mas uma tem a ver com o trabalho de institutos de pesquisa comportamental em diversas áreas: governamental, jurídica, médica, educacionais e não governamentais em todo o mundo. Pela última contagem, cerca de seiscentas dessas unidades de pesquisa se estabeleceram em menos de dez anos — cada uma dedicada a testar como os princípios da ciência comportamental podem ser usados para resolver vários problemas da vida real. A primeira delas, o Behavioral Insights Team (BIT) do governo britânico, tem se mostrado especialmente produtiva.

Por exemplo, para examinar como aumentar as doações para causas merecedoras, especialmente entre indivíduos com recursos financeiros que permitiam contribuições substanciais, pesquisadores do BIT compararam o sucesso das técnicas para motivar funcionários de bancos de investimentos a doar um dia de salário para a caridade. Nos escritórios de Londres de um grande banco internacional, os funcionários receberam um pedido para fazer essa doação em apoio à campanha de arrecadação de fundos da empresa para duas instituições de caridade (Help a Capital Child e Meningitis Research UK). Um conjunto de banqueiros no grupo de controle recebeu o pedido em uma carta padrão solicitando o compromisso financeiro; ela produziu 5% de engajamento. Um segundo grupo recebeu a visita de uma celebridade admirada que endossava o programa; essa tática com base na afeição aumentou o engajamento para 7%. Uma terceira amostra encontrou um apelo com base na reciprocidade; ao entrarem no prédio, eles foram abordados por um voluntário que primeiro deu a eles um pacote de balas e depois pediu que participassem do programa, o que elevou o engajamento para 11%. Um quarto grupo recebeu um apelo que incorporava o princípio de autoridade na forma de uma carta de seu CEO elogiando a importância do programa para o banco assim como o valor das instituições de caridade selecionadas para a sociedade; ele gerou um engajamento de 12%. Uma amostra final recebeu uma combinação dos princípios de influência da reciprocidade e da autoridade — o presente de balas de um voluntário mais a carta personalizada do CEO. O engajamento subiu para 17%.

É evidente que a carta do CEO, tanto sozinha quanto associada a outro princípio de influência, teve efeitos significativos sobre a decisão. Isso ocorreu porque a fonte da carta possuía dois tipos de autoridade na mente dos receptores. Primeiro, ele *tinha* autoridade — um chefe que podia afetar os resultados dos receptores dentro da organização e que, como a carta foi personalizada para eles, saberia se tinham atendido a seu pedido. Além disso, ele *era* uma autoridade no assunto, que tinha exibido seu conhecimento do valor da campanha para a empresa assim como o valor inerente das instituições de caridade escolhidas. Quando um solicitante tem essa combinação de traços de autoridade, podemos esperar que o engajamento seja notável. Na verdade, é uma combinação que explica um dos padrões mais incríveis de resposta na história da ciência comportamental.[1]

Suponha que, enquanto folheia seu jornal, você perceba um recrutamento de voluntários para participarem de um "estudo sobre memória" sendo feito no departamento de psicologia de uma universidade próxima. Suponha também que, achando a ideia desse experimento intrigante, você contate o diretor do estudo, o professor Stanley Milgram, e combine de participar de uma sessão de uma hora. Quando você chega ao laboratório, encontra dois homens. Um é o pesquisador encarregado do experimento, claramente evidenciado pelo jaleco cinza e a prancheta que carrega. O outro é um voluntário como você que parece bem normal em todos os aspectos.

Depois da troca de cumprimentos e gentilizas iniciais, o pesquisador começa a explicar os procedimentos a serem seguidos. Ele diz que o experimento é um estudo de como a punição afeta o aprendizado e a memória. Um participante terá a tarefa de aprender pares de palavras em uma longa lista até que todos os pares consigam ser memorizados perfeitamente; essa pessoa vai ser chamada de Aprendiz. O trabalho do outro participante será testar a memória do Aprendiz e enviar choques elétricos cada vez mais fortes a cada erro; essa pessoa será designada como o Professor.

Naturalmente, você fica um pouco nervoso com essa notícia. Sua apreensão aumenta quando, após um sorteio, você descobre que recebeu o papel de Aprendiz. Você não esperava a possibilidade de dor como parte do estudo, então considera ir embora. Mas não, você pensa, haverá tempo suficiente para decorar as palavras, além disso, o quanto esse choque pode doer?

Depois de ter uma chance de estudar a lista, o pesquisador o prende a uma cadeira e, com o Professor olhando, posiciona os eletrodos em seu braço. Mais preocupado agora com o efeito do choque, você pergunta sobre sua gravidade. A resposta do pesquisador está longe de ser reconfortante. Ele diz que, embora os choques sejam extremamente dolorosos, não provocarão "nenhum dano permanente em sua pele". Com isso, o pesquisador e o Professor o deixam sozinho e vão para a sala ao lado onde o Professor lhe faz as perguntas do teste através de um sistema de intercomunicação e envia a punição elétrica para toda resposta errada.

Com o avanço do teste, você reconhece rapidamente o padrão seguido pelo Professor: ele faz a pergunta e espera a sua resposta pelo intercomunicador. Sempre que você erra, ele anuncia a voltagem do choque que você está prestes a receber e aciona uma chave para enviar a punição. O mais preocupante é que o choque aumenta em quinze volts a cada erro cometido.

A primeira parte do teste avança tranquilamente. Os choques são incômodos, mas toleráveis. Porém, à medida que você comete mais erros e a voltagem dos choques aumenta, a punição começa a doer o suficiente para atrapalhar sua concentração, o que leva a mais erros e a choques ainda mais perturbadores. Nos níveis de 75, 90 e 105 volts, a dor faz você gemer alto. Nos 120 volts, você exclama pelo intercomunicador que os choques estão *realmente* começando a doer. Você aceita mais uma punição com um gemido e decide que sofreu o suficiente. Depois que o Professor envia o choque de 150 volts, você grita em resposta pelo intercomunicador: "Chega. Me tirem daqui! Me tirem daqui, por favor! Eu quero sair."

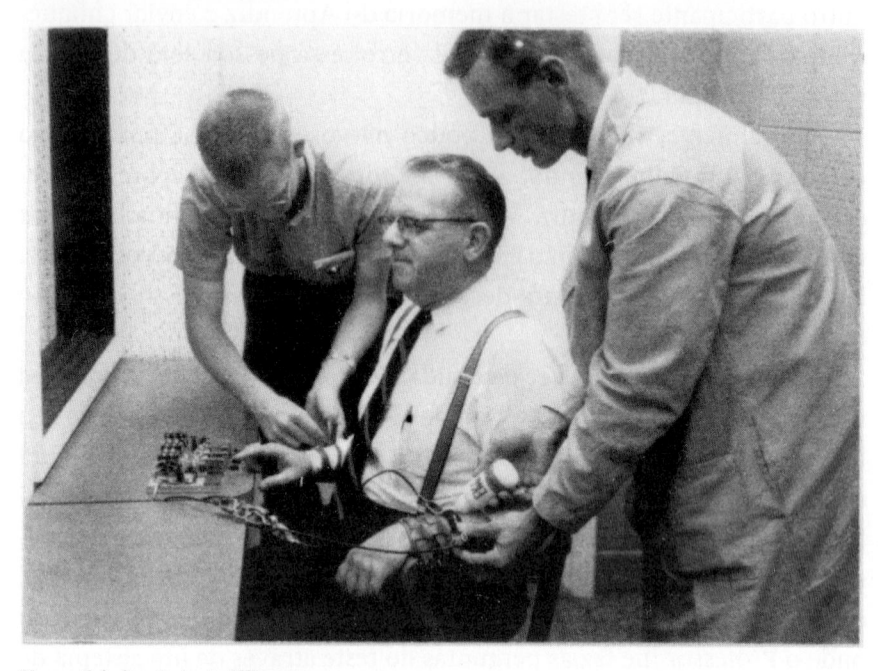

Figura 5.1: O estudo de Milgram
A foto mostra o Aprendiz ("vítima") sendo preso a uma cadeira e tendo eletrodos conectados pelo pesquisador de jaleco e o verdadeiro participante, que iria se tornar seu Professor. *Stanley Milgram, 1968; distribuído por Pennsylvania State University Media Sales*

Em vez da segurança que espera do Professor, afirmando que ele e o pesquisador iriam soltá-lo, ele apenas lhe faz a pergunta seguinte do teste. Surpreso e confuso, você balbucia a primeira resposta que vem a sua cabeça. Está errada, é claro, e o Professor envia um choque de 165 volts. Você grita com o Professor para parar, para soltá-lo. Ele responde apenas com a pergunta seguinte — e com o choque seguinte — quando sua resposta frenética é incorreta. Você não consegue mais segurar o pânico, os choques agora estão tão fortes que fazem você se contorcer e gritar. Você chuta a parede, exige ser solto, e implora ao Professor que o ajude. Entretanto, as perguntas do teste continuam e o mesmo acontece com os temíveis choques — em fortes golpes de 195, 210, 225, 240, 255, 270, 285 e 300 volts. Você percebe não ter a menor condição de respondê-las corretamente, então grita para o Professor que não vai mais responder as perguntas. Nada muda; ele interpreta seu fracasso em responder como uma resposta errada e envia outro choque. A provação continua desse jeito até que, finalmente, o poder dos choques o deixa quase paralisado. Você não consegue mais gritar, não consegue mais lutar. Você só consegue sentir cada golpe elétrico. Talvez essa inatividade total faça o Professor parar, você pensa. Não pode haver razão para continuar esse experimento, mas ele prossegue fazendo as perguntas do teste, anunciando os níveis de choque (acima de quatrocentos volts agora) e acionando as chaves. Que tipo de homem é esse, você se pergunta, confuso. Por que ele não me ajuda? Por que ele não para?

O poder da pressão da autoridade

Para a maioria de nós, a situação anterior parece um pesadelo. Para entender seu tamanho, devemos compreender que na maioria dos aspectos ele é real. Esse experimento aconteceu — na verdade toda uma série deles — e foi coordenado por um professor de psicologia chamado Milgram no qual os participantes no papel do Professor enviavam níveis de choque contínuos, intensos e perigosos para um Aprendiz se debatendo, gritando e suplicando. Só um aspecto importante do experimento não era verdadeiro. Nenhum choque real foi dado; o Aprendiz que repetidamente gritava em agonia por piedade e libertação não era o verdadeiro participante, mas um ator que só fingia estar levando os choques. O verdadeiro propósito do estudo de Milgram, então, nada tinha a ver com os efeitos de punições sobre o aprendizado e a memória. Em vez disso, envolvia uma questão completamente diferente: quanto sofrimento as pessoas estariam dispostas a infligir em outra inocente quando eram comandadas por uma autoridade?

A resposta é perturbadora. Sob circunstâncias que refletem exatamente as características do "pesadelo", o Professor típico estava disposto a infligir tanta dor quanto possível. Em vez de ceder aos apelos das vítimas, cerca de dois terços dos participantes do experimento de Milgram acionaram cada uma das trinta chaves de choque diante deles e continuaram a fazer isso até chegarem a última (450 volts), quando o pesquisador encerrava o experimento. Mais perturbador ainda, nenhum dos quarenta participantes desse estudo abandonou o papel de Professor quando a vítima começou a pedir para ser liberada, nem depois disso, quando sua reação a cada choque tinha se tornado, nas palavras de Milgram, "sem dúvida um grito de agonia".

Esses resultados surpreenderam todos os envolvidos com o projeto, inclusive Milgram. Na verdade, antes do início do estudo, ele pediu a grupos de colegas, alunos de pós-graduação e psicólogos na Universidade de Yale (onde o experimento foi conduzido) para ler uma cópia dos procedimentos experimentais e estimar quantos participantes iriam até o fim, até o último choque (450 volts). Invariavelmente, a resposta ficava entre 1% e 2%. Um grupo de 39 psiquiatras previu que apenas uma pessoa em mil estaria disposta a ir até o fim. Ninguém, então, estava preparado para o padrão de comportamento que o experimento produziu.

Como podemos explicar esse padrão perturbador? Talvez, como defenderam alguns, tenha relação com os participantes serem todos homens, grupo conhecido por suas tendências agressivas; ou com o fato de que os participantes não reconheciam o mal em potencial que esses choques de alta voltagem poderiam causar; ou ainda porque eram um grupo de bárbaros que gostaram da oportunidade de infligir sofrimento. Há evidências contra cada possibilidade levantada. Primeiro, um experimento posterior mostrou que o gênero dos participantes era irrelevante em relação à disposição de dar todos os choques na vítima; Professoras tinham a mesma probabilidade que Professores no estudo inicial de Milgram.

Outro experimento investigou a explicação de que os participantes não tinham consciência do risco físico em potencial para a vítima. Nesse experimento, a vítima foi instruída a anunciar que tinha um problema cardíaco e declarar que seu coração estava sendo afetado pelo choque:

"Chega. Tire-me daqui. Eu disse que tinha um problema cardíaco. Meu coração está começando a me incomodar. Não quero continuar. Eu quero sair." Os resultados foram os mesmos; 65% cumpriram fielmente suas tarefas até o choque máximo.

Finalmente, a explicação de que os participantes do estudo de Milgram eram um bando de sádicos, em nada representativos do cidadão normal, também se mostrou insatisfatória. As pessoas que responderam ao anúncio de jornal de Milgram para participar de seu experimento sobre "memória" representavam um corte transversal padrão de idades, profissões e níveis educacionais na sociedade americana. Além disso, posteriormente, uma bateria de escalas de personalidade mostrou que essas pessoas eram psicologicamente normais, sem nenhum traço de psicose enquanto grupo. Elas eram, na verdade, iguais a mim e a você; ou, como Milgram gosta de dizer, elas *são* você e eu. Se é verdade que seus estudos nos implicam em suas descobertas terríveis, a pergunta ainda não respondida se torna desconfortavelmente uma pergunta pessoal: "O que pode *nos* levar a fazer essas coisas?"

Milgram tinha certeza de que sabia a resposta. Segundo ele, tinha que estar relacionado com uma sensação profundamente arraigada de dever com a autoridade. Segundo o pesquisador, o verdadeiro culpado no experimento foi a incapacidade dos participantes de desafiar as vontades do chefe, do pesquisador de jaleco, que incitava e, se necessário, dirigia os participantes a cumprirem com seu dever apesar do caos físico e emocional que estavam provocando.

São fortes as evidências que apoiam a explicação de Milgram da obediência à autoridade. Primeiramente, é claro que sem as ordens do pesquisador, os participantes teriam rapidamente encerrado o experimento. Eles odiavam o que estavam fazendo e sofriam com a angústia de suas vítimas. Imploraram ao pesquisador para deixá-los parar. Quando ele se recusava, os participantes seguiram em frente, mas no processo tremiam, suavam, ficavam abalados e balbuciavam protestos e súplicas adicionais pela libertação da vítima. Suas unhas se cravavam na carne, eles mordiam os lábios até sangrar; levavam as mãos à cabeça; alguns tiveram acessos descontrolados de riso. Um observador externo do experimento inicial de Milgram descreveu um participante da seguinte maneira:

Observei um executivo maduro e inicialmente tranquilo entrar no laboratório sorrindo e confiante. Em vinte minutos ele foi reduzido a um traste contorcido e gaguejante, aproximando-se de um colapso nervoso. Ele puxava constantemente o lóbulo da orelha e retorcia as mãos. Em determinado momento, pressionou o punho contra a testa e murmurou: "Meu Deus, vamos parar com isso." Mesmo assim, continuou respondendo a todas as palavras do pesquisador e obedeceu até o fim.

Além dessas observações, Milgram forneceu evidências ainda mais convincentes da interpretação da obediência à autoridade no comportamento dos participantes. Em um experimento posterior, fez com que pesquisador e vítima trocassem de papéis de modo que o pesquisador dissesse ao Professor para parar de dar choques na vítima, enquanto a vítima insistia bravamente para que o Professor continuasse. O resultado não pôde ser mais claro: 100% dos participantes se recusaram a dar mais um choque quando era apenas o companheiro de estudo que pedia. Uma descoberta idêntica apareceu em outra versão na qual o pesquisador e o outro participante trocavam de papel, de modo que era o pesquisador quem era preso à cadeira e o outro participante que mandava o Professor continuar — mesmo sob os protestos do pesquisador. Mais uma vez, nenhum participante acionou nenhuma outra chave de choque.

O grau extremo com que os participantes dos estudos de Milgram obedeciam aos comandos da autoridade foi documentado em mais uma variação dos experimentos básicos. Nesse caso, o Professor encarava dois pesquisadores que davam instruções conflitantes; um ordenava ao Professor que parasse com os choques quando a vítima gritava para ser solta, enquanto o outro insistia para que o experimento continuasse. Essas ordens conflitantes produziram o que pode ter sido o único humor do projeto: em confusão tragicômica, com os olhos saltando de um pesquisador para o outro, os participantes imploravam que a dupla concordasse em um único comando a ser seguido: "Calma aí, calma aí. O que vai ser? Um diz para parar, outro diz para continuar... O que vocês querem que eu faça?" Quando os pesquisadores permaneciam em desacordo, os participantes tentavam freneticamente determinar quem era o superior *de verdade*. Sem essa rota para a obediência da autoridade, todos os participantes seguiram seus melhores instintos e pararam com os choques. Como nas outras variações experimentais, esse resultado dificilmente seria esperado se as motivações dos participantes envolvessem alguma forma de sadismo ou agressividade neurótica.

Milgram acreditava que provas de um fenômeno assustador emergiram repetidas vezes de seus dados. "A extrema disposição de adultos em fazer qualquer coisa sob o comando de uma autoridade é o que constitui a principal descoberta do estudo." Há implicações mais sérias desta descoberta para aqueles preocupados com a habilidade de outra forma de autoridade — o governo — de extrair níveis assustadores de obediência de cidadãos comuns. Além disso, essa descoberta nos diz algo sobre a força extrema das pressões de uma autoridade no controle de nosso comportamento. Depois de testemunhar os participantes dos estudos de Milgram se contorcendo, suando e sofrendo com sua tarefa, como duvidar do poder da força que os mantinha ali?

Para quem ainda tem dúvidas, a história de S. Brian Wilson pode ser instrutiva. Em 1º de setembro de 1987, para protestar contra o envio de equipamento militar para a Nicarágua, o sr. Wilson e dois outros homens estenderam seus corpos sobre linha férrea que saía do National Weapons Station em Concord, Califórnia. Os manifestantes estavam confiantes que o gesto seria capaz de deter o progresso do trem previsto para aquele dia, pois três dias antes haviam notificado sua intenção a funcionários da ferrovia e militares da Marinha. Mas a equipe civil, que recebera ordens de não parar, não reduziu a velocidade do trem, apesar de conseguir ver os manifestantes a duzentos metros de distância. Embora dois dos homens tenham conseguido escapar do perigo, o sr. Wilson não foi rápido o bastante para evitar ser atingido e teve as duas pernas amputadas abaixo do joelho. Como os membros do corpo médico naval no local se recusaram a tratar dele ou levá-lo para o hospital em sua ambulância, observadores — incluindo a esposa e o filho do sr. Wilson — foram deixados para tentar estancar o fluxo de sangue por 45 minutos até a chegada de uma ambulância particular.

Incrivelmente, o sr. Wilson, que serviu quatro anos no Vietnã, não culpou a equipe do trem nem os membros do corpo naval por seu infortúnio; ele, em vez disso, culpou o sistema que forçou suas ações por meio da pressão em obedecer. "Eles só estavam fazendo o que eu fiz no Vietnã. Estavam cumprindo ordens que são parte de uma política insana. São todos vítimas." Embora a equipe do trem concordasse com a avaliação de Wilson de que eram vítimas, eles não compartilhavam de sua magnanimidade. No que talvez seja o aspecto mais notável desse incidente, a equipe do trem abriu um processo contra *ele*, pedindo indenizações punitivas pela "humilhação, angústia mental e estresse físico" que sofreram porque ele não permitiu que cumprissem suas ordens sem cortar suas pernas. Para o crédito do sistema judiciário norte-americano, o processo foi rapidamente encerrado.[2]

Os fascínios e perigos da obediência cega

Sempre que nos deparamos com um motivador potente de ação humana, é natural esperar que existam boas razões para essa motivação. No caso da obediência à autoridade, até uma breve consideração sobre a organização social humana apresenta muitas justificativas. Um sistema de autoridade com múltiplas camadas e amplamente aceito confere uma vantagem enorme para uma sociedade. Ele permite o desenvolvimento de estruturas sofisticadas para a produção de recursos, comércio, defesa, expansão e controle social que, do contrário, seria impossível. No extremo oposto, a alternativa é a anarquia, um estado sem grandes efeitos benéficos sobre grupos culturais, e que o filósofo social Thomas Hobbes assegura que tornaria a vida "solitária, pobre, suja, brutal e curta". Consequentemente, somos treinados desde o nascimento a acreditar que a obediência à autoridade é certa, e a desobediência é errada. Essa mensagem permeia as lições dos pais, os versinhos escolares, histórias e as canções de nossa infância e segue sendo propagada nos sistemas jurídico, militar e político que encontramos quando adultos. Noções de submissão e lealdade ao comando legítimo têm muito valor.

A instrução religiosa também contribui. O primeiro livro da Bíblia descreve como a falha em obedecer à autoridade suprema resultou na perda do paraíso para Adão e Eva e o resto da raça humana. Se essa metáfora em particular lhe parecer sutil, um pouco adiante no Velho Testamento podemos ler — no que pode ser a representação bíblica mais próxima do experimento de Milgram — o relato respeitoso da disposição de Abraão de enfiar um punhal no coração de seu filho porque Deus, sem qualquer explicação, assim o havia ordenado. Aprendemos com essa história que uma ação era julgada correta não por aspectos como sensatez, nocividade, injustiça ou padrões de moral tradicionais, mas pelo simples comando de uma autoridade mais elevada. A provação tormentosa de Abraão foi um teste de obediência, e ele — como os participantes dos estudos de Milgram, que talvez tenham aprendido essa lição inicial na Bíblia — foi aprovado.

Histórias como a de Abraão e dos participantes dos estudos de Milgram podem nos dizer muito sobre o poder e o valor da obediência em nossa cultura. Em outro sentido, entretanto, as histórias podem ser enganadoras. Raramente sofremos tanto em relação aos prós e contras de comandos de autoridade. Na verdade, nossa obediência frequentemente ocorre em um estilo *clique, rode* com pouca ou nenhuma deliberação consciente. A informação de uma autoridade reconhecida pode nos oferecer um atalho valioso para decidir como agir em determinada situação.

Afinal, como Milgram sugeriu, acatar as ordens de figuras de autoridade sempre teve vantagens práticas reais para nós. Desde o começo, essas pessoas (pais, professores) sabiam mais que nós, e achávamos benéfico aceitar seus conselhos — em parte por sua maior sabedoria e em parte porque controlavam nossas recompensas e punições. Quando adultos, os mesmos benefícios persistem pelas mesmas razões, embora as figuras de autoridade agora sejam empregadores, juízes e líderes governamentais. Como sua posição indica maior acesso à informação e poder, continua fazendo sentido atender aos desejos de autoridades legitimamente constituídas. Isso faz tanto sentido que o fazemos mesmo quando isso não faz sentido algum.

Esse paradoxo, é claro, é o mesmo que acompanha todas as armas de influência. Neste caso, quando percebemos que a obediência à autoridade é principalmente recompensadora, é fácil nos permitirmos a conveniência da obediência automática. Os fascínios e os perigos dessa obediência cega são seu caráter mecânico. Nós não precisamos pensar, por isso não pensamos. Embora essa obediência irrefletida nos leve a ações apropriadas na maioria das vezes, há grandes exceções porque estamos reagindo e não pensando.

Usemos o exemplo de um aspecto de nossas vidas no qual pressões de autoridade são visíveis e poderosas: a medicina. A saúde é de enorme importância para nós. Por isso, médicos, que possuem grande conhecimento e influência nessa área vital, detêm a posição de autoridades respeitadas. Além disso, o sistema de saúde tem uma estrutura de poder e prestígio nitidamente hierarquizada. Os vários tipos de profissionais dessa área entendem bem o nível de seus trabalhos nessa estrutura, e também entendem que os médicos estão no topo. Ninguém pode contrariar o julgamento de um médico em um caso, exceto, talvez, outro médico de maior posição. Consequentemente, uma tradição há muito tempo estabelecida de obediência automáticas às ordens dos médicos se desenvolveu entre equipes de serviços de saúde.

Surge a possibilidade preocupante de que, quando um médico comete um erro, ninguém abaixo na hierarquia vai *ousar* questioná-lo — exatamente porque, quando uma autoridade legítima dá uma ordem, os subordinados param de pensar na situação e começam a reagir. Misture esse tipo de situação *clique, rode* em um ambiente hospitalar complexo e os erros são inevitáveis. Na verdade, segundo o Instituto de Medicina, que aconselha o Congresso norte-americano sobre políticas de saúde, pacientes hospitalizados podem passar por pelo menos um erro de medicação por dia. Outras estatísticas são igualmente assustadoras: as mortes anuais nos Estados Unidos por erros médicos superam a de todos os acidentes, e, no mundo, todos os anos, 40% dos pacientes recebendo cuidados primários e ambulatoriais têm problemas por causa de erros médicos.

Os erros nos medicamentos administrados ocorrem por várias razões. Entretanto, em seu livro *Medication Errors: Causes and Prevention*, os professores de farmácia da Universidade Temple Michael Cohen e Neil Davis atribuem grande parte do problema à deferência irrefletida com o "chefe" no caso de um paciente: o médico responsável. Segundo Cohen, "em um caso atrás do outro, pacientes, enfermeiras, farmacêuticos e outros médicos não questionam a receita". Pegue, por exemplo, o caso da "dor de ouvido retal" relatada por Cohen e Davis em uma entrevista. Um médico ordenou que um remédio fosse administrado na orelha direita de um paciente com dor devido a uma infecção. Em vez de escrever completamente a localização (em inglês "right ear"), ele a abreviou, dando a entender nas instruções uma coisa bem diferente ("place in R ear", sendo que "rear" pode significar nádegas). Ao receber a receita, a enfermeira rapidamente pingou o número exigido de gotas no ânus do paciente.

Obviamente, o tratamento retal de uma dor de ouvido não fazia sentido, mas nem a enfermeira nem o paciente questionaram. A lição desta história é que, em muitas situações, quando uma autoridade legítima se pronuncia, o que normalmente faz sentido se torna irrelevante. Nesses casos, não consideramos a situação como um todo, mas lidamos e respondemos a apenas um aspecto dela.[3]

DEPOIMENTO DO LEITOR 5.1

De um professor universitário do Texas

Fui criado em um bairro italiano em Warren, Pennsylvania. De vez em quando volto para visitar a família e os amigos. Como em quase todos os lugares hoje em dia, a maioria das lojas de produtos italianos desapareceu, sendo substituídas por supermercados. Em uma dessas visitas, minha mãe me pediu para ir comprar tomates em lata, e eu percebi que quase todas as latas de tomates italianos em cubos Furmano tinham sido vendidas. Procurando na prateleira imediatamente abaixo da vazia, descobri uma prateleira cheia (lotada, até) de tomates em cubos Furman. Olhando atentamente os rótulos, percebi que Furmano e Furman eram a mesma empresa, eles acrescentaram o "o" no rótulo de alguns produtos. Acho que isso tem a ver com o fato de que, vendendo produtos italianos, tem mais autoridade quem tem nomes terminados em vogal.

Nota do autor: O homem que escreveu esse relato também comentou que a letra *o* estava fazendo jornada dupla como gatilho de influência naquele supermercado. Essa vogal não só emprestou autoridade ao fabricante em um "bairro italiano", como também empregou o princípio da afeição forjando a similaridade da empresa com seus clientes.

Sempre que nossos comportamentos são geridos de maneira tão impensada, podemos ter certeza de que haverá profissionais da persuasão tentando tirar proveito disso. Voltando ao campo da medicina, vemos que publicitários americanos frequentemente utilizaram o respeito atribuído aos médicos em nossa cultura contratando atores para fazer o papel de médicos falando em nome de um produto. Meu favorito é um comercial de TV de um xarope para tosse Vick Formula 44 com o ator Chris Robinson, que tinha um papel-chave como o dr. Rick Webber em uma novela popular exibida na parte da tarde na década de 1980, *General Hospital*. O comercial, que começava com a frase "Não sou médico, mas interpreto um na TV", e em seguida oferecia o conselho de Robinson para uma jovem mãe em relação aos benefícios do Vick Formula 44, foi um grande sucesso, aumentando as vendas substancialmente.

Por que o anúncio era tão eficiente? Por que aceitaríamos a palavra do ator Chris Robinson sobre os benefícios para a saúde de um remédio para a tosse? Porque — como a agência de publicidade que o contratou sabia — ele estava associado na mente dos espectadores ao dr. Rick Webber, papel que interpretava havia muito tempo em uma novela aclamada. Objetivamente, não faz sentido ser afetado pelos comentários de um homem que sabemos ser apenas um ator que interpretava um médico, mas, na prática, devido a uma resposta impensada para a autoridade percebida, aquele homem fazia o xarope para tosse vender.

Como um testemunho da efetividade do comercial, em 1986, quando Chris Robinson foi preso por evasão fiscal, em vez de acabar com o anúncio, a marca Vick escalou para o comercial outro ator famoso (Peter Bergman), que interpretava um médico na novela *All My Children*. Com a exceção da troca de médicos da TV, o anúncio era quase uma duplicata da versão anterior. É notável que, apesar de sua condenação, Chris Robinson teve permissão para prosseguir com seu papel em *General Hospital* em um programa de regime condicional por trabalho. Como explicar essa graça obtida por ele, uma que teria sido negada a quase qualquer outro ator cumprindo pena de prisão? Talvez tenha sido porque Robinson interpretava um médico.

Figura 5.2: Não sou médico, mas interpreto um em anúncios de remédio
Fotos como essa de atores interpretando médicos aparecem com regularidade em anúncios de medicamentos que tratam de dores de cabeça, alergias, resfriados e outros problemas de saúde do dia a dia. A interpretação, que exibe muitos acessórios dos médicos — jaleco, estetoscópio e coisas do tipo —, é permitida desde que o anúncio não diga explicitamente que o ator é um médico. *Crédito: iStockphoto*

Conotação, não contexto

Desde a primeira vez que o vi, a característica mais intrigante do anúncio do Formula 44 da Vick foi sua capacidade de usar o princípio da autoridade sem usar uma autoridade legítima. A aparência foi o bastante, o que nos diz algo importante sobre nossas reações impensadas a autoridades. Em um contexto de *clique, rode*, somos frequentemente tão vulneráveis aos símbolos de autoridade quanto ao conteúdo.

Vários desses símbolos disparam de forma confiável nossa anuência. Consequentemente, são empregados pelos profissionais da persuasão com falta de substância. Golpistas, por exemplo, se vestem com títulos, roupas e acessórios da autoridade. Não há nada que eles gostem mais do que emergir de um belo automóvel, muito bem-vestidos, apresentando-se às suas vítimas em potencial como doutor, juiz, professor ou comissário Fulano de Tal. Eles entendem que, adornados desse jeito, suas chances de persuasão aumentam muito. Cada um desses três símbolos de autoridade — títulos, roupas e acessórios — tem sua própria história e mereceria uma análise a parte.

TÍTULOS

Títulos são ao mesmo tempo os símbolos de autoridade mais difíceis e fáceis de obter. Ganhar um diploma leva anos de trabalho e realizações. Entretanto, é possível que alguém que não fez nenhum esforço adote o rótulo e receba deferência automática. Como vimos, atores em comerciais de TV e golpistas fazem isso o tempo todo.

Recentemente conversei com um amigo — membro do corpo docente de uma universidade muito conhecida no leste dos Estados Unidos — que ilustrou como nossas ações são mais influenciadas pelo título que pela natureza da pessoa. Meu amigo viaja bastante e sempre tem a oportunidade de conversar com estranhos em bares, restaurantes e aeroportos. Ele diz que aprendeu, através de muita experiência, a nunca usar o título de professor universitário durante essas conversas. Sempre que faz isso, ele observa que o clima da interação muda imediatamente durante essas conversas. Pessoas que eram espontâneas até aquele momento se tornam respeitosas, obsequiosas e sem graça. Suas opiniões que antes podiam ter produzido uma troca de ideias viva agora geram longas declarações de concordância (com muita gramática). Irritado e um pouco surpreso com o fenômeno — porque, como ele diz, "Continuo sendo o mesmo cara com quem eles estavam falando durante a última meia hora" —, hoje em dia ele mente sobre sua profissão nessas situações.

Essa é uma situação bem diferente do padrão típico em que praticantes da persuasão mentem sobre títulos que na verdade *não* têm. De qualquer forma, essa desonestidade praticada mostra a mesma coisa sobre a capacidade de um símbolo de autoridade influenciar comportamento. Eu me pergunto se meu amigo professor — que é um pouco baixinho — ficaria tão ávido em esconder seu título se soubesse que, além de deixar os estranhos mais aquiescentes, isso também faz com que os vejam como alguém mais alto. Estudos investigando a forma como a posição de autoridade afeta percepções de tamanho descobriram que títulos de prestígio levam a distorções na altura. Em um experimento conduzido em cinco turmas de universitários australianos, um homem era apresentado como visitante da Universidade de Cambridge, na Inglaterra. Entretanto, seu cargo em Cambridge foi representado de maneira diferente em cada uma das turmas. Para uma turma, ele foi apresentado como estudante; para uma segunda turma, um assistente; em outra, um palestrante; para outra ainda, um palestrante sênior; para uma quinta, um professor. Depois que deixava a sala, pedia-se à turma para estimar sua altura. Com cada aumento de status, a altura estimada do homem crescia em média 1,2 centímetros; ele foi visto como seis centímetros mais alto como "professor" que como "aluno". Outros estudos descobriram que, depois de vencer uma eleição, os políticos se tornam mais altos aos olhos dos cidadãos, e que depois que receberam a posição de "gerente" (em oposição a "funcionário") em uma tarefa, universitários consideraram a *si mesmos* mais altos.

Como percebemos tamanho e status como algo relacionado é possível para certos indivíduos se beneficiarem com a substituição do primeiro pelo segundo. E, em algumas sociedades animais, nas quais o status de um animal é determinado com base no domínio, o tamanho é um fator im-

Quadro 1
Dilbert, quero que conheça o Ben, nosso novo gerente.
Oi.

Quadro 2
Ben não tem experiência, mas é muito alto, então sabemos que ele vai longe.

Quadro 3
Também tenho um corte de cabelo executivo.
Achamos que ele vai ficar grisalho.

Figura 5.3: Altas expectativas
O retrato do quadrinista Scott Adams não é tão absurdo. Pesquisas indicam que homens altos ganham mais que seus contemporâneos baixinhos e têm mais chances de alcançar posições de liderança (Chaiken, 1986; Judge & Cable, 2004). E embora não haja dados sobre isso, acho que Adams tem razão sobre o fato dos cabelos grisalhos também. *Dilbert: Scott Adams, distribuído por United Features Syndicate, Inc.*

portante para determinar que animal vai alcançar qual nível na hierarquia do grupo. Normalmente, em um combate com um rival, o animal maior e mais poderoso ganha. Para evitar os efeitos nocivos ao grupo de tal conflito físico, muitas espécies empregam métodos que envolvem mais forma que luta. Os dois rivais enfrentam um ao outro com exibições vistosas de agressividade que invariavelmente incluem truques para aumentar o tamanho. Vários mamíferos arqueiam as costas e eriçam os pelos; peixes estendem as nadadeiras; aves abrem e agitam as asas. Frequentemente, essa exibição é suficiente para fazer um dos guerreiros recuar, deixando a posição contestada para o rival aparentemente maior e mais forte.

Pelo, nadadeiras e penas. Não é interessante como partes tão delicadas podem ser exploradas para dar a impressão de substância e peso? Há duas lições aqui. Uma é específica da associação entre tamanho e status: a conexão dessas características pode ser proveitosamente empregada por indivíduos capazes de forjar o primeiro para ganhar a aparência do segundo. É por isso que golpistas, mesmo aqueles de estatura mediana ou acima da média, usam saltos nos sapatos. A outra lição é mais geral: os sinais externos de poder e autoridade podem ser falsificados com os mais frágeis materiais. Vamos voltar ao domínio dos títulos, por exemplo — que envolve o que, de diversas maneiras, é o experimento mais assustador que conheço.

Um grupo de pesquisadores, formado por médicos e enfermeiros com conexões em três hospitais do meio-oeste dos Estados Unidos, estava cada vez mais preocupado com o grau de obediência das ordens dos médicos por parte dos enfermeiros. Parecia que mesmo enfermeiros experientes e bem qualificados não usavam seus conhecimentos em suas decisões; quando confrontados com as ordens de algum médico, eles apenas obedeciam.

Vimos como esse processo foi responsável pela administração de um remédio para o ouvido por via anal, mas os pesquisadores do meio-oeste levaram a coisa vários passos à frente. Primeiro, queriam saber se esses casos eram incidentes isolados ou representativos de um fenômeno amplamente difundido. Segundo, eles queriam examinar o problema em um contexto de um erro sério de tratamento: a prescrição de uma droga não autorizada em quantidade excessiva a um paciente hospitalar. Por fim, eles queriam ver o que aconteceria se removessem fisicamente a figura de autoridade da situação e a substituíssem por uma voz desconhecida ao telefone, oferecendo prova mínima de autoridade — o suposto título de "médico".

Um dos pesquisadores fez uma ligação idêntica para 22 postos de enfermagem diferentes em vários centros cirúrgicos, médicos, pediátricos e psiquiátricos. Ele se identificava como médico do hospital e dizia ao enfermeiro que atendesse para dar vinte miligramas de um medicamento (Astrogen) para um paciente específico. Havia quatro boas razões para a cautela do enfermeiro em responder a essa ordem: (1) a receita foi transmitida por telefone, em violação direta da política do hospital; (2) o medicamento não era autorizado (o Astrogen não tinha sido liberado para uso nem estava na farmácia do hospital); (3) a dosagem prescrita era obviamente excessiva (as embalagens do medicamento diziam que a "dose máxima diária" era dez miligramas, metade do que tinha sido ordenado); e (4) a ordem foi dada por um homem que o enfermeiro nunca havia conhecido, visto nem falado ao telefone. Mesmo assim, em 95% das ligações, o enfermeiro foi direto para o armário de remédios, onde pegou a dose ordenada de Astrogen, então saiu em direção ao quarto do paciente para ministrar a medicação. Nesse momento eles eram interrompidos por um observador secreto que revelava a natureza do experimento.

Os resultados são bem assustadores. O fato de 95% dos enfermeiros terem obedecido sem hesitar uma instrução evidentemente imprópria é o tipo de coisa que deveria alarmar a todos nós, visto que somos possíveis pacientes. O estudo do meio-oeste americano mostrou que erros não se limitam a ordens simples na administração de remédio de ouvido no ânus mas, na verdade, se estendem a erros graves e perigosos.

Ao interpretarem suas descobertas perturbadoras, os pesquisadores chegaram a uma conclusão instrutiva:

Em uma situação real correspondente à experimental, haveria, em teoria, duas inteligências profissionais, a do médico e a do enfermeiro, trabalhando para garantir que determinado procedimento seja realizado de uma maneira benéfica para o paciente ou, no mínimo, não prejudicial a ele. Entretanto, o experimento sugere fortemente que uma dessas inteligências não está, para todos os propósitos práticos, funcionando.

Parece que diante das instruções de um médico, os enfermeiros desligam suas "inteligências profissionais" e passaram a responder de forma automática, do tipo *clique, rode*. Nada de seus consideráveis treinamentos e conhecimentos médicos se envolveu na decisão do que fazer. Em vez disso, como a obediência à autoridade legítima sempre foi a ação preferida e mais eficiente em seu ambiente de trabalho, eles estavam dispostos a errar usando a obediência automática. Além do mais, tinham avançado tanto nessa direção que seu erro vinha em resposta não à autoridade verdadeira, mas a seu símbolo mais facilmente falsificável — um mero título.[4]

E-BOX 5.1

Por cinco anos, uma equipe de hackers de sistemas de segurança lançou ataques combinados às redes de computador de quase mil bancos e cooperativas de crédito locais nos Estados Unidos. Sua taxa de sucesso era espetacular. Em 963 dos casos, eles conseguiram penetrar nos sistemas de segurança dos bancos e obter itens como documentos internos protegidos, solicitações de empréstimo e bancos de dados de clientes. Como conseguiram ter sucesso 96% das vezes, quando os bancos estão intensamente alerta com seus programas tecnológicos sofisticados para detectar e prevenir invasões digitais? A resposta é tão simples quanto o método empregado pelos hackers. Eles não penetraram no avançado sistema de tecnologia de segurança digital dos bancos com uma tecnologia digital ainda mais avançada. Na verdade, não usaram nenhuma tecnologia digital, mas sim psicologia humana, representada pelo princípio da autoridade.

Como os hackers não tinham intenções criminosas — tinham sido contratados pelos bancos para tentar derrotar os sistemas de segurança —, nós sabemos como conseguiram ser tão eficazes. Equipando-se com toda a parafernália (uniformes, crachás, logos) de inspetores de incêndio, fiscais de segurança governamentais e exterminadores de pragas, eles foram autorizados a entrar nas instalações sem horário marcado, acompanhados até setores de acesso restrito e deixados para fazer seu trabalho. Entretanto, não era o "trabalho" que o pessoal do banco esperava. Em vez disso, envolvia o download de programas e dados sensíveis de computadores sem vigilância e às vezes levando discos de dados, notebooks e até grandes computadores de servidores pela porta ao saírem. Em uma reportagem de jornal sobre o projeto (Robinson, 2008), Jim Stickley, chefe da equipe de hackers, deu uma versão esclarecedora. "[Isso] ilustra algo intrigante sobre a forma como a segurança mudou com o crescimento da internet, ela desviou a atenção e os dólares gastos em segurança na direção de redes de computadores e ameaças de hackers. Esquecendo-se do básico." Na arena da persuasão, pouca coisa é mais básica do que deferência à autoridade.

Nota do autor: Entre as autoridades que tiveram acesso às instalações bancárias não estavam apenas aquelas que podiam ser consideradas como tendo autoridade, como inspetores de incêndio ou fiscais de segurança do governo, mas também o tipo que só pode ser considerado uma autoridade, como um especialista em controle de pragas. É instrutivo que as duas formas de autoridade tenham funcionado.

ROUPAS

Um segundo tipo de símbolo de autoridade que pode disparar nossa obediência mecânica são as roupas. Embora mais tangível que um título, o manto da autoridade é igualmente fácil de falsificar. Arquivos policiais estão repletos de golpistas cujos métodos incluem uma mudança de visual. No estilo camaleão, eles adotam o branco de hospitais, o preto sacerdotal, o verde do Exército ou o azul do policial americano que a situação exige para a máxima vantagem. Suas vítimas percebem que o traje de autoridade está longe de ser sua garantia quando é tarde demais.

Uma série de estudos realizados pelo psicólogo social Leonard Bickman indica como pode ser difícil resistir a pedidos de figuras vestidas como autoridade. O procedimento básico de Bickman era pedir a pessoas que passavam na rua para atender a um pedido estranho (por exemplo, pegar um saco de papel jogado no chão ou parar do outro lado de uma placa de ponto de ônibus.) Em metade dos casos, o solicitante, um homem jovem, estava vestindo roupas comuns; no resto, ele usava um uniforme de guarda de segurança. Independentemente do tipo de pedido, muito mais pessoas obedeciam ao solicitante quando ele estava usando a fantasia de guarda. Resultados semelhantes foram obtidos quando o solicitante era mulher.

Em uma versão especialmente reveladora, o solicitante parava pedestres e apontava um homem parado perto de um parquímetro a quinze metros de distância. O solicitante, vestindo roupas normais ou como guarda de segurança, dizia a mesma coisa para o pedestre: "Está vendo aquele cara perto do parquímetro? Ele já passou do horário, mas não tem nenhuma moeda no bolso. Dê uma moeda a ele!" O solicitante então dobrava a esquina e ia embora de modo que, quando o pedestre chegasse ao parquímetro, o solicitante estivesse fora de vista. Mesmo assim, o poder de seu uniforme continuou tempo depois de ele ter ido embora. Quase todos os pedestres obedeceram à sua ordem quando ele usava a fantasia de guarda, mas menos da metade fez isso quando ele estava vestido com roupas comuns.

É interessante que, mais tarde, Bickman descobriu que seus alunos adivinharam com alguma precisão o percentual de obediência que ocorreu no experimento quando o solicitante vestia roupas comuns (50% *versus* os reais 42%); mesmo assim, os universitários subestimaram muito o percentual quando ele estava de uniforme, 63% *versus* os reais 92%.

Menos evidente em sua conotação que um uniforme, mas ainda assim eficaz, outro tipo de traje sempre indicou posição de autoridade em nossa cultura: o terno. Ele, também, pode evocar uma forma reveladora de deferência a estranhos completos. Em um estudo realizado no Texas, pesquisadores puseram um homem de 31 anos para atravessar a rua diversas vezes, com o sinal aberto para os carros, em meio ao trânsito e contrariando a lei. Em metade dos casos, ele estava vestido com um terno recém-passado e uma gravata; na outra metade, usava calça e camisa social. Os pesquisadores observaram a distância e contaram o número de pedestres que seguiu o homem e atravessou a rua; 3,5 vezes mais pessoas enfrentaram o trânsito seguindo o homem de terno e atravessando fora da faixa.

É digno de nota que os dois tipos de trajes de autoridade que os estudos demonstraram ser influentes, o uniforme de guarda e o terno formal, são combinados habilidosamente por golpistas em uma fraude chamada de *esquema do fiscal do banco*. O alvo do golpe pode ser qualquer um, mas a preferência é por pessoas idosas vivendo sozinhas. O esquema começa quando um homem vestindo um terno conservador adequado aparece na porta de uma possível vítima. Tudo nas roupas dele demonstra propriedade e respeitabilidade: sua camisa está engomada, os sapatos elegantes reluzem e o terno é clássico. As lapelas têm 7,5 centímetros de largura, nem mais, nem menos; a roupa é pesada e substancial, mesmo no verão; os tons são sóbrios — azul-escuro, cinza, preto.

O homem explica para a vítima — talvez uma viúva que ele tenha seguido desde o banco um ou dois dias antes — que ele é um fiscal do banco que encontrou irregularidades em uma auditoria. Ele acha que identificou o culpado, um funcionário que tem alterado relatórios de transações em certas contas. Afirma que a conta da viúva pode ser uma delas, mas não pode ter certeza até ter provas; portanto, ele foi até lá para pedir sua colaboração. Será que ela poderia ajudar sacando sua poupança para que uma equipe de fiscais e funcionários responsáveis pudessem rastrear o registro da transação quando ela passasse pela mesa do suspeito?

Frequentemente, a aparição e a apresentação do "fiscal do banco" são tão impressionantes que a vítima não pensa em verificar sua autenticidade, sequer com um simples telefonema. Em vez disso, vai até o banco, saca todo o dinheiro, e volta para casa com ele para esperar com o fiscal as informações sobre o sucesso da armadilha. Quando a mensagem chega, é enviada por um "guarda do banco" uniformizado que chega depois do horário de fechamento para anunciar que tudo tinha dado certo — aparentemente a conta da viúva não era uma das que estavam sendo manipuladas. Extremamente aliviado, o fiscal agradece e, como o banco agora está fechado, instrui o guarda a devolver o dinheiro da viúva para o cofre, para poupá-la do trabalho de fazer isso no dia seguinte. Com sorrisos e apertos de mão por todo lado, o guarda vai embora com o dinheiro enquanto o fiscal agradece um pouco mais antes de, também, ir embora. Naturalmente, como a vítima acaba por descobrir, o "guarda" é tão guarda quanto o "fiscal" é um fiscal. São apenas dois golpistas que reconheceram a capacidade de uniformes cuidadosamente forjados de nos conduzir a uma obediência hipnotizada pela "autoridade".

DEPOIMENTO DO LEITOR 5.2

De um médico da Flórida

O título de médico carrega significativamente mais autoridade quando associado ao contexto visual de um jaleco branco. No início, eu odiava usar roupas brancas, mas mais tarde na carreira passei a entender que o traje tem poder. Em várias ocasiões quando começava a trabalhar com uma nova equipe em um hospital, eu fazia questão de usar o jaleco branco. Minha transição sempre corria tranquilamente. É interessante que os médicos têm consciência disso e criaram até uma ordem hierárquica atribuindo a estudantes de medicina os jalecos mais curtos, enquanto os residentes em treinamento têm jalecos de comprimento médio, e os contratados usam os jalecos brancos mais compridos. Nos hospitais, onde os enfermeiros conhecem essa hierarquia, raramente questionam as ordens dos "jalecos longos"; mas, ao interagirem com "jalecos curtos", funcionários do hospital fazem diagnósticos médicos alternativos e sugerem tratamentos, e às vezes de forma rude.

Nota do autor: Esse relato indica um ponto importante — em organizações hierarquizadas, não só aqueles em posição de autoridade são tratados com respeito; aqueles sem esse status são tratados com desrespeito. Como vimos no relato do leitor, e voltaremos a ver na próxima seção, os símbolos de status exibidos por uma pessoa podem sinalizar para os outros que forma de tratamento parece apropriada.

PARAMENTOS

Além da função como uniformes, as roupas podem simbolizar outro tipo de status. Roupas elegantes e caras têm uma aura de sucesso e posição econômicos. Frequentadores de shoppings estavam mais dispostos a atender à solicitação para participar de uma pesquisa não remunerada, donos de imóveis fizeram mais doações para um funcionário de instituição de caridade que batia em sua porta, e recrutadores de empregos fizeram avaliações mais altas de adequação e ofereceram salários iniciais mais altos para um candidato quando o indivíduo envolvido estava usando uma camisa ou um suéter com a marca de alguma grife de prestígio. Além disso, as diferenças eram grandes: 79% mais concordância com o pedido de pesquisa, doações 400% mais frequentes para caridade e um salário inicial quase 10% mais alto para um candidato a emprego. Um conjunto de estudos diferente apresenta uma razão para os resultados da entrevista de emprego. Avaliadores julgam indivíduos vestindo trajes de maior qualidade, até mesmo camisetas de maior qualidade, como mais competentes que aqueles em roupas de menor qualidade — e os julgamentos ocorrem automaticamente, em menos de um segundo.

Outros exemplos de acessórios, como joias e carros caros, podem ter efeitos semelhantes. O carro como símbolo de status é particularmente relevante nos Estados Unidos, onde "o caso de amor do norte-americano com o automóvel" dá a ele um significado incomum. Segundo um estudo feito na Bay Area de São Francisco, donos de carros de luxo recebem um tipo especial de deferência dos outros. Os pesquisadores descobriram que motoristas esperam significativamente mais antes de tocar a buzina para um carro de luxo parado no sinal verde que para um modelo econômico mais velho. Os motoristas tinham pouca paciência com o condutor do carro popular. Quase todos tocaram a buzina, e a maioria fez isso mais de uma vez; dois bateram no para-choque traseiro. A aura do automóvel de luxo, porém, é tão intimidadora que 50% dos motoristas esperaram respeitosamente, sem jamais tocar a buzina até que ele desse a partida depois de quinze segundos.

Os pesquisadores também perguntaram a universitários o que teriam feito nessas situações. Em comparação com as verdadeiras descobertas do experimento, os estudantes subestimaram consistentemente o tempo para buzinar para o carro de luxo. Os do sexo masculino estiveram especialmente equivocados, sentindo que buzinariam mais rápido para o motorista do carro de luxo que do carro popular; claro, o próprio estudo mostrou o oposto. Observe a semelhança de padrão com muitos outros estudos sobre pressões da autoridade. Como na pesquisa de Milgram, no estudo com os enfermeiros hospitalares do meio-oeste e no experimento do guarda de segurança uniformizado, as pessoas não conseguiram prever com exatidão como elas ou os outros reagiriam à influência da autoridade. Em todos os casos, o efeito da influência foi muito subestimado. Essa propriedade do status da autoridade pode ser a grande responsável pelo seu sucesso como dispositivo de obediência. A influência da autoridade não atua de forma convincente apenas sobre nós, como também faz isso sem nossa consciência.[5]

DEPOIMENTO DO LEITOR 5.3

De um consultor financeiro de Michigan

Uma grande dificuldade em meu negócio é fazer com que clientes mudem objetivos financeiros e estratégias há muito arraigados, quando as mudanças de condições, como suas situações pessoais ou a economia, fazem com que essa modificação seja a coisa certa a fazer. Depois de ler o capítulo sobre autoridade de seu livro, parei de basear meu conselho para esses clientes apenas na minha própria opinião e incluí a opinião de um especialista financeiro. Muitas vezes esse economista era o chefe da minha empresa, uma grande firma de corretagem com centenas de escritórios pelo país. Mas às vezes eram um especialista de TV de um canal financeiro como a Bloomberg e a CNBC ou o autor de um artigo publicado sobre o tema. A estratégia funcionou, fazendo com que eu obtivesse de 15% a 20% mais aceitação. Mas, honestamente, pelo que li em seu capítulo, eu esperava melhores resultados. Eu estou fazendo alguma coisa errada que, se corrigida, poderia me proporcionar melhores resultados?

Nota do autor: Temos aqui um relato incomum. Raramente respondo a apelos por conselhos pessoais, que podem ajudar no dever de casa de um estudante universitário relacionado à influência ou conselhos para persuadir um cônjuge infiel a terminar com um caso extraconjugal "de uma vez por todas". Mas o pedido deste leitor é diferente, principalmente porque se conecta com duas questões de relevância geral para outros leitores. Primeiro, quando pessoas como aquelas que o leitor está querendo mudar têm um compromisso antigo com objetivos e abordagens em particular, é difícil conseguir qualquer modificação deles, então uma melhoria de 15% a 20% de consentimento me parece muito boa. Há mais a dizer sobre isso no capítulo 7, sobre compromisso e consistência. Segundo, *existe sim* algo que eu posso sugerir para aumentar o impacto do conselho de um especialista: multiplique-o. Audiências confiam e seguem o conselho de um grupo de especialistas mais do que o de qualquer um deles (Mannes, Sol & Larrick, 2014). Assim, um comunicador que faça o trabalho de coletar e depois indicar o apoio de vários especialistas será mais bem-sucedido que o comunicador que se satisfaz em mostrar o apoio de apenas um.

A autoridade com credibilidade

Até agora, vimos que ser reconhecido como tendo ou sendo autoridade leva a uma obediência maior. Mas ter o comando tem seus problemas. Via de regra, as pessoas não gostam de receber ordens. Isso frequentemente gera resistência e ressentimento. Por essa razão, a maioria das faculdades de administração ensina futuros gerentes a evitar abordagens de "comando e controle" na liderança e adotar abordagens criadas para promover a colaboração espontânea. É neste último ponto que o segundo tipo de autoridade, visto como informado, é tão útil. As pessoas em geral ficam felizes, até ansiosas para seguir as recomendações de alguém que sabe mais que elas do assunto em questão.

A propensão a seguir a liderança de um especialista é muito bem ilustrada em uma história contada por Michel Strauss, especialista em arte moderna. Ele foi pego em uma batalha de lances em um leilão de uma pintura de Egon Schiele, um famoso expressionista. Embora se estimasse que a pintura iria obter entre US$ 200 mil e US$ 250 mil, o sr. Strauss se viu dando lances muito acima desses números contra um conhecido especialista em Schiele, achando que o homem tinha alguma informação que ele não tinha. Finalmente, nos US$ 620 mil, Strauss desistiu. Quando, depois, perguntou a seu rival sobre a pintura, o homem confessou que tinha dado lances altos só porque achou que Strauss tinha alguma informação que *ele* não tinha. Vamos nos concentrar, então, nos métodos e resultados de ser visto como uma autoridade.

CONHECIMENTO E ESPECIALIZAÇÃO

Pesquisas revelam uma autoridade especialmente convincente, a autoridade com credibilidade. Uma autoridade com credibilidade possui duas características distintas na mente de uma audiência: ser especialista e confiável. Como já falamos sobre a capacidade de um especialista exercer influência significativa, não é necessário rever esse ponto. Ainda assim, para garantir que esse primeiro pilar da credibilidade receba a atenção devida, podemos registrar uma evidência adicional. Por exemplo, ser especialista parece criar um efeito de halo; o consultório de um terapeuta com inúmeros diplomas e certificados profissionais nas paredes produz avaliações melhores não só da capacidade do terapeuta, mas também de sua simpatia, amizade e interesse pelos pacientes. E *apenas uma* matéria de jornal escrita por um especialista tem influência ampla e duradoura sobre as opiniões dos leitores — aumentando a concordância com a opinião do especialista em vinte pontos percentuais em um conjunto de estudos; isso aconteceu independentemente de sexo, idade e inclinação política de todos os leitores.

CONFIABILIDADE

Além de querer que nossas autoridades nos deem informação dignas de especialistas, queremos que sejam fontes confiáveis da informação. Queremos acreditar que elas estão oferecendo seu conselho de especialista de forma honesta e imparcial — ou seja, tentando retratar a realidade com precisão em vez de servir a interesses pessoais.

Sempre que frequentei programas criados para ensinar habilidades de influência, os mentores enfatizaram que ser visto como confiável é uma maneira eficaz de aumentar a influência de uma pessoa e que leva tempo para essa percepção se desenvolver. Embora a primeira afirmação seja comprovada por pesquisas, um conjunto separado de pesquisas indica haver uma exceção importante na segunda. Na verdade, um comunicador pode obter rapidamente uma confiabilidade percebida empregando uma estratégia inteligente. Em vez de sucumbir à tendência de inicialmente descrever todas as características mais favoráveis de algo e reservar a menção a quaisquer problemas até o fim da apresentação (ou nunca os mencionar), um comunicador que faz referência a uma fraqueza mais cedo é visto como mais honesto. A vantagem dessa sequência é que, uma vez estabelecida a confiabilidade percebida, a audiência estará mais propensa a acreditar nos maiores pontos positivos do assunto tratado quando vierem em seguida. Afinal de contas, eles foram comunicados por uma fonte confiável, uma cuja honestidade foi estabelecida pela disposição de indicar não apenas aspectos positivos, mas negativos também.

A eficácia dessa abordagem foi documentada em (1) ambientes jurídicos, quando um advogado admite uma fraqueza antes que um advogado rival levante o assunto, ele é visto como tendo mais credibilidade e ganha com mais frequência; (2) campanhas políticas, onde um candidato que começa com algo positivo a dizer sobre um rival (como: "Tenho certeza de que meu adversário tem a melhor das intenções com essa proposta, mas...") ganha em confiabilidade e a preferência dos eleitores; e (3) mensagens publicitárias, onde profissionais que reconhecem um problema antes de valorizar os pontos positivos veem grandes aumentos nas vendas. Depois da campanha da Domino's, "NEW DOMINO'S", de 2009, admitindo a baixa qualidade das pizzas até então, as vendas subiram enormemente; em consequência, aconteceu o mesmo com o valor das ações da empresa.

A tática pode ser bem-sucedida quando o público já tem consciência do ponto fraco; assim, quando um comunicador o menciona, pouco dano adicional é causado, pois nenhuma nova informação é acrescentada — exceto, de forma crucial, que o comunicador é um indivíduo honesto. Uma candidata de emprego pode dizer para a entrevistadora: "Mesmo não tendo experiência nessa área, eu aprendo muito rápido." Ou um vendedor de sistemas de informação pode dizer a um comprador experiente: "Mesmo que nossos custos de instalação não sejam os mais baixos, a eficiência é superior e você vai recuperar o investimento muito rápido."

Warren Buffett, que com seu sócio Charlie Munger levou a empresa de investimentos Berkshire Hathaway a níveis impressionantes de crescimento e valor, é reconhecido como o maior investidor financeiro de nosso tempo. Não satisfeito em descansar sobre os louros de seu conhecimento, Buffett sempre lembra aos acionistas e acionistas em potencial de um outro componente da credibilidade: ele é confiável. No início de seus relatórios anuais, normalmente na primeira ou segunda página do documento, ele descrevia um erro que cometeu ou um problema encontrado pela empresa no ano anterior e examina suas implicações para os resultados futuros. Em vez de enterrar, minimizar ou ocultar as dificuldades, o que parece ser o caminho tomado com frequência em outros relatórios anuais, Buffett demonstrava que, primeiro, estava ciente dos problemas dentro da empresa e, segundo, que estava disposto a revelá--los. A vantagem que surge a partir disso é que, ao descrever os pontos fortes formidáveis da Berkshire Hathaway, os leitores estão prontos para confiar nele mais profundamente que antes — porque eles vêm de um comunicador *evidentemente* confiável.

Talvez o melhor exemplo do apreço de Buffett pela transparência em relação a falhas tenha aparecido em seu relatório anual sobre 2016, um ano simbólico em que o aumento no preço de suas ações foi o dobro das S&P 500 e no qual não houve erros de investimento a relatar. O que Buffett fez para assegurar que a evidência de sua honestidade permaneceria na mente de seus acionistas? Na segunda página do relatório, ele mencionou um erro de investimento em um ano anterior que descreveu como "o erro grave de adquirir a Dexter Shoe por US$ 434 milhões em 1993. O valor da Dexter rapidamente caiu a zero". Logo em seguida, detalhou o que tinha aprendido com o fiasco: ele não tinha apenas se equivocado sobre o valor futuro da Dexter, mas cometeu o erro de pagar com ações da Berkshire Hathaway, algo que, prometeu aos acionistas, nunca mais voltaria a fazer: "Hoje eu prefiro me preparar para uma colonoscopia que emitir ações da Berkshire." Está evidente para mim que Buffett sabe mais do que apenas ser um investidor de sucesso impressionante; ele sabe comunicar de maneira extraordinária o quanto é um investidor de sucesso impressionante.[6]

E-BOX 5.2

O poder de persuasão de avaliações online também é influenciado pela confiabilidade perceptível. O Centro de Pesquisas Spiegel na Universidade Northwestern, que fornece informação sobre a eficácia de comunicações de marketing, publicou um resumo das provas do poder das avaliações online para moldar o comportamento dos consumidores (https://spiegel.madill.northwestern.edu/online-reviews/). Entre suas descobertas, três diretamente estão relacionadas à confiabilidade percebida:

- **Cinco estrelas é bom demais para ser verdade.** Quanto mais estrelas atribuídas a um produto, maior é a probabilidade de compra — mas só até certo ponto. Quando a média de avaliações vai além da faixa de 4,2 a 4,7, os compradores ficam desconfiados que as avaliações sejam falsas e ficam menos propensos a comprar.
- **Avaliações negativas estabelecem credibilidade.** Consistente com a afirmação do centro de que avaliações quase perfeitas solapam a confiabilidade, a presença de uma avaliação negativa soma credibilidade às avaliações do produto. Na verdade, se um site incluir algumas avaliações negativas, a taxa de conversão aumenta em 67%.
- **Compradores verificados valem ouro no papel de avaliadores.** Compradores verificados, que tenham confirmadamente comprado online antes (em vez de avaliadores pagos), são vistos como mais confiáveis. Por isso, sua presença em um site aumenta as vendas de forma perceptível.

Nota do autor: Além dos insights obtidos pelo Centro de Pesquisas Spiegel, um grupo separado de pesquisadores (Reich & Maglio, 2020) apoiou a versão do avaliador online da prática de "mencionar erros anteriores" de Warren Buffett. Se um avaliador confessou fazer um erro anterior em seu histórico de compras, os clientes ficavam mais propensos a comprar um produto recomendado por ele.

É importante reconhecer o que eu *não* estou sugerindo aqui — que, no início, um profissional de marketing ou de vendas diga: "Antes de começar, preciso contar todas as coisas que estão erradas comigo, minha empresa e nossos produtos e serviços." Em vez disso, estou sugerindo duas coisas. Primeiro, se houver um problema a ser reconhecido, ele deve ser apresentado o mais cedo possível para que a credibilidade impulsione o resto do apelo. Segundo, em uma comunicação persuasiva, há um lugar ideal para o argumento com a característica mais forte, que pode destruir ou vencer o aspecto adverso. É no momento logo após a admissão de um problema em seu caso quando, amplificado pela fonte de credibilidade resultante, o elemento favorável será processado em maior profundidade, além de mais aceito.

Defesa

Uma tática defensiva que podemos usar contra o status de autoridade é remover o elemento surpresa. Como em geral temos uma percepção equivocada do impacto profundo da autoridade (e seus símbolos) em nossas ações, não ficamos preocupados o bastante em relação a sua presença em situações de consentimento. Portanto, uma forma fundamental de defesa contra o problema é uma maior consciência do poder da autoridade. Quando essa consciência está associada à percepção da facilidade com que símbolos são falsificáveis, temos uma barreira de proteção contra as tentativas de nos influenciar pelo uso da autoridade.

Parece simples, certo? E, de certa forma, é. Um conhecimento mais profundo do funcionamento da influência da autoridade nos ajuda a resistir a ela. Ainda assim, há um complicador perverso: familiar e inerente a todos as armas de influência. Não podemos desejar resistir à autoridade, nem completamente, nem na maior parte do tempo. Em geral, figuras de autoridade sabem do que estão falando. Médicos, juízes, executivos e similares conquistaram suas posições por meio de conhecimento e capacidade crítica superiores. Via de regra, suas diretivas são excelentes conselhos.

Autoridades frequentemente são especialistas. Na maioria dos casos, não é inteligente substituir nossos julgamentos menos informados por aqueles de um especialista, uma autoridade. Ao mesmo tempo, já vimos em ambientes que vão desde as esquinas a hospitais que seria tolice confiar cegamente em todos os casos. O truque é reconhecer sem muito esforço ou vigilância quando ordens de autoridades devem ser seguidas e quando não devem. Usando como guia os componentes da autoridade com credibilidade — ser especialista e confiável —, fazer duas perguntas a si mesmo pode ajudar a determinar quando as diretivas da autoridade devem ou não ser seguidas.

AUTORIDADE ABALIZADA

A primeira pergunta a fazer é: essa autoridade é mesmo um especialista? A questão concentra nossa atenção em duas informações cruciais: as credenciais da autoridade e a relevância dessas credenciais para o assunto em questão. Ao nos voltarmos para as *evidências* do status de autoridade dessa maneira simples, evitamos os maiores perigos da deferência automática.

Reexaminemos o comercial de grande sucesso do Formula 44 da Vick sob essa luz. Se, em vez de responder a sua associação como médico da TV, as pessoas tivessem se concentrado no verdadeiro status do ator como autoridade, acredito que o comercial não tivesse sido exibido por tanto tempo e de forma tão produtiva. Obviamente, o médico da TV não tinha treinamento nem conhecimento clínico. O que ele tinha era um *título* de médico, era chamado de doutor. Um título vazio, relacionado a ele na mente dos telespectadores por meio do dispositivo da interpretação de um papel. Todo mundo sabia disso; mas não é fascinante como, quando seguimos a onda, o que é óbvio nem sempre importa, a menos que prestemos atenção específica a ele?

Por isso a pergunta "Essa autoridade é mesmo um especialista?" pode ser tão valiosa. Ela nos faz desviar de símbolos possivelmente sem sentido e nos leva à capacidade de considerar credenciais legítimas de autoridade. É fácil se esquecer da distinção quando a força da pressão da autoridade é combinada com a correria da vida moderna. Os pedestres que avançaram pelo meio do trânsito seguindo um homem de terno que atravessava fora da faixa no Texas são ótimos exemplos. Mesmo se o homem fosse a autoridade empresarial que sua roupa sugeria, ele não tinha mais autoridade em atravessar ruas do que as pessoas que o seguiram pelo meio do tráfego.

Mesmo assim, elas o fizeram, como se sua classificação, autoridade, superasse a diferença entre formas relevantes e irrelevantes. Se tivessem perguntado a si mesmas se ele representava um verdadeiro especialista na situação, alguém cujas ações indicassem um conhecimento superior, imagino que o resultado teria sido bem diferente. O mesmo processo se aplica aos médicos da TV dos comerciais da Vick, que não deixavam de ser especialistas. Eles tinham longas carreiras, com grandes realizações em uma indústria difícil. Mas suas habilidades e seu conhecimento eram de interpretação, não de medicina. Se, ao assistirmos o comercial, nos concentrássemos nas verdadeiras credenciais do ator, logo perceberíamos que não devíamos acreditar nele mais que em qualquer outro ator dizendo que o Formula 44 da Vick é um excelente xarope para tosse.

Em um projeto de pesquisa, meus colegas e eu demonstramos que treinar os participantes para se concentrar nas verdadeiras credenciais de um porta-voz em um anúncio fez deles melhores avaliadores de anúncios analisados mesmo tempos depois. Eles se tornaram não apenas *menos* persuadidos por anúncios protagonizados por porta-vozes sem credenciais relevantes (Arnold Schwarzenegger promovendo um tipo de tecnologia de internet, e um apresentador de game-show, Alex Trebek, elogiando as propriedades saudáveis do leite), mas também mais persuadidos por porta-vozes com credenciais relevantes (o diretor médico de um instituto da dor recomendando um analgésico, e um CEO descrevendo os anos de experiência de sua empresa com uma marca de seguros empresariais).

A lição? Para nos defendermos contra apelos enganosos feitos por falsas autoridades, sempre devemos perguntar: essa autoridade é realmente um especialista? Não devemos achar que somos inteligentes demais para sermos enganados por meros símbolos de autoridade porque agem automaticamente em nós. Na pesquisa de minha equipe, só os participantes que reconheceram sua suscetibilidade a esse processo automático conseguiram rompê-lo, questionando o conhecimento *relevante* do comunicador. E esses participantes foram os únicos a não serem enganados.

SINCERIDADE DISSIMULADA

Suponha, porém, que nos deparemos com uma autoridade que determinamos ser um especialista relevante. Antes de nos submeter à influência da autoridade, devemos fazer uma segunda pergunta: o quanto posso esperar que ele seja verdadeiro? Autoridades, mesmo quando muito bem informadas, podem não nos apresentar sua informação honestamente; portanto, precisamos considerar sua confiabilidade. Na maior parte do tempo agimos desse modo. Nos deixamos ser influenciados mais por especialistas que parecem ser imparciais que por aqueles que têm alguma coisa a ganhar ao nos convencer; pesquisas demonstram a veracidade disso em crianças muito novas. Ao nos perguntarmos como um especialista pode se beneficiar de nossa deferência, levantamos outro escudo contra influência automática indevida. Mesmo autoridades reconhecidas em um campo não nos convencerão até estarmos satisfeitos que suas mensagens representem os fatos de forma fiel.

Quando nos perguntamos sobre a confiabilidade de uma autoridade, devemos ter em mente a tática que praticantes de persuasão usam para nos assegurar de sua sinceridade: eles de algum modo vão contra seus próprios interesses. Praticada de forma correta, essa abordagem pode ser um dispositivo simples mas eficaz para "provar" sua honestidade. Talvez eles mencionem um pequeno problema em sua posição ou produto. Invariavelmente, porém, a inconveniência secundária será facilmente superável por vantagens mais significativas — Avis: "Somos o n° 2. Nós nos esforçamos mais"; L'Oreal: "Somos mais caros, e você vale muito." Ao estabelecer sua veracidade básica em questões relativamente pequenas, os profissionais da persuasão que usam essa prática podem então ser mais críveis ao destacar os aspectos importantes de seu argumento.

É crucial distinguir entre versões honestas e desonestas da prática. Não há nada inerentemente errado com um comunicador revelar um problema ou erro anterior em um ponto inicial da mensagem para colher as recompensas da veracidade demonstrada. Quer fazer dos limões uma limonada? É assim. Lembre-se de como Warren Buffett, um homem íntegro, fez logo nas primeiras páginas de seus relatórios anuais. Expor com regularidade seus leitores a sua autenticidade e franqueza não me parece uma forma de truque. Na verdade, isso me parece ilustrar como comunicadores confiáveis podem ser também socialmente inteligentes o suficiente para obter confiança confirmada por revelações imediatas e verdadeiras.

É com uso enganoso da prática que devemos nos manter atentos. Certa vez vi uma versão insidiosa dessa manobra empregada em um lugar que poucos de nós reconhecem como um ambiente de persuasão: um restaurante. Não é segredo que graças a salários vergonhosamente baixos, garçons e garçonetes precisam compor sua renda com gorjetas. Deixando de lado a condição *sine qua non* de bom serviço, garçons e garçonetes mais bem-sucedidos conhecem alguns truques para aumentar essa renda extra. Eles também sabem que, quanto mais alta a conta de um cliente, mais chances têm de receber uma gorjeta maior. Em relação a essas duas coisas, então — aumentar o tamanho da conta do cliente e aumentar um percentual do valor dado como gorjeta — eles agem com regularidade como agentes de persuasão.

Na esperança de descobrir como operam, anos atrás me inscrevi para uma vaga de garçom em vários restaurantes razoavelmente caros. Eu não tinha experiência, então o melhor que podia conseguir era ser ajudante de garçom, um trabalho que, como as coisas mostraram, se revelou um ponto propício para observar e analisar a ação. Em pouco tempo, percebi o que outros funcionários do restaurante já sabiam: o garçom de maior sucesso no lugar era Vincent, que de algum modo conseguia que os clientes pedissem mais e dessem gorjetas maiores. Os outros garçons não chegavam nem perto dele em ganhos semanais.

Comecei a me deter perto das mesas de Vincent para observar sua técnica. Rapidamente descobri que seu estilo era não ter um só estilo. Vincent tinha um repertório de abordagens, cada uma pronta para as circunstâncias apropriadas. Com uma família, ele era efervescente, até um pouco palhaço, dirigindo suas observações com a mesma frequência para as crianças que para os adultos. Com um jovem casal em um encontro, ele se tornava formal e um pouco altivo em uma tentativa de intimidar o rapaz a pedir e dar gorjeta de forma extravagante. Com um casal mais velho, ele mantinha a formalidade, mas descartava o ar superior em favor de uma orientação respeitosa aos dois membros. Se o cliente estivesse jantando sozinho, ele escolhia um comportamento amistoso — cordial, conversador e cálido.

Vincent deixava o truque de ir contra seus próprios interesses para grupos grandes de oito a doze pessoas. Sua técnica era genial. Quando era a vez da primeira pessoa, normalmente uma mulher, pedir, ele começava seu número. Não importava o que ela pedisse, Vincent reagia de maneira idêntica: testa franzida, a mão parada acima do bloquinho de pedidos, e depois de olhar rapidamente para trás para o gerente, ele se inclinava conspirativamente na direção da mesa para dizer em tom baixo para que todos ouvissem: "Infelizmente nosso (insira aqui o prato) não está tão bom hoje. Me permite, em vez disso, recomendar... ou..." (A essa altura, Vincent sugeria dois pratos do cardápio que eram um pouco menos caros do que o cliente havia selecionado.) "Ambos estão excelentes esta noite."

Com essa única manobra, ele utilizava vários princípios de influência importantes. Primeiro, mesmo aqueles que não aceitavam sua sugestão sentiam que Vincent tinha lhes feito um favor ao oferecer informação valiosa para ajudá-los a pedir. Todo mundo se sentia grato e, consequentemente, a regra da reciprocidade funcionava a seu favor quando chegava a hora de decidir a gorjeta.

Além de aumentar o percentual da gorjeta, o esquema de Vincent também lhe botava em posição de aumentar o pedido do grupo. Isso o estabelecia como autoridade sobre a situação dos produtos da casa: ele sabia o que não estava bom naquela noite. Além do mais — e aqui é quando parece agir contra seus interesses entra em cena —, isso mostrava que ele era um informante confiável porque recomendou pratos um pouco *menos* caros que o pedido original. Em vez de tentar forrar os próprios bolsos, ele parecia defender os interesses dos clientes.

Segundo todas as aparências, Vincent passava a possuir conhecimento e ser honesto, uma combinação que lhe dava grande credibilidade. Ele era rápido em explorar essa vantagem. Quando o grupo terminava de fazer o pedido, ele dizia: "Muito bem, gostariam que eu sugerisse ou escolhesse vinhos para acompanhar seus pratos?" Enquanto eu observava a cena se repetir quase toda noite, havia uma consistência notável na reação dos clientes — sorrisos, meneios de cabeça e, na maior parte das vezes, consenso positivo.

Mesmo de meu ponto de observação, eu podia ler seus pensamentos em seus rostos. "Claro", pareciam dizer os clientes. "Você sabe o que é bom aqui, e você está no nosso lado. Diga-nos o que pedir." Parecendo satisfeito, Vincent, que conhecia a carta de vinho, respondia com algumas escolhas excelentes (e caras). Ele era igualmente persuasivo quando chegava a hora das decisões da sobremesa. Clientes que teriam deixado passar a sobremesa ou dividido uma com um amigo eram convencidos a pedir uma inteira pelas descrições enlevadas de Vincent do *baked Alaska* (bolo de sorvete com merengue) e do mousse de chocolate. Quem, afinal de contas, tem mais credibilidade que um especialista reconhecido de comprovada sinceridade?

DEPOIMENTO DO LEITOR 5.4

De um ex-CEO de uma empresa da Fortune 500

Em uma matéria na escola de administração que desenvolvi para aspirantes a CEO, eu ensino a prática de reconhecer erros como forma de promover a carreira de uma pessoa. Um de meus ex-alunos levou isso a cabo, incluindo seu fracasso em uma empresa de tecnologia como destaque em seu currículo. Ele simplesmente detalhava o que havia aprendido com a experiência. Enquanto tentou esconder o fracasso, não obteve nenhum sucesso na carreira. Desde que mudou de abordagem, foi selecionado para várias posições de prestígio.

Nota do autor: A estratégia de assumir a responsabilidade devida por um fracasso não funciona apenas individualmente. Ela parece funcionar também para organizações. Empresas que assumem a culpa por resultados ruins em relatórios anuais têm preços de ações mais altos no ano seguinte que empresas que não assumem a culpa (Lee, Peterson & Tiedens, 2004).

Ao combinar os fatores da reciprocidade e da autoridade com credibilidade em uma única manobra elegante, Vincent aumentava substancialmente o percentual de sua gorjeta e a conta sobre a qual ela era calculada. Seu faturamento com o esquema era mesmo alto. Observe, porém, que muito de seu lucro vinha de uma aparente falta de preocupação com o lucro pessoal. Aparentemente agir contra seus interesses financeiros servia muito bem a esses interesses.[7]

RESUMO

- Nos estudos de Milgram, vemos evidências de fortes pressões para atender aos pedidos de uma autoridade. Contrariando as próprias preferências, muitos indivíduos normais e psicologicamente saudáveis estavam dispostos a infligir grandes níveis de dor a outra pessoa só porque uma figura de autoridade lhes dizia para fazer isso. A força da tendência a obedecer autoridades legítimas vem de práticas sistemáticas de socialização desenvolvidas para incutir a percepção de que essa obediência constitui uma conduta correta. Além disso, é adaptativo obedecer as ordens de autoridades verdadeiras porque esses indivíduos em geral possuem altos níveis de conhecimento, sabedoria e poder. Por essas razões, a deferência a autoridades pode ocorrer de forma impensada como uma espécie de atalho para a tomada de decisões.

- As pessoas tendem a reagir à autoridade de forma automática como resposta aos meros símbolos da autoridade em vez de como resposta à natureza delas. Três tipos de símbolo eficazes nesse aspecto são: títulos, roupas e paramentos como automóveis. Em estudos, indivíduos que tinham formas prestigiosas de um ou outro símbolos (sem a legitimação de nenhuma outra credencial) recebiam mais deferência ou obediência daqueles com quem interagiam. Além disso, em todos os casos, aqueles indivíduos que respeitaram ou obedeceram subestimaram o efeito das pressões da autoridade sobre seus comportamentos.

- A influência da autoridade é resultado do indivíduo ser visto como sendo ou tendo uma autoridade. Mas o primeiro caso, estar no comando, tem seus problemas. Mandar as pessoas fazerem coisas gera resistência e ressentimento. O segundo caso de autoridade, ser visto como informado, evita esse problema, pois as pessoas normalmente estão dispostas a seguir as recomendações de alguém que saiba mais do que elas sobre o assunto em questão.

- O efeito persuasivo de ser visto como a autoridade é maximizada por também ser visto com uma autoridade com credibilidade — uma pessoa percebida tanto como um especialista (com conhecimento sobre o assunto relevante) quanto como confiável (honesto na apresentação desse conhecimento). Para determinar sua confiabilidade, comunicadores podem admitir um problema X (em geral menos relevante) que virá a ser descartado mais tarde pela apresentação de pontos positivos mais importantes.

- É possível nos defendermos dos efeitos perniciosos da influência da autoridade fazendo duas perguntas: essa autoridade é realmente um especialista? E o quanto posso esperar que esse especialista seja sincero? A primeira desvia nossa atenção dos símbolos na direção de evidências do status de autoridade. A segunda nos aconselha a levar em conta não só o conhecimento do especialista na situação, mas também sua confiabilidade. Em relação à segunda consideração, devíamos estar alertas para a tática de aumentar a confiança na qual comunicadores fornecem primeiro informação levemente negativa sobre si mesmos. Através dessa estratégia, eles criam uma percepção de honestidade que faz com que toda a informação subsequente pareça mais crível para observadores.

CAPÍTULO 6

ESCASSEZ

A regra dos poucos

Para amar qualquer coisa basta perceber que tal coisa pode ser perdida.

— G.K. Chesterton

Tenho uma amiga, Sandy, que é uma advogada de família (leia-se de divórcios) muito bem-sucedida. Ela costuma atuar como mediadora quando ambas as partes desejam chegar a um acordo sem toda a demora, o trabalho e a despesa de ir aos tribunais. Antes que uma das mediações de Sandy comece, os parceiros são encaminhados (junto com seus representantes) para salas separadas para evitar os bate-bocas, os rostos vermelhos e as veias saltadas que podem ocorrer quando as partes estão no mesmo espaço físico. Cada lado já submeteu uma proposta escrita para Sandy, que circula entre as duas salas procurando concessão para chegar a um acordo financeiro do qual os dois parceiros concordem. Ela diz que o processo exige mais de psicologia humana do que de compreensão das leis de divórcio. É por isso que ela se perguntou se eu, enquanto psicólogo, poderia ajudá-la com um impasse quase sempre fatal que emergia perto do fim de muitas negociações. Isso era tão resistente que às vezes minava todo o processo de mediação e condenava o casal a ir ao tribunal pedir o divórcio.

Esse impasse poderia ter relação com aspectos muito importantes, como os termos de guarda e escalas de visitação envolvendo os filhos (ou, disputado com a mesma ferocidade, o cachorro São Bernardo do casal); como também poderia ter relação com algo relativamente sem importância, como o valor que uma pessoa teria de pagar para comprar a parte da outra em um contrato de time-sharing para as férias. Seja qual for o caso, os combatentes se aferram a suas posições e se recusam a ceder de forma significativa nesse último detalhe do acordo, impedindo qualquer outro avanço. Perguntei a Sandy o que ela fazia em uma situação dessas. Ela respondeu que levava a última oferta de uma sala para a outra, apresentava-a e dizia: "Basta concordar com essa proposta, e teremos um acordo." Considerei que entendia o problema e sugeri uma pequena mudança nas palavras escolhidas: "Temos um acordo. Você só precisa concordar com a proposta."

Vários meses depois, em uma festa, Sandy se aproximou com um largo sorriso e me disse que a mudança tinha sido incrivelmente bem-sucedida. "Funciona sempre", declarou ela. Cético, eu perguntei: "Sempre mesmo?" Ela pôs a mão em meu braço e disse: "*Sempre*, Bob."

Embora eu ainda permaneça cético em relação a seu índice de sucesso de 100% — estamos falando de ciência comportamental, não de mágica —, fiquei satisfeito com a eficácia da minha sugestão. Porém, na verdade não fiquei surpreso. Sugeri com base em duas informações que tinha. Uma era meu conhecimento de trabalhos relevantes em ciência comportamental. Por exemplo, tinha conhecimento de um estudo com alunos da Universidade da Flórida em que todos os estudantes de graduação, quando questionados, avaliaram a qualidade da comida do refeitório do *campus* como insatisfatória. Nove dias depois, de acordo com uma segunda pesquisa, eles mudaram de ideia. Alguma coisa tinha acontecido para fazer com que gostassem da comida do refeitório significativamente mais que antes. O interessante é que o evento que os fez mudar de opinião nada tinha a ver com a qualidade do serviço, que não tinha mudado nada. No dia da segunda pesquisa, os universitários ficaram sabendo que, por causa de um incêndio, tinham *perdido* a chance de comer no refeitório pelas duas semanas seguintes.

A segunda informação relevante veio de um evento que testemunhei em uma emissora de TV regional por volta da época em que Sandy pediu ajuda. Tornou-se um acontecimento corriqueiro: às vésperas do lançamento de uma nova geração de iPhones, longas filas de compradores dão voltas nos quarteirões da cidade, alguns esperando a noite inteira em seus sacos de dormir que as portas da loja se abrissem para entrar correndo e pegar um dos tão prestigiados aparelhos. Na manhã do lançamento do iPhone 5, uma das estações de TV da minha cidade enviou um repórter para cobrir o acontecimento. Ao abordar uma mulher que tinha chegado muito mais cedo e era a número 23 na fila, o repórter perguntou como havia passado as muitas horas que estava esperando na fila e, especificamente, se tinha passado parte desse tempo socializando com as pessoas a sua volta. Ela respondeu que tinham passado muito tempo conversando sobre a novas características do iPhone5 e, também, falando sobre si mesmos. Na verdade, revelou que inicialmente era o número 25 da fila, mas tinha começado uma conversa com o número 23 — uma mulher que admirou sua bolsa Louis Vuitton de US$ 2.800. Aproveitando a oportunidade, a primeira mulher propôs e fechou um negócio: "Minha bolsa por seu lugar na fila."

Ao fim do relato satisfeito da mulher, o compreensivelmente surpreso entrevistador gaguejou "Mas... mas... por quê?", e recebeu uma resposta reveladora: "Eu soube que essa loja não tinha um grande estoque e eu não queria correr o risco de *perder* a chance de conseguir um", respondeu a nova número 23.

Figura 6.1: Tudo por um iPhone
Esse homem grita sua satisfação ao comprar um iPhone de nova geração — algo que ele conquistou esperando a noite inteira para ser o primeiro na fila que aguardava a loja da Apple abrir. *Norbert von der Groeben/ The Image Works*

Eu me lembro que a resposta dela me pegou de surpresa. Ela se encaixava perfeitamente com os resultados de velhas pesquisas demonstrando que, sob condições de risco e incerteza, as pessoas são muito motivadas a fazer escolhas projetadas para evitar *perder* algo de valor — a um nível muito mais alto que escolhas projetadas para *obter* essa coisa. Reconhecendo a incerteza e o risco de deixar de garantir um celular muito desejado, nossa esperançosa compradora número 23 confirmou a pesquisa e engendrou um acordo custoso para evitar perder um aparelho disputado e desejado. A ideia geral da "aversão à perda" — em que as pessoas são mais motivadas pela perspectiva de perder um item de valor que pela perspectiva de ganhá-lo — é a peça-chave da teoria da perspectiva do prêmio Nobel Daniel Kahneman, que foi confirmada por estudos feitos em vários países e em várias áreas de atuação como o meio de negócios, o meio militar e o dos esportes profissionais. No mundo dos negócios, por exemplo, pesquisas descobriram que gerentes em suas decisões dão mais peso a perdas em potencial que a ganhos em potencial. O mesmo acontece nos esportes profissionais, nos quais as pessoas que tomam as decisões deliberam por mais tempo em situações envolvendo possíveis perdas que naquelas envolvendo ganhos. Como resultado, golfistas no circuito PGA passam mais tempo e dedicam mais esforço em projeções a fim de evitar perder uma tacada do par (evitando *bogies*) do que nas projeções que ganhariam uma tacada do par (conseguindo *birdies*).

O que essas duas informações revelavam — (1) o que as pesquisas científicas me contaram sobre a aversão à perda e (2) como eu a vi funcionar em uma fila para a compra de iPhones — que me levou a fazer determinada sugestão a Sandy? A mudança de palavras que propus começava atribuindo a seus clientes a *posse* de algo que eles queriam, "Nós temos um acordo", que iriam *perder* se deixassem de chegar a um consenso. Veja o contraste com a abordagem inicial de Sandy, na qual o acordo desejado era algo apenas a ser ganho: "Basta concordar com essa proposta, e teremos um acordo." Sabendo o que eu sabia, o ajuste na ordem das palavras foi fácil de sugerir.

De uma moradora do norte do estado de Nova York

Estava comprando presentes de Natal quando me deparei com um vestido preto do qual gostei. Eu não tinha dinheiro para ele porque estava comprando presentes para outras pessoas. Eu pedi ao vendedor da loja para, por favor, separá-lo para mim até que eu pudesse voltar na segunda-feira depois da escola com minha mãe para lhe mostrar o vestido. A loja disse que não podia fazer isso.

Fui para casa e conversei com minha mãe sobre isso. Ela disse que, se eu tivesse gostado realmente do vestido, me emprestaria o dinheiro. Depois da escola, na segunda-feira, fui até a loja e descobri que o vestido tinha sido vendido. Outra pessoa o havia comprado. Só soube na manhã de Natal que, enquanto eu estava na escola, minha mãe tinha ido à loja e comprado o vestido que eu havia descrito para ela. Embora esse Natal tenha sido muitos anos atrás, ainda me lembro como um de meus favoritos, porque, depois de achar que eu tinha perdido o vestido, eu o valorizei como se fosse um tesouro.

Nota do autor: Vale a pena perguntar o que torna a ideia da perda tão poderosa para o funcionamento humano. Uma importante teoria explica a primazia da perda sobre o ganho em termos evolucionários. Se alguém tem o suficiente para sobreviver, um aumento de recursos é útil, mas uma redução nesses mesmos recursos pode ser fatal. Consequentemente, seria um aspecto adaptativo ser especialmente sensível à possibilidade de perda (Haselton & Nettle, 2006).

Embora a aversão à perda seja uma característica central da arma da escassez, ela é apenas um dos fatores desse princípio, o que faz uma análise completa valer a pena.

Escassez: menos é melhor e perder é pior

Quase todo mundo é vulnerável ao princípio da escassez de alguma forma. Colecionadores de tudo, de cartões de beisebol a antiguidades, têm extrema consciência da influência do princípio na determinação do valor de um item. Em regra, se um item é raro ou está se tornando raro, ele é visto como mais valioso. Na verdade, quando um item desejável é raro ou não está disponível, os consumidores não baseiam mais seu preço justo na qualidade percebida; em vez disso, baseiam na escassez do item. Quando fabricantes de carros limitam a produção de um modelo novo, seu valor aumenta entre compradores em potencial. O fenômeno do "erro precioso" é especialmente esclarecedor sobre a importância da escassez no mercado de colecionáveis. Itens defeituosos — um selo borrado ou uma moeda duas vezes estampada — às vezes são os mais valiosos de todos. Um selo com uma imagem de George Washington com três olhos não é atraente esteticamente e ainda assim é muito desejado. Há uma ironia, aqui; imperfeições que em outro contexto teriam sido descartadas se tornam objetos valiosos quando trazem consigo uma escassez duradoura.

Quanto mais aprendia sobre o princípio da escassez — *que oportunidades parecem mais valiosas para nós quando estão menos disponíveis* —, mais comecei a perceber sua influência sobre um conjunto de minhas próprias ações. Sempre fui conhecido por interromper uma conversa interessante para atender um telefonema. Nessa situação, a pessoa que liga têm uma característica atraente que meu parceiro cara a cara não tem — indisponibilidade em potencial. Se eu não atender a ligação, posso perdê-la (e a informação que ela carrega) para sempre. Não importa que a primeira conversa possa ser envolvente ou importante — muito mais do que eu poderia esperar de um telefonema normal. A cada toque não atendido, a interação pelo telefone se torna menos recuperável. Por essa razão, por aquele momento, eu a desejo mais que a outra conversa.

Como vimos, as pessoas parecem ser mais motivadas pela ideia de perder alguma coisa que pela ideia de ganhar algo de valor igual. Por exemplo, universitários experimentaram emoções muito mais fortes quando lhes pediam que imaginassem perdas em oposição a melhorias da mesma dimensão em seus relacionamentos; o mesmo foi verdade

Balão: Não, não sei o que é, mas sei que é exatamente isso que eu quero.
Placa: Desculpe, estamos sem foie gras hoje
Quadro: Oferta e procura e norte-americanos

Figura 6.2: Aumentando (demanda) pela redução (da oferta)
Não é incomum que varejistas anunciem a falta de um item para incrementar um desejo futuro por ele. A ideia é satirizada em uma antiga canção que imitava os gritos de um vendedor de frutas locais, que exclamava: "Yes, we have no bananas. We have no bananas today" ("Sim, não temos bananas. Hoje não temos bananas"). Quando minha avó cantava essa música para mim, eu nunca entendia a lógica da tática de vendas do vendedor. Eu agora entendo. E também, aparentemente, a divisão de celulares da Apple, que é infame por não abastecer suas lojas com grandes estoques no dia de um lançamento. *WILEY@2020WILEY INK, LTD. Distribuído por Andrews McMeel Syndication*

com suas notas. No Reino Unido, residentes eram 45% mais propensos a querer mudar para um novo fornecedor de energia se a mudança impedisse uma perda em sua conta em oposição a proporcionar uma economia. Isso pode ocorrer mais que apenas no sentido monetário; em um estudo, membros de equipes estavam 82% mais propensos a trapacear para evitar uma redução de status na equipe que para experimentar um aumento equivalente de status. Finalmente, em comparação com os ganhos, perdas têm impacto maior na atenção (olhar), na excitação psicológica (batimentos cardíacos e dilatação de pupilas) e na ativação cerebral (estimulação do córtex).

Sob condições de risco e incerteza, a ameaça de perda em potencial tem um papel especialmente poderoso na tomada de decisões humana. Os pesquisadores da área de saúde Alexander Rothman e Peter Salovey aplicaram essa compreensão à arena médica, onde indivíduos são instados a se submeter a exames para detectar doenças existentes (procedimentos de mamografia, exames de HIV, autoexames de câncer).

Como esses testes envolvem o risco de que uma doença seja descoberta e a incerteza se ela será curada, mensagens enfatizando perdas em potencial são mais efetivas. Por exemplo, panfletos aconselhando mulheres jovens a fazer o autoexame são mais bem-sucedidos quando apresentam os aspectos que podem ser perdidos em vez do que pode ser ganhado.[1]

NÚMEROS LIMITADOS

Com o princípio da escassez operando de forma tão poderosa sobre o valor que atribuímos às coisas, é natural que profissionais da persuasão façam operações similares. O uso mais direto do princípio da escassez provavelmente ocorre na tática do "número limitado", na qual informa-se a um consumidor que determinado produto está com estoques baixos e que não se pode garantir que durarão muito. Quando o site de viagens e reservas de hotéis Booking.com incluiu pela primeira vez informações sobre o número limitado de quartos de hotel que ainda estavam disponíveis a um determinado preço, as compras subiram — a um nível tal que sua equipe de atendimento ao cliente ligou para o escritório da tecnologia para relatar o que "deve ser um erro do sistema". Não houve erro; o aumento veio do poder dos números limitados para transformar visitantes em compradores. Durante a época em que estava pesquisando estratégias de persuasão me infiltrando em várias organizações, vi a tática do número limitado ser empregada repetidamente em uma série de situações: "Não restam mais que cinco conversíveis com esse motor no estado. E, quando eles terminarem, acabou, porque não vamos mais fabricá-los", "Este é um dos únicos terrenos de esquina não vendidos em todo o empreendimento. Você não vai querer o outro; ele fica muito quente no verão", "Considere comprar mais de uma caixa hoje porque a produção está atrasada e não sabemos quando receberemos mais".

DEPOIMENTO DO LEITOR 6.2

De uma moradora de Phoenix, Arizona

Utilizo o princípio da escassez em uma loja de itens usados chamada Bookman's. Eles compram/negociam livros, fitas e CDs e brinquedos usados. Eu tinha alguns bonecos de personagens da série infantil de TV de Richard Scarry nos anos 1990 e os levei à Bookman's. Mas não compraram nenhum. Então resolvi levar um de cada vez para lá, individualmente. Toda as vezes, eles compraram. Consegui negociar todos. O princípio da escassez!

Meu pai na verdade fazia a mesma coisa no eBay com copinhos de shot de times de beisebol. Ele comprou uma caixa de 24 por US$ 35 no total. Então os vendeu individualmente no eBay. O primeiro ele vendeu por US$ 35, cobrindo todo o seu custo. Esperou um pouco para oferecer o segundo, que foi vendido por US$ 26. Ele esperou ainda mais e vendeu o seguinte por US$ 51. Porém, ficou ganancioso e vendeu outro cedo demais, e só recebeu US$ 22. Ele aprendeu a lição. Ele ainda têm vários guardados à espera de uma nova escassez.

Nota do autor: A sabedoria de oferecer um item abundante por vez reconhece que a abundância é o oposto da escassez e, consequentemente, apresentar um item em abundância reduz seu valor percebido.

Algumas vezes a informação de número limitado é verdade; outras vezes, totalmente falsa. Em cada situação, porém, a intenção é convencer clientes da escassez de um item e assim aumentar seu valor imediato a seus olhos. Desenvolvi uma admiração relutante pelos praticantes que fizeram esse dispositivo simples funcionar em uma grande variedade de formas e estilos. Fiquei impressionado com uma versão em particular que estendia a abordagem básica até seu extremo, vendendo uma mercadoria em seu ponto de maior escassez — quando, aparentemente, ela não podia mais ser obtida. A tática foi aplicada com perfeição em uma loja de eletrodomésticos e produtos eletrônicos que investiguei, onde de 30% a 50% do estoque estavam sempre marcados como em liquidação. Suponhamos que um casal na loja está levemente interessado em determinado item de vendas. Há vários indícios desse interesse — um exame mais atento que o normal do aparelho, uma olhada distraída para folhetos de instruções associados ao produto e discussões mantidas diante do aparelho. Depois de observar o casal tão envolvido, um vendedor pode se aproximar e dizer: "Vi que vocês estão interessados neste modelo, mas infelizmente, acabei de vendê-lo para outro casal há menos de vinte minutos. Acho que era nosso último."

A decepção dos clientes é registrada de forma inconfundível. Por deixar de estar disponível, o aparelho de repente se torna mais atraente. Tipicamente, um dos clientes pergunta se existe a chance de ter sobrado um produto nos fundos da loja, depósito ou outro lugar. "Bem", diz o vendedor. "É possível, posso verificar. Se conseguir a esse preço vocês vão levá-lo?" Aí está a beleza da técnica. De acordo com o princípio da escassez, pede-se aos clientes para se comprometerem com a compra quando ela parece menos disponível, portanto mais desejável. Muitos consumidores concordam em comprar nesse momento de singular vulnerabilidade. Assim, o vendedor (invariavelmente) volta com a notícia de que uma nova remessa do aparelho foi encontrada, e também com uma caneta e um contrato de venda nas mãos. A informação de que há o modelo desejado em estoque na verdade pode fazer com que alguns consumidores passem a achá-lo menos atraente, embora a essa altura a transação tenha avançado muito para que a maioria recue. A decisão de compra tomada e prometida publicamente em um momento anterior ainda vale. Eles compram.

Quando converso com equipes de negócios sobre o princípio da escassez, enfatizo a importância de evitar o uso de truques como fornecer informação falsa de número limitado. Em resposta, ouço com regularidade alguma versão desta pergunta: "Mas se eu não tiver um suprimento limitado do que oferecemos? E se pudermos entregar o quanto o mercado exigir? Como *nós* podemos usar o poder da escassez?" A solução é reconhecer que o princípio da escassez não se aplica apenas ao número de itens, mas também a características e elementos do objeto. Primeiro, identifique uma característica de seu produto ou serviço que seja única ou tão incomum que não possa ser obtida em mais nenhum lugar ao mesmo preço ou de jeito nenhum. Então, apresente-a ao mercado com honestidade, com base nessa característica e os benefícios conexos que serão perdidos se ela for perdida. Se o item não tiver uma característica assim, pode ter uma combinação única de características que não pode ser igualada pelos concorrentes. Nesse caso, a escassez desse *conjunto* único de características pode ser vendida com honestidade.

TEMPO LIMITADO

A cidade de Mesa, no Arizona, fica no subúrbio de Phoenix, que é onde moro. Talvez a característica mais marcantes de Mesa seja sua grande população mórmon — atrás apenas de Salt Lake City, a maior do mundo — e um grande templo localizado em um terreno bem--cuidado no centro da cidade. Embora eu apreciasse o paisagismo e a arquitetura a distância, nunca me interessei o suficiente pelo templo para entrar, até o dia em que li uma reportagem de jornal que falava de uma área especial dos templos mórmons ao qual ninguém tinha acesso, exceto os fiéis. Mesmo convertidos em potencial não podiam vê-la; entretanto, há uma exceção a essa regra. Por alguns dias imediatamente após um templo ser recém-construído, não membros têm permissão de fazer um tour por toda a estrutura, inclusive na área normalmente restrita.

A reportagem do jornal dizia que o templo de Mesa tinha sido reformado recentemente e as renovações tinham sido grandes o bastante para que ele fosse classificado como "novo" pelos padrões da igreja. Assim, apenas por poucos dias, visitantes não mórmons podiam ver a área do templo tradicionalmente restrita. Eu lembro bem o efeito que essa notícia teve sobre mim. Resolvi imediatamente fazer o tour. Mas, quando liguei para meu amigo Gus para perguntar se ele queria ir junto, percebi uma coisa que me fez mudar de ideia de forma igualmente rápida.

Depois de recusar o convite, Gus perguntou por que *eu* parecia tão interessado em fazer a visita. Fui forçado a admitir que nunca tive interesse pela ideia de um tour do templo antes, que eu não tinha perguntas sobre a religião mórmon que quisesse respostas, que não tinha um interesse por arquitetura de igrejas e que eu não esperava encontrar nada

mais espetacular ou emocionante do que eu podia ver em inúmeras outras igrejas da área. Ficou evidente enquanto eu falava que o atrativo
especial do templo tinha apenas uma causa: se eu não conhecesse a área
restrita naquela ocasião, eu nunca mais teria essa chance. Algo que, por
seus próprios méritos, pouco me atraía pareceu bem mais atraente apenas porque estava rapidamente se tornando menos disponível.

E-BOX 6.1

Em uma impressionante resenha de experimentos com sites de comércio
online, uma dupla de pesquisadores compilou os resultados de mais
de 6.700 testes tipo A/B, nos quais a efetividade dos mesmos sites de
comércio eletrônico era testada quando incluía ou não uma ou outra
característica específica (Browne & Swarbrick-Jones, 2017). As 29 características a serem avaliadas iam das puramente tecnológicas (como
a presença ou ausência de função de busca, um botão de volta ao topo
e as configurações padrão) às motivacionais (como frete grátis, selos em
produtos e *calls for action*). Ao fim da investigação, os pesquisadores
concluíram: "Os maiores ganhadores em nossa análise têm fundamentos
em psicologia comportamental." Felizmente para os leitores deste livro,
aspectos de cada um dos princípios de influência que cobrimos até agora
apareceram como as seis características mais eficazes:

Escassez — destacar os itens com estoque baixo.

Aprovação social — descrever os itens mais populares e com maior tendência de vendas.

Urgência — usar limites de tempo, em geral com um relógio fazendo
contagem regressiva.

Concessões — oferecer descontos aos visitantes para que permaneçam
no site.

Autoridade/especialização — informar aos visitantes sobre produtos alternativos disponíveis.

Afeição — incluir uma mensagem de boas-vindas.

Nota do autor: É revelador que dois dos três principais fatores estejam alinhados com duas apresentações de escassez que registramos historicamente, desde muito antes do início do comércio eletrônico — apelos de número limitado e de tempo limitado. Mais uma vez vemos que embora as plataformas nas quais os princípios de influência são transmitidos possam ter mudado radicalmente, os impactos dos princípios sobre as respostas humanas se mantiveram. Também é instrutivo que os rankings das duas operações de escassez se encaixem com outra pesquisa indicando que, em geral, apelos de oferta limitada são mais eficazes que apelos de tempo limitado (Aggarwal, Jun & Huh, 2011). Em uma próxima seção sobre competição, descobriremos por quê.

A tendência a desejar mais alguma determinada coisa à medida que o tempo se esgota é comercialmente usada na tática do "prazo final", na qual um limite de tempo oficial é determinado para a oportunidade de obter o que o profissional de persuasão está oferecendo. Em geral, as pessoas se veem comprando coisas de que não gostam só porque o tempo está acabando. O negociante adepto dessa prática faz com que a tendência trabalhe a seu favor organizando e divulgando prazos para os consumidores que geram interesse onde antes podia não haver nenhum. Situações dessa abordagem ocorrem com frequência em publicidades no cinema. Na verdade, recentemente percebi que um dono de cinema, com um senso de propósito muito forte, conseguiu invocar o princípio da escassez três vezes utilizando as oito palavras do texto: "Exclusivo, inscrições por tempo limitado terminam em breve!"

Uma variante da tática do prazo final é a preferida de alguns vendedores presenciais de alta performance porque carrega a decisão de prazo definitiva: agora. Frequentemente se diz a clientes que a menos que eles tomem uma decisão imediata de comprar, eles comprarão o item mais tarde a um preço mais alto ou nem conseguirão comprá-lo. Um interessado em se matricular em uma academia ou um comprador de automóvel pode descobrir que o negócio oferecido pelo vendedor é bom apenas para aquela vez; se o consumidor for embora, o negócio será cancelado. Uma grande empresa de retratos infantis insiste em que pais comprem o maior número de poses e cópias que possam pagar porque "limitações logísticas nos obrigam a queimar as fotos não vendidas de seus filhos em até 24 horas". Um vendedor de revistas de porta em porta pode dizer que a equipe de vendas está na área do cliente apenas por um dia; depois disso, eles e a chance de comprar o pacote de revistas terão ido embora.

Uma operação de vendas de aspiradores de pó de casa em casa na qual me infiltrei instruía seus trainees a dizer: "Tenho tantas pessoas para visitar que só consigo tempo de visitar cada família uma única vez. É política da empresa. Mesmo que decida depois que deseja comprar um aparelho, não vou poder voltar e vendê-lo para você!" Isso, é claro, não faz sentido; a empresa e seus representantes estão no negócio de fazer vendas, e qualquer cliente que pedisse uma nova visita seria agendado com prazer. Como o gerente de vendas da empresa enfatizou com seus trainees, o verdadeiro propósito da alegação de "não poder voltar" não tem nada a ver com a redução de horários de venda superlotados. É para "impedir que os possíveis clientes tenham tempo para pensar sobre a compra. Ao incutir o medo de que não possam adquiri-lo depois, cria-se o desejo de comprar imediatamente".[2]

Figura 6.3: O apelo da urgência

ENGANADO
Por Peter Kerr

New York Times

Daniel Gulban não se lembra de como suas economias desapareceram.

Ele se lembra da voz suave de um vendedor ao telefone. Lembra-se de sonhar com uma fortuna em petróleo e um futuro brilhante. Mas, até hoje, o funcionário de manutenção aposentado de 81 anos não entende como golpistas o convenceram a abrir mão de US$ 18 mil.

"Eu só queria que meus últimos anos de vida fossem melhores", disse Gulban, morador de Holder, Flórida. "Mas, quando descobri a verdade, não conseguia comer nem dormir. Perdi quinze quilos. Ainda não consigo acreditar que fiz uma coisa dessas."

Gulban foi vítima do que policiais chamam de "operação *boiler room*", um golpe que envolve dezenas de vendedores de fala rápida, amontoados em uma saleta, de onde ligam para milhares de clientes por dia. Essas empresas obtêm centenas de milhões de dólares todos os anos de clientes inocentes, segundo a investigação de uma subcomissão do Senado dos Estados Unidos que produziu um relatório sobre o tema no ano passado.

"Eles usam um endereço importante de Wall Street e várias mentiras para fazer com que indivíduos botem seu dinheiro em vários esquemas de aparência glamorosa", disse Robert Abrams, procurador-geral do estado de Nova York, que acompanhou mais de uma dezena desses golpes nos últimos quatro anos. "As vítimas são convencidas a investir as economias de uma vida."

Orestes J. Mihaly, o procurador-geral assistente encarregado do gabinete de proteção aos investidores e títulos de valores, disse que as empresas operam em três estágios. Primeiro, disse Mihaly, há a "ligação de apresentação", na qual um vendedor se identifica como representante de uma empresa com um nome e um endereço imponentes. Ele vai pedir ao cliente em potencial para receber o material promocional da empresa.

Um segundo telefonema envolve um *pitch* de vendas, diz Mihaly. O vendedor primeiro descreve os lucros gerais a serem obtidos e então diz ao cliente que não é mais possível investir. O terceiro telefonema dá ao cliente uma chance de entrar no negócio, e isso é oferecido com uma grande dose de urgência.

"A ideia é apresentar algo valioso ao alcance do comprador e depois ameaçar tirar a oferta", disse Mihaly. "O objetivo é fazer a pessoa comprar rápido, sem pensar muito no que está fazendo." Às vezes, disse Mihaly, o vendedor vai estar sem fôlego no terceiro telefonema e vai dizer ao cliente que acabou "de chegar do pregão".

Essas táticas convenceram Gulban a entregar as economias de sua vida. Segundo ele, um estranho ligou repetidamente e o convenceu a enviar US$ 1.756 para Nova York para comprar prata. Depois de outra série de telefonemas, o vendedor convenceu Gulban a enviar mais US$ 6 mil para comprar petróleo. Ele acabou enviando ainda mais US$ 9.740, mas seus lucros nunca retornaram.

"Eu fiquei arrasado", recorda Gulban. "Eu não fui ganancioso. Só estava querendo proporcionar dias melhores." Gulban nunca recuperou suas perdas.

Nota do autor: Veja como o princípio da escassez foi empregado durante a segunda e a terceira ligações que fizeram o sr. Gulban "comprar rápido sem pensar muito no que está fazendo". *Clique, rode* (bem rápido). © 1983, por The New York Times Company. Publicado sob autorização.

Reatância psicológica

As evidências, então, são claras. A confiança dos praticantes de persuasão na escassez como arma de influência é frequente, com amplo alcance, sistemática e diversa. Sempre que isso acontece, podemos ter certeza de que o princípio envolvido tem um notável poder na condução das ações humanas. Com o princípio da escassez, esse poder vem de duas fontes principais. A primeira é familiar. Como as outras armas de influência, o princípio da escassez negocia com nossas fraquezas à procura de atalhos. A fraqueza é, como antes, instrutiva. Sabemos que coisas difíceis de obter são melhores do que aquelas facilmente obtidas. Assim, podemos usar a disponibilidade limitada de um item para nos ajudar a decidir de modo rápido e correto por sua maior qualidade, que não queremos perder. Com isso, uma razão para a potência do princípio de escassez é que, ao segui-lo, nós estamos normal e eficientemente certos.

Além disso, há uma fonte única e secundária de poder dentro do princípio da escassez: à medida que as possibilidades perdem sua disponibilidade, nós perdemos liberdades. E odiamos perder as liberdades que já temos; e mais, isso é especialmente verdade com liberdades importantes. Esse desejo de preservar prerrogativas estabelecidas e importantes é a peça central da teoria da reatância psicológica, desenvolvida pelo psicólogo Jack Brehm para explicar a resposta humana à perda de controle pessoal. Segundo a teoria, quando a livre escolha é limitada ou ameaçada, a necessidade de preservar nossas liberdades nos faz desejá-las (assim como os bens e serviços associados a elas) significativamente mais que antes. Portanto, quando o aumento de escassez — ou qualquer outra coisa — interfere em nosso acesso prévio a um item, vamos *reagir contra* a interferência desejando e tentando possuir o item ainda mais que antes.

Tão simples quanto parece ser a essência, seus brotos e raízes se emaranham amplamente através de grande parte do ambiente social. Do jardim do amor de juventude à selva da revolução armada e aos frutos do marketplace, grande parte de nosso comportamento pode ser explicada pelo exame das ramificações da reatância psicológica. Antes de começar essa análise, é interessante determinar quando as pessoas passam a demonstrar o desejo de lutar contra as restrições a suas liberdades.

REATÂNCIA JOVEM: BRINQUEDOS E AMORES PROFUNDOS

Psicólogos infantis rastrearam essa tendência até os dois anos de idade — um período identificado como problemático para os pais e conhecido por eles como "os terríveis dois anos". A maioria dos pais afirma ver mais comportamento contrário em seus filhos em torno desse período. Crianças de dois anos parecem mestres na arte da resistência a pressões externas. Diga a elas uma coisa, e elas fazem exatamente o oposto; dê a elas um brinquedo, elas querem outro; pegue-as no colo contra sua vontade, e elas se debatem e se contorcem para serem postas no chão; ponha-as no chão contra sua vontade, e elas lutarão para serem carregadas.

Um estudo com base em Virgínia capturou o estilo dos terríveis dois anos entre garotos com a média de 24 meses de idade. Os meninos acompanhavam suas mães até uma sala contendo dois brinquedos atraentes. Os brinquedos foram arrumados de modo que um ficou ao lado de uma barreira de acrílico, e o outro ficou atrás da barreira. Para alguns meninos, a barreira de acrílico tinha apenas trinta centímetros de altura — sem constituir uma barreira real, porque os meninos podiam alcançá-lo pelo alto. Para os outros meninos, entretanto, o acrílico tinha sessenta centímetros de altura, bloqueando efetivamente o acesso a um brinquedo a menos que dessem a volta na barreira. Os pesquisadores queriam ver a rapidez com que chegariam aos brinquedos nessas circunstâncias. Suas descobertas foram claras. Quando a barreira era baixa demais para restringir o acesso ao brinquedo, os meninos não demonstravam nenhuma preferência por qualquer dos brinquedos. Porém, quando a barreira era alta o suficiente para se tornar um obstáculo real, ele iam direto para o brinquedo obstruído, fazendo contato com ele três vezes mais rápido do que com o brinquedo sem obstrução. Em geral, as crianças nesse estudo demonstraram a clássica resposta dos terríveis dois anos a uma limitação de sua liberdade — desafio direto.

Por que a reatância psicológica surge aos dois anos? Porque a maioria das crianças passa por uma mudança crucial por volta dessa época. É nesse momento que elas começam a se ver como indivíduos. Deixam de perceber a si como extensões do ambiente social, e passam a se ver como seres identificáveis, singulares e separados. Esse conceito em desenvolvimento de autonomia traz consigo o conceito da liberdade. Um ser independente é um ser com escolhas: uma criança com a descoberta recente de que é um indivíduo vai querer explorar a extensão e amplitude das opções.

Talvez então não devêssemos ficar surpreso nem aflitos quando nossos filhos de dois anos agem incessantemente contra nossa vontade. Eles chegaram a uma perspectiva recente e empolgante de si mesmos como entidades humanas independentes. Questões vitais sobre escolha, direitos e controle agora são questionadas e têm que ser respondidas dentro de suas pequenas mentes. Então, a tendência de lutar por toda liberdade e contra toda restrição pode ser mais bem compreendida como uma busca por informação. Ao testar severamente os limites de suas liberdades (e, coincidentemente, a paciência de seus pais), as crianças estão descobrindo onde em seus mundos elas podem esperar serem controladas e onde podem esperar estar no controle. Como veremos mais tarde, é o pai sábio que fornece informação altamente consistente.

Embora os terríveis dois anos possam ser a idade de reatância psicológica mais perceptível, vemos a tendência forte de reagir contra restrições sobre nossas liberdades de ação através de nossas vidas. Uma outra idade, porém, destaca-se como uma época em que essa tendência assume uma forma especialmente rebelde: a adolescência. Como diz um velho ditado: "Se você quer que alguma coisa seja feita, você tem três opções: fazer você mesmo, pagar muito bem ou proibir seus adolescentes de fazerem tal coisa." Como os dois anos, esse período é caracterizado por um novo sentido de individualidade, para os adolescentes, é a passagem do papel de criança, com todo controle correspondente dos pais, para o papel de adulto, com todos os seus direitos e deveres correspondentes. Não é surpresa que adolescentes se concentrem menos nos deveres e mais nos direitos que sentem ter como jovens adultos. Não é surpresa, novamente, que a autoridade paterna tradicional imposta nesses momentos seja contraproducente; adolescentes vão fugir, armar e lutar para resistir a essas tentativas de controle.

Nada ilustra tão nitidamente a característica bumerangue da pressão parental sobre o comportamento adolescente quanto um fenômeno conhecido como o efeito Romeu e Julieta. Como sabemos, Romeu Montéquio e Julieta Capuleto são os personagens shakespearianos que tiveram um fim trágico cujo amor estava condenado pela rixa entre suas famílias. Desafiando todas as tentativas dos pais para mantê-los afastados, os adolescentes, que os estudiosos de Shakespeare dizem ter entre treze e quinze anos de idade, alcançaram a união eterna em seu gesto trágico de suicídio, uma afirmação definitiva de livre-arbítrio.

A intensidade dos sentimentos e das ações do casal sempre foram fonte de admiração e perplexidade para observadores da peça. Como uma devoção tão grande pôde se desenvolver tão rapidamente em um casal tão jovem? Um romântico pode atribuí-la a um amor raro e perfeito. Um cientista comportamental, porém, pode apontar para o papel da interferência parental e a reatância psicológica que ela pode produzir. Talvez a paixão de Romeu e Julieta não fosse tão arrebatadora assim, a ponto de transcender as grandes barreiras erguidas pelas famílias. Talvez, em vez disso, ela tenha sido alimentada pela colocação dessas barreiras. Será que se tivessem sido deixados em paz, sua devoção inflamada não teria se tornado nada mais que uma centelha ou um mero amor adolescente?

Como a peça é uma obra de ficção, essas perguntas são, é claro, hipotéticas, e qualquer resposta, especulativa. Entretanto, é possível perguntar e responder com mais certeza perguntas parecidas sobre Romeus e Julietas modernos. Casais que sofrem interferências dos pais reagem se comprometendo com maior firmeza à parceria e se apaixonando mais profundamente? Segundo um estudo feito com 140 casais de adolescentes do Colorado, é exatamente isso o que fazem. Os pesquisadores no estudo descobriram que, embora a interferência dos pais estivesse ligada a alguns problemas no relacionamento — os parceiros viam um ao outro de forma mais crítica e relataram um número maior de comportamentos negativos no outro —, ela também fez com que eles sentissem mais amor e desejo de se casarem. Durante a duração do estudo, com a intensificação da interferência dos pais, o mesmo aconteceu com a experiência amorosa. Quando a interferência era menos intensa, os sentimentos românticos esfriavam.

DEPOIMENTO DO LEITOR 6.3

De uma moradora de Blacksburg, Virgínia

No último Natal, eu estava com dezenove anos e conheci um homem de 27. Embora ele não fosse meu tipo, saímos — talvez pelo status de estar com um homem mais velho. Na verdade eu não estava muito interessada até o momento em que meus pais expressaram preocupação com sua idade. Quanto mais eles insistiam nisso, mais apaixonada eu ficava. Só durou cinco meses, mas foi cerca de quatro meses a mais do que teria durado se meus pais não tivessem dito nada.

Nota do autor: Embora Romeu e Julieta há muito tempo tenham partido, parece que o *efeito Romeu e Julieta* continua firme e forte, e fazendo aparições regulares em lugares como Blacksburg, Virgínia.

REATÂNCIA ADULTA: ARMAS E ESPUMA

Para crianças de dois anos e adolescentes, a reatância psicológica corre pela superfície ampla da experiência, sempre turbulenta e potente. Para o resto de nós, o acúmulo de energia de reatância está parado e acumulando, entrando em erupção como um gêiser apenas de vez em quando. Ainda assim, essas erupções se manifestam de diversas formas fascinantes que são de interesse não apenas para quem estuda o comportamento humano, mas também para legisladores e pessoas que determinam normais. Por exemplos, clientes de supermercados ficaram mais propensos a assinar um abaixo-assinado favorável a controle de preços federal depois que souberam que um agente do governo tinha sido contrário a que eles distribuíssem o abaixo-assinado. Pessoas com o poder de punir violadores de regras tinham *mais* chance de fazer isso no aniversário dos violadores, e isso ocorria especialmente quando estes usavam seu status de aniversariante para suplicar leniência. Por quê? Porque os agentes sentiam que sua liberdade para decidir sobre a punição era restrita por essa circunstância — uma clássica reação de reatância.

Há o curioso caso de Kennesaw, Geórgia, a cidade que criou uma lei que exigia que todos adultos residentes *tivessem* uma arma e munição, sob a pena de seis meses de cadeia e uma multa de US$ 200. Todas as características da lei de armas de Kennesaw tornaram a norma um alvo de reatância psicológica. A liberdade (de não ter uma arma) que a lei restringia é importante e antiga e a maioria dos norte-americanos acredita ter direito a ela. Além disso, a lei foi passada pelo conselho municipal de Kennesaw com um mínimo de participação pública. A teoria da reatância preveria que, sob essas circunstâncias, poucos adultos na cidade de 5.400 habitantes iam obedecer. Mesmo assim, reportagens testemunharam que, de três a quatro semanas após a aprovação da lei, a venda de armas de fogo em Kennesaw passou por um boom (sem trocadilho).

Como podemos dar sentido a essa aparente contradição do princípio da reatância? Olhando com um pouco mais de atenção para as pessoas que estavam comprando armas em Kennesaw. Entrevistas com proprietários de lojas locais revelaram que os compradores não eram residentes, mas visitantes — muitos atraídos pela publicidade para comprar suas primeiras armas em Kennesaw. Donna Green, proprietária de uma loja descrita em uma reportagem de jornal como uma "mercearia de armas de fogo" virtual, resumiu tudo: "Os negócios vão muito bem, mas quase tudo está sendo comprado por gente de fora da cidade. Só tivemos dois ou três moradores comprando armas para obedecer a lei." Depois da aprovação da lei, a compra de armas se tornou uma atividade frequente em Kennesaw, mas não entre as pessoas que ela pretendia alcançar; as pessoas em grande número desobedeceram. Apenas os indivíduos cuja liberdade não tinha sido restrita pela lei estavam tentados a viver de acordo com ela.

Uma situação parecida surgiu uma década depois, várias centenas de quilômetro ao sul de Kennesaw, quando, para proteger o meio-ambiente, o condado de Dade (Miami), Flórida, impôs uma regra antifosfato proibindo o uso — e a posse! — de produtos de lavanderia contendo fosfatos. Um estudo feito para determinar o impacto social da lei descobriu duas reações paralelas por parte dos moradores de Miami. Primeiro, muitos moradores se tornaram contrabandistas. Às vezes junto com amigos e vizinhos em grandes "caravanas do sabão", as pessoas iam até condados próximos para comprar detergentes com fosfato aos montes. A acumulação se desenvolveu rapidamente, e no frenesi de obsessão que caracteriza os acumuladores, famílias se gabavam de ter estoques que durariam até vinte anos.

A segunda reação à lei foi mais sutil e geral que o desafio deliberado dos contrabandistas e acumuladores. Motivados pela tendência de querer o que não podiam ter mais, a maioria dos consumidores de Miami passou a ver os detergentes com fosfato como produtos melhores que antes. Em comparação com moradores de Tampa, que não foram afetados pela regra do condado de Dade, os cidadãos de Miami avaliaram os detergentes de fosfato como mais suaves, mais efetivos em água fria, melhores alvejantes, mais refrescantes e mais poderosos contra manchas. Depois da aprovação da lei, eles até passaram a acreditar que detergentes de fosfato eram mais fáceis de usar.

Esse tipo de resposta é típico de indivíduos que perderam uma liberdade, e reconhecer *isso* é crucial para entender como a reatância psicológica e o princípio da escassez funcionam. Quando algo se torna menos disponível, nossa liberdade de tê-lo é limitada, e experimentamos um desejo maior. É raro, porém, reconhecermos que a reatância psicológica nos faz desejar mais o item; tudo o que sabemos é que o queremos. Para dar sentido a nosso desejo aumentado pelo item, começamos a atribuir a ele qualidades positivas. No caso da lei antifosfato do condado de Dade — e em outros casos de novas restrições de disponibilidade —, supor uma relação de causa e efeito entre desejo e mérito é uma suposição falsa. Detergentes de fosfato não passaram a limpar mais, branquear mais nem a serem usados com mais facilidade depois de terem sido proibidos. Passamos a supor que eles fazem isso apenas por desejá-los mais.

CENSURA

A tendência de querer o que é proibido e, portanto, supostamente mais valioso, não se restringe a produtos como detergentes; ela também se estende a restrições de informação. Em uma era em que a capacidade de adquirir, guardar e administrar informação afeta cada vez mais o acesso à riqueza e ao poder, é importante entender como em geral reagimos a tentativas de censurar ou restringir nosso acesso à informação. Embora haja muitas evidências em relação a nossas reações ao observar vários tipos de material potencialmente censurável — violência na mídia, pornografia, retórica política radical —, há surpreendentemente poucas evidências sobre nossas reações à censura desse material. Por sorte, os resultados dos poucos estudos feitos sobre censura são bastante consistentes. Quase invariavelmente, nossa resposta à informação proibida é querer tê-la e isso nos tornar mais favoráveis em relação a ela que antes da proibição.

A descoberta intrigante em relação aos efeitos da informação censurada sobre uma audiência não é que os membros da audiência passam a desejá-la mais do que antes; isso parece natural. Na verdade, passam a acreditar mais na informação, embora não a tenham recebido. Por exemplo, quando alunos da Universidade da Carolina do Norte souberam que um discurso contra alojamentos mistos no *campus* seria proibido, eles passaram a se opor mais à ideia de alojamentos mistos. Assim, sem sequer ouvir o discurso, os alunos se tornaram mais simpáticos ao argumento. Isso levanta a possibilidade preocupante de que indivíduos especialmente inteligentes com uma posição fraca ou sem popularidade possam nos fazer concordar com a posição tornando sua mensagem restrita.

A ironia é que, para essas pessoas — membros de grupos políticos marginais, por exemplo —, a estratégia mais efetiva pode não ser divulgar suas visões impopulares, mas fazer com que essas visões sejam oficialmente censuradas e então divulgar a censura. Talvez os autores da constituição norte-americana estivessem agindo tanto como psicólogos sociais sofisticados quanto libertários civis ferrenhos quando escreveram o texto incrivelmente permissivo da Primeira Emenda sobre a liberdade de expressão. Ao se recusar a restringir a liberdade de expressão, eles podiam estar tentando minimizar a chance de novas ideias políticas obterem apoio por meio do uso da reatância psicológica.

Ideias políticas não são as únicas suscetíveis à restrição, é claro. O acesso a material de orientação sexual também é limitado. Embora nem tão sensacional quando as eventuais batidas policiais em livrarias e cinemas adultos, uma pressão regular é aplicada por grupos de pais e cidadãos para censurar, nos Estados Unidos, o conteúdo sexual de material educativo que vai de textos de educação sexual e higiene aos livros paradidáticos. Os dois lados da luta parecem bem-intencionados, e o assunto não é simples, pois envolve questões como moralidade, arte, controle dos pais sobre as escolas e liberdades garantidas pela Primeira Emenda.

De um ponto de vista puramente psicológico, porém, aqueles a favor da censura podem desejar examinar de perto os resultados de um estudo feito com estudantes de graduação da Universidade de Purdue. Mostrou-se aos universitários o anúncio de um romance. Para metade, os anúncios incluíam a frase: "Apenas para adultos, restrito para menores de 21 anos"; a outra metade dos alunos não leu sobre essa restrição de idade. Mais tarde, quando os pesquisadores pediram que os alunos indicassem o que pensavam do livro, descobriu-se o mesmo tipo de reações que observamos com outras proibições: os que souberam da restrição de idade quiseram ler o livro e acreditavam que iam gostar mais dele do que aqueles que achavam que o acesso à obra era livre.

Aqueles que apoiam a proibição oficial de materiais de relevância sexual nos currículos escolares têm o objetivo declarado de reduzir a orientação da sociedade, especialmente de sua juventude, na direção do erotismo. À luz do estudo de Purdue e no contexto de outra pesquisa sobre os efeitos da imposição de restrições, é de se questionar se o uso da censura oficial como meio pode ser contrária ao objetivo. Se acreditarmos nas implicações da pesquisa, a censura tem mais chances de aumentar o desejo dos alunos por material sexual e, consequentemente, fazer com que vejam a si mesmos como o tipo de indivíduo que gosta de tal material.

O termo *censura oficial* normalmente nos faz pensar em proibições de material político ou sexualmente explícito, entretanto há outro tipo comum de censura sobre a qual não pensamos da mesma forma, provavelmente porque ela ocorre depois do fato em si. Em um tribunal, por exemplo, introduz-se uma prova ou testemunho que em seguida passa a ser considerado inadmissível pelo juiz, que então pode orientar os jurados a descartarem a prova. Sob essa perspectiva, o juiz pode ser visto como um censor, embora a forma de censura seja estranha. A apresentação da informação ao júri não foi proibida — tarde demais para isso —, mas o uso dessa informação pelo júri sim. O quanto essas instruções de um juiz são efetivas? É possível que para os membros do júri que sintam-se no direito de levar em conta toda informação disponível, declarações de inadmissibilidade possam na verdade causar reatância psicológica, levando os jurados a usar a prova com maior intensidade? Pesquisas demonstram que é exatamente isso o que acontece.

A compreensão de que valorizamos informação limitada nos permite aplicar o princípio da escassez a domínios além de *commodities* materiais. O princípio funciona para mensagens, comunicações e conhecimento também. Sob essa perspectiva, podemos ver que a informação não precisa ser censurada para que nós a valorizemos mais; ela só precisa ser escassa. Segundo o princípio, consideraremos uma informação mais persuasiva se acharmos que não podemos consegui-la em outro lugar. O maior apoio que conheço para essa ideia — que informação exclusiva é informação mais persuasiva — vem de um experimento feito por um aluno meu que também era um empresário de sucesso, dono de uma empresa de importação de carne. Na época, ele tinha voltado a estudar, especializando-se em marketing. Depois de uma conversa que tivemos sobre escassez e exclusividade da informação, ele decidiu fazer um estudo usando sua equipe de vendas.

Os clientes da empresa — compradores de supermercados e outros varejistas do setor de alimentos — como de costume recebiam um telefonema de um vendedor que solicitava que comprassem de uma entre três maneiras. Um grupo de clientes ouvia a apresentação de vendas padrão antes de lhe pedirem que fechasse a compra. Outro conjunto de clientes ouvia a apresentação de vendas padrão além da informação que o suprimento de carne importada provavelmente ficaria escasso nos meses seguintes. Um terceiro grupo recebia a apresentação padrão de vendas e a informação sobre o fornecimento escasso de carne; entretanto, eles também ouviam que a notícia da escassez de fornecimento não era uma informação disponível para todos — ela tinha vindo, diziam os vendedores, de certos contatos exclusivos que a empresa possuía.

Assim, os clientes que receberam essa última apresentação de vendas descobriam que a disponibilidade do produto era limitada, e limitada também era a notícia sobre isso. Não só a carne estava escassa, mas a informação sobre a escassez de carne também era escassa: era escassez em dobro.

Os resultados do experimento rapidamente ficaram aparentes quando os vendedores da empresa começaram a solicitar que o proprietário comprasse mais carne porque não havia o suficiente no estoque para atender todos os pedidos que estavam recebendo. Em comparação com os clientes que receberam apenas o apelo tradicional de vendas, os que também eram informados sobre a futura escassez de carne compraram duas vezes mais. O grande aumento nas vendas, porém, ocorreu entre os clientes que sabiam da escassez iminente através de informação "exclusiva". Eles compraram seis vezes a mais do que os clientes que receberam apenas o *pitch* de vendas padrão. Aparentemente, o fato de a notícia sobre a escassez ser escassa a tornou especialmente convincente.[3]

REDUÇÃO DA REATÂNCIA

Quando as pessoas encontram uma informação, elas imediatamente se tornam menos propensas a aceitá-la se a veem como parte de um esforço para persuadi-las. Uma das razões é que experimentam reatância, sentindo que o apelo persuasivo é uma tentativa de reduzir sua liberdade de escolher por conta própria. Assim, todas as pessoas que desejam ser persuasoras, pedindo aos membros de um público para fazer uma mudança, devem vencer a batalha contra essa resposta de reatância. Às vezes, tentam superá-la fornecendo evidência de que, apesar de qualquer relutância, a mudança é o movimento certo a fazer. Elas podem fazer isso incluindo a informação de que o receptor deve estar em uma obrigação em relação ao persuasor por um favor passado (reciprocidade), que é uma pessoa simpática que merece concordância (afeição), que muitos outros fizeram essa mudança (aprovação social) ou que a oportunidade para empreender a ação está acabando (escassez).

Além disso, existe uma segunda maneira de prevalecer sobre sentimentos de reatância que não envolve superá-los com motivações mais poderosas — vencer a batalha, em vez disso, reduzir a força dos sentimentos de reatância. Um bom exemplo é um comunicador que, no início, menciona um problema na mudança sugerida. Não apenas essa manobra aumenta sua credibilidade, como dá aos receptores informação sobre os dois lados da escolha, positivo e negativo, e assim reduz sua percepção de estarem sendo empurrados em apenas uma direção.

Uma tática de influência foi desenvolvida especificamente para reestabelecer a liberdade de escolha dos receptores quando são alvo de uma tentativa de influência. Ela se chama "Mas você é livre", e opera enfatizando a liberdade que o receptor de um pedido tem de dizer não. Em um conjunto de 42 experimentos diferentes, acrescentar a um pedido as palavras "Mas você está livre para não aceitar/recusar/dizer não" ou uma frase semelhante como "É claro, faça como achar melhor", aumentou significativamente o consentimento. Esse foi o caso com uma grande variedade de solicitações: contribuição para um fundo a favor das vítimas de um tsunami, participar de uma pesquisa não remunerada (fosse pessoalmente, pelo telefone ou por correio), dar o dinheiro da passagem para uma pessoa na rua, comprar alimentos de um vendedor de porta em porta e até concordar em fazer a coleta seletiva do lixo doméstico por um mês. Por fim, o impacto da frase que reestabelece a liberdade foi considerável, frequentemente duas vezes mais bem-sucedido que uma solicitação padrão que não incluía a frase crucial.[4]

Condições ótimas

De forma muito parecida com outras armas de influência eficazes, o princípio da escassez é mais eficaz em alguns momentos que em outros. Uma defesa prática importante é descobrir quando a escassez atua melhor sobre nós. Muito pode ser aprendido com um experimento desenvolvido pelo psicólogo social Stephen Worchel e seus colegas. O procedimento básico usado pela equipe de Worchel era simples: participantes em um estudo de preferência do consumidor eram colocados diante de um pote de biscoitos de chocolate. Cada um ganhava um biscoito, provava, e deveria avaliar sua qualidade. Para metade dos avaliadores, o pote continha dez biscoitos; para a outra metade, continha apenas dois.

Como era de se esperar devido ao princípio da escassez, quando o biscoito era um de apenas duas unidades disponíveis, ele foi avaliado de forma mais favorável que quando era um de dez. O biscoito em menor quantidade foi avaliado como mais desejável para comer no futuro, mais atraente como item de consumo e mais caro que o biscoito idêntico do qual havia abundância.

Tenho um palpite que a Coca-Cola desejava saber dessas descobertas quando, em 1985, deu início a um fiasco histórico que a revista *Time* chamou de "o fiasco de marketing da década". Em 23 de abril daquele ano, a empresa decidiu substituir a fórmula tradicional do mercado pela New Coke (Nova Coca). Deu tudo errado. Nas palavras de uma reportagem: "A Coca-Cola não conseguiu prever a grande frustração e fúria que sua ação ia criar. De Bangor a Burbank, de Detroit a Dallas, dezenas de milhares de amantes de Coca se uniram em uma única voz para criticar fortemente o sabor da Nova Coca e exigir sua antiga Coca de volta."

Meu exemplo favorito do ultraje e do desejo produzidos pela perda da velha Coca vem da história de um investidor aposentado de Seattle chamado Gay Mullins, que se tornou uma espécie de celebridade nacional ao criar uma sociedade chamada Bebedores da Velha Coca dos Estados Unidos, um grupo muito variado de pessoas que trabalhava incansavelmente pela volta da fórmula tradicional ao mercado usando qualquer meio civil, judicial ou legislativo disponível. O sr. Mullins ameaçou entrar com uma ação coletiva contra a empresa para tornar pública a velha receita; distribuiu buttons e camisetas contra a Nova Coca aos milhares; criou uma linha direta na qual os cidadãos raivosos podiam liberar sua fúria e registrar seus sentimentos. E não importava para ele que em dois testes cegos distintos ele tenha preferido a Nova Coca à antiga. Não é interessante? O sr. Mullins considerava a coisa que ele mais gostava menos valiosa do que a que estava sendo negada a ele.

Vale notar que mesmo depois de ceder às exigências dos consumidores e trazer a velha Coca de volta para as prateleiras, funcionários da empresa ficaram sentidos e um tanto perplexos com o que havia acontecido. Como disse Donald Keough, na época presidente da empresa: "É um mistério maravilhoso, um enigma adorável da cultura norte-americano. E não podemos avaliá-lo, da mesma forma que o amor, o orgulho ou o patriotismo." Eis o ponto em que discordo com o sr. Keough. Em primeiro lugar, não é mistério, não se você entende a psicologia do princípio da escassez. Especialmente se um produto está ligado à história e às tradições de uma pessoa como a Coca-Cola sempre esteve nos Estados Unidos, essa pessoa vai desejá-lo ainda mais quando deixa de estar disponível. Segundo, essa necessidade pode ser avaliada. Na verdade, creio que a Coca-Cola fez isso em sua pesquisa de marketing antes de tomar a infame decisão de mudar, mas não enxergou esse componente porque não estava procurando por ele.

A diretoria da Coca-Cola não é sovina quando se trata de pesquisa de marketing; ela está disposta a gastar centenas de milhares de dólares — e mais — para garantir que analisem o mercado corretamente para um produto novo. De 1981 a 1984, eles testaram cuidadosamente a fórmula nova e a velha em testes de sabor envolvendo quase duzentas mil pessoas em 25 cidades. O que descobriram em seu teste cego foi uma preferência nítida, 55% contra 45%, pela Nova Coca. Entretanto, alguns desses testes não foram realizados com amostras não identificadas; em alguns, diziam aos participantes antecipadamente qual era a velha e qual era a Nova Coca. Sob essas condições, a preferência pela Nova Coca aumentava 6% adicionais.

Você poderia dizer: "Isso é estranho. Como isso se encaixa com o fato de que as pessoas expressaram uma clara preferência pela *velha* Coca quando a empresa finalmente introduziu a Nova Coca? A única maneira com que isso se encaixa é aplicar o princípio da escassez ao contexto: durante os testes, era a Nova Coca que não estava disponível para compra, então quando sabiam qual amostra era qual; demonstravam uma preferência forte pelo que, em outras condições, não poderiam ter. Mas, em um segundo momento, quando a empresa substituiu a receita tradicional pela nova, era a velha Coca que as pessoas não podiam ter e *essa* se tornou a favorita.

O aumento de 6% na preferência pela Nova Coca estava evidente na pesquisa da empresa quando olharam para os resultados dos testes cegos e dos testes de sabor com identificação, mas eles os interpretaram erradamente. Eles disseram para si mesmos: "Bem, isso significa que quando as pessoas souberem que estão obtendo uma coisa nova, seu desejo por ela aumentará." Mas, na verdade, o que esse aumento de 6% significa é que, quando as pessoas sabem que não podem ter uma coisa, o desejo por ela aumenta.

Embora esse padrão de resultados forneça uma validação um tanto impressionante do princípio da escassez, isso não é nenhuma novidade. Mais uma vez, vemos um item com menor disponibilidade como mais desejado e avaliado. O verdadeiro valor de olhar para o estudo dos biscoitos vem de duas descobertas adicionais. Vamos analisá-las separadamente.

A NOVA ESCASSEZ: BISCOITOS MAIS CAROS E CONFLITO CIVIL

O primeiro desses resultados notáveis envolveu uma pequena variação no procedimento básico do experimento. Em vez de avaliar os biscoitos sob condições de escassez constante, alguns participantes recebiam primeiro um pote com dez biscoitos, que então era substituído por um pote com dois. Assim, antes de dar uma mordida, certos participantes viram seu suprimento abundante de biscoitos reduzido a um suprimento escasso. Outros participantes, porém, souberam da escassez de suprimentos desde o princípio, porque o número de biscoitos em seu pote era deixado em dois. Com esse procedimento, os pesquisadores estavam tentando responder uma pergunta sobre tipos de escassez: valorizamos mais as coisas que se tornaram recentemente menos disponíveis ou aquelas coisas que sempre foram escassas? No experimento do biscoito, a resposta foi evidente. A queda da abundância para a escassez produziu uma reação decididamente mais positiva aos biscoitos que a escassez constante.

A ideia de que a escassez recém-experimentada é mais poderosa se aplica a situações muito além dos limites do estudo dos biscoitos. Por exemplo, cientistas comportamentais determinaram que esse tipo de escassez é uma causa primária de conflitos políticos e violência. Talvez o defensor mais conhecido desse argumento seja James C. Davies, que afirma que revoluções têm mais chances de acontecer quando um período de melhoria nas condições econômicas e sociais é seguido por uma inversão curta e brusca dessas condições. Assim, não são as pessoas tradicionalmente mais humilhadas — aquelas que passaram a ver suas privações como parte da ordem natural das coisas — as mais propensas à revolta. É maior a chance de que os revolucionários sejam aqueles a quem se deu pelo menos um gostinho de uma vida melhor. Quando de repente as melhorias sociais e econômicas que eles experimentaram e passaram a esperar se tornam menos disponíveis, eles as desejam mais que nunca, e frequentemente manifestam-se de forma violenta para garanti-las. Por exemplo, na época da Revolução Americana, os colonos tinham o padrão de vida mais alto e os impostos mais baixos no mundo ocidental. Segundo o historiador Thomas Fleming, só quando os britânicos tentaram reduzir essa vasta prosperidade (impondo taxações), os norte-americanos se revoltaram.

Davies reuniu evidências convincentes para sua nova tese a partir de uma série de revoluções, revoltas e guerras internas, incluindo as revoluções francesa, russa e egípcia, assim como levantes domésticos como a Rebelião de Dorr na Rhode Island do século XIX, a Guerra Civil Americana e motins urbanos de negros dos anos 1960. Em todos os casos, um período de bem-estar precedeu um conjunto unido de reversões que explodiu em violência.

O conflito racial nas cidades norte-americanas em meados da década de 1960 oferece um exemplo que ilustra esse fato. Na época, não era incomum ouvir a pergunta: "Por que agora?" Não parecia fazer sentido que, em seus trezentos anos de história, a maioria dos quais passados em servidão e muito do resto em privação, os negros norte-americanos tivessem escolhido os anos 1960, socialmente progressivos, como o momento de revolta. Na verdade, como observa Davies, as duas décadas após o início da Segunda Guerra tinha proporcionado ganhos políticos e econômicos dramáticos para a população negra. Em 1940, os negros enfrentavam grandes restrições legais em áreas como habitação, transporte e educação; além disso, mesmo quando a quantidade de educação era a mesma, a família negra média ganhava apenas um pouco mais da metade que ganhava sua contrapartida, a família branca. Quinze anos mais tarde, muita coisa tinha mudado. Leis federais tornaram inaceitáveis tentativas formais e informais de segregar negros em escolas, locais públicos, moradias e ambientes de trabalho. Avanços econômicos também foram feitos — a renda das famílias negras tinha subido de 56% para 80% em relação à de uma família branca com nível de educação comparável.

Então, segundo a análise de Davies das condições sociais, esse progresso rápido foi interrompido por eventos que azedaram o otimismo empolgante dos anos anteriores. Primeiro, mudanças políticas e sociais se revelaram bem mais fáceis de ocorrer que mudanças sociais. Os negros percebiam que bairros, empregos e escolas permaneciam segregados. Assim, as vitórias com base em Washington pareciam derrotas em casa. Por exemplo, nos quatro anos após a decisão da Suprema Corte de 1954 de integrar todas as escolas públicas, os negros foram alvo de 530 atos de violência (incluindo intimidação direta de crianças e pais, atentados a bomba e incêndios) projetados para impedir a integração escolar. A violência gerou a percepção de outro tipo de retrocesso em andamento. Pela primeira vez desde muito antes da Segunda Guerra, quando linchamentos eram aterrorizantemente frequentes, os negros experimentaram preocupações *maiores* a respeito da segurança básica de suas famílias. A nova violência não se limitava à questão da educação. Manifestações pacíficas pelos direitos civis da época eram confrontadas com regularidade por multidões hostis — e pela polícia.

Outro tipo de revés afetou a população negra em termos de progresso econômico. Em 1962, a renda de uma família negra tinha voltado à casa de 74% da renda de uma família branca com educação semelhante. Segundo o argumento de Davies, o aspecto mais esclarecedor desse número de 74% não é que ele representasse um aumento de longo prazo na prosperidade desde os níveis do pré-guerra, mas por representar um declínio recente dos níveis elevados da metade dos anos 1950. Em 1963 ocorreram as rebeliões de Birmingham e, em rápida sucessão, séries de manifestações violentas que culminaram em grandes levantes de Watts, Newark e Detroit.

Seguindo um padrão histórico distinto de revolução, os negros nos Estados Unidos se tornaram mais rebeldes quando seu progresso prolongado foi de algum modo reduzido em comparação ao momento anterior. O padrão ilustra uma lição valiosa para os governos: quando se trata de liberdades, é mais perigoso tê-las oferecido por um tempo limitado do que nunca tê-las oferecido. O problema para um governo que procura melhorar o status político e econômico de um grupo tradicionalmente oprimido é que, ao fazer isso, ele estabelece liberdades para o grupo onde antes não havia nenhuma. Se essas liberdades agora *estabelecidas* se tornam menos disponíveis, haverá uma variedade especialmente grave de consequências negativas.

Duas décadas depois, podemos observar os acontecimentos da União Soviética em busca de evidências da validade dessa regra em outras culturas. Depois de décadas de repressão, o então presidente Mikhail Gorbachev começou a garantir novas liberdades, privilégios e escolhas aos cidadãos soviéticos através das políticas duplas da *glasnost* e da *perestroika*. Alarmado pelos rumos que sua nação estava tomando, um pequeno grupo de militares, funcionários do governo e de agentes da KGB deu um golpe, botando Gorbachev em prisão domiciliar e anunciando em 19 de agosto de 1991 que tinha assumido o poder e estava agindo para reestabelecer a velha ordem. A maior parte do mundo imaginou que o povo soviético, conhecido por sua aquiescência característica a ser subjugado, ia ceder passivamente como sempre tinha feito. Lance Morrow, editor da revista *Time,* descreveu sua própria reação de forma semelhante: "No início o golpe pareceu confirmar a norma. A notícia ministrou um choque sombrio, seguido imediatamente por uma sensação depressiva de resignação: claro, claro, os russos devem voltar a suas personalidades essenciais, a sua própria história. Gorbachev e a *glasnost* eram uma aberração; agora estamos de volta à normalidade fatal."

Mas aqueles não eram para ser tempos normais. Para começar, Gorbachev não governava seguindo a tradição dos czares, de Stálin nem dos governantes opressores do pós-guerra que não tinham permitido nem um vislumbre de liberdade para as massas. Ele tinha cedido a elas certos direitos e escolhas. E quando essas novas liberdades estabelecidas foram ameaçadas, as pessoas reagiram. Horas após o anúncio da junta, milhares estavam nas ruas erguendo barricadas, enfrentando tropas armadas, cercando tanques e desafiando toques de recolher. O levante foi tão rápido, tão massivo, tão unitário em sua oposição a qualquer recuo dos ganhos da *glasnost* que, após três dias de revolta, os golpistas, atônitos, cederam, entregando o poder e suplicando piedade a Gorbachev. Se fossem estudantes de história — ou de psicologia —, os golpistas fracassados não teriam ficado tão surpresos com a maré de resistência popular que desarticulou seu golpe. Do ponto de vista de qualquer dessas disciplinas, eles podiam ter aprendido uma lição invariável: liberdades, uma vez dadas, não serão perdidas sem luta.

Essa lição se aplica a políticas de família e também do país. O pai que dá privilégios ou aplica regras de forma irregular está sujeito à rebelião por, de forma inconsciente, estabelecer liberdades para a criança. O pai que só às vezes proíbe doces entre as refeições pode criar a liberdade de fazer esses lanches. A essa altura, aplicar a regra torna-se uma questão muito mais difícil e explosiva porque a criança não está mais meramente privada de um direito que nunca teve, ela está *perdendo* um direito estabelecido. Como vimos no caso das liberdades políticas e (especialmente pertinente à atual discussão) dos biscoitos, as pessoas veem uma coisa como mais desejável quando ela se torna menos disponível do que quando sempre foi escassa. Não devia ser surpresa, então, que pesquisas mostrem que pais que apliquem a regra e a disciplina de forma inconsistente produzam crianças caracteristicamente rebeldes.[5]

Figura 6.4: Obrigado, mas não sou obrigado
Estimulados pela notícia de que o então presidente soviético Mikhail Gorbachev tinha sido substituído em favor de golpistas planejando eliminar as liberdades recém-instituídas, os residentes de Moscou enfrentaram tanques, desafiaram o golpe e ganharam o dia. Boris Yurchenko, Associated Press

DEPOIMENTO DO LEITOR 6.4

De um gerente de investimentos de Nova York

Recentemente li uma notícia no *Wall Street Journal* que ilustra o princípio da escassez e como as pessoas desejam qualquer coisa que tenha sido tirada delas. A reportagem descrevia como a Procter & Gamble realizou um experimento no norte de Nova York eliminando todos os seus cupons de descontos e praticando preços cotidianamente mais baixos. Isso produziu uma grande revolta dos consumidores (com boicotes, protestos e uma chuva de reclamações), mesmo os dados da Procter & Gamble demonstrando que apenas 2% dos cupons são usados e, na média durante o experimento sem cupons, os consumidores tenham pago o mesmo pelos produtos com menos inconveniência. Segundo a reportagem, a revolta aconteceu por causa de uma coisa que a P&G não reconheceu: "Cupons, para muitas pessoas, são praticamente um direito inalienável." É impressionante a força com que as pessoas reagem quando você tenta tirar uma coisa delas, mesmo que elas nunca as usem.

Nota do autor: Embora executivos da Procter & Gamble possam ter ficado perplexos com essa resposta irracional dos consumidores, eles inadvertidamente contribuíram para ela. Cupons de desconto fazem parte do cenário norte-americano há mais de um século, e a P&G usava cupons em seus produtos por décadas, ajudando a estabelecer os cupons como algo que os consumidores tinham o direito de esperar. E são sempre os direitos há muito tempo estabelecidos que as pessoas combatem de forma mais feroz para preservar.

COMPETIÇÃO POR RECURSOS ESCASSOS: FÚRIA INSENSATA

Retomemos o estudo dos biscoitos para entender mais uma coisa sobre a maneira como reagimos à escassez. Já vimos a partir dos resultados do estudo que biscoitos escassos eram mais bem avaliados que os biscoitos abundantes, e aqueles que ficavam recentemente escassos eram mais bem avaliados ainda. Com os biscoitos recentemente escassos, descobrimos que certos biscoitos receberam avaliações melhores: aqueles que deixaram de estar disponíveis devido a uma demanda por eles.

Lembre-se de que no experimento, participantes que experimentavam a nova escassez recebiam um vidro com dez biscoitos que era, então, substituído por um vidro com apenas dois. Na verdade, os pesquisadores criaram essa escassez de duas maneiras: disseram a certos participantes que alguns biscoitos tinham de ser dados para outros avaliadores para atender à demanda; e a outro grupo, disseram que sua porção tinha de ser reduzida porque o pesquisador tinha cometido um erro e dado a ele originalmente o pote de biscoitos errado. Os resultados demonstraram que aqueles cujos biscoitos se tornaram escassos devido ao processo de demanda social gostaram deles significativamente mais que aqueles cujos biscoitos se tornaram escassos por engano. Na verdade, os biscoitos que se tornaram escassos em função da demanda social foram os avaliados como mais desejáveis em todo o estudo.

Essa descoberta destaca a importância da competição na busca por recursos limitados. Não apenas passamos a desejar mais o mesmo item quando ele está escasso, como também o queremos mais quando competimos por ele. Publicitários tentam explorar essa tendência em nós. Em seus anúncios, descobrimos que a "demanda popular" por um item está tão alta que precisamos "correr para comprar"; vemos uma multidão se apertando para passar nas portas de uma loja antes do início de uma liquidação; vemos um bando de mãos rapidamente esvaziar uma prateleira de supermercado de um produto. Há mais nessas imagens que a ideia de aprovação social comum. A mensagem não é simplesmente que o produto é bom porque outras pessoas assim pensam, mas também que estamos em competição direta com essas pessoas por ele.

Quadro 1
Pode levar essa por US$ 25 o metro.
Ai, ai, ai!

Quadro 2
Ficou maluco? Quem paga um preço desses? Estamos numa recessão, meu irmão!

Quadro 3
Vamos levar esta.
Ok.

Quadro 4
Ei! A gente viu primeiro!

Figura 6.5: A rivalidade se alastra
Como fica evidente com essa tirinha, a rivalidade por um recurso limitado não tira férias. *Kirkman & Scott; Creators Syndicate*

A sensação de estar em competição por recursos escassos tem características motivacionais poderosas. O ardor de um amante indiferente aumenta com o surgimento de um rival. É por razões de estratégia, portanto, que parceiros românticos revelam (ou inventam) as atenções de um novo admirador. Vendedores aprendem a fazer o mesmo jogo com clientes indecisos. Por exemplo, um corretor imobiliário que está tentando vender uma casa para um cliente indeciso às vezes liga para esse cliente com a notícia de que outro comprador em potencial viu a casa, gostou dela, e marcou de voltar no dia seguinte para discutir as condições. Quando fabricado, o novo possível comprador é descrito como uma pessoa de fora que tem muito dinheiro: as favoritas são "um investidor de fora do estado comprando por razões fiscais" e "um médico e sua esposa se mudando para a cidade". A tática, chamada em alguns círculos de "tirar de cima do muro" pode funcionar de forma devastadoramente boa. A ideia de perder para um rival transforma um comprador de hesitante em entusiasmado.

Há algo quase físico no desejo de ter um item disputado. Compradores em grandes queimas de estoque e liquidações de fechamento relatam serem apanhados emocionalmente pelo evento. Carregados pela massa de competidores, eles andam agitados e lutam para conquistar mercadorias das quais em outras situações desdenhariam. Esse comportamento traz à mente o fenômeno do "frenesi alimentar" entre grupos de animais. Pescadores comerciais exploram o fenômeno jogando uma certa quantidade de iscas em grandes cardumes de certos peixes. Logo a água se torna repleta de nadadeiras se debatendo e bocas buscando por comida. Nesse momento, os pescadores economizam tempo e dinheiro jogando linhas sem isca na água, já que os peixes enlouquecidos morderão qualquer coisa, inclusive anzóis de metal sem nada.

Há um paralelo perceptível entre as formas como pescadores comerciais e lojas de departamento geram uma fúria competitiva entre aqueles que pretendem fisgar. Para atrair e estimular os peixes, pescadores atiram iscas soltas que os norte-americanos chamam de *chum*. Com propósitos semelhantes, lojas de departamentos com uma grande liquidação criam promoções boas em itens anunciados com destaque chamados líderes de perdas. Se a isca — de qualquer forma — cumpre seu papel, uma multidão ávida se forma para devorá-la. Logo, na corrida para conseguir o que quer, o grupo fica agitado, quase cego, em virtude da natureza competitiva da situação. Seres humanos e peixes perdem a perspectiva sobre o que querem e começam a atacar qualquer coisa que esteja sendo disputada. É de se perguntar se o atum se debatendo em um convés seco com apenas um único anzol na boca compartilha da perplexidade "o que me atingiu" com o consumidor que chega em casa com um monte de besteiras trazidas da loja de departamentos.

Figura 6.6: Competitividade contagiosa
Uma funcionária irritada anda em meio ao resultado de uma liquidação de fechamento de uma loja de tênis, onde relatou-se que os clientes "enlouqueceram, agarrando e disputando tênis cujo tamanho eles às vezes nem experimentaram."

Se acreditamos que a febre da competição por recursos limitados ocorre apenas em formas de vida nada complexas como atuns e consumidores de promoções baratas, devemos examinar a história por trás de uma decisão de compra tomada por Barry Diller, que era vice-presidente de programação de horário nobre da American Broadcast Company e que depois comandou a Paramount Pictures e a Fox Television Network. Ele concordou em pagar US$ 3,3 milhões por uma única exibição na TV do filme *O destino do Poseidon*. O número é digno de nota porque superava em muito o preço mais alto pago pela exibição única de um filme — US$ 2 milhões por *Patton, rebelde ou herói?*. Na verdade, o pagamento foi tão excessivo que a ABC achou que ia perder US$ 1 milhão com a exibição de *O destino do Poseidon*. Como o vice-presidente da NBC para programas especiais Bill Stroke declarou na época: "Não há como eles recuperarem esse dinheiro, de jeito nenhum."

Como um homem de negócios astuto e experiente como Diller aceitou um acordo que produziria uma perda esperada de US$ 1 milhão? A resposta pode estar em um outro aspecto importante da venda: foi a primeira vez em que um filme foi oferecido para as redes de TV em um leilão aberto. Nunca antes as emissoras tinham sido forçadas a batalhar por um recurso escasso dessa forma. A ideia de um leilão competitivo foi criação do produtor de cinema Irwing Allen e do vice-presidente da 20th Century Fox, William Self, que devem ter ficado em êxtase com o resultado. Como podemos ter certeza de que foi o formato de leilão que gerou o preço de venda espetacular em vez de a qualidade comercial do próprio filme?

Alguns comentários de participantes do leilão oferecem evidências impressionantes. Primeiro veio uma declaração do vitorioso, Barry Diller, visando fixar uma política futura para sua rede. Em uma linguagem que só poderia ter escapado de alguém arrependido, ele disse: "A ABC decidiu como política para o futuro nunca mais participar de uma leilão." Mais interessantes são as observações do rival de Diller, Robert Wood, na época presidente da CBS Television, que quase perdeu a cabeça e superou os lances de seus concorrentes da ABC e da NBC:

> *Fomos muito racionais no começo. Determinamos um valor para o filme, em termos do que ele poderia nos trazer, então acrescentamos um certo valor em cima disso pela exploração.*
>
> *Mas então os lances começaram, a ABC abriu com US$ 2 milhões. Eu ataquei com US$ 2,4, a ABC respondeu com US$ 2,8. E fomos dominados pela situação. Como se estivesse enlouquecido, continuei a dar lances. Finalmente, cheguei a US$ 3,2; e chegou um momento em que eu disse para mim mesmo: "Meu Deus, se eu conseguir, que porcaria eu vou fazer com ele?" Quando a ABC finalmente me superou, minha maior sensação foi de alívio.*
>
> *Foi bastante instrutivo.* (MacKenzie, 1974, p. 4)

Segundo o entrevistador Bob MacKenzie, Wood sorriu ao dizer essa última frase. Podemos ter certeza de que quando Diller, da ABC, jurou "nunca mais participar de um leilão", ele não estava sorrindo. Os dois homens tinham aprendido uma lição do "grande leilão do *Poseidon*". A razão porque os dois não puderam sorrir foi que, para um deles, houve uma cobrança de US$ 1 milhão de taxa.

Felizmente, há uma lição valiosa, mas significativamente menos cara para nós também. É interessante observar que o homem sorridente foi o que perdeu um prêmio muito desejado. Como regra geral, quando a poeira assenta e vemos perdedores parecendo e agindo como vencedores (e vice-versa), devemos ficar cuidadosos em relação às condições que levantaram a poeira — no caso analisado, a competição aberta por um recurso escasso. Como os executivos de TV aprenderam, aconselha-se extrema cautela sempre que encontramos a diabólica combinação de escassez e rivalidade.[6]

A DISTINÇÃO DA DISTINÇÃO

Como as pessoas ao nosso redor valorizam recursos escassos, preferimos ser vistos como possuidores de características que nos tornam especiais. Algumas vezes isso é mais verdade do que outras. Uma é quando estamos em uma estrutura mental amorosa. Em uma situação com possibilidades românticas, queremos nos diferenciar para atrair o interesse de parceiros em potencial — por exemplo, exibindo maior criatividade. Quando estamos nesse estado de espírito, preferimos até visitar lugares que nos permitam nos destacar. Em parceria com colegas de pesquisa, ajudei a criar um anúncio convidando as pessoas a visitar o Museu de Arte de São Francisco, um cartaz incluindo o nome e uma foto do museu. Quando o anúncio também exibiu a frase "Destaque-se da multidão", a intenção dos que viram o anúncio de visitar o museu subiu bastante; entretanto, esse era o caso só se tivessem assistido um trecho de um filme romântico. Se eles não tivessem sido expostos ao vídeo de estímulo ao romance, a ideia de visitar (se destacar da multidão) o museu não era tão atraente.

Outro contexto em que sentimos uma forte necessidade de expressar nossa singularidade é em questões de gosto. Em geral, mudamos nossas crenças e opiniões para nos adaptarmos às dos outros, o que fazemos como meio de estar corretos. Quando se trata de questões de gosto, porém, em roupas, cortes de cabelo, cheiros, comida, música e coisas assim, há uma motivação contrária para se distanciar da multidão com o objetivo de se distinguir. Mas, mesmo em questões de gosto, pressões de grupo podem ser fortes, especialmente de grupos pequenos com os mesmos interesses. Um estudo examinou o que membros desses grupos fazem para equilibrar o desejo de agir conforme os demais e o desejo de demonstrar a própria individualidade. Se a maioria de nosso grupo prefere uma marca de um item ficamos propensos a fazer o mesmo; ao mesmo tempo, nos diferenciamos a partir de uma dimensão visível, como a cor do item. É aconselhável que líderes levem esse desejo por singularidade em conta para garantir que todos os membros da equipe ajam de acordo com os objetivos essenciais do trabalho, assegurando também que os membros não sejam obrigados a fazer isso exatamente do mesmo jeito.

Líderes devem tomar como exemplo o que aconteceu com outro fator de estímulo à individualidade — um símbolo conquistado de distinção — quando um líder bem-intencionado removeu sua distinção. Em 14 de junho de 2001, quase todos os soldados norte-americanos mudaram o que usavam na cabeça pelas boinas negras antes usadas apenas pelos Rangers do Exército, uma tropa de elite especialmente treinada. Em uma estratégia pensada para aumentar o moral, a mudança foi ordenada pelo chefe do Estado Maior do Exército, o general Eric Shinseki, a fim de unificar as tropas e servir como "um símbolo da excelência do Exército". Não há evidências de que nada disso tenha ocorrido em meio aos milhares de soldados afetados que apenas receberam uma boina negra. Por outro lado, a medida incomodou Rangers e ex-Rangers que se sentiram roubados da conquistada exclusividade que a boina representava. A tenente Ranger Michelle Hyer colocou nos seguintes termos: "Era muito injusto. As boinas negras são algo que os Rangers e o pessoal de operações especiais trabalharam duro para obter a fim de se *diferenciarem*. Agora não vai significar mais nada usar a boina."

A ordem do general foi equivocada em dois sentidos, ambos instrutivos sobre como marcadores de distinção operam. O orgulho associado com a boina negra vinha de sua exclusividade. Ao fazer com que ela deixasse de ser exclusiva, seu valor — mesmo como símbolo — teve pouco efeito na imagem pessoal dos muitos milhares que a receberam. Mas, em meio àqueles que tinham obtido o significado especial da boina, a perda da exclusividade os atingiu fundo e provocou uma tempestade de críticas. O que o general Shinseki podia fazer para resolver o problema? Ele não podia cancelar a ordem; tinha se comprometido de forma bastante enfática e pública com o valor da boina para a solidariedade e o *esprit de corps* no Exército. Além disso, um recuo forçado raramente cai bem para generais.

A solução foi inspiradora. Ele permitiu que os Rangers escolhessem outra cor de boina, que não o preto, para designar que pertenciam ao grupo de elite. Escolheram um bege escuro, tom que seria único das boinas dos Rangers (e que eles usam orgulhosamente até hoje). Brilhante. Como era seu objetivo, Shinseki pôde conceder boinas negras à grande maioria das tropas, que gostaram do novo estilo; ao mesmo tempo, os Rangers conseguiram manter sua distinção dentro da mudança maior. Duplamente brilhante.[7]

Defesa

É fácil ficar em alerta contra pressões da escassez, mas é substancialmente difícil agir diante desse alerta. Parte do problema é que nossa reação típica à escassez prejudica nossa capacidade de pensar. Quando observamos algo que queremos se tornar menos disponível, estabelece-se uma agitação física. Especialmente nos casos envolvendo competição direta, o sangue ferve, o foco se estreita e as emoções se avolumam. Com o avanço dessa corrente visceral, o lado cognitivo, racional, recua. No fervor da excitação, é difícil se manter calmo e contido em nossa abordagem. Como o presidente da CBS TV comentou após sua aventura do *Poseidon*: "Você pode ser pego pela loucura da coisa, sua aceleração. A lógica voa pela janela."

Eis, então, nossa dificuldade: conhecer as causas e o funcionamento das pressões da escassez pode não ser suficiente para nos proteger delas pois conhecer é um ato cognitivo, e processos cognitivos são suprimidos por nossa reação emocional às pressões de escassez. Na verdade, essa pode ser a razão para a grande eficácia das táticas de escassez. Quando elas são empregadas corretamente, nossa primeira linha de defesa contra comportamentos impulsivos, a análise reflexiva, torna-se menos provável.

Se, devido à ansiedade e à determinação que nos turvam o cérebro, não podemos contar com nosso conhecimento do princípio da escassez para estimular um comportamento cauteloso adequado, o que podemos fazer? Talvez, em bom estilo jiu-jitsu, possamos usar a própria ansiedade como nossa primeira deixa. Dessa forma, podemos voltar a força do inimigo a nosso favor. Em vez de confiar em uma análise refletida e cognitiva de toda a situação, podemos nos sintonizar com a onda interna e visceral para nosso alerta. Ao aprender a sinalizar a experiência de uma ansiedade aumentada em uma situação de persuasão, podemos ficar alerta para a possibilidade de haver táticas de escassez e a necessidade de cautela.

Suponha, porém, que aprendamos o truque de usar a onda crescente de ansiedade para nos acalmarmos e procedermos com cuidado. O que acontece, então? Há outra informação que podemos usar para ajudar a tomar uma decisão apropriada diante da escassez? Afinal de contas, apenas reconhecer que devemos nos mover com cautela não nos diz em que direção seguir; isso só fornece o contexto necessário para uma decisão pensada.

Felizmente, há informação disponível sobre a qual podemos embasar decisões pensadas sobre itens escassos. Ela vem, mais uma vez, do estudo dos biscoitos, no qual os pesquisadores descobriram algo que parece estranho mas soa verdadeiro em relação à escassez. Embora os biscoitos escassos tenham sido avaliados como mais desejáveis, eles não foram avaliados como tendo um gosto melhor que os biscoitos abundantes. Então, apesar do desejo causado pela escassez (os avaliadores disseram que queriam mais dos biscoitos escassos no futuro e pagariam um preço mais alto por eles), isso não fez com que fossem mais gostosos.

Temos aqui um insight importante: a alegria não está em experimentar uma *commodity* escassa, mas possuí-la. É importante não confundir esses aspectos. Sempre que confrontamos as pressões de escassez em torno de um item, também devemos confrontar a pergunta do que queremos do item. Se a resposta é que queremos a coisa pelos benefícios sociais, econômicos ou psicológicos de possuir algo raro, então tudo bem; as pressões da escassez nos darão uma boa indicação de quanto devemos querer pagar por ela — quanto menor a disponibilidade, mais valiosa para nós ela será. Entretanto, é muito comum não desejarmos uma coisa apenas para possuí-la. Nós a desejamos, em vez disso, por seu valor de utilidade; queremos comê-la, bebê-la, tocá-la, ouvi-la, dirigi-la ou usá-la de outra forma. Nesses casos, é vital nos lembrarmos de que coisas escassas não têm um sabor melhor, não provocam sensações melhores, não rodam melhor nem funcionam melhor *por causa* de sua disponibilidade limitada.

Embora esse ponto seja simples, ele quase sempre nos escapa quando experimentamos a desejabilidade aumentada que possuem os itens escassos. Posso citar um exemplo familiar. Meu irmão Richard se sustentou enquanto estava na faculdade empregando um truque de persuasão que lhe dava bons frutos devido à tendência da maioria das pessoas de deixar passar essa questão simples. Na verdade, sua tática era tão eficaz em relação a isso que ele só precisava trabalhar algumas horas por fim de semana, deixando o resto do tempo livre para os estudos.

Richard vendia carros, mas não de um showroom nem de um estacionamento. Ele comprava alguns carros usados vendidos de forma particular no jornal em um fim de semana e, acrescentando nada além de água e sabão, os vendia com um lucro certo pelo jornal no fim de semana seguinte. Para fazer isso, ele precisava saber três coisas. Primeiro, tinha de conhecer o suficiente sobre carros para comprar aqueles que estavam sendo vendidos abaixo da faixa de preço do mercado, mas que podiam ser legitimamente revendidos por um preço mais alto. Segundo, quando conseguia o carro, tinha de saber como escrever um anúncio de jornal que estimulasse interesse substancial dos compradores. Terceiro, quando um comprador chegasse, ele tinha de saber usar o princípio da escassez para gerar mais desejo pelo carro do que talvez o automóvel merecesse. Richard sabia fazer todas as três. Para nossos propósitos, vamos examinar seu trabalho apenas com a terceira.

Para um carro que ele tinha comprado no fim de semana anterior, ele publicava um anúncio no jornal de domingo. Como sabia como escrever um bom anúncio, era comum que recebesse várias ligações de compradores em potencial na manhã do domingo. Cada pessoa que estivesse interessada o suficiente para querer ver o carro marcava uma hora. Então, se houvesse três pessoas marcadas, eram todas marcadas para, digamos, as catorze horas daquela tarde. Esse dispositivo de marcar horários simultâneos abria caminho para a persuasão posterior criando uma atmosfera de competição por um recurso limitado.

Tipicamente, o primeiro a chegar começava um exame cuidadoso do carro e iniciava um comportamento padrão de comprador, como apontar qualquer marca ou problema e perguntando se o preço era negociável. A psicologia da situação, porém, mudava radicalmente quando o segundo comprador chegava. A disponibilidade do carro para os dois compradores de repente se tornava limitada pela presença do outro. Em geral, quem chegava primeiro afirmava seu direito a ser considerado em primeiro lugar, atiçando inadvertidamente a sensação de rivalidade. "Espere um pouco, eu cheguei aqui primeiro." Se o comprador não afirmasse esse direito, Richard fazia isso por ele. Dirigindo-se ao segundo comprador, ele dizia: "Desculpe, mas esse outro cavalheiro chegou aqui antes de você. Então posso pedir que espere do outro lado da entrada de carros por alguns minutos até que ele termine de ver o veículo? Se ele decidir não ficar com ele, ou não conseguir se decidir, eu o mostro para você."

Richard diz que era possível ver a agitação crescer no rosto do primeiro comprador. Sua avaliação despreocupada dos prós e contras do carro tinha se transformado em uma corrida estilo agora ou nunca, por tempo limitado, apenas na direção da decisão em relação a um recurso disputado. Se ele não se decidisse pelo carro — pelo preço que Richard estava pedindo — nos minutos seguintes, podia perdê-lo para sempre para aquele... aquele... recém-chegado ali à espreita. O segundo comprador ficava igualmente agitado pela combinação de rivalidade com disponibilidade restrita. O segundo comprador ficava andando de um lado para o outro, em um esforço visível para chegar mais perto daquele pedaço de metal repentinamente mais desejável. Se o primeiro comprador marcado para as catorze horas deixasse de comprar ou mesmo deixasse de decidir rápido o suficiente, a segunda pessoa marcada para as catorze horas estava pronta para entrar em cena.

Se essas condições não fossem o suficiente para garantir uma decisão de compra favorável imediatamente, a armadilha se fechava com segurança assim que a terceira pessoa marcada para as catorze horas chegava em cena. Segundo Richard, o aumento da competição era normalmente demais para o primeiro comprador. Ele acabava depressa com a pressão concordando com o preço de Richard ou indo embora de repente. Neste último caso, o segundo a chegar tinha sua chance de comprar com uma sensação de alívio aliada a um novo sentimento de rivalidade com aquele... aquele... recém-chegado ali à espreita.

Todos os compradores que colaboraram com a educação universitária de meu irmão não conseguiram reconhecer um fato fundamental a respeito de suas compras: o desejo aumentado que os estimulava a comprar tinha pouco a ver com os méritos do carro. Deixar de reconhecer isso acontecia por duas razões. Primeiro, a situação que Richard criava produzia uma reação emocional que tornava difícil para eles pensar direito. Segundo, em consequência, eles nunca paravam para pensar que a razão original por quererem o carro era usá-lo, não apenas tê-lo. As pressões da competição por um recurso escasso aplicadas por Richard afetavam apenas seu desejo de ter o carro no sentido de possuí-lo. Essas pressões não afetavam o valor do carro em termos do verdadeiro propósito para o qual ele se destinava.

DEPOIMENTO DO LEITOR 6.5

De uma polonesa

Algumas semanas atrás, fui vítima das técnicas sobre as quais você escreve. Fiquei bastante chocada porque não sou o tipo de pessoa fácil de convencer e tinha acabado de ler *Armas da persuasão*, então estava realmente sensível a essas estratégias.

Havia uma pequena degustação no supermercado. Uma garota simpática me ofereceu um copo de bebida. Eu a provei, e não era ruim. Então ela me perguntou se eu tinha gostado. Depois que eu respondi que sim, ela me propôs comprar quatro latas dessa bebida (o princípio da consistência — gostei, portanto devo comprar — e a regra da reciprocidade — ela primeiro me ofereceu uma amostra). Mas eu não era tão ingênua e me recusei a fazer isso. A vendedora, porém, não desistiu. Ela disse: "Quem sabe só uma lata?" (usando a tática da rejeição seguida de recuo). Mas eu também não cedi.

Então ela disse que a bebida era importada do Brasil e que ela não sabia se estaria disponível no supermercado no futuro. A regra da escassez funcionou e comprei uma lata. Quando bebi novamente em casa, o sabor ainda era bom, mas não era maravilhoso. Por sorte a maioria dos vendedores não é tão paciente e persistente quanto aquela moça.

Nota do autor: É interessante que mesmo que essa leitora já conhecesse o princípio da escassez, ele ainda fez com que ela comprasse alguma coisa que na verdade não queria. Para ter se armado da melhor maneira contra isso, ela precisava lembrar a si mesma de que, como os biscoitos escassos, a bebida escassa não teria um gosto melhor depois. E não tinha.

Caso nos sintamos pressionados por pressões de escassez em uma situação de persuasão, nossa melhor resposta ocorre em uma sequência de dois estágios. Assim que sentimos a onda da excitação emocional que emana das influências da escassez, devemos usá-la como um sinal para pararmos. Reações febris de pânico não promovem decisões sábias. Precisamos nos acalmar e recuperar uma perspectiva racional. Quando isso é feito, podemos passar para o segundo estágio, nos perguntando por que queremos o item sob consideração. Se a resposta é que o queremos basicamente com o propósito de possuí-lo, então devemos usar sua disponibilidade para avaliar o quanto queremos gastar com ele. Entretanto, se a resposta é que o queremos basicamente por sua função (ou seja, queremos algo bom para dirigir, beber ou comer), então é preciso lembrar que o item sob consideração funcionará igualmente bem esteja ele escasso ou abundante. De maneira muito simples, basta lembrar que os biscoitos escassos não eram mais gostosos.[8]

RESUMO

- Segundo o princípio da escassez, pessoas atribuem mais valor a oportunidades com menor disponibilidade. O uso desse princípio para o lucro pode ser observado em técnicas de persuasão como as táticas do "número limitado" e do "prazo final", nas quais os praticantes tentam nos convencer de que se não agirmos agora, *perderemos* alguma coisa de valor. Isso aciona a tendência humana da aversão à perda — que as pessoas são mais motivadas pela ideia de perder algo que pela ideia de ganhar algo do mesmo valor.

- O princípio da escassez é explicado por duas razões. Primeiro, como as coisas difíceis de serem obtidas são geralmente mais valiosas, a disponibilidade de um item ou experiência pode servir como um gatilho de atalho para sua qualidade; e, por causa da aversão à perda, seremos motivados a evitar perder algo de alta qualidade. Segundo, quando as coisas se tornam menos acessíveis, perdemos liberdade. De acordo com a teoria da reatância psicológica, respondemos à perda de liberdades com um desejo maior de possuí-las (junto com os bens e serviços conectados a elas).

- Como motivadora, a reatância psicológica está presente ao longo de grande parte da vida útil de uma pessoa. Entretanto, fica evidente em duas idades: os terríveis dois anos e os anos da adolescência. Esses dois períodos são caracterizados por uma nova sensação de individualidade que destaca questões de controle, direitos e liberdades. Consequentemente, indivíduos nessas idades são avessos a restrições.

- Além de seu efeito sobre a valorização de *commodities*, o princípio da escassez também se aplica à forma como a informação é avaliada. A atitude de limitar o acesso a uma mensagem faz com que os indivíduos se tornem mais favoráveis a ela. No caso da censura, o efeito de favorecer mais uma mensagem restrita ocorre antes mesmo de a mensagem ser recebida. Além disso, mensagens são mais eficientes se percebidas como contendo informação restrita (escassa).

- O princípio da escassez tem mais chances de funcionar sob duas condições de otimização. Primeiro, itens escassos têm seu valor aumentado quando são escassos há pouco tempo. Ou seja, valorizamos mais as coisas que se tornaram restritas recentemente do que aquelas que sempre estiveram restritas. Segundo, somos mais atraídos por recursos escassos quando competimos com os outras pessoas por eles.

- É difícil nos prepararmos cognitivamente contra as pressões da escassez porque elas têm essa característica de despertar emoções que torna difícil um pensamento racional. Como defesa, podemos tentar ficar alertas a uma onda de excitação em situações envolvendo escassez. Uma vez alertados, podemos dar passos para acalmar a ansiedade e avaliar os méritos da oportunidade.

CAPÍTULO 7

COMPROMISSO E COERÊNCIA

Diabretes da mente

Hoje sou o que determinei ontem ou em algum dia anterior.

— **James Joyce**

Todo ano, a Amazon fica próxima ou conquista o topo das empresas mais ricas e de melhor desempenho do mundo. E todo ano ela dá a cada funcionário do centro de distribuição, que ajudaram a empresa a chegar a esses níveis, um incentivo de até US$ 5 mil para se demitirem. A prática, na qual os funcionários recebem um bônus em dinheiro se forem embora, deixa muitos observadores perplexos, pois os custos de rotação de funcionários são significativos. Despesas diretas associadas com esse movimento — derivadas do recrutamento, contratação e treinamento dos substitutos — podem se estender a 50% do pacote anual de compensação dos funcionários; além disso, os custos aumentam ainda mais quando consideramos as despesas indiretas que a perda da memória institucional geram, como perturbações na produtividade e moral mais baixo entre os membros restantes da equipe.

Como a Amazon justifica seu programa de demissão voluntária de um ponto de vista de negócios? A porta-voz Melanie Etches deixa claro: "Nós só queremos na Amazon pessoas que queiram trabalhar aqui. No longo prazo, ficar em um lugar onde você não quer estar não é saudável nem para nossos funcionários nem para a empresa." Então, a Amazon considera que dando aos funcionários infelizes, descontentes ou desestimulados uma rota de fuga atraente economizará dinheiro em termos dos custos comprovados em saúde e de produtividade mais baixa desses trabalhadores. Não duvido da lógica. Mas duvido que seja a única razão pela qual a Amazon adota o programa. Uma outra razão significativa se aplica, e conheço seu potencial através dos resultados de pesquisas de ciência comportamental e do fato de já ter visto isso, e ainda ver, operando de forma convincente à minha volta.

Pegue, por exemplo, a história de minha vizinha Sara e de Tim, seu namorado. Depois que se conheceram, eles saíram por algum tempo e acabaram indo morar juntos. As coisas nunca foram perfeitas para Sara. Ela queria que Tim se casasse com ela e que bebesse menos. Depois de um período especialmente conflituoso, Sara terminou o relacionamento, e Tim saiu da casa. Por volta da mesma época, um antigo namorado ligou para ela. Eles começaram a namorar e rapidamente ficaram noivos. Eles já tinham marcado a data do casamento e enviado os convites, quando Tim ligou para Sara. Ele estava arrependido e queria voltar a morar com ela. Quando Sara lhe contou seus planos de casamento, Tim implorou para que ela mudasse de ideia; ele queria ficar com ela como antes. Sara recusou, dizendo que não queria mais viver daquele jeito. Tim chegou a se oferecer para casar com ela, mas Sara disse que ainda preferia o outro namorado. Por fim, Tim prometeu parar de beber se ela cedesse. Sentindo que, sob essas condições, Tim tinha uma vantagem, Sara decidiu terminar o noivado, cancelar o casamento, explicar aos convidados e chamar Tim para morar com ela novamente.

Pouco tempo depois, Tim disse a ela que não achava que precisava parar de beber, porque agora tinha isso sob controle. Um mês depois, Tim decidiu que eles deviam "esperar um pouco" antes de se casarem. Dois anos já se passaram; Tim e Sara continuam a morar juntos como antes. Tim ainda bebe, e ainda não há planos de casamento, mesmo assim Sara está mais dedicada a ele que nunca. Ela diz que ter sido forçada a *decidir* lhe mostrou que Tim é o número um em seu coração. Então, depois de escolher Tim em vez de seu outro namorado, Sara ficou mais feliz, embora as condições sob as quais tenha tomado a decisão nunca tenham sido concretizadas.

Observe que o compromisso de Sara veio a partir de uma escolha pessoal difícil *por* Tim. Acredito que pela mesma razão a Amazon quer que seus funcionários façam a mesma escolha *por ela*. A decisão de ficar ou ir embora diante de um incentivo para se demitir não serve apenas para identificar funcionários descomprometidos que, em um processo suave e eficiente, eliminam a si mesmos. Também serve para solidificar e até aumentar a lealdade daqueles que, como Sara, optam por continuar.

Como podemos ter tanta certeza de que esse último resultado é parte do propósito do programa de demissão voluntária? Prestando atenção não ao que a porta-voz de relações públicas da Amazon, a sra. Etches, tem a dizer sobre o assunto, mas, em vez disso, ao que seu fundador, Jeff Bezos, diz — um homem cujo tino para os negócios o faz uma das pessoas mais ricas do mundo. Em uma carta para acionistas, o sr. Bezos escreveu que o objetivo do programa era simplesmente estimular os funcionários "a tirar um momento para pensar sobre o que querem". Ele também observou que o título do memorando anual com a proposta dizia: "Por favor, não aceite esta oferta." Assim, o sr. Bezos quer que os funcionários pensem em se demitir sem decidir fazer isso, o que é exatamente o que acontece, pois muito poucos aceitam a oferta. Em minha opinião, o programa foi criado para estimular a decisão resultante de ficar, e com bons motivos: o comprometimento dos funcionários está fortemente relacionado à produtividade deles.

O grande entendimento que o sr. Bezos tem da psicologia humana é confirmado em uma série de estudos sobre a propensão das pessoas a acreditar na maior validade de uma seleção difícil depois que ela é feita. Eu tenho um favorito. Um estudo feito por uma dupla de psicólogos canadenses descobriu uma coisa fascinante sobre os apostadores de corrida de cavalos. Logo após fazerem suas apostas, eles se tornavam muito mais seguros da precisão de sua decisão do que estavam imediatamente antes de fazerem as apostas. Claro que nada em relação às chances reais do cavalo muda; é o mesmo cavalo, no mesmo hipódromo, na mesma pista; mas nas mentes dos apostadores, a confiança de terem feito a escolha certa aumenta significativamente quando a decisão é finalizada. De forma semelhante, na política, eleitores acreditam mais fortemente em sua escolha logo após votarem. Em ainda outro domínio, após tomar uma decisão ativa e pública de economizar energia ou água, as pessoas se tornam mais dedicadas à ideia de conservação, desenvolvem mais razões para apoiá-la e trabalham mais duro para alcançá-la.

Em geral, a razão principal para essas mudanças na direção de uma escolha tem a ver com outra arma de influência social: como as outras armas, esta reside em nós, dirigindo nossas ações com um poder silencioso. É nosso desejo ser (e parecer) coerente com o que já dissemos ou fizemos. *Depois que fazemos uma escolha ou tomamos uma posição, deparamos com pressões pessoais e interpessoais exigindo que nos comportemos de acordo com esse compromisso.* Além disso, essas pressões nos farão reagir de maneiras que justifiquem nossa decisão.[1]

Seguindo adiante

Psicólogos há muito tempo exploram como a arma da coerência guia a ação humana. Na verdade, alguns importantes teóricos reconheceram o desejo por coerência como motivador de nosso comportamento. Mas será que essa tendência é forte o suficiente para nos levar a fazer o que normalmente não faríamos? Não há dúvida sobre isso. O impulso de ser (e parecer) coerente constitui uma potente força motriz, nos fazendo agir de maneiras contrárias a nosso interesse.

Vejamos que aconteceu quando pesquisadores encenaram furtos em uma área de praia em Nova York para ver se as pessoas arriscariam sofrer um dano pessoal para deter o crime. No estudo, um cúmplice dos pesquisadores estendia uma toalha de praia a 1,5 metro de um indivíduo escolhido aleatoriamente — o objeto do experimento. Depois de relaxar por vários minutos na toalha e de ouvir música de um rádio portátil, o cúmplice se levantava e deixava a toalha para caminhar pela praia. Logo depois, um pesquisador, fingindo ser um ladrão, se aproximava, pegava o rádio e tentava sair correndo com ele. Sob circunstâncias normais, os objetos do estudo relutaram em se colocar em risco e confrontar o ladrão — só quatro pessoas fizeram isso nas vinte vezes em que o furto foi encenado. Mas, quando o mesmo procedimento foi tentado outras vinte vezes com uma pequena alteração, os resultados foram drasticamente diferentes. Nesses incidentes, antes de abandonar a toalha de praia, o cúmplice pedia ao objeto do estudo para "dar uma olhada nas coisas", algo que todos concordavam em fazer. Agora, motivados pela regra da coerência, dezenove dos vinte objetos de estudo tornaram-se vigias, correndo atrás e detendo o ladrão, exigindo uma explicação, e imobilizando o ladrão fisicamente ou pegando o rádio.

Para entender por que a coerência é um motivo tão poderoso, devemos reconhecer que, na maioria das situações, ela é valiosa e adaptativa. A incoerência é geralmente vista como um traço indesejável de personalidade. A pessoa cujas crenças, palavras e atos não condizem é vista como confusa, duas caras e até mentalmente doente. Por outro lado, um nível alto de coerência é associado à força pessoal e intelectual. É a base da lógica, da racionalidade, da estabilidade e da honestidade. Uma citação atribuída ao grande químico britânico Michael Faraday sugere o quanto ser coerente é aprovado — às vezes mais do que estar certo. Após uma palestra, quando lhe perguntaram se ele queria sugerir que um odiado rival acadêmico estava sempre errado, Faraday olhou fixamente para o autor da pergunta e respondeu: "Ele não é tão coerente."

Certamente, então, boa coerência pessoal é valorizada em nossa cultura, e devia mesmo ser. Na maior parte do tempo, ficamos melhor se nossa abordagem das coisas tem boa dose de coerência. Sem ela, nossas vidas seriam difíceis, instáveis e desconexas.

A SOLUÇÃO RÁPIDA

Como ser coerente serve a nossos interesses, caímos no hábito de ser automaticamente assim, mesmo em situações em que esse não seja o jeito sensato de agir. Quando isso ocorre sem pensar, a coerência pode ser desastrosa. Ainda assim, até uma coerência cega tem seus atrativos.

Primeiro, como a maioria das outras formas de resposta automática, a coerência oferece um atalho para as complexidades da vida moderna. Quando nos decidimos sobre uma questão, uma coerência obstinada nos permite algo bem atraente: não precisamos mais pensar muito sobre a questão. Não precisamos peneirar uma grande quantidade de informação que encontramos todos os dias para identificar fatos relevantes; não temos de gastar energia mental para avaliar os prós e os contras; não precisamos tomar mais nenhuma decisão difícil. Em vez disso, tudo o que precisamos fazer quando confrontados com a questão é *clicar* em nosso programa de coerência, e sabemos no que acreditar, dizer ou fazer. Precisamos apenas acreditar, dizer ou fazer o que quer que seja coerente com nossa decisão anterior.

A atração desse luxo não deve ser minimizada. Ela nos permite um método conveniente e relativamente fácil para lidar com as complexidades da vida diária que fazem exigências severas sobre nossas energias e capacidades mentais. Não é difícil entender, então, por que a coerência automática é uma reação difícil de deter. Ela oferece uma forma de evitar os rigores do pensamento contínuo. Com nossos programas de coerência rodando, podemos cuidar de nossa vida alegremente, livres de ter de pensar demais. E, como observou sir Joshua Reynolds: "Não há expediente ao qual um homem não recorra para evitar o verdadeiro trabalho de pensar."

A FORTALEZA INSENSATA

Há um segundo atrativo, mais perverso, da coerência mecânica. Às vezes não é o esforço de um trabalho cognitivo difícil que nos faz evitar atividades de muito pensamento, mas as consequências duras dessas atividades. Às vezes, é o conjunto desagradavelmente claro e indesejável de respostas fornecidas pelo raciocínio que nos torna preguiçosos mentais. Há certas coisas perturbadoras que preferimos não nos dar conta. Como é um método pré-programado e irrefletido de responder, a coerência automática pode fornecer um esconderijo seguro de compreensões perturbadoras. Encerrados nos muros da fortaleza da coerência rígida, podemos ficar impermeáveis aos ataques da razão.

Uma noite, em uma palestra introdutória dada por um programa de meditação transcendental, testemunhei uma ilustração da forma como as pessoas se escondem por trás dos muros da coerência para se proteger das consequências perturbadoras de pensar. A palestra em si foi conduzida por dois jovens sérios e foi projetada para recrutar novos membros para o programa. Os instrutores diziam que o programa oferecia um tipo ímpar de meditação que nos permitiria alcançar todos os tipos de coisas desejáveis, indo de simples paz interior a habilidades mais espetaculares — voar e atravessar paredes, por exemplo — nos estágios mais avançados (e mais caros) do programa.

Eu havia decidido ir à palestra para observar o tipo de táticas de consentimento usadas em palestras de recrutamento assim, e levei comigo um amigo interessado, um professor universitário cujas áreas de especialização eram estatística e lógica simbólica. Durante o evento, e com os palestrantes explicando a teoria por trás da meditação transcendental, percebi meu amigo especialista em lógica ficar cada vez mais inquieto. Parecendo cada vez mais desconfortável e se remexendo no assento, finalmente não conseguiu resistir. Quando os líderes abriram espaço para perguntas, ele levantou a mão e, com delicadeza e determinação, destruiu a apresentação que tínhamos acabado de ouvir. Em menos de dois minutos, ele destacou onde e por que o argumento complexo dos palestrantes era contraditório, ilógico e insustentável. O efeito sobre os líderes da discussão foi devastador. Depois de um silêncio confuso, cada um tentou dar uma resposta, depois faziam uma pausa para conversar entre si e, finalmente, admitiram que os pontos de vista de meu colega eram bons, "exigindo mais estudos".

Mais interessante para mim foi o efeito sobre o restante da plateia. No fim do período de perguntas, os recrutadores se viram diante de uma multidão oferecendo os pagamentos iniciais de US$ 75 pela admissão no programa de meditação transcendental. Dando de ombros e rindo uns para os outros enquanto recebiam os pagamentos, os recrutadores revelaram sinais de perplexidade. Depois do claro colapso de sua apresentação, a reunião acabou se tornando um sucesso, gerando inexplicavelmente altos níveis de aprovação do público. Apesar de mais do que um pouco intrigado, analisei a resposta do público como uma falha no entendimento da lógica dos argumentos do meu colega. Mas descobri que aconteceu o *inverso*.

Fora da sala após a palestra, fomos abordados por três membros da plateia, que tinham feito um pagamento inicial imediatamente depois da palestra. Eles queriam saber por que tínhamos ido à sessão. Explicamos e fizemos a eles a mesma pergunta. Um era aspirante a ator que queria desesperadamente obter sucesso em seu ofício e tinha ido à reunião para descobrir se a meditação transcendental permitiria que ele alcançasse o autocontrole necessário para dominar a arte; os recrutadores garantiram a ele que sim. A segunda descreveu a si mesma como uma insone severa que esperava que a meditação transcendental lhe fornecesse um jeito de relaxar e pegar no sono com facilidade à noite. O terceiro serviu como porta-voz não oficial. Ele estava repetindo suas matérias na faculdade porque não havia tempo suficiente para estudar. Ele tinha ido à reunião para descobrir se a meditação transcendental podia ajudá-lo treinando-o para precisar de menos horas de sono por noite; o tempo adicional então poderia ser usado para estudar. É interessante observar que os recrutadores informaram a ele, assim como à insone, que as técnicas de meditação transcendental podiam resolver seus respectivos, porém, opostos, problemas.

Ainda achando que os três se inscreveram por não terem entendido as observações feitas por meu amigo, comecei a questioná-los sobre aspectos de seus argumentos. Descobri que eles tinham entendido seus comentários muito bem, na verdade, bem demais. Foi a relevância de seus argumentos que os levou a se inscrever imediatamente no programa. O porta-voz foi quem melhor explicou: "Bom, eu não ia gastar nenhum dinheiro esta noite porque estou sem grana; ia esperar até a próxima reunião. Mas, quando seu amigo começou a falar, soube que devia entregar a eles meu dinheiro, ou eu iria para casa, pensando no que ele tinha dito e *nunca* ia me inscrever."

Imediatamente, as coisas começaram a fazer sentido. Essas eram pessoas com problemas de verdade e estavam desesperadas à procura de um jeito de resolvê-los. Pessoas que, se nossos líderes de discussão estivessem certos, tinham encontrado uma solução em potencial na meditação transcendental. Levados por suas necessidades, eles queriam muito acreditar que a meditação transcendental seria a resposta. Então, na forma de meu colega, a voz da razão se intrometeu, mostrando que a teoria por trás de sua solução recém-descoberta era frágil.

O pânico se instalou! Alguma coisa precisa ser feita imediatamente antes que a lógica cobre seu preço e os deixe sem esperanças mais uma vez. Rápido, rápido, é necessário erguer muros contra a razão, e não importa que a fortaleza erguida seja tola. "Depressa, um esconderijo onde não pensar! Aqui, pegue este dinheiro. Ufa, salvo bem a tempo. Não preciso mais pensar nessas questões." A decisão precisa ser tomada, e de agora em diante o programa da coerência pode ser rodado sempre que necessário: "Meditação transcendental? Claro, acho que vai me ajudar; com certeza espero continuar; com certeza acredito em meditação transcendental. Estou pagando por ela, não é?" Ah, os confortos da coerência irrefletida. "Vou só descansar por aqui por um tempo.

É muito melhor que a preocupação e a tensão daquela busca muito, muito difícil."

ESCONDE-ESCONDE

Se, como parece, a coerência automática funciona como um escudo contra o pensamento, não deveria ser surpresa que essa coerência possa ser explorada por aqueles que preferem que reajamos a seus pedidos sem pensar. Para aproveitadores, cujo interesse é atendido por uma reação impensada e mecânica a seus pedidos, nossa tendência para coerência automática é uma mina de ouro. São inteligentes o suficiente para fazer com que rodemos nossos programas de coerência quando é favorável para eles sem que percebamos que fomos enrolados. Em belo estilo jiu-jitsu, estruturam suas interações conosco de modo que nossa necessidade de ser coerente leve diretamente a seu benefício.

Alguns grandes fabricantes de brinquedos usam essa abordagem para reduzir um problema criado por padrões sazonais de compra. Claro, o período de maior alta para empresas de brinquedo ocorre antes e durante a época das festas de Natal. O problema é que as vendas de brinquedos têm uma queda terrível pelos meses seguintes. Seus clientes já gastaram muito de seus orçamentos para brinquedos e resistem aos apelos de seus filhos por mais.

Os fabricantes de brinquedos se veem diante de um dilema: como manter as vendas altas durante a temporada de pico e, ao mesmo tempo, manter uma demanda saudável por brinquedos nos meses imediatamente após as festas? A dificuldade com certeza não está em motivar crianças a quererem mais brinquedos depois do Natal. O problema está em motivar pais sem dinheiro a comprarem outro brinquedo para seus filhos já cheios de brinquedos. O que as empresas podem fazer para produzir esse comportamento improvável? Algumas tentam fazer mais campanhas publicitárias enquanto outras reduzem preços durante o período de baixa, mas nenhuma dessas técnicas de vendas padrão foi bem-sucedida. As duas táticas são custosas e não foram eficientes para aumentar as vendas nos níveis desejados. Os pais não estão no clima de comprar brinquedos, e as influências da publicidade ou de redução dos preços não são suficientes para abalar a resistência de pedra.

Com isso, alguns grandes produtores de brinquedos consideram ter encontrado uma solução. É uma solução engenhosa, que não envolve mais que uma despesa de anúncio normal e uma compreensão da força poderosa da necessidade de coerência. Minha primeira pista da forma como a estratégia das empresas de brinquedos funcionava veio depois que fui enrolado por ela e, então, como um verdadeiro otário, fui enrolado novamente.

Era janeiro, e eu estava na maior loja de brinquedos da cidade. Depois de ter comprado muitos brinquedos para meu filho no mês anterior, tinha jurado não entrar na loja ou em nenhuma outra que fosse por um bom tempo. Mesmo assim, ali estava eu: não apenas no local diabólico, mas também comprando para meu filho outro brinquedo caro — uma grande pista de carrinhos. Diante do mostruário das pistas, encontrei um antigo vizinho que estava comprando o mesmo brinquedo para o filho. O estranho é que quase não nos víamos mais. Na verdade, a última vez tinha sido um ano antes na mesma loja quando estávamos comprando para os nossos filhos presentes caros pós-Natal — daquela vez, um robô que andava, falava e destruía tudo a sua frente. Nós rimos sobre nosso estranho padrão de nos vermos só uma vez por ano na mesma época, no mesmo lugar, enquanto fazíamos a mesma coisa. Mais tarde naquele dia, mencionei a coincidência para um amigo que, na verdade, tinha trabalhado no ramo de brinquedos.

— Não é coincidência — disse ele com sagacidade.

— O que você quer dizer com "não é coincidência"?

— Olha, vou fazer algumas perguntas sobre a pista de corrida que você comprou este ano. Primeiro, você prometeu a seu filho que ele ia ganhar uma de Natal?

— Bom, prometi, sim. Christopher tinha visto várias propagandas delas nos programas de desenhos animados das manhãs de sábado e disse que era o que queria de Natal. Eu mesmo vi alguns e pareceu divertida, então eu concordei.

— Erro número um — anunciou ele. — Agora, minha segunda pergunta. Quando você foi comprar, viu que estava esgotado em todas as lojas?

— Isso mesmo! As lojas disseram que tinham encomendado, mas não sabiam quando receberiam mais. Então tive de comprar outros brinquedos para Christopher para compensar pela pista de corrida. Como você sabia?

— Erro número dois — disse ele. — Só mais uma pergunta. Não foi isso que aconteceu no ano anterior com o robô?

— Espera um minuto... Você tem razão. Foi exatamente isso o que aconteceu. Isso é incrível, como você sabia?

— Não tenho bola de cristal, apenas sei como várias das grandes empresas de brinquedos aumentam suas vendas de janeiro e fevereiro. Eles começam antes do Natal com propagandas atraentes na TV para alguns brinquedos. As crianças, naturalmente, querem o que veem e arrancam de seus pais promessas de Natal desses itens. É aí que entra a genialidade do plano das empresas: elas *reduzem* o fornecimento dos brinquedos prometidos pelos pais para as lojas. A maioria dos pais não encontra esses brinquedos nas prateleiras e é forçada a substituí-lo por outros brinquedos de valor igual. Os fabricantes de brinquedos, é claro, fazem questão de fornecer à loja vários desses substitutos. Então, depois do Natal, as empresas começam a exibir outra vez os anúncios dos brinquedos especiais. Isso faz com que as crianças desejem esse brinquedo mais que nunca. Elas correm para seus pais choramingando "Você prometeu, você prometeu", e os adultos se arrastam até a loja para cumprir sua palavra.

— Onde — disse eu, agora começando a ficar com raiva — eles encontram outros pais que não viam há um ano caindo no mesmo truque, certo?

— Certo. Ah, aonde você vai?

— Devolver o brinquedo. — Eu estava com tanta raiva que estava quase gritando.

— Espere. Primeiro pense um pouco. Por que você veio comprá-lo?

— Porque eu não queria decepcionar Christopher e porque eu queria ensinar a ele que promessas devem ser cumpridas.

— Bom, alguma coisa disso mudou? Olhe, se você não aparecer com o brinquedo, ele não vai entender por quê. Ele só vai saber que o pai não cumpriu uma promessa feita para ele. É isso o que você quer?

— Não — disse eu com um suspiro. — Acho que não. Então você está me dizendo que as empresas de brinquedos dobraram seus lucros em cima de mim nos últimos dois anos, e eu nunca percebi; e agora que eu sei, continuo refém, mas das minhas próprias palavras. Então você vai dizer que esse é meu erro número três?

Ele assentiu com a cabeça.

— O jogo acabou para você.

Nos anos seguintes, observei uma variedade de ondas de compras de brinquedos semelhantes àquela temporada de Natal em especial — por bichinhos Beanie Babies, bonecos do Tickle Me do Elmo, bonecos Furbie, Xboxes, consoles de Wii, Zhu Pets, bonecas da Elza de *Frozen*,

Quadro 1
O que você pediu de Natal?
Um Xbox 360.

Quadro 2
Achei que você não gostasse de ter os primeiros modelos.
Não gosto.

Quadro 3
Mas, como é impossível encontrar nas lojas, meus pais me darão muitas outras coisas para compensar meu "sofrimento".

Quadro 4
Você é mesmo um gamer.
Jogar com os pais é muito fácil.

Figura 7.1: Sem dor, não há ganho
Jason, o gamer nesta tirinha, entendeu corretamente a tática para o sucesso dos presentes de Natal, mas acho que não entendeu a razão desse sucesso. Minha experiência pessoal me diz que seus pais vão compensá-lo com outros presentes não tanto para aliviar seu "sofrimento", mas para aliviar o próprio sofrimento por terem de descumprir com sua promessa.

FOXTROT© Bill Amend. Reimpresso com permissão de UNIVERSAL PRESS SYNDICATE. Todos os direitos reservados.

PlayStations 5 e muito mais. Mas, historicamente, o que melhor se encaixa nessa tendência são as Cabbage Patch Kids, bonecas de US$ 25 que foram divulgadas de modo intenso durante o Natal de meados dos anos 1980, mas tiveram um fornecimento extremamente baixo para as lojas. Uma das consequências foi a acusação do governo contra o fabricante por anúncio falso que continuou a divulgá-las mesmo não estando à venda, com grupos frenéticos de adultos batalhando em lojas de brinquedos ou pagando até US$ 700 em leilões por bonecas que eles tinham *prometido* a seus filhos, e vendas anuais de US$ 150 milhões que se estenderam muito além dos meses de Natal. Durante a temporada natalina de 1998, o brinquedo que todo mundo queria com menor disponibilidade era o Furby, criado por uma divisão da gigante dos brinquedos Hasbro. Quando perguntada o que pais frustrados sem Furbies deviam dizer a seus filhos, uma porta-voz da Hasbro aconselhou o tipo de promessa que rendeu lucros aos fabricantes de brinquedos por décadas: digam às crianças "Vou tentar, mas se eu não conseguir comprar para você agora, eu compro depois."[2]

O segredo é o compromisso

Quando percebemos a importância do poder da coerência para conduzir a ação humana, uma pergunta surge imediatamente: como se aciona essa força? O que produz o *clique* que faz o poderoso programa da coerência rodar? Psicólogos sociais acham que sabem a resposta: compromisso. Se eu consigo fazer com que você assuma um compromisso (ou seja, que tome uma posição, algo expressado), terei preparado o terreno para uma coerência automática e irrefletida com esse compromisso. Quando uma posição é assumida, há uma tendência natural de se comportar de formas teimosamente alinhadas com essa posição.

Como já vimos, psicólogos sociais não são os únicos que entendem a conexão entre o compromisso e a coerência. Estratégias de compromisso são direcionadas a nós por profissionais da persuasão de quase todos os tipos. Cada uma das estratégias tem a intenção de nos fazer desempenhar uma ação ou fazer uma afirmação que vai nos prender a um compromisso futuro através das pressões da coerência. Algumas são escancaradas e diretas; outras estão entre as táticas de persuasão mais sutis que vamos encontrar. Entre as escancaradas, considere a abordagem de Jack Stanko, gerente de vendas de carros usados em uma revendedora de Albuquerque. Enquanto comandava uma apresentação chamada "Vendas de carros usados" em uma convenção da Associação Nacional de Revendedoras de Automóveis em São Francisco, ele aconselhou cem vendedores com sede por vendas o seguinte: "Faça com que se comprometam. Consiga a assinatura do cliente no papel. Controle-os. Pergunte se comprariam o carro naquele instante se o preço estiver bom. Controle-os." Obviamente, o sr. Stanko — um especialista nesses assuntos — acredita que o caminho para o consentimento do consumidor é através de compromissos, que servem para "controlá-los".

Práticas de compromisso envolvendo substancialmente mais elegância também podem ser efetivas. Imagine que você queira aumentar o número de pessoas em sua área que concordem em ir de porta em porta coletando doações para sua instituição de caridade favorita. Seria sábio estudar a abordagem usada pelo psicólogo social Steven J. Sherman. Ele ligou para uma amostra de residentes de Bloomington, Indiana, como parte de uma pesquisa que estava fazendo, e perguntou o que imaginavam que diriam se lhes pedissem para passar três horas arrecadando dinheiro para a Sociedade Americana do Câncer. Claro, querendo parecer caridosas, as pessoas disseram que se voluntariariam. A consequência desse procedimento sutil de compromisso foi um aumento de 700% de voluntários quando, alguns dias depois, um representante da Sociedade Americana do Câncer telefonou em busca de arrecadadores na vizinhança.

Usando a mesma estratégia, mas dessa vez pedindo aos cidadãos que previssem se iriam votar no dia da eleição, outros pesquisadores conseguiram aumentar significativamente o comparecimento às urnas daqueles que receberam telefonemas. Profissionais dos tribunais adotam a prática de extrair um compromisso inicial projetada para motivar um futuro comportamento coerente. Quando examinando potenciais jurados antes de um julgamento, Jo-Ellen Demitrius, considerada a melhor consultora de seleção de júris, faz uma pergunta habilidosa: "Se você fosse a única pessoa que acreditasse na inocência de meu cliente, poderia aguentar a pressão do resto do júri para mudar de ideia?" Como um potencial jurado com respeito próprio poderia negar? E depois de fazer um comprometimento público, como um jurado com respeito próprio poderia repudiá-lo mais tarde?

Talvez uma técnica de compromisso ainda mais habilidosa tenha sido elaborada por pessoas que solicitam doações para a caridade. Você já percebeu que quando ligam pedindo para que contribua para uma ou outra causa começam a conversa perguntando sobre seu estado de saúde e bem-estar? "Alô, sr./sra. Fulano de tal", dizem eles. "Como está se sentindo esta tarde?", ou "Como vai você hoje?". A intenção da pessoa que telefona com esse tipo de apresentação não é apenas parecer amistosa e preocupada. É fazer você responder — como você normalmente faz com essas perguntas educadas e superficiais — com um comentário educado e superficial de sua parte: "Estou bem", "Estou ótimo", "Tudo certo, obrigado". Depois que afirma que tudo está bem, fica muito mais fácil para o solicitante encurralá-lo para que ajude aqueles para quem as coisas *não* estão bem. "É bom ouvir isso, porque estou ligando para saber se você estaria disposto a fazer uma doação para ajudar as vítimas infelizes de..."

A teoria por trás dessa tática é que pessoas que acabaram de afirmar que estão bem — mesmo como parte rotineira de uma interação social — vão achar estranho parecer sovinas no contexto de suas próprias circunstâncias admitidamente favoráveis. Se tudo isso parece um pouco exagerado, considere as descobertas do pesquisador de consumo Daniel Howard, que testou essa teoria. Sua equipe telefonou para residentes de Dallas, Texas, e perguntaram se concordariam em permitir que um representante do Comitê Hunger Relief fosse a suas casas para lhes vender biscoitos, cujo faturamento seria usado para fornecer refeições para os necessitados. Quando sozinho, esse pedido (chamado de abordagem padrão de solicitação) produziu apenas 18% de concordância. Entretanto, se a pessoa que telefonou perguntasse "Como vai você esta noite?" e esperasse por uma resposta antes de prosseguir com a abordagem padrão, várias coisas interessantes aconteciam. Primeiro, dos 120 indivíduos que receberam telefonemas, a maioria (108) deu a costumeira resposta favorável ("Bem", "Tudo certo", "muito bem" etc.). Segundo, 32% das pessoas a quem fizeram a pergunta "Como vai você esta noite?" concordaram em receber o vendedor de biscoitos em suas casas, quase duas vezes a taxa de sucesso da abordagem padrão de solicitação. Terceiro, seguindo o princípio da coerência, quase todo mundo (89%) que concordou com essa visita comprou biscoitos quando contatado em casa.

Há ainda uma outra arena comportamental, a infidelidade sexual, na qual compromissos verbais relativamente pequenos podem fazer uma diferença substancial. Psicólogos alertam que trair um parceiro romântico é fonte de grande conflito, levando à raiva, à dor e ao fim do relacionamento. Eles também encontraram uma atividade para ajudar a impedir a ocorrência dessa sequência destrutiva: oração — porém não uma prece comum, mas de um tipo em particular. Se um parceiro romântico concorda em dizer uma breve oração *pelo bem-estar do outro* todos os dias, ele ou ela se torna menos propenso a ser infiel durante o período de tempo em que faz isso. Afinal de contas, esse comportamento seria incoerente com compromissos diários ativos com o bem-estar do parceiro.[3]

DEPOIMENTO DO LEITOR 7.1

De um instrutor de vendas no Texas

A lição mais poderosa que aprendi com seu livro foi sobre o compromisso. Anos atrás, treinei pessoas em um centro de telemarketing para vender seguros pelo telefone. Nossa principal dificuldade, porém, era que na verdade não podíamos VENDER seguros pelo telefone; nós podíamos apenas fazer uma cotação de preço e depois indicar ao cliente o escritório da empresa mais próximo de sua casa. O problema era que clientes se comprometiam com reuniões no escritório, mas não apareciam.

Escolhi um grupo de recém-saídos do treinamento e modifiquei a abordagem de vendas. Eles usariam exatamente a mesma apresentação "enlatada" que os outros, mas incluíram uma pergunta adicional no fim da ligação. Em vez de desligar quando o cliente confirmava o horário da reunião, instruímos os vendedores a dizer: "Será que poderia me dizer por que escolheu comprar seu seguro com <nossa empresa>."

Inicialmente, eu estava apenas tentando obter informação sobre o serviço ao consumidor, mas os novos vendedores geraram 19% mais vendas que os outros. Quando integramos essa pergunta à apresentação para todas as pessoas, até os profissionais mais antigos ultrapassaram 10% a mais de negócios que antes. Eu não entendia por que isso estava funcionando.

Nota do autor: Embora empregada de forma acidental, a tática desse leitor foi uma jogada de mestre porque não só comprometia os clientes com sua escolha; ela também os comprometia com as razões de sua escolha. E, como vimos no capítulo 1, as pessoas se comportam de acordo com suas razões (Bastardi & Shafir, 2000; Langer, 1989).

A eficácia dessa tática se encaixa com o relato de um conhecido de Atlanta que — apesar de seguir o conselho padrão de descrever bem todas as boas razões porque devia ser contratado — não estava tendo sucesso em entrevistas de emprego. Para mudar esse resultado, ele começou a empregar o princípio da coerência em proveito próprio. Depois de assegurar aos avaliadores que queria responder suas perguntas da melhor maneira possível, ele acrescentou: "Mas antes de começarmos, queria saber se você podia me responder uma pergunta. Estou curioso: o que em minha formação o atraiu para me entrevistar?" Em consequência, seus avaliadores se ouviram dizendo coisas positivas sobre ele e suas qualificações, se comprometendo com razões para contratá-lo antes que ele mesmo argumentasse. Ele jura que conseguiu três empregos melhores, um atrás do outro, empregando essa técnica.

APRISIONAMENTOS AUTOIMPOSTOS

A pergunta de o que torna um compromisso eficaz tem várias respostas. Diversos fatores afetam a capacidade de um comprometimento forçar determinado comportamento futuro. Um programa em grande escala projetado para produzir consentimento ilustra como vários fatores funcionam. O incrível nesse programa é que ele os empregou sistematicamente há mais de meio século, bem antes das pesquisas científicas os identificarem.

Durante a Guerra da Coreia, muitos soldados americanos captura-dos se viram em campos de prisioneiros de guerra controlados pelos co-munistas chineses. Ficou evidente no início do conflito que os chineses tratavam seus prisioneiros de forma bem diferente que seus aliados, os norte-coreanos, que defendiam a disciplina severa para obter obediên-cia. Evitando escrupulosamente a brutalidade, os chineses se engajaram no que chamaram de "política leniente", que era, na verdade, um ataque psicológico sofisticado contra seus prisioneiros.

Depois da guerra, psicólogos americanos questionaram os prisio-neiros libertados intensamente para determinar o que tinha corrido, em parte por causa do sucesso perturbador de alguns aspectos do programa chinês. Os chineses foram muito efetivos em conseguir que americanos informassem uns sobre os outros, em forte contraste com o comportamento dos prisioneiros de guerra americanos na Segun-da Guerra Mundial. Por essa razão, entre outras, planos de fuga eram rapidamente descobertos, e as fugas em si quase nunca eram bem--sucedidas. "Quando ocorria uma fuga", escreveu o psicólogo Edgar Schein, um importante pesquisador americano do programa chinês de doutrinação na Coreia, "os chineses normalmente recuperavam o homem com facilidade oferecendo um saco de arroz para qualquer um que o entregasse". Na verdade, dizem que quase todos os prisioneiros americanos nos campos chineses colaboraram com o inimigo de um jeito ou de outro.

Um exame do programa do campo de prisioneiros mostra que os chineses contavam com pressões de comprometimento e coerência. Claro, o primeiro problema enfrentado pelos chineses era conseguir a colaboração dos americanos. Os prisioneiros tinham sido treinados a não dizer nada além do nome, da patente e do número de registro. Sem recorrer à brutalidade física, como os captores poderiam fazer com que esses homens entregassem informação militar, entregassem outros pri-sioneiros ou denunciassem publicamente seu país? A resposta chinesa foi genial: comece com pouco e depois aumente.

Por exemplo, eles pediam a prisioneiros para fazer afirmações tão levemente antiamericanas ou pró-comunistas que pareciam irrelevantes (como "Os Estados Unidos não são perfeitos" e "Em um país comunista, o desemprego não é um problema"). Quando esses pequenos pedidos eram atendidos, porém, os homens se viam forçados a se submeter a pedidos relacionados, embora mais substanciais. Podiam pedir a um homem que tivesse acabado de concordar com seu interrogador chinês que os Estados Unidos não eram perfeitos para indicar algumas maneiras que ele acreditava ser o caso. Quando ele tivesse explicado, podiam lhe pedir para fazer uma lista dos "problemas dos Estados Unidos" e assinar. Mais tarde, podiam pedir que lesse sua lista em um grupo de discussão com outros prisioneiros. "Afinal de contas, você acredita nisso, não é?" E podiam também pedir a ele que escrevesse uma redação expandindo sua lista e discutindo esses problemas com mais detalhes.

Os chineses então podiam usar seu nome e seu texto em uma transmissão de rádio antiamericana dirigida não apenas a todo o acampamento, mas a outros campos de prisioneiros de guerra na Coreia do Norte, assim como para as forças americanas na Coreia do Sul. De repente, ele se via como "colaborador", tendo ajudado e encorajado o inimigo. Interpretando que tinha escrito sem nenhuma ameaça nem coerção, muitas vezes um homem mudava sua autoimagem para ser coerente com o feito e o rótulo de "colaborador", o que frequentemente resultava em atos ainda maiores de colaboração. Assim, enquanto "apenas alguns homens conseguiram evitar totalmente a colaboração", segundo Schein, "a maioria colaborou em um ou outro momento fazendo coisas que lhes pareciam triviais, mas que os chineses conseguiam usar em proveito próprio... Isso era eficaz para obter confissões, autocríticas e informação durante interrogatório".

Outros grupos de pessoas interessadas na persuasão também têm consciência da utilidade e do poder dessa abordagem. Organizações de caridade, por exemplo, usam de compromissos progressivamente maiores para induzir indivíduos a fazer favores cada vez maiores. O primeiro compromisso trivial de concordar em ser entrevistado pode dar início a uma "onda de consentimento" que induz a comportamentos posteriores como doações de órgãos ou de medula óssea.

Quadro 1
Ei, Orson, somos irmãos, certo?
Certo!

Quadro 2
Nós faríamos qualquer coisa um pelo outro, certo?
Certo!

Quadro 3
Nós comeríamos lama uns pelos outros, não?
Não estou gostando do rumo dessa conversa.

Figura 7.2: Comece pequeno e vá construindo
Porcos gostam de lama. Mas eles não a comem. Para isso, parecem ser necessários compromissos crescentes.
©Paws. Usado sob permissão

Muitas organizações empregam essa abordagem com regularidade. Para o vendedor, a estratégia é obter uma grande compra começando com uma pequena. Quase qualquer pequena venda servirá porque o propósito dessa pequena transação não é o lucro, é o compromisso. Espera-se que compras posteriores, mesmo as maiores, fluam naturalmente a partir desse compromisso. Um artigo da revista *American Salesman* explica isso de forma sucinta:

> *A ideia geral é abrir caminho para uma distribuição da linha completa começando com um pedido pequeno... Veja as coisas dessa forma: quando uma pessoa assina um pedido de sua mercadoria, embora o lucro seja tão pequeno que mal compense o tempo e o esforço de fazer a visita, ela já não é mais um cliente em potencial, ela é um cliente. (Green, 1965, p.14)*

A tática de começar com um pedido pequeno para conquistar o consentimento posterior com pedidos maiores tem um nome: a técnica do pé na porta. Cientistas sociais tiveram consciência pela primeira vez de sua eficácia quando os psicólogos Jonathan Freedman e Scott Fraser publicaram um conjunto de dados impressionante. Eles relataram os resultados de um experimento no qual um pesquisador, posando como voluntário, foi de porta em porta em uma vizinhança residencial na Califórnia fazendo um pedido absurdo para proprietários. Ele pedia que permitissem a colocação de um outdoor de utilidade pública em seu jardim. Para ter uma ideia de como ficaria o letreiro, mostrava a eles uma foto retratando uma casa atraente, cuja vista estava quase totalmente obstruída por um letreiro grande e de letras feias que dizia DIRIJA COM SEGURANÇA. Embora o pedido fosse compreensivelmente recusado pela grande maioria dos residentes da área (apenas 17% aceitaram), um grupo em especial de pessoas reagiu de maneira bem favorável. Naquele grupo 76% deles ofereceram o uso de seus jardins.

A primeira razão para essa aceitação impressionante foi um pequeno compromisso com a segurança ao volante que tinham assumido duas semanas antes. Um outro "voluntário" tinha ido até suas portas e pedido que aceitassem e exibissem uma placa quadrada de oito centímetros que dizia "dirija com segurança". Era um pedido tão insignificante que quase todos concordaram, mas o efeito desse pedido foi muito interessante. Como eles tinham concordado com um pedido trivial envolvendo segurança ao volante algumas semanas antes, esses proprietários de casas se tornaram dispostos a aceitar outro pedido, de tamanho bem maior.

Freedman e Fraser não pararam por aí. Eles tentaram um procedimento um pouco diferente em outra amostra de proprietários. Essas pessoas receberam primeiro um pedido para assinar uma petição que favorecia "manter a Califórnia bonita". Claro, quase todo mundo assinou porque a beleza do estado, como a eficiência do governo ou bons cuidados pré-natais, é uma questão da qual ninguém se opõe. Depois de esperar aproximadamente duas semanas, Freedman e Fraser enviaram outro "voluntário" para essas mesmas casas pedindo aos residentes que permitissem a colocação da placa de "dirija com segurança" em seus jardins. De certa forma, a resposta desses proprietários foi a mais surpreendente de todas no estudo. Aproximadamente metade aceitou a instalação da placa, embora o pequeno compromisso que tinham assumido semanas antes não tivesse sido com direção segura, mas com um tema de serviço público diferente, o embelezamento do estado.

No início, até Freedman e Fraser ficaram perplexos com suas descobertas. Por que o pequeno ato de assinar uma petição apoiando o embelezamento do estado deixou as pessoas dispostas a fazerem um favor diferente e muito maior? Depois de considerar e descartar outras explicações, os pesquisadores chegaram a uma que oferecia uma solução para o enigma: assinar a petição do embelezamento mudou a visão que tinham de si mesmas. Elas se viram como cidadãos de espírito comunitário que agiam com base em princípios cívicos. Quando, duas semanas depois, pediram a elas que prestassem outro serviço público exibindo o letreiro de "dirija com segurança", elas concordaram para serem coerentes com suas autoimagens recém-formadas. Segundo Freedman e Fraser:

O que pode ocorrer é uma mudança nos sentimentos da pessoa em relação a se envolver ou tomar uma atitude. Depois que concorda com um pedido, sua atitude pode mudar, ela pode se tornar, aos próprios olhos, uma pessoa que faz esse tipo de coisa, que concorda com pedidos feitos por estranhos, que toma uma atitude em relação a coisas em que acredita, que coopera com boas causas.

As descobertas de Freedman e Fraser nos dizem para tomar muito cuidado ao concordar com pedidos irrelevantes porque essa concordância pode influenciar o conceito que temos de nós mesmos. Tal concordância pode não apenas aumentar nossa aceitação de pedidos semelhantes e maiores, mas nos deixar mais dispostos a fazer uma variedade de favores maiores que estão conectados apenas remotamente ao pequeno favor feito antes. É esse segundo tipo de influência escondida em pequenos compromissos que me assusta.

Me assusta tanto que raramente estou disposto a assinar uma petição, mesmo para uma causa que eu apoie. A ação tem o potencial de influenciar não apenas meu comportamento futuro, mas também minha autoimagem de maneiras que posso não querer. Além disso, quando a au-

Figura 7.3: Assine na linha pontilhada.
Nota do autor: Você já se perguntou o que os grupos que pedem assinaturas em petições fazem com todas as assinaturas que obtêm? Na maior parte do tempo, os grupos as usam para os propósitos declarados, mas não fazem nada com elas, pois o principal objetivo da petição pode ser tornar os assinantes comprometidos com a posição defendida pelo grupo e, consequentemente, mais dispostos a dar passos futuros alinhados com ela.

A professora de psicologia Sue Frantz testemunhou uma versão sinistra da tática nas ruas de Paris, onde turistas são abordados por um golpista que lhes pede para assinar uma petição "para apoiar as pessoas surdas". Àqueles que assinam, pedem imediatamente uma doação, coisa que muitos fazem para permanecerem coerentes com a causa que acabaram de endossar. Como a operação é um esquema, nenhuma doação vai para a caridade — só para o golpista. Pior, um cúmplice de quem apresenta a petição observa onde, em seus bolsos ou bolsas, os turistas pegam suas carteiras e viram alvos para furtos posteriores por batedores de carteira.
iStock Photo

toimagem de uma pessoa é alterada, todos os tipos de vantagens sutis tornam-se disponíveis para alguém que queira explorar essa nova imagem.

Quem entre participantes do experimento de Freedman e Fraser poderia pensar que o "voluntário" que lhes pediu que assinasse uma petição pelo embelezamento do estado na verdade estava interessado em fazê-lo exibir uma placa sobre direção segura duas semanas depois? Quem dentre eles poderia ter desconfiado que sua decisão de exibir a placa foi em grande parte um resultado de assinar essa petição? Acredito que ninguém. Se houvesse algum arrependimento depois de instalarem a placa, quem poderiam culpar além de *si mesmos* e seu espírito cívico desgraçadamente comprometido? Eles nem deviam se lembrar do cara com a petição para manter a Califórnia bonita e todo aquele conhecimento de jiu-jitsu social.[4]

Corações e mentes

> Toda vez que você faz uma escolha, está transformando sua parte central, a parte que escolhe, em algo um pouco diferente do que era antes.
>
> — C.S. Lewis

Observe que todos os especialistas na técnica do pé na porta ficam empolgados com a mesma coisa: você pode usar pequenos compromissos para manipular a autoimagem de uma pessoa; pode usá-los para transformar cidadãos em "servidores públicos", em clientes em potencial, em "compradores" e prisioneiros em "colaboradores". Quando você manipula a autoimagem de uma pessoa como quiser, essa pessoa atenderá *naturalmente* a toda uma série de pedidos alinhada com essa nova visão que tem de si mesma.

Nem todos os compromissos, porém, afetam igualmente a autoimagem. Há certas condições que devem estar presentes para que os compromissos sejam mais eficientes dessa forma: eles devem ser ativos, públicos, escolhidos livremente e demandar esforço. O maior objetivo dos chineses não era apenas extrair informação de seus prisioneiros. Era doutriná-los, mudar sua percepção de si mesmos, de seu sistema político, do papel de seu país na guerra e do comunismo. O dr. Henry Segal, chefe da equipe de avaliação neuropsiquiátrica que examinou os prisioneiros de guerra que voltaram no fim da Guerra da Coreia, relatou que crenças relacionadas à guerra tinham sido substancialmente alteradas. Ataques significativos tinham sido feitos às atitudes políticas dos homens:

Muitos expressaram antipatia em relação aos comunistas chineses, mas ao mesmo tempo os elogiaram "pelo belo trabalho que fizeram na China". Outros declararam que "embora o comunismo não vá funcionar nos Estados Unidos, parece algo bom para a Ásia". (Segal, 1956, p. 360)

Parece que o verdadeiro objetivo dos chineses era modificar, pelo menos por algum tempo, os corações e as mentes de seus prisioneiros. Se avaliarmos suas realizações em termos de "deserções, deslealdade, mudança de atitudes e crenças, disciplina fraca, moral baixo, espírito fraco e dúvidas em relação ao papel dos Estados Unidos", concluiu Segal, "seus esforços foram extremamente bem-sucedidos". Vamos examinar com mais atenção como eles fizeram isso.

O ATO DE MÁGICA

Os melhores sinais que recebemos em relação aos verdadeiros sentimentos e crenças das pessoas vêm menos de suas palavras e mais de seus atos. Observadores que tentam decidir como as pessoas são, olham atentamente para suas ações. As pessoas também usam essas evidências — seu próprio comportamento — para decidir como são; elas são uma fonte-chave de informação sobre as próprias crenças, valores, atitudes e, o que é crucial, o que querem fazer em seguida. Sites na internet querem que os usuários se registrem fornecendo informação sobre eles mesmos. Mas 86% dos usuários relatam que às vezes abandonam o processo porque o formulário é longo demais ou muito invasivo. O que os desenvolvedores de sites fizeram para superar essa barreira sem reduzir a quantidade de informação que obtêm dos clientes? Eles reduziram o número médio de campos de informação solicitados na *primeira* página do formulário. Por quê? Eles querem dar aos usuários a sensação de ter iniciado e terminado a primeira parte do processo. Como observou o consultor de design Diego Poza: "Não importa se a página seguinte tem mais campos para preencher (ela tem). Devido ao princípio do compromisso e da coerência, os usuários ficam muito mais propensos a concluí-la." Os dados disponíveis mostraram que ele estava certo: reduzir o número de campos na primeira página de quatro para três, por exemplo, aumenta o número de registros completos em 50%.

O impacto propagador do comportamento sobre a autoimagem e no comportamento futuro pode ser visto em pesquisas sobre o efeito de compromissos ativos e passivos. Em um estudo, universitários se ofereceram como voluntários em um projeto educativo sobre aids em escolas locais. Os pesquisadores fizeram com que metade se oferecesse ativamente preenchendo um formulário dizendo que queria participar. A outra metade dos voluntários se ofereceu passivamente, *deixando* de preencher um formulário dizendo que *não* queriam participar. Três ou quatro dias depois, quando pediram a eles para iniciar sua atividade voluntária, a grande maioria (74%) que apareceu para o dever fazia parte daqueles que tinham concordado ativamente. Além disso, aqueles que se ofereceram ativamente tendiam a justificar suas decisões em termos de seus valores, preferências e características pessoais. Em geral, parece que compromissos ativos nos dão o tipo de informação que usamos para dar forma a nossa autoimagem, que então dá forma a nossas ações futuras, que solidificam a nova autoimagem.

Com pleno entendimento dessa rota para a autoconcepção alterada, os chineses organizaram o experimento do campo de prisioneiros para que seus cativos *agissem* coerentemente nas maneiras desejadas. Em pouco tempo, os chineses sabiam, essas ações começariam a cobrar seu preço, fazendo os prisioneiros mudar a visão de si mesmos para se alinhar ao que tinham praticado.

Escrever era um tipo de ação de compromisso na qual os chineses insistiam de modo incessante com os prisioneiros. Nunca era suficiente que os prisioneiros escutassem em silêncio ou mesmo concordassem verbalmente com a linha chinesa; eles eram sempre forçados a escrever. Edgar Schein (1956) descreve uma tática padrão de sessão de doutrinação dos chineses:

> *Uma técnica adicional era fazer o homem escrever a pergunta e, depois, a resposta [pró-comunista]. Se ele se recusasse a escrevê-la voluntariamente, lhe pediam que copiasse de cadernos, o que deve ter parecido uma concessão inofensiva. (p. 161)*

Ah, essas "concessões" inofensivas. Como vimos, compromissos aparentemente triviais podem levar a outros comportamentos coerentes. Como um dispositivo de compromisso, uma declaração por escrito tem grandes vantagens. Primeiro, ela fornece evidência física de que o ato ocorreu. Tendo escrito o que os chineses queriam, era difícil para o prisioneiro acreditar que não ter feito aquilo. As oportunidades de esquecer ou negar para si mesmo o que tinha feito não estavam disponíveis, como estão para afirmações faladas. Não; ali estava, em sua própria letra, um ato irrevogável e documentado que o levava a tornar suas crenças e autoimagem coerentes com o que inegavelmente tinha feito. Segundo, uma declaração escrita pode ser mostrada a outras pessoas. Claro, isso significa que ela pode ser usada para persuadir essas outras pessoas. Ela pode ser usada para persuadi-las a mudar suas atitudes na direção da declaração. Mais importante para o propósito de compromisso, ela pode persuadi-las de que o autor realmente acredita no que estava escrito.

As pessoas têm uma tendência natural de achar que uma declaração reflete a verdadeira atitude da pessoa que a fez. O surpreendente é que elas continuam a pensar assim mesmo quando sabem que a pessoa não optou por fazer a declaração. Algumas evidências científicas de que este é o caso vêm de um estudo dos psicólogos Edward Jones e James Harris, que mostraram a pessoas um ensaio favorável a Fidel Castro e pediram a elas que adivinhassem os verdadeiros sentimentos do autor. Jones e Harris contaram a algumas dessas pessoas que o autor tinha decidido escrever um ensaio pró-Castro; e disseram às outras que tinham pedido ao autor que escrevesse em favor de Castro. O estranho é que mesmo aqueles que sabiam que o autor fora coagido a fazer um ensaio pró-Castro disseram que o escritor gostava do político. Parece que uma afirmação de crença produz uma resposta *clique, rode* naqueles que a veem. A menos que haja fortes evidências do contrário, observadores assumem automaticamente que alguém que faz tal declaração está falando o que pensa.

Considere o duplo efeito na autoimagem de um prisioneiro que escreveu uma declaração pró-chinesa ou antiamericana. Isso não só era um lembrete duradouro de sua ação, como também tinha a chance de convencer aqueles a seu redor de que refletia suas verdadeiras crenças. Como vimos no capítulo 4, o que aqueles ao nosso redor consideram ser verdade sobre nós determina de forma importante o que nós mesmos pensamos. Por exemplo, um estudo descobriu que uma semana após saberem que eram consideradas pessoas caridosas por seus vizinhos, as pessoas doaram muito mais dinheiro para um arrecadador da Associação de Esclerose Múltipla. Aparentemente, o mero conhecimento de que os outros os viam como caridosos fez com que os indivíduos tornassem suas ações congruentes com essa visão.

Um estudo na seção de frutas e hortaliças de um supermercado sueco obteve um resultado semelhante. Clientes nessa seção viam dois expositores de bananas, um identificado como resultado de produção ecológica e um sem o selo ecológico. Sob essas circunstâncias, as versões ecológicas eram escolhidas 32% das vezes.

Duas amostras adicionais de compradores viram uma placa entre os dois expositores. Para a primeira amostra, a placa informava que vendia as bananas ecológicas pelo mesmo preço das outras ("bananas ecológicas do mesmo preço que as concorrentes"). Nessa amostra, o índice de compras aumentou em 46%. Para a segunda amostra, a placa que vendia as bananas ecológicas atribuía aos compradores uma imagem pública ambientalmente amistosa ("Olá, ambientalistas, nossas bananas ecológicas estão bem aqui"). O índice de compras de bananas ecológicas nessa amostra foi de 51%.

Não é de hoje que políticos astutos usam o caráter de estímulo ao compromisso dos rótulos com grande proveito. Um dos melhores foi o ex-presidente do Egito Anwar Sadat. Antes do início de negociações internacionais, Sadat garantia a seus adversários que ele e os cidadãos de seus países eram muito conhecidos por serem colaborativos e justos. Com esse tipo de lisonja, não só criava sentimentos positivos, mas também conectava as identidades de seus adversários a um curso de ação que servia a seus objetivos. Segundo o mestre negociador Henry Kissinger, Sadat tinha sucesso porque fazia com que os outros agissem de acordo com seus interesses dando a eles uma reputação a manter.

Quando um compromisso ativo é assumido, a autoimagem sofre a dupla pressão por coerência. Internamente, há uma pressão para alinhar a autoimagem com a ação. Do exterior, há uma pressão mais sorrateira — uma tendência de se ajustar essa imagem de acordo com a forma como somos percebidos pelos outros.

Como os outros nos veem como pessoas que acreditam no que escreveram (mesmo quando nós tivemos pouca escolha em relação a isso), experimentamos uma força para alinhar a autoimagem com a declaração escrita. Na Coreia, vários dispositivos sutis foram usados para fazer os prisioneiros escreverem, sem coerção direta, o que os chineses queriam. Por exemplo, os chineses sabiam que muitos prisioneiros estavam ansiosos para informar a suas famílias que estavam vivos. Ao mesmo tempo, sabiam que seus captores estavam censurando a correspondência e só algumas cartas eram enviadas. Para garantir que suas cartas fossem liberadas, alguns prisioneiros começaram a incluir em suas mensagens apelos pela paz, declarações de tratamento justo e afirmações simpáticas ao comunismo, na esperança que os chineses desejassem que essas cartas fossem divulgadas e, portanto, permitissem seu envio. Claro, os chineses ficaram satisfeitos em cooperar porque essas cartas serviam maravilhosamente a seus interesses. Primeiro, seu esforço mundial de propaganda se beneficiava do surgimento de afirmações pró-comunistas feitas por militares americanos. Segundo, com o propósito da doutrinação dos prisioneiros, os chineses conseguiram, sem mover um dedo, que muitos homens apoiassem a causa comunista através de declarações públicas.

Uma técnica semelhante envolvia concursos de redações políticas realizados com regularidade nos campos. Os prêmios pela vitória costumavam ser pequenos — alguns cigarros ou uma fruta — mas eram suficientemente escassos para gerar muito interesse entre os homens. Normalmente, o ensaio vencedor tinha uma posição pró-comunista... mas nem sempre. Os chineses eram sábios o bastante para perceber que a maioria dos prisioneiros não ia entrar em um concurso que só achavam que pudessem vencer escrevendo um panfleto comunista. Além disso, eram inteligentes o bastante para saber como implantar nos cativos pequenos compromissos com o comunismo que podiam ser cultivados para um florescimento posterior. Então, de vez em quando, o ensaio vencedor era aquele que apoiava os Estados Unidos, mas se curvava uma ou duas vezes à visão chinesa.

Os efeitos dessa estratégia foram exatamente o que os chineses queriam. Os homens continuaram a participar de forma voluntária dos concursos porque viam que podiam vencer com ensaios muito favoráveis a seu próprio país. Talvez sem se darem conta, porém, os prisioneiros começaram a voltar seus ensaios um pouco na direção do comunismo para ter uma chance melhor de vencer. Os chineses estavam prontos para avançar sobre qualquer concessão ao dogma comunista e a utilizar sobre ela pressões de coerência. No caso de uma declaração escrita em um ensaio voluntário, tinham o compromisso perfeito a partir do qual desenvolver colaboração e conversão.

Outros profissionais da persuasão também conhecem os poderes comprometedores de declarações escritas. A corporação de enorme sucesso Amway, por exemplo, tem um jeito de levar seu pessoal de vendas a realizações cada vez maiores. Pedem a membros da equipe que estabeleçam metas de vendas individuais e se comprometam com esses objetivos escrevendo-os pessoalmente no papel:

Uma última dica antes de vocês começarem: estabeleçam uma meta e escrevam-na. Qualquer que seja a meta, o importante é que você a estabeleça, então tem algo que almejar — e a escreva. Tem algo mágico em escrever as coisas. Então estabeleça uma meta e escreva-a. Quando alcançar essa meta, estabeleça outra e escreva. Vocês vão ter um bom começo.

Se o pessoal da Amway encontrou "algo mágico em escrever as coisas", o mesmo ocorreu com outras organizações empresariais. Algumas empresas de vendas de porta em porta usaram a magia dos compromissos por escrito para combater as leis de devolução de muitos estados. As leis foram feitas para dar aos clientes alguns dias para cancelar a venda e obter um reembolso completo, após concordarem em comprar um determinado produto. No início, a legislação atingiu profundamente as empresas de hard-sell. Como elas enfatizam táticas de alta pressão, seus clientes compravam não porque queriam o produto, mas por que eram enganados ou intimidados na venda. Quando a lei entrou em vigência, esses clientes começaram a cancelar as compras aos montes durante o período de devolução.

As empresas rapidamente aprenderam um truque simples que reduziu de forma importante o número desses cancelamentos. Eles faziam com que o comprador, em vez do vendedor, preenchesse o contrato de venda. Segundo o programa de treinamento de uma importante empresa de enciclopédias, o compromisso pessoal sozinho se revelou "uma ajuda psicológica muito importante para impedir que os consumidores voltem atrás em seus contratos". Como a empresa Amway, essas organizações descobriram que algo especial acontece quando as pessoas põem seus compromissos no papel: elas agem de acordo com aquilo que escreveram.

Figura 7.4: Escrever é acreditar
O anúncio convida os leitores a participar de um concurso apresentando uma mensagem escrita à mão detalhando as características favoráveis do produto.
Cortesia de Schieffelin & Co.

Outra forma comum de empresas faturarem com a "magia" das declarações escritas ocorre através do uso de um dispositivo promocional de aparência inocente. Quando eu estava crescendo, costumava me perguntar por que grandes empresas como a Procter & Gamble e a General Foods sempre faziam concursos de relatos de experiência de 25, cinquenta ou cem palavras ou menos. Todos pareciam iguais. Um concorrente devia escrever um depoimento pessoal curto começando com as palavras "Eu gosto (do produto) porque...", e continuar elogiando as características de qualquer mistura para bolos ou cera para o chão que por acaso estivesse em questão. A empresa julgava as inscrições e dava prêmios para os vencedores. O que me intrigava era o que as empresas conseguiam com esse negócio. Frequentemente o concurso não exigia nenhuma compra; qualquer um que se inscrevesse podia concorrer. Mesmo assim, elas estavam dispostas em arcar com os custos de concurso após concurso.

Eu não fico mais intrigado. O propósito por trás de concursos de relatos — conseguir o maior número de pessoas possível para endossar o produto — é semelhante ao propósito por trás dos concursos de redações políticas: conseguir endossos para o comunismo chinês. Nos dois casos, o processo é o mesmo. Participantes escrevem ensaios voluntariamente por prêmios atraentes que têm apenas uma pequena chance de ganhar. Eles sabem que, para um ensaio ter chance de ganhar, deve incluir elogios ao produto. Então procuram características elogiáveis e as descrevem em seus ensaios. O resultado são centenas de prisioneiros de guerra na Coreia ou centenas de milhares de pessoas nos Estados Unidos que testemunham por escrito o apelo do produto e que, consequentemente, experimentam a força mágica para acreditar no que escreveram.[5]

DEPOIMENTO DO LEITOR 7.2

Do diretor de criação de uma grande agência de publicidade internacional

No fim dos anos 1990, perguntei a Fred DeLuca, fundador e CEO das lanchonetes Subway, por que insistia em botar a previsão "dez mil lojas até 2001" nos guardanapos em todas as Subways. Não parecia fazer sentido, pois sabia que ele estava distante de seu objetivo, que os consumidores não ligavam para seu plano e que seus franqueados estavam mais preocupados com a competição associada a esse objetivo. Sua resposta foi: "Se eu colocar meus objetivos por escrito e os torná-los conhecidos no mundo, estarei comprometido em atingi-los." Não é necessário dizer que ele não apenas conseguiu, mas os superou.

Nota do autor: Em 1° de janeiro de 2021, a Subway tinha a previsão de ter 38 mil restaurantes em 111 países. Então, como vamos ver na próxima seção, compromissos escritos e públicos podem ser usados não apenas para influenciar outras pessoas de maneiras desejáveis, mas para influenciar a nós mesmos de forma semelhante.

COMPROMISSO PÚBLICOS

Uma razão por que textos por escrito são efetivos em provocar mudança pessoal verdadeira é que podem ser tornados públicos com muita facilidade. A experiência com os prisioneiros na Coreia mostrou que os chineses tinham consciência de um importante princípio psicológico: compromissos públicos tendem a ser compromissos duradouros. Eles faziam com que as afirmações pró-comunistas de seus prisioneiros fossem vistas por outros. Elas eram afixadas no campo, lidas pelo autor em um grupo de discussão dos prisioneiros, ou mesmo lida em uma transmissão de rádio. Para os chineses, quanto mais públicas, melhor.

Sempre que alguém torna uma posição clara para os outros, surge um impulso para manter essa posição a fim de *parecer* uma pessoa coerente. Lembra-se de que no início deste capítulo descrevi como é desejável ter uma boa coerência pessoal como característica; como alguém sem ela pode ser considerado volúvel, inseguro, complacente, desmiolado e instável; como alguém com ela é visto como racional, seguro, confiável e sólido? Assim, não é surpresa que as pessoas tentem evitar a aparência de incoerência. Para o bem das aparências, quanto mais pública uma posição, mais relutantes ficamos em mudá-la.

E-BOX 7.1

COMO MUDAR SUA VIDA
Por Alicia Morga

Owen Thomas escreveu recentemente em um tom maravilhado no *The New York Times* como conseguiu perder quarenta quilos usando um aplicativo do celular. Ele usou o MyFitnessPal. Os desenvolvedores do aplicativo descobriram que os usuários que divulgavam sua contagem de calorias para os amigos perdiam 50% mais peso que um usuário típico.

Parece óbvio que uma rede social pode ajudar você a fazer uma mudança, mas a forma desse acontecimento é menos clara. Muitos citam a aprovação social — olhar para os outros para saber como se comportar — como influente, mas o que mais explica transformação são compromisso e coerência.

Quanto mais público nosso compromisso, mas sentimos pressão para agir de acordo com ele e, portanto, parecer coerentes. Pode ser um ciclo virtuoso (ou destrutivo), pois, segundo Robert Cialdini, "você pode usar pequenos compromissos para manipular a autoimagem de uma pessoa", e, ao mudar a autoimagem de uma pessoa, você pode fazer com que ela se comporte de acordo com essa nova imagem — qualquer coisa que seja coerente com essa nova visão de si mesma.

Então você quer mudar sua vida? Faça um compromisso específico, use mídias sociais para divulgá-lo e use a pressão interna que você então sente para fazê-lo continuar nessa direção.

Enquanto a experiência do sr. Thomas demonstra o poder dessa teoria aplicada às dietas, vejo aplicações possíveis em toda parte. Como, por exemplo, em estudantes hispânicos com dificuldades (eles têm o maior índice de abandono do ensino médio). Por que não fazê-los se comprometer publicamente a ir para a faculdade? Será que dessa forma mais iriam? Devia haver um aplicativo para isso.

Nota do autor: Nesse post de blog, a autora julga corretamente que, embora a pressão dos pares esteja envolvida, o princípio que produziu a mudança necessária para o sr. Thomas não foi a aprovação social. Foi compromisso e coerência. Além disso, o compromisso efetivo foi público, o que se encaixa com a pesquisa que mostra que compromissos com objetivos de perda de peso têm cada vez mais sucesso — no curto e no longo prazo — conforme se tornam cada vez mais públicos (Nyer & Dellande, 2010).

Uma ilustração da forma como os compromissos públicos podem levar a outras ações coerentes foi apresentada em um famoso experimento realizado por dois importantes psicólogos sociais, Morton Deutsch e Harold Gerard. O procedimento básico era fazer com que universitários primeiro estimassem em suas mentes o tamanho das linhas que lhes mostravam. Então, uma amostra de estudantes tinha de se comprometer publicamente com suas apostas iniciais escrevendo suas estimativas, assinando seu nome e as entregando ao pesquisador. Uma segunda amostra também se comprometeu com suas primeiras estimativas, mas fez isso em particular, escrevendo-as e apagando-as antes que qualquer pessoa pudesse ver o que tinham escrito. Um terceiro grupo de estudantes não se comprometeu em nada com suas estimativas iniciais; só guardaram suas estimativas em particular na mente.

Dessa maneira, Deutsch e Gerard fizeram com que alguns estudantes se comprometessem em público, alguns em particular e alguns não fizessem isso, com suas decisões iniciais. Os pesquisadores queriam descobrir qual dos três tipos de estudante tenderia a se aferrar a seus primeiros julgamentos depois de receber informação que esses julgamentos estavam errados. Portanto, todos os estudantes receberam novas evidências sugerindo que suas estimativas iniciais estavam erradas, e eles tinham a chance mudar essas estimativas.

Os estudantes que não escreveram suas primeiras escolhas foram os menos leais a elas. Quando foram apresentadas novas evidências que questionavam a sabedoria de decisões que nunca deixaram suas mentes, esses estudantes foram os mais influenciados a mudar o que tinham visto como a decisão "correta". Comparados com os estudantes não comprometidos, os que tinham apenas escrito suas decisões por um momento ficaram significativamente menos dispostos a mudar de ideia quando tiveram a chance. Embora eles tivessem se comprometido sob circunstâncias anônimas, o ato de escrever seus primeiros julgamentos os fez resistir à influência dos novos dados contraditórios e permanecer congruentes com suas escolhas preliminares. De longe, porém, foram os estudantes que tinham registrado publicamente suas posições iniciais que se recusaram de forma mais resoluta a mudar posteriormente essas posições. Compromissos públicos os transformaram nos mais teimosos de todos.

Esse tipo de teimosia pode ocorrer até em situações nas quais a precisão deve ser mais importante que a coerência. Em um estudo, quando júris experimentais de seis ou doze pessoas estavam decidindo um caso difícil, júris divididos eram significativamente mais frequentes se os jurados tivessem de expressar sua opinião com um gesto visível das mãos em vez de em votação secreta. Depois que os jurados afirmavam publicamente sua visão, relutavam a mudar de opinião também publicamente. Se você algum dia for o presidente de um júri sob essas condições, pode reduzir o risco de pessoas que não concordam escolhendo um método de votação secreto em vez de público.

A descoberta de que somos mais fiéis a nossas decisões se nos comprometemos com elas publicamente pode ser bem utilizada. Pense em organizações dedicadas a ajudar pessoas a se livrarem de maus hábitos. Muitas clínicas de emagrecimento, por exemplo, entendem que frequentemente a decisão privada de uma pessoa de perder peso vai ser fraca demais para que resista às tentações das padarias, do cheiro de cookies frescos e de comerciais de entrega de pizza. Então elas fazem com que a decisão seja apoiada pelos pilares do compromisso público. Exigem que os clientes escrevam uma meta de emagrecimento imediata e *mostrem* essa meta para o maior número possível de amigos, parentes e vizinhos. Operadores de clínicas relatam que essa técnica simples funciona quando todo o resto já falhou.

Claro, não há a necessidade de pagar uma clínica especial para transformar um compromisso visível em aliado. Uma mulher de San Diego me descreveu como empregou uma promessa pública para lhe ajudar a parar de fumar. Ela comprou um conjunto de cartões de visita em branco e escreveu no verso de cada um: "Prometo a você que nunca vou fumar outro cigarro." Ela então deu um cartão assinado para "todas as pessoas em minha vida que eu realmente queria que me respeitassem". Depois disso, sempre que sentia necessidade de fumar, dizia que pensava como essas pessoas iam ter uma imagem pior dela se quebrasse a promessa feita. Ela nunca mais fumou. Hoje em dia, aplicativos para mudar o comportamento ligados a nossas redes sociais permitem que empreguemos essa técnica de autoinfluência dentro de um conjunto muito maior de amigos que alguns cartões de visitas podiam alcançar.[6] Ver, por exemplo, o e-box 7.1.

DEPOIMENTO DO LEITOR 7.3

De um professor universitário canadense

Acabei de ler uma reportagem de jornal sobre como um dono de restaurante usou os compromissos públicos para resolver o problema de pessoas que não apareciam para suas reservas de mesas. Não sei se ele leu ou não seu livro antes disso, mas fez algo que se encaixa no princípio do compromisso/coerência do qual você fala. Ele disse a suas recepcionistas para pararem de dizer "por favor, telefone se mudar de planos" e começarem a questionar "O senhor, por favor, vai nos ligar se mudar de planos?" e a esperar por uma resposta. Sua taxa de não comparecimento caiu de 30% para 10%. Isso é uma queda de 67%.

Nota do autor: O que havia nessa mudança sutil que levou a uma diferença tão dramática? Para mim, foi o pedido da recepcionista (e uma pausa) por uma resposta do cliente. Ao estimulá-los a assumir um compromisso público, essa abordagem aumentou a chance de que o cumprissem. Por falar nisso, o astuto proprietário foi Gordon Sinclair do restaurante Gordon's em Chicago. O e-box 7.2 traz a versão online dessa tática.

E-BOX 7.2

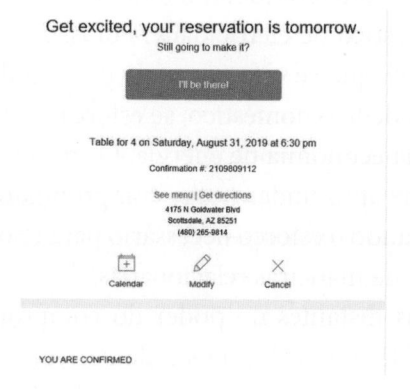

Nota do autor: Hoje os restaurantes estão reduzindo o número de clientes que não aparecem, pedindo que assumam um compromisso ativo e público online antes da data de sua reserva. Recentemente, o consultório de meu médico começou a fazer a mesma coisa, com um elemento adicional para aumentar persuasão: "Ao me dizer se você pode ou não pode vir, me ajuda a garantir que todos os pacientes estejam recebendo os cuidados que precisam." Quando perguntei sobre o sucesso do programa de confirmação online, a gerente do consultório do médico me disse que tinha reduzido em 81% o número de pessoas que não apareciam para suas consultas.

O ESFORÇO A MAIS

As evidências são óbvias: quanto mais esforço está envolvido em um compromisso, maior sua capacidade de influenciar as atitudes e ações da pessoa que o assumiu. Podemos encontrar essas evidências em ambientes como nossas casas e escolas ou até mesmo em regiões remotas do mundo.

Vamos começar perto de casa com as exigências de muitas vizinhanças para que se separe o lixo doméstico para coleta seletiva. Essas exigências podem ser diferentes no esforço necessário para o descarte correto. Esse é o caso em Hangzhou, China, onde os passos para a separação e o descarte adequados são mais árduos em algumas partes da cidade que em outras. Depois de informar aos residentes dos benefícios ambientais do descarte apropriado, pesquisadores no país quiseram ver se os residentes que tinham de se esforçar mais para seguir os padrões ambientais ficariam mais comprometidos com o ambiente em geral, como mostrado por também tomar a atitude pró-ambiental de reduzir seu consumo doméstico de eletricidade. Foi isso o que aconteceu. Residentes que tinham que se esforçar mais para ajudar o ambiente por meio da separação de lixo doméstico, se esforçavam mais para apoiar o ambiente através da economia de energia. Os resultados são importantes para indicar que aprofundar nosso compromisso com uma missão, nesse caso aumentando o esforço necessário para isso, pode nos inspirar a avançar a missão de maneiras relacionadas.

Ilustrações mais distantes do poder do compromisso com esforço também existem. Há uma tribo no sul da África, os thonga, que exige que seus meninos passem por uma cerimônia elaborada de iniciação antes de poderem ser considerados homens. Como em muitas outras tribos, um garoto thonga passa por muita coisa antes de ser admitido como membro adulto do grupo. Os antropólogos John W.M. Whiting, Richard Kluckhohn e Albert Anthony descreveram esses três meses de provações em termos breves, mas vívidos:

Quando um garoto tem entre dez e dezesseis anos, ele é enviado pelos pais para a "escola da circuncisão", que é realizada a cada quatro ou cinco anos. Ali, na companhia de seus companheiros de sua idade, ele passa por testes severos aplicados pelos membros adultos da sociedade. A iniciação começa quando cada menino tem de correr entre duas fileiras de homens que batem neles com bastões. No fim dessa experiência, tiram suas roupas e cortam seu cabelo. Em seguida, cada um deles encontra um homem coberto de jubas de leão e é sentado em uma pedra de frente a esse "homem leão". Alguém, então, o agride por trás e, quando ele vira a cabeça para ver quem o atingiu, seu prepúcio é agarrado e, em dois movimentos, cortado pelo "homem leão". Depois, ele fica isolado por três meses no "pátio dos mistérios", onde só pode ser visto pelos iniciados.

Durante sua iniciação, o garoto passa por seis testes importantes: espancamentos, exposição ao frio, sede, comer alimentos de gosto ruim, punições e a ameaça de morte. Ao menor pretexto, ele pode ser surrado por um dos homens recém-iniciados, que recebem essa tarefa de outros membros da tribo. Ele dorme sem coberta e sofre amargamente com o frio do inverno. É proibido de beber uma gota de água durante todos os três meses. As refeições em geral são tornadas nauseantes com a colocação de grama parcialmente digerida do estômago de um antílope, que é derramada sobre sua comida. Se ele for pego desrespeitando alguma regra que governa a cerimônia, é severamente punido. Por exemplo, em uma dessas punições, pedaços de pau são colocados entre os dedos do punido, então um homem forte fecha as mãos em torno da do noviço, praticamente esmagando seus dedos. Para que se submeta, contam a história de tempos antigos, e como os meninos que tentavam fugir, que revelavam os segredos para mulheres ou os não iniciados eram enforcados e seus corpos queimados até virarem cinza. (p. 360)

À primeira vista, esses ritos parecem estranhos e bizarros. Entretanto, são incrivelmente semelhantes em princípios e até em detalhes com as cerimônias comuns de iniciação de fraternidades escolares. Durante a tradicional semana de trote, realizada todos os anos em *campi* universitários, candidatos às fraternidades devem perseverar através de uma variedade de atividades criadas por membros mais antigos para testar os limites do esforço físico, de tensão psicológica e embaraço social. Ao fim da semana, os garotos que persistiram através das provações são aceitos como membros completos do grupo. Em sua maioria, suas tribulações os deixaram nada mais que muito cansados e um pouco abalados, embora alguns dos efeitos negativos sejam muito mais sérios.

É interessante como as características da semana de trote se equiparam de maneira próxima às dos ritos de iniciação tribal. Lembre-se de que os antropólogos identificaram seis testes principais encarados por um iniciado thonga durante sua permanência no "pátio dos mistérios". Uma varredura por reportagens de jornais mostra que cada teste tem seu lugar nos rituais de iniciação das fraternidades americanas:

- **Espancamentos:** Michael Kalogris, de catorze anos, passou três semanas em um hospital de Long Island se recuperando de lesões internas sofridas durante uma cerimônia de iniciação na noite do trote do ensino médio, da Omega Gamma Delta. Ele tinha recebido a "bomba atômica" por seus irmãos em potencial, que lhe disseram para levantar as mãos acima da cabeça e mantê-las ali enquanto se reuniam ao seu redor para socar seu estômago e suas costas simultânea e repetidamente.

- **Exposição ao frio:** em uma noite de inverno, Frederick Bronner, um aluno de faculdade comunitária da Califórnia, foi abandonado por seus colegas na montanha de um parque nacional, a uma altura de novecentos metros e uma distância de dezesseis quilômetros floresta adentro. Vestindo apenas calça e camiseta, Fat Freddy, como ele era chamado, tremeu em um vento gélido até cair em uma ravina íngreme, fraturar ossos e machucar a cabeça. Impedido de seguir em frente por causa dos seus ferimentos, ele ficou ali encolhido no frio até morrer.

- **Sede:** dois calouros da Universidade Estadual de Ohio foram presos nas "masmorras" da casa da fraternidade para a qual pretendiam entrar depois de quebrar a regra de que todos os candidatos deviam entrar rastejando na área de jantar antes das refeições da semana de trote. Depois de trancados na sala de armazenamento da casa, eles receberam apenas alimentos salgados para comer por quase dois dias. Nada foi fornecido para beberem, exceto dois copos plásticos onde podiam recolher a própria urina.

- **Comer alimentos de gosto ruim:** na casa da Kappa Sigma nos campos da Universidade de Southern California, os olhos de onze candidatos saltaram quando viram a tarefa nauseante a sua frente. Havia onze pedaços de cem gramas de fígado cru em uma bandeja. Cortados grossos e embebidos em óleo, cada pedaço devia ser engolido inteiro, um para cada garoto. Engasgando e entalando repetidamente, o jovem Richard Swanson falhou três vezes em engolir seu pedaço. Determinado a conseguir, ele finalmente botou o pedaço de carne embebido em óleo na garganta, onde ele se alojou e, apesar de todos os esforços para removê-lo, o matou.

- **Punições:** em Wisconsin, um candidato que esqueceu um trecho de um ritual mágico que devia ser memorizado por todos os iniciados foi punido por seu erro. Mandaram que pusesse os pés embaixo das pernas de uma cadeira dobrável enquanto o mais pesado de seus irmãos de fraternidade se sentava e bebia uma cerveja. Embora o candidato não tenha gritado durante a punição, um osso em cada pé foi quebrado.

- **Ameaças de morte:** um candidato à fraternidade Zeta Beta Tau foi levado para uma área de praia onde lhe mandaram cavar a "própria cova". Segundos após ele obedecer a ordem de se sentar no buraco, as laterais desmoronaram e o sufocaram antes que seus futuros irmãos de fraternidade conseguissem tirá-lo.

Há outra grande semelhança entre os ritos de iniciação tribais e de fraternidades: eles não desaparecem. Resistindo a todas as tentativas de eliminá-las ou contê-las, essas práticas de iniciação têm sido resilientes de forma fenomenal. Autoridades, na forma de governos ou administradores de universidades, tentaram fazer ameaças, pressões sociais, ações jurídicas, banimentos, subornos e proibições para convencer os grupos a reduzir os riscos e as humilhações de suas cerimônias de iniciação. Nada obteve sucesso. Ah, pode haver uma mudança enquanto a autoridade está observando com atenção, mas isso em geral é mais aparente que real — os testes mais duros continuam sob circunstâncias secretas até que a pressão diminua e possam ressurgir outra vez.

Em alguns *campi* universitários, autoridades tentaram eliminar práticas perigosas de iniciação com a substituição por uma "semana de ajuda" de serviços cívicos ou tentando assumir o controle direto de rituais de iniciação. Quando essas tentativas não são dribladas de modo astuto por fraternidades, são encaradas com resistência física explícita. Por exemplo, depois da morte por sufocamento de Richard Swanson na Southern California, o reitor da universidade emitiu novas regras exigindo que todas as atividades de iniciação fossem revisadas por autoridades escolares antes de serem realizadas, e que conselheiros adultos estivessem presentes durante cerimônias de iniciação. Segundo uma revista de circulação nacional, "O novo código provocou uma revolta tão violenta que a polícia e os bombeiros ficaram com medo de entrar no *campus*".

Resignando-se ao inevitável, outros representantes de faculdades desistiram da possibilidade de abolir as degradações da semana do inferno. "Se os rituais de iniciação são uma atividade humana universal, e todas as evidências apontam para essa conclusão, você não vai conseguir aboli-los com eficácia. Recuse-se a permitir que sejam feitos, e eles vão ser feitos na clandestinidade. Você não pode banir o sexo, não pode proibir o álcool e, provavelmente, não pode eliminar os rituais de iniciação!"

O que torna as práticas de iniciação tão preciosas para essas sociedades? O que pode fazer os grupos tentarem evitar, solapar ou contestar qualquer esforço para banir as características degradantes e perigosas de seus direitos de iniciação? Alguns defenderam que os próprios grupos são compostos de depravados sociais ou psicológicos cujas necessidades deturpadas exigem que outros sejam feridos e humilhados. As evidências não comprovam esse ponto de vista. Estudos feitos sobre os traços de personalidade de membros de fraternidades, por exemplo, mostram que são, na verdade, um pouco mais saudáveis que outros estudantes universitários em seu ajuste psicológico. De forma semelhante, fraternidades são conhecidas por se envolverem em projetos benéficos à comunidade pelo bem social. O que não estão dispostos a fazer, porém, é substituir esses projetos por suas cerimônias de iniciação. Uma pesquisa na Universidade de Washington descobriu que, das fraternidades examinadas, a maioria tinha uma tradição de fazer um tipo de semana da ajuda, mas esse serviço comunitário era feito *além* da semana do trote. Em apenas um caso esse serviço estava diretamente relacionado a processos de iniciação.

A descrição que surge dos responsáveis pelas práticas de iniciação é de indivíduos normais que tendem a ser psicologicamente estáveis e socialmente preocupados, mas que se tornam duros enquanto grupo de uma forma aberrante em apenas um momento — imediatamente antes da admissão de novos membros na sociedade. As evidências apontam para a cerimônia como culpada. Deve haver algo em seus rigores que é vital para o grupo. Deve haver alguma função para sua dureza que a sociedade luta para manter. O quê?

Acredito que a resposta tenha surgido nos resultados de um estudo pouco conhecido fora da psicologia social. Uma dupla de pesquisadores, Elliot Aronson e Judson Mills, decidiu testar sua observação que "as pessoas que passam por muitas dificuldades ou dor para obter algo tendem a valorizá-lo mais do que as pessoas que obtêm a mesma coisa com um mínimo de esforço". A verdadeira inspiração veio da sua escolha da cerimônia de iniciação como o melhor lugar para examinar essa possibilidade. Eles descobriram que mulheres universitárias que tiveram de se submeter a uma cerimônia de iniciação extremamente embaraçosa para obter acesso a um grupo de discussão sobre sexo se convenceram que seu novo grupo e suas discussões eram mais valiosos, embora Aronson e Mills tenham instruído os demais membros do grupo para serem "o mais inútil e mais desinteressantes" possível. Mulheres diferentes que passaram por uma cerimônia de iniciação muito mais suave ou não passaram por iniciação nenhuma eram sem dúvida menos positivas em relação ao grupo novo "inútil" ao qual se juntaram. Pesquisas adicionais mostraram os mesmos resultados quando pediram a estudantes do sexo feminino que suportassem dor em vez de embaraço para entrar no grupo. Quanto mais choques elétricos uma mulher recebia como parte da cerimônia de iniciação, mais se convencia de que o grupo novo e suas atividades eram interessantes, inteligentes e desejáveis.

DEPOIMENTO DO LEITOR 7.4

De Paola, uma designer gráfico italiana

Gostaria de lhe contar um caso que aconteceu no mês passado. Eu estava em Londres com meu namorado quando ele viu um estúdio de tatuagem que dizia fazer "os piercings de sobrancelha mais baratos de Londres". Eu fiquei muito assustada com a ideia do sofrimento, mas resolvi fazer. Depois da emoção do piercing, quase desmaiei. Eu não conseguia me mexer nem abrir o olho. Eu me sentia tão mal que só tive força para dizer: "Hospital." O médico me disse que eu ficaria bem. Depois de dez minutos, me sentia melhor, mas garanto que foram os piores dez minutos da minha vida.

Então comecei a pensar nos meus pais. Eles não iam ficar satisfeitos com o que eu tinha feito, e pensei em tirar a argola do piercing. Mas resolvi não fazer isso. Eu tinha sofrido demais para removê-la.

Fico satisfeita com essa decisão porque agora estou muito feliz por ter esse piercing.

Nota do autor: De forma muito parecida com as jovens do estudo de Aronson e Mills, Paola ficou feliz e comprometida com o que sofreu para obter.

Agora os abusos, as pressões e até os espancamentos de rituais de iniciação começam a fazer sentido. Os membros do povo thonga olhando para seus filhos de dez anos tremer por causa de uma noite no chão frio do "pátio dos mistérios" e o calouro universitário pontuando sua surra da noite de trote de seu "irmãozinho" da fraternidade com explosões de riso nervoso — esses não são atos de sadismo. São atos de sobrevivência do grupo. Eles funcionam, estranhamente, para motivar futuros membros da sociedade a achar o grupo mais atraente e valioso. Enquanto as pessoas continuarem a gostar e a acreditar naquilo que se esforçaram para obter, esses grupos vão continuar a organizar ritos de iniciação exigentes e que demandam esforço. A lealdade e dedicação daqueles que saem disso vão aumentar muito as chances de coesão e sobrevivência do grupo. Na verdade, um estudo de 54 culturas tribais descobriu que aquelas com as cerimônias de iniciação mais dramáticas e estritas tinham a maior solidariedade. Levando-se em conta a demonstração de Aronson e Mills de que a severidade de uma cerimônia de iniciação aumenta o compromisso do recém-chegado com o grupo, não é surpresa que grupos se oponham a todas as tentativas de eliminar esse elo crucial com sua força futura.

Grupos e organizações militares não estão livres desses mesmos processos. As agonias das iniciações dos campos de treinamento das Forças Armadas são lendárias e eficazes. O romancista William Styron testemunhou essa eficácia depois de relatar as desgraças de seu próprio "treinamento-pesadelo", estilo campo de concentração, com os fuzileiros navais americanos:

> *Não conheço nenhum ex-fuzileiro que não veja o treinamento como algo muito difícil do qual eles emergiram de algum modo mais resilientes, mais bravos e em melhores condições. (Styron, 1977, p. 3)*[7]

A ESCOLHA INTERIOR

Examinar atividades tão diversas quanto as práticas de doutrinação em campos de prisioneiros controlados pelos chineses na Coreia e os rituais de iniciação das fraternidades universitárias fornece informação valiosa sobre compromisso. Parece que os compromissos mais eficazes para mudar a autoimagem e o comportamento futuro são aqueles ativos, públicos e trabalhosos. Entretanto, há outra propriedade do compromisso mais importante que as outras três juntas. Para entender o que é, primeiro precisamos resolver dois enigmas nas ações dos interrogadores comunistas e dos irmãos de fraternidades universitárias.

O primeiro vem da recusa de sedes de fraternidades de permitir que atividades de serviço público façam parte de suas cerimônias de iniciação. Lembre-se da pesquisa da Universidade de Washington que descobriu que projetos comunitários de fraternidade, embora frequentes, eram quase sempre separados dos programas de apresentação de novos membros. Por quê? Se as fraternidades buscam em seus ritos de iniciação um compromisso trabalhoso, podiam estruturar atividades físicas suficientemente desagradáveis e cansativas para os candidatos; consertar casas de idosos, cuidar do jardim de um centro de saúde mental e limpar o lixo das estradas pode ser muito trabalhoso. Além disso, projetos com espírito comunitário melhorariam a imagem desfavorável dos ritos das fraternidades na semana de trote para o público e a mídia; uma pesquisa mostrou que, para cada artigo positivo de jornal em relação à semana de trote, havia cinco negativos. Mesmo que apenas por motivos de relações públicas, então, as fraternidades poderiam desejam incorporar esforços de serviço comunitário em seus processos de iniciação. Mas elas não desejam.

Para examinar o segundo enigma, precisamos voltar para os campos chineses de prisioneiros na Coreia e os concursos de redações políticas feitos com prisioneiros americanos. Os chineses queriam que o maior número de americanos possível entrasse nesses concursos para que, no processo, pudessem escrever comentários favoráveis à visão comunista. Se a ideia era atrair um grande número de inscritos, por que os prêmios eram tão modestos? Alguns cigarros ou uma fruta fresca eram tudo o que um vencedor de concurso podia esperar. Na situação, até esses prêmios eram valiosos; mas, ainda assim, havia recompensas muito maiores — roupas quentes, privilégios especiais de correspondência, maior liberdade de movimentos no campo — que os chineses podiam ter usado para aumentar o número de autores das redações. Ainda assim eles escolheram empregar pequenas em vez de recompensas maiores e mais motivadoras.

Embora os ambientes sejam bem diferentes, as fraternidades pesquisadas se recusaram a permitir atividades cívicas em suas cerimônias de iniciação pelo mesmo motivo que os chineses evitavam prêmios maiores em favor de menos: eles queriam que os participantes fossem responsáveis pelo que tinham feito. Não eram permitidas desculpas, nem havia saídas. Um candidato que sofria durante uma iniciação árdua não podia ter a chance de acreditar ter feito isso por motivos de caridade. Um prisioneiro que incluía comentários antiamericanos em seu ensaio político não podia descartar isso como tendo sido motivado por uma grande recompensa. Não. As fraternidades e os comunistas chineses estavam jogando sério. Não era suficiente extrair comentários; esses homens deviam ser levados a assumir uma responsabilidade interior por suas ações.

Cientistas sociais determinaram que *aceitamos responsabilidade interior por comportamentos quando consideramos que os adotamos na falta de forte pressão externa.* Uma grande recompensa é uma dessas pressões externas. Ela pode nos levar a fazer certas ações, mas não vai nos fazer aceitar responsabilidade interior pelos atos. Consequentemente, não vamos nos sentir comprometidos com eles. O mesmo é verdade com uma forte ameaça; ela pode motivar o consentimento imediato, mas é improvável que produza um compromisso de longo prazo. Na verdade, grandes recompensas materiais ou ameaças podem até reduzir ou "solapar" nosso sentimento de responsabilidade interior por um ato, provocando relutância excessiva em realizá-lo quando a recompensa não está mais presente.

Tudo isso tem implicações importantes para a criação de filhos. Sugere que nunca devemos subornar nem ameaçar nossos filhos demais para fazerem as coisas nas quais queremos que eles acreditem. Essas pressões vão produzir obediência temporária a nossos desejos. Entretanto, se quisermos mais que isso, se quisermos que nossos filhos acreditem na correção do que eles fizeram, se quisermos que eles continuem a apresentar o comportamento desejado quando não estamos presentes para aplicar essas pressões externas, devemos de algum modo fazer com que aceitem a responsabilidade interior pelas ações que queremos que eles façam. Um experimento do psicólogo social Jonathan Freedman nos dá algumas dicas sobre o que fazer e o que não fazer em relação a isso.

Freedman sabia que era fácil o bastante fazer um menino obedecer temporariamente. Bastava ameaçá-lo com consequências severas se ele fosse flagrado brincando com o brinquedo. Enquanto Freedman estivesse presente para aplicar a punição rígida, ele achou que poucos meninos arriscariam brincar com o robô. Ele estava certo. Depois de mostrar a um menino um conjunto de cinco brinquedos e de alertar "É errado brincar com o robô. Se você brincar com o robô, vou ficar com muita raiva e terei que tomar providências", Freedman deixou a sala por alguns minutos. Durante esse tempo, o menino foi observado secretamente através de um espelho unidirecional. Freedman tentou esse procedimento da ameaça com 22 meninos, e 21 deles nunca tocaram o robô quando ele não estava presente.

Essa ameaça forte teve sucesso enquanto os meninos achavam que podiam ser pegos e castigados. Mas Freedman já tinha adivinhado isso. Ele estava mesmo interessado na eficácia da ameaça na condução do comportamento dos meninos mais tarde, quando ele não estivesse mais por perto. Para descobrir o que iria acontecer, ele enviou uma mulher até a escola do menino cerca de seis semanas depois que tinha estado lá. Ela levou cada menino para fora da sala de aula para participar de um estudo. Sem mencionar nenhuma conexão com Freedman, acompanhou cada menino até a sala contendo os cinco brinquedos e deu a ele um teste de desenho. Enquanto estava corrigindo o teste, ela disse ao menino que ele poderia brincar com qualquer brinquedo na sala. Claro, quase todos os meninos brincaram com um brinquedo. O interessante foi que, entre os meninos que fizeram isso, 77% escolheram brincar com o robô que tinha sido proibido para eles. A ameaça severa de Freedman, que tinha sido tão eficiente seis semanas antes, não teve praticamente nenhum sucesso quando ele não era mais capaz de apoiá-la com punição.

Entretanto, Freedman não tinha acabado. Ele mudou um pouco o procedimento com uma segunda amostra de meninos. Freedman também mostrou inicialmente a esses meninos o conjunto de brinquedos e eles foram alertados a não brincar com o robô porque "É errado brincar com o robô". Dessa vez, Freedman não apresentou nenhuma ameaça forte para assustar os meninos e fazê-los obedecer. Então, saiu da sala e observou através de um espelho unilateral para ver se sua instrução contra brincar com o brinquedo proibido era suficiente. Foi. Como havia acontecido com a outra amostra, apenas um dos 22 meninos mexeu no robô durante os poucos minutos em que Freedman não estava na sala.

A verdadeira diferença entre as duas amostras de meninos ocorreu seis semanas mais tarde, quando tiveram a chance de brincar com os brinquedos enquanto Freedman não estava por perto. Uma coisa surpreendente aconteceu com os meninos que não haviam recebido nenhuma ameaça forte antes sobre brincar com o robô: quando tiveram a liberdade de brincar com qualquer brinquedo, a maioria evitou o robô, embora fosse, de longe, o mais atraente dos cinco brinquedos disponíveis (os outros eram um submarino de plástico, uma luva de beisebol infantil sem uma bola, um fuzil de brinquedo descarregado e um trator de brinquedo). Quando esses meninos brincaram com um dos cinco brinquedos, apenas 33% escolheram o robô.

Algo dramático aconteceu com os dois grupos de meninos. Para o primeiro grupo, foi a ameaça severa com que Freedman reforçou sua afirmação de que brincar com o robô era "errado". Isso foi eficaz enquanto Freedman podia pegá-los violando a regra. Mais tarde, porém, quando não estava mais presente para observar o comportamento dos meninos, sua ameaça era impotente, e sua regra foi ignorada. Parece evidente que a ameaça não ensinou aos meninos que operar o robô era errado, só que não era sábio fazer isso quando havia possibilidade de punição.

Para os outros meninos, o evento dramático veio de dentro, não de fora. Friedman os instruíra, também, que brincar com o robô era errado, mas não adicionara nenhuma ameaça de punição se os meninos desobedecessem. Houve dois resultados importantes. Primeiro, só a instrução de Freedman foi suficiente para impedir que os meninos operassem o robô enquanto ele saía da sala. Segundo, os garotos assumiram responsabilidade pessoal por suas escolhas em ficar longe do robô durante esse tempo. Eles decidiram que não tinham brincado porque *eles* não quiseram. Afinal de contas, não havia punição forte associada com o brinquedo para explicar seu comportamento de não fazer isso. Assim, semanas depois, quando Freedman não estava por perto, eles ainda ignoraram o robô porque tinham sido mudados por dentro a acreditar que não queriam brincar com ele.

Adultos diante da experiência de educar seus filhos podem extrair uma lição do estudo de Freedman. Imagine que um casal quer incutir em sua filha que mentir é errado. Uma ameaça forte e clara ("É errado mentir, querida, então se eu pegar você fazendo isso, vou cortar sua língua fora") pode ser eficaz quando os pais estão presentes ou quando a menina achar que pode ser descoberta. Entretanto, isso não vai alcançar o objetivo maior de convencê-la de que ela mesma não quer mentir porque *ela* acha que é errado. Para fazer isso, o casal precisa de uma abordagem mais sutil. Eles devem dar uma razão forte o suficiente para que ela seja honesta na maior parte do tempo, mas não tão forte de maneira que ela veja isso como a razão para sua sinceridade.

É um negócio complicado porque o que é razão suficiente muda de criança para criança. Para uma criança, um simples apelo pode ser suficiente ("Mentir é feio, querida, então espero que você não faça isso"); para outra, pode ser necessário acrescentar uma razão mais forte ("... porque se você fizer isso, vou ficar decepcionado com você"); para uma terceira criança, uma forma suave de alerta pode ser necessária também ("... e eu vou ter de fazer uma coisa que não quero"). Pais sábios vão saber que tipo de razão vai funcionar com seus filhos. O importante é usar uma razão que produza inicialmente o comportamento desejado e, ao mesmo tempo, permita que a criança assuma responsabilidade pessoal pelo comportamento. Assim, quanto menos pressão externa detectável essa razão contiver, melhor. Escolher a razão certa não é tarefa fácil para os pais, mas o esforço deve recompensar. Provavelmente isso vai significar a diferença entre uma obediência de vida curta e um compromisso de longo prazo. Como Samuel Butler escreveu mais de trezentos anos atrás: "Aquele que concorda contra sua vontade/ainda tem a mesma opinião".[8]

PERNAS PARA SE SUSTENTAR

Por duas razões que já levamos em conta, os profissionais da persuasão adoram compromissos que produzam mudança interior. Primeiro, a mudança não é específica à situação onde ocorreu inicialmente; ela cobre toda uma gama de situações relacionadas. Segundo, os efeitos da mudança são duradouros. Depois que as pessoas são induzidas a fazer ações que mudam sua autoimagem para, digamos, cidadãos de espírito comunitário, elas ficam mais propensas a agir com espírito comunitário em diversas outras circunstâncias onde seu consentimento também pode ser desejado. E provavelmente vão continuar com seu comportamento de espírito comunitário pelo tempo em que suas novas autoimagens se mantiverem.

Há ainda outra atração em compromissos que leva a mudança interior — eles "desenvolvem suas próprias pernas". Não há necessidade que o profissional de persuasão empreenda um esforço custoso e contínuo para reforçar a mudança; a pressão por coerência vai cuidar disso. Depois que as pessoas passam a se ver como pessoas de espírito comunitário, elas automaticamente começam a ver as coisas de maneira diferente.

Ela se convencem de que esse é o jeito certo de ser e começam a prestar atenção a fatos que não haviam percebido antes sobre o valor do serviço comunitário. Elas se tornam dispostas a ouvir argumentos que não tinham ainda ouvido a favor de ação cívica e a achar esses argumentos mais persuasivos. Em geral, por causa da necessidade de ser coerentes dentro de seu sistema de crenças, asseguram a si mesmas que sua escolha de empreender uma ação de espírito comunitário está certa. O importante nesse processo de gerar motivos adicionais para justificar o compromisso é que os motivos sejam *novos*. Assim, mesmo se o motivo original para o comportamento de espírito cívico for removido, essas razões recém-descobertas podem ser suficientes para sustentar a percepção de que se comportaram corretamente.

A vantagem para um profissional de persuasão inescrupuloso é tremenda. Como desenvolvemos novos suportes para sustentar escolhas com as quais nos comprometemos, um explorador pode nos oferecer um convencimento para fazer essa escolha. Depois que a decisão foi tomada, o indivíduo pode remover esse convencimento, sabendo que nossa decisão provavelmente vai se sustentar sobre as próprias pernas recém-criadas. Revendedores de automóveis frequentemente tentam se beneficiar desse processo através de um artifício que chamamos de "técnica da bola baixa". Deparei-me pela primeira vez com isso quando estava me passando por um trainee de vendas de uma concessionária Chevrolet local. Depois de uma semana de instrução básica, tive a permissão de observar os vendedores trabalharem. Uma prática que chamou minha atenção foi essa técnica.

Para certos clientes, um carro é oferecido por um bom preço, talvez US$ 700 abaixo dos preços da concorrência. O bom negócio, entretanto, não é genuíno; o vendedor nunca tem a intenção de concluí-lo. Seu único propósito é fazer os clientes *decidirem* comprar um dos carros da revendedora. Quando a decisão é tomada, diversas atividades aprofundam a sensação do cliente de compromisso pessoal com o carro — há diversos formulários de venda, preparam-se termos extensos de financiamento, às vezes o cliente é estimulado a dirigir o carro por um dia antes de assinar o contrato, "para você se acostumar com ele e mostrá-lo na vizinhança e no trabalho". Durante esse tempo, o vendedor sabe, os clientes tipicamente desenvolvem uma série de novos motivos para apoiar sua escolha e justificar os investimentos que agora fizeram.

Então uma coisa acontece. De vez em quando, um "erro" de cálculo é descoberto — talvez o vendedor tenha se esquecido de acrescentar o custo do pacote de navegação e, se o comprador fizer questão dele, terá de acrescentar US$ 700 ao preço. Para se livrarem de qualquer suspeita, alguns vendedores deixam que o banco que lida com o financiamento encontre o erro. Outras vezes, o negócio não é concluído no último momento quando o vendedor checa com seu chefe, que o proíbe porque "a revendedora ia perder dinheiro". Por apenas mais US$ 700 é possível ter o carro, o que, no contexto de um negócio de milhares de dólares, não parece muito, porque, como o vendedor enfatiza, o custo é igual ao da concorrência, e "esse é o carro que você escolheu, certo?"

Outra forma mais insidiosa da técnica ocorre quando o vendedor faz uma oferta excessiva pelo carro usado do possível comprador como parte do pacote de compra/troca. O cliente reconhece a oferta como muito generosa e aceita o negócio. Mais tarde, antes da assinatura do contrato, o gerente de carros usados entra, diz que a avaliação do vendedor foi US$ 700 mais alta e reduz a avaliação ao preço do mercado. O cliente, percebendo que a oferta reduzida é justa, a aceita como apropriada e, às vezes, se sente culpado por tentar tirar proveito da avaliação elevada do vendedor. Uma vez testemunhei uma mulher pedir desculpas de forma constrangida para um vendedor que tinha usado essa versão da técnica de bola baixa com ela — isso enquanto assinava o contrato por um carro novo dando a ele uma polpuda comissão. Ele parecia sentido, mas conseguiu dar um sorriso de perdão.

Não importa a variedade de bola baixa usada, a sequência é a mesma: uma vantagem é oferecida que induz uma decisão de compra favorável. Então, algum tempo após a decisão ter sido tomada, mas antes que o negócio seja fechado, a vantagem de compra é removida com rapidez e habilidade. Parece incrível que um cliente compre um carro sob essas circunstâncias. Ainda assim, funciona — não com todo mundo, é claro, mas é eficaz o suficiente para ser um procedimento de persuasão básico em muitos showrooms de carros. Revendedores de automóveis passaram a entender a capacidade de um compromisso pessoal desenvolver o próprio sistema de apoio para justificativas para o compromisso. Frequentemente essas justificativas fornecem tantas pernas fortes para a decisão se sustentar que quando o vendedor remove uma única perna, a original, não há desmoronamento. A perda pode ser descartada pelo cliente, que é consolado pela série de outras coisas favoráveis à escolha. Nunca ocorre ao comprador que essas razões adicionais podiam nunca ter existido se a escolha não tivesse sido feita em primeiro lugar.

Depois de ver a técnica funcionar de forma tão impressionante no showroom de carros, decidi testar sua eficácia em outro ambiente, onde poderia analisar se a ideia básica funcionava com uma pequena mudança. Ou seja, os vendedores que observei usarem a tática da bola baixa, prometendo negócios muito bons, obtendo como resultado decisões favoráveis e depois removendo a melhor parte de seus acordos. Se minhas ideias sobre a essência do procedimento da bola baixa estivessem corretas, deveria ser possível fazer a tática funcionar de um jeito um pouco diferente: eu podia oferecer um bom negócio, que produziria o compromisso crucial da decisão, então poderia acrescentar uma característica *des*agradável ao acordo. Como o efeito da técnica da bola baixa era fazer com que um indivíduo prosseguisse com um negócio, mesmo depois que as circunstâncias o tornavam um acordo ruim, a técnica devia funcionar se um aspecto positivo do negócio fosse removido ou um aspecto negativo fosse acrescentado.

Para testar essa última possibilidade, meus colegas John Cacioppo, Rod Basset, John Miller e eu fizemos um experimento criado para fazer com que universitários desempenhassem uma ação desagradável — acordar muito cedo para participar de um estudo às sete da manhã sobre "processos de pensamento". Quando ligamos para uma amostra de estudantes, informamos a eles do horário de início. Só 24% estavam dispostos a participar. Entretanto, quando ligamos para a segunda amostra de estudantes, usamos a técnica da bola baixa. Primeiro, perguntamos se eles queriam participar de um estudo de processos de pensamento e, depois que eles responderam — 56% deles positivamente —, nós mencionamos o horário de início às sete da manhã e demos a eles uma chance de mudar de ideia. Ninguém mudou. Além disso, ao manterem o compromisso de participar, 95% dos estudantes apareceram para o estudo às sete horas da manhã como prometido. Sei disso porque recrutei dois assistentes de pesquisa para realizar o experimento dos processos de pensamento nesse horário e anotar os nomes dos estudantes que apareceram. (Como parênteses, não há fundamento no rumor de que, ao recrutar meus assistentes para essa tarefa, eu primeiro perguntei a eles se queriam administrar um estudo de processos de pensamento e, depois que concordaram, informei do horário de início às sete horas.)

O impressionante na tática da bola baixa é sua capacidade de fazer uma pessoa ficar satisfeita com uma escolha ruim. Aqueles que têm apenas escolhas ruins a oferecer são os que mais gostam dela, usando-a em situações de negócios, sociais e pessoais. Meu vizinho Tim, por exemplo é um verdadeiro fã da técnica da bola baixa. Lembre-se: ele é aquele que, prometendo mudar seu comportamento, convenceu a namorada Sara a cancelar o casamento com outro homem e aceitá-lo de volta. Desde sua decisão de escolher Tim, Sara se tornou mais dedicada a ele, embora ele não tenha cumprido suas promessas. Ela explica isso dizendo que se permitiu ver todo tipo de qualidades positivas em Tim que ela nunca havia reconhecido antes.

Sei muito bem que Sara é uma vítima da técnica. Da mesma forma que tinha observado compradores caírem na estratégia do "dê e tire depois" no showroom de automóveis, eu a vi cair no mesmo truque com Tim. De sua parte, Tim permanece o cara que sempre foi. Como os novos atrativos que Sara descobriu (ou criou) nele são reais para ela, agora parece satisfeita com o mesmo esquema que era inaceitável antes de seu enorme compromisso. A decisão de escolher Tim, por pior que tenha sido objetivamente, desenvolveu suas próprias pernas e parece ter deixado Sara satisfeita. Nunca mencionei a Sara o que sei sobre a técnica. A razão de meu silêncio não é achar que ela esteja melhor não sabendo da questão. É só porque estou confiante que, se eu dissesse uma palavra, ela me odiaria por isso e não mudaria nada.

DEFENDER O SISTEMA COLETIVO

Dependendo dos motivos da pessoa que deseja usá-las, qualquer das técnicas de persuasão discutidas neste livro pode ser empregada para o bem ou para o mal. Com isso, a tática da bola baixa pode ser usada com propósitos mais socialmente benéficos que vender carros ou reestabelecer relacionamentos com antigos namorados. Por exemplo, um projeto de pesquisa feito em Iowa, conduzido pelo psicólogo social Michael Pallak, mostrou como a técnica influenciava donos de casas a economizar energia. O projeto começou no início do inverno em Iowa, quando residentes que aqueciam suas casas com gás natural foram contatados por um entrevistador que lhes deu dicas de economia de energia, depois lhes pediu para economizar combustível no futuro. Embora eles concordassem em tentar, quando os pesquisadores examinaram o registro de consumo dessas famílias depois de um mês e novamente no fim do inverno, nenhuma economia havia sido feita. Os residentes que tinham a intenção de fazer uma tentativa de economia haviam usado tanto gás natural quanto uma amostra aleatória de seus vizinhos que não foram contatados por um entrevistador. Boas intenções unidas com informação sobre economia de combustível não foram suficientes para mudar hábitos.

Mesmo antes do início do projeto, Pallak e sua equipe tinham reconhecido que algo mais seria necessário para mudar padrões arraigados de uso de energia. Então tentaram um procedimento diferente em uma amostra comparável de usuários de gás natural de Iowa. Essas pessoas foram contatadas por um entrevistador, que dava dicas de economia de energia e lhes pedia para economizar, mas, para essas famílias, o entrevistador ofereceu mais alguma coisa: aqueles que concordassem em economizar teriam seus nomes publicados em artigos de jornal como cidadãos de espírito comunitário que economizavam energia. O efeito foi imediato. Um mês depois, quando a empresa fornecedora verificou seus medidores, os residentes nessa amostra tinham economizado em média doze metros cúbicos de gás natural cada. A chance de ter seus nomes no jornal os motivara a esforços substanciais de economia por um mês.

Então, eles puxaram o tapete. Os pesquisadores removeram a razão que inicialmente fizera as pessoas economizarem energia. Cada família a quem tinham prometido recebeu uma carta dizendo que não seria possível publicar seu nome.

No fim do inverno, a equipe de pesquisa examinou o efeito da carta no uso de gás pelas famílias. Elas voltaram a seus hábitos antigos e esbanjadores quando a chance de estar no jornal foi removida? Dificilmente. Em cada um dos meses de inverno restantes, essas famílias conservaram *mais* combustível do que tinham feito durante o período em que achavam que seriam celebradas publicamente por isso. Conseguiram economizar 12,2% de gás no primeiro mês porque esperavam se ver elogiadas no jornal. Entretanto, depois que a carta chegou lhes informando o contrário, elas não voltaram a seus níveis de utilização de energia anteriores; em vez disso, aumentaram sua economia para 15,5% pelo resto do inverno.

Embora não possamos estar completamente seguros, uma explicação para o comportamento persistente se apresenta. Essas pessoas foram induzidas pela técnica da bola baixa para se comprometerem com a economia através da promessa de publicidade no jornal. Depois de assumido, o compromisso começou a gerar as próprias pernas: os donos de casas começaram a adquirir novos hábitos de energia; começaram a se sentir bem por seus esforços de espírito comunitário; começaram a experimentar orgulho por sua capacidade de abnegação; e, mais importante, começaram a se ver como pessoas interessadas em conservação. Com essas novas razões presentes para justificar o compromisso com um uso menor de energia, não é surpresa que o compromisso tenha permanecido firme mesmo depois que a razão original, publicidade no jornal, foi removida (ver figura 7.5).

Estranhamente, quando o fator publicidade não era mais uma possibilidade, as famílias não só mantiveram seus esforços de economia de combustível, como os aumentaram. Qualquer uma entre várias interpretações poderia ser oferecida para esse esforço ainda mais forte, mas eu tenho uma favorita. De certa forma, a oportunidade de receber publicidade no jornal tinha impedido que os proprietários de casas cumprissem totalmente seu compromisso com a conservação. De todas as razões apoiando a decisão de tentar economizar combustível, ela era a única externa — a única que impedia que os moradores achassem que estavam conservando gás porque *eles mesmos* acreditavam nisso. Então quando a carta chegou cancelando o acordo de publicidade, ela removeu o único obstáculo para que os residentes tivessem a imagem de si mesmos como cidadãos preocupados e com consciência energética. Essa imagem nova e absoluta deles os levou a níveis ainda mais altos de conservação. Como Sara, eles pareceram ter se comprometido com uma escolha através de um estímulo inicial e ficaram ainda mais dedicados a ela depois que o estímulo inicial foi removido.[9]

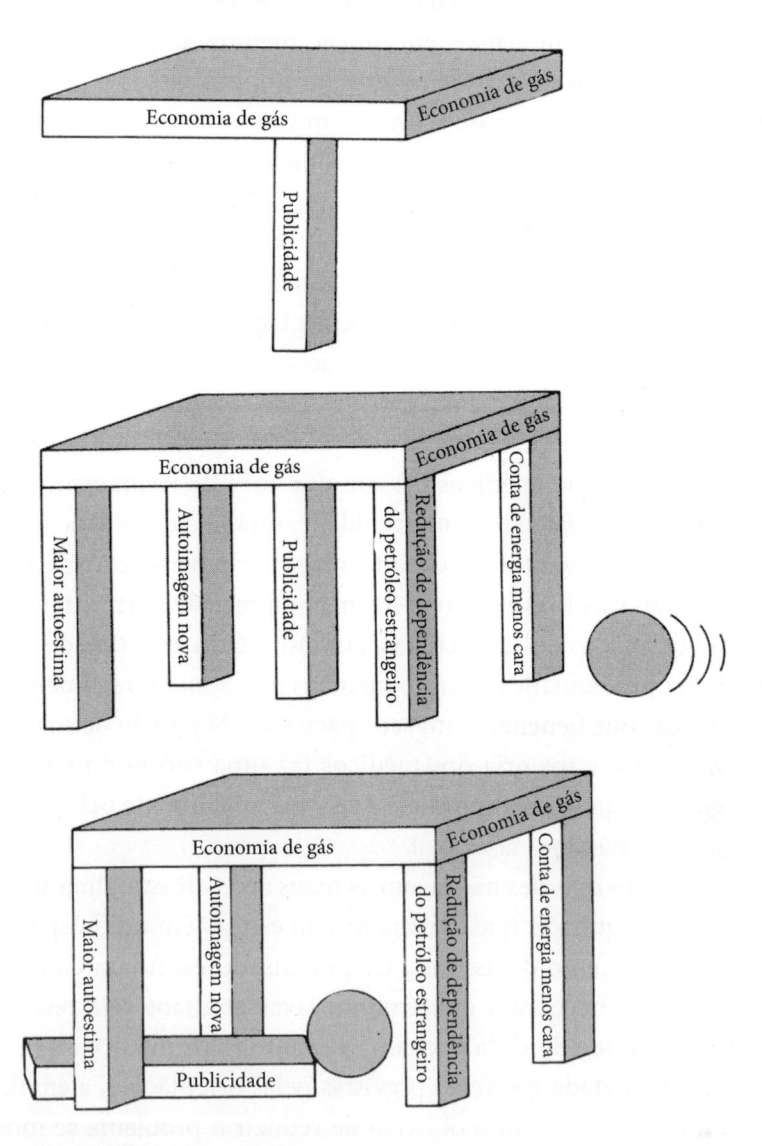

Figura 7.5: A técnica da bola baixa em longo prazo
Nessa ilustração da pesquisa de energia de Iowa, podemos ver como o esforço original de conservação se apoiava na promessa de publicidade (no alto). Em pouco tempo, porém, o compromisso com a energia levou ao desenvolvimento de novos apoios, permitindo que a equipe de pesquisa lançasse sua bola baixa (no meio). A consequência foi um nível persistente de conservação que permaneceu firme sobre as pernas depois que a proposta inicial de publicidade foi derrubada (embaixo).
Artista: Maria Picardi; ©Robert B. Cialdini

ACIONANDO A COERÊNCIA; LEMBRETES COMO REGENERADORES

Há uma vantagem a mais em procedimentos de persuasão com base em compromisso. Meros lembretes de compromissos passados podem levar indivíduos a agir de acordo com essas posições, apoios ou ações. Relembrar o compromisso e a necessidade de coerência tem o poder de alinhar as respostas novamente. Vamos pegar dois exemplos do campo da medicina para ilustrar isso.

Sempre que falo com grupos de gerenciamento de cuidados de saúde sobre o processo de influência, eu faço a pergunta: "Que pessoas no sistema são mais difíceis de influenciar?" A resposta é invariável e enfaticamente "os médicos!". Por um lado, essa circunstância parece o que deveria ser. Para chegar a suas posições elevadas na hierarquia dos serviços de saúde, médicos passam por anos de treinamento e prática, incluindo especializações na faculdade, estágios e residências, que dão a eles grande quantidade de informação e experiência sobre as quais basear suas escolhas e que os deixam compreensivelmente relutantes em serem desviados dessas escolhas. Por outro lado, esse tipo de resistência pode ser problemática quando médicos não adotam recomendações de mudanças que beneficiariam seus pacientes. No início de suas carreiras profissionais, a maioria dos médicos faz uma versão do juramento de Hipócrates, que os compromete a agir principalmente pelo bem de seus pacientes e não lhes fazer mal.

Então por que eles não lavam as mãos antes de examinar um paciente com a frequência que deveriam? Um estudo em um hospital oferece um entendimento do assunto. Os pesquisadores, Adam Grant e David Hofmann, perceberam que embora lavar as mãos seja recomendado antes do exame de cada paciente, a maioria dos médicos lava as mãos menos da metade das vezes previstas pelas orientações; além disso, várias intervenções com o objetivo de reduzir o problema se mostraram ineficazes, deixando pacientes com um risco maior de infecção. A razão para o problema não é que os médicos abandonaram seu compromisso com a segurança dos pacientes ou não têm consciência de sua ligação com a lavagem das mãos. É que, ao entrar em uma sala de exames, a ligação não está tão forte em sua consciência como estão outros tipos de fatores, como a aparência do paciente, o que a enfermeira está dizendo, o que as anotações do caso dizem, e assim por diante.

Grant e Hofmann acharam que podiam remediar essa situação lembrando os médicos de seu compromisso com os pacientes e a conexão com a higiene das mãos quando eles chegassem para fazer um exame. Os pesquisadores puseram placas diferentes sobre embalagens de sabonete líquido e álcool em gel na sala de exames que diziam: "A higiene das mãos protege pacientes de doenças." Essas placas aumentaram o uso de sabonete e álcool em gel em 45%.

Outro erro dos médicos envolve receitar antibióticos em excesso, o que é um problema de saúde crescente nos Estados Unidos, contribuindo para a morte de 23 mil pacientes por ano. Como no caso da lavagem das mãos, várias estratégias para reduzir o problema — programas educativos, alertas eletrônicos e pagamentos — tiveram pouco efeito. Mas um grupo de pesquisadores médicos teve um sucesso impressionante usando uma abordagem centrada em compromisso com os médicos da equipe de uma clínica ambulatorial em Los Angeles. Os pesquisadores puseram um cartaz em suas salas de exames por um período de doze semanas. Para metade dos médicos, o cartaz dava informação padrão para pacientes em relação ao uso de antibióticos. Para a outra metade, ele incluía, junto com a informação padrão, uma foto do médico e uma carta assinada por ele na qual se comprometia a evitar receitar antibióticos em excesso. Durante o resto do ano, a prescrição inapropriada de antibióticos na verdade aumentou 21% para médicos expostos diariamente aos cartazes padrão de informação. Mas aqueles cujos cartazes lhes lembravam coerentemente de seu compromisso pessoal reduziram a prescrição inapropriada em 27%.

Lembretes de compromissos existentes possuem mais um bônus. Eles não apenas restauram o compromisso, mas parecem reforçá-lo aumentando a autoimagem relacionada. Em comparação com consumidores que tinham desempenhado previamente ações pró-ambientais, mas não eram lembrados delas, aqueles que *recebiam* esses lembretes passaram a se ver como com maior preocupação ambiental e então se tornaram mais propensos a comprarem versões de produtos amigáveis ao meio ambiente — incluindo lâmpadas, toalhas de papel, desodorantes e detergentes. Assim, pedir às pessoas para se lembrarem de compromissos anteriores com o ambientalismo não é só um jeito fácil de estimular respostas subsequentes coerentes; também é um jeito eficaz, porque esses lembretes intensificam a autoimagem de uma pessoa como ambientalista.[10]

Defesa

"A coerência é o duende das mentes pequenas." Ou, pelo menos, é o que diz uma citação frequente atribuída a Ralph Waldo Emerson. Uma coisa estranha de se dizer. Olhando ao redor, é óbvio que a coerência interna é um traço de lógica e força intelectual, enquanto a ausência dela caracteriza alguém intelectualmente desordenado e limitado. O que, então, um pensador do calibre de Emerson quis dizer quando associou a característica da coerência aos de mente pequena? Uma olhada para a fonte original dessa afirmação, seu ensaio "Self-reliance", deixa claro que o problema não está em Emerson, mas na versão popularizada do que ele disse. Na verdade, ele escreveu: "A coerências de um *tolo* é o duende das mentes pequenas." Por alguma razão obscura, a distinção central foi perdida conforme os anos e fez com que ela significasse algo diferente e, após inspeção atenta, equivocado.

A distinção, porém, não deve se perder para nós, porque é crucial para a única defesa eficaz que conheço contra as armas de influência envolvidas nos fatores combinados do compromisso e da coerência. É a consciência de que embora a coerência seja boa — até vital —, há uma variedade tola e rígida que deve ser evitada. Precisamos ficar desconfiados da tendência de ser coerentes de forma automática e sem pensar, pois isso nos deixa abertos para as manobras daqueles que desejam explorar a sequência mecânica de compromisso e coerência para obter lucro.

Como a coerência automática é tão útil para permitir um comportamento econômico e apropriado na maior parte do tempo, não podemos resolver simplesmente eliminá-la de nossas vidas. Os resultados seriam desastrosos. Se, em vez de seguir de acordo com nossas decisões e feitos anteriores, parássemos para pensar nos méritos de cada nova ação antes de desempenhá-la, nunca teríamos tempo para realizar nada significativo. Precisamos desse tipo mecânico e perigoso de coerência. O único jeito de sair do dilema é saber quando tal coerência tem a probabilidade de levar a uma escolha ruim. Há certos sinais — dois tipos diferentes de sinal — para nos avisar. Nós registramos cada tipo em partes diferentes de nossos corpos.

DEPOIMENTO DO LEITOR 7.5

De uma estudante universitária em Nova Déli, Índia

Quero relatar um incidente no qual o princípio da coerência me levou a tomar uma decisão que eu não teria tomado sob circunstâncias normais. Eu tinha ido à praça de alimentação de um shopping onde resolvi comprar um copo pequeno de Coca-Cola.

— Um copo de Coca, por favor — disse para o vendedor ao balcão.

— Médio ou grande? — perguntou ele enquanto fechava o pagamento de outro cliente.

"Já comi muito. Não tenho como beber um copo grande de Coca", pensei comigo mesma.

— Médio — disse eu com confiança enquanto lhe entregava o cartão para pagar.

— Ah! Desculpe — disse o vendedor com a impressão de ter cometido um verdadeiro erro. — Pequeno ou médio?

— Uhm, médio — disse eu, alinhada com o princípio da coerência, então peguei minha bebida e fui embora para que a próxima pessoa na fila pudesse fazer seu pedido, e então me dei conta de que tinha sido enrolada para comprar a maior das duas opções.

Eu fui pega desprevenida e, para ser coerente com meu pedido anteriormente feito, eu disse "médio" sem pensar, sem sequer processar a nova informação que me foi dada.

Uma coerência tola sem dúvida parece ser um duende das mentes pequenas!

Nota do autor: Acho que a leitora, que parece ter se considerado de mente pequena na situação, está sendo dura demais consigo mesma. Quando somos apressados ou não conseguimos pensar a fundo sobre uma escolha, a coerência mecânica é a norma (Fennis, Janssen & Vohs, 2009).

SINAIS NO ESTÔMAGO

O primeiro sinal é fácil de reconhecer. Ele ocorre bem na boca de nosso estômago, quando percebemos que fomos induzidos a concordar com um pedido que *sabemos* que não queremos fazer. Aconteceu comigo cem vezes. Um caso memorável aconteceu em uma noite de verão quando, ainda jovem, muito antes de escrever este livro, eu atendi à minha porta e encontrei uma mulher linda de short e com uma camiseta reveladora. Eu percebi, apesar disso, que ela estava carregando uma prancheta e estava me pedindo para participar de uma pesquisa. Querendo dar uma impressão favorável, concordei e, admito, distorci a verdade em minhas respostas da entrevista para me apresentar sob uma luz mais positiva. Nossa conversa transcorreu assim:

Jovem Estonteante: Olá! Estou fazendo uma pesquisa sobre hábitos de entretenimento dos moradores da cidade, e queria saber se você podia responder algumas perguntas.

Cialdini: Claro, pode entrar.

JE: Não, obrigada, vou ficar aqui mesmo e começar. Quantas vezes por semana você diria que sai para jantar?

C: Ah, provavelmente três, talvez quatro vezes por semana. Sempre que posso, na verdade. Adoro bons restaurantes.

JE: Que bom. E você normalmente pede vinho no jantar?

C: Só se for importado.

JE: Entendi. E ao cinema? Você vai muito ao cinema?

C: Ao *cinema*? Não vivo sem bons filmes. Gosto especialmente do tipo sofisticado com legendas. E você? Você gosta de assistir a filmes?

JE: Ah... gosto, sim. Mas vamos voltar à entrevista. Você vai a muitos shows musicais?

C: Sem dúvida. Principalmente orquestra sinfônica, claro. Mas gosto também de bandas pop de qualidade.

JE (escrevendo rápido): Ótimo! Só mais uma pergunta. E turnês de companhias de teatro ou balé? Você vai quando estão na cidade?

C: Ah, o balé, o movimento, a graça, a forma... eu adoro. Pode anotar que eu *amo* balé. Vejo em toda oportunidade que tenho.

JE: Certo. Deixe-me só verificar meus números aqui um instante, sr. Cialdini.

C: Na verdade, é dr. Cialdini. Mas isso é formal demais. Por que você não me chama de Bob?

JE: Está bem, *Bob*. Pela informação que você me passou, tenho o prazer em dizer que poderia economizar até US$ 1.200 por ano se entrasse para o *Clubamerica!* Uma pequena mensalidade lhe dá direito a descontos na maioria das atividades que mencionou. Com certeza alguém com uma vida social tão intensa como você gostaria de tirar vantagem da tremenda economia que nossa empresa pode oferecer em todas as coisas que você já me disse que faz.

C (preso como um rato): Bem... ah... eu... ah... acho que sim.

Eu me lembro muito bem de sentir um aperto no estômago enquanto gaguejava minha concordância. Era um chamado óbvio para meu cérebro: "Ei, você está sendo enrolado aqui!" Mas eu não conseguia encontrar uma saída. Eu tinha sido encurralado por minhas próprias palavras. Recusar sua oferta àquela altura significaria encarar duas alternativas desagradáveis: se eu tentasse recuar argumentando que não era o homem sofisticado que eu dissera ser, ia passar por mentiroso; tentar recusar sem esse argumento faria com que eu parecesse um tolo por não querer economizar US$ 1.200. Comprei o pacote de entretenimento, embora soubesse que tinha sido enganado. A necessidade de me manter coerente com o que eu já tinha dito me pegou.

Isso já não acontece mais. Hoje em dia costumo dar ouvidos ao meu estômago e descobrir um jeito de lidar com pessoas que usam o princípio da coerência em mim. Digo a elas exatamente o que estão fazendo. A tática se tornou o contra-ataque perfeito. Sempre que meu estômago me diz que seria um trouxa se concordasse com um pedido apenas porque isso seria coerente com algum compromisso anterior que fui enganado para assumir, eu transmito essa mensagem ao solicitante. Eu não tento negar a importância da coerência; só observo o absurdo da coerência tola. Se, em resposta, o solicitante se encolher de forma culpada ou recuar perplexo, fico contente. Eu ganhei; um explorador perdeu.

Às vezes penso em como seria se aquela mulher linda de anos atrás estivesse tentando me vender a inscrição em um clube de entretenimento agora. Eu já pensei em tudo. Toda a interação seria igual, menos o fim:

JE: Com certeza alguém com uma vida social tão intensa como você gostaria de tirar vantagem da tremenda economia que nossa empresa pode oferecer em todas as coisas que você já me disse que faz.

C: Pelo contrário. Eu sei o que está acontecendo aqui. Sei que sua história sobre fazer uma pesquisa foi apenas um pretexto para fazer com que as pessoas lhe dissessem a frequência com que saem e que, sob essas circunstâncias, há uma tendência natural ao exagero. E me recuso a ficar preso em uma sequência mecânica de compromisso e coerência quando sei que ela é perversa. Nada de *clique, rode* para mim.

ML: Hein?

C: Está bem, digamos assim: (1) Seria estupidez minha gastar dinheiro em algo que não quero; (2) sei com autoridade (meu estômago), que não quero seu plano de entretenimento; (3) portanto, se você ainda acredita que eu vou comprar, provavelmente também ainda acredita na Fada do Dente. Com certeza alguém tão inteligente quanto você é capaz de entender isso.

JE (presa na ratoeira): Bem... ah... eu... ah... acho que sim.

SINAIS DO FUNDO DO CORAÇÃO

Estômagos não são órgãos especialmente perceptivos ou sutis. Só quando é óbvio que estamos prestes a ser enrolados que eles têm chances de registrar e transmitir essa mensagem. Em outros momentos, quando não é claro que estamos sendo enganados, nossos estômagos podem nunca perceber. Sob essas circunstâncias, temos que procurar uma pista em outro lugar. A situação de minha vizinha Sara oferece um bom exemplo. Ela assumiu um compromisso importante com Tim ao cancelar seus planos de casamento. O compromisso desenvolveu suas próprias pernas, então, embora as razões originais para o compromisso não existam mais, ela permanece em harmonia com ele. Ela se convenceu com razões recém-formadas de que fez a coisa certa, então ela fica com Tim. Não é difícil ver por que Sara não sente um aperto no estômago como resultado. Estômagos nos dizem quando achamos estar fazendo alguma coisa errada para nós. Sara não *pensa* isso. Em sua cabeça, ela escolheu certo e está se comportando de forma coerente com essa escolha.

Entretanto, a menos que eu esteja muito enganado, há uma parte de Sara que reconhece a escolha como um erro e seu esquema de vida atual como um traço de coerência tolo. Onde, exatamente, essa parte de Sara está localizada não podemos ter certeza, mas nossa linguagem nos dá um nome ao lugar: no fundo do coração. Ele é, por definição, o único lugar onde não conseguimos nos enganar. É o lugar onde nenhuma de nossas justificativas, nenhuma de nossas racionalizações, penetra. Sara tem a verdade aí, embora neste momento não consiga ouvir seu sinal nitidamente através da estática do novo aparato de apoio que ela ergueu.

Se errou em sua escolha por Tim, por quanto tempo ela pode ficar sem reconhecer isso, sem sofrer um enorme ataque do fundo do coração? Não há como dizer. Uma coisa é certa: com o passar do tempo, as várias alternativas a Tim estão desaparecendo. Ela devia determinar logo se está cometendo um erro.

É mais fácil falar do que fazer. Ela precisa responder uma pergunta intricada: "Sabendo o que eu sei agora, se pudesse voltar no tempo, eu faria a mesma escolha?" O problema está na parte da pergunta do "sabendo o que eu sei". O que ela, agora, sabe sobre Tim? Quanto do que ela pensa dele é resultado de uma tentativa desesperada de justificar o compromisso que ela assumiu? Ela afirmar que, desde sua decisão de aceitá-lo de volta, ele se preocupa mais com ela, está se esforçando muito para não beber em excesso e aprendeu a fazer uma omelete maravilhosa. Depois de provar algumas de suas omeletes, eu tenho as minhas dúvidas. A questão importante, porém, é se *ela* acredita nessas coisas, não apenas intelectualmente, mas no fundo do coração.

Talvez Sara possa usar um pequeno dispositivo para descobrir o quanto de sua satisfação atual com Tim é real e quanto é coerência tola. Pesquisas psicológicas indicam que experimentamos nossos sentimentos em relação a uma coisa uma fração de segundo antes de conseguirmos pensar intelectualmente sobre eles. Acho que a mensagem enviada do fundo do coração é um sentimento puro e básico. Portanto, se nos exercitarmos a ficar atentos, devemos registrar o sentimento um pouco antes do acionamento de nosso aparato cognitivo. Segundo essa abordagem, se Sara fizesse a si mesma a pergunta crucial "Eu faria a mesma escolha outra vez?", seria aconselhável que ela procurasse e confiasse no primeiro indício de sentimento que sentisse em resposta. Provavelmente seria o sinal do fundo de seu coração, escapando sem distorções pouco antes da entrada em ação dos meios pelos quais ela podia se enganar.[11]

Comecei a usar esse mesmo dispositivo sempre que suspeito de estar agindo de uma maneira tolamente coerente. Uma vez, por exemplo, parei na bomba de gasolina em um posto que anunciava um preço por litro dois centavos mais baixo que a média dos outros postos da área, mas com a bomba na mão, percebi que o preço registrado na bomba era dois centavos mais alto que o preço exibido na placa. Quando mencionei a diferença para um funcionário que passava, que depois soube ser o dono, ele balbuciou de forma não convincente que os preços tinham mudado alguns dias antes, mas não houvera tempo para corrigir a placa. Eu tentei decidir o que fazer. Algumas razões para ficar vieram à minha mente: "Eu preciso de gasolina"; "Estou com um pouco de pressa"; "Acho que meu carro funciona melhor com essa marca de gasolina".

Eu precisava determinar se essas razões eram genuínas ou apenas justificativas para minha decisão de parar ali. Então fiz a mim mesmo a pergunta crucial: "Sabendo o que eu sei sobre o preço real desta gasolina, se eu pudesse voltar no tempo eu faria a mesma escolha outra vez?" Concentrado na primeira onda de impressões que senti, recebi uma resposta evidente e completa. Eu teria passado direto. Não teria nem reduzido a velocidade. Eu soube, então, que, sem a vantagem do preço, essas outras razões não teriam me levado até ali. Elas não tinham criado a decisão; elas tinham sido criadas pela decisão.

Com isso estabelecido, havia outra decisão a ser enfrentada. Como eu já estava lá, segurando a mangueira, não seria melhor usá-la que sofrer a inconveniência de ir a outro lugar para pagar o mesmo preço? Felizmente, o dono do posto chegou e me ajudou a decidir. Ele perguntou por que eu não estava abastecendo. Eu disse a ele que não tinha gostado da discrepância de preços. "Escute", rosnou ele. "Ninguém vai me dizer como administrar meu negócio. Se acha que estou enganando você, guarde essa mangueira *agora mesmo* e vá embora do meu posto." Já certo de que ele era um trapaceiro, fiquei satisfeito por agir de acordo com minha crença e seus desejos. Larguei a mangueira onde estava e fui embora a caminho da saída mais próxima. Às vezes a coerência pode ser uma coisa maravilhosamente recompensadora.

VULNERABILIDADES ESPECIAIS

Será que existem pessoas cuja necessidade de ser coerentes com o que disseram e fizeram anteriormente as torna suscetíveis às táticas de compromisso presentes neste capítulo? Há. Para aprender sobre os traços que caracterizam esses indivíduos, seria útil examinar um incidente doloroso na vida de um dos maiores astros do esporte de nosso tempo.

Os eventos relacionados, como mostrados em uma reportagem da Associated Press na época, parecem intrigantes. Em 1º de março de 2005, o neto de dezessete meses da lenda do golfe Jack Nicklaus se afogou em um acidente em uma banheira. Uma semana depois, o avô ainda devastado negou quaisquer intenções futuras relacionadas ao golfe, incluindo o torneio Masters que estava próximo, dizendo: "Acho que, com o que aconteceu em nossa família, meu tempo vai ser passado de maneiras muito diferentes. Tenho absolutamente zero planos em relação ao golfe." Entretanto, no dia dessa declaração, ele abriu duas incríveis exceções: fez um discurso para candidatos a membros de um clube de golfe na Flórida e jogou um torneio beneficente organizado por Gary Player, rival de muitos anos nos campos.

O que foi tão poderoso que afastou Nicklaus de sua família enlutada para participar de dois eventos que só podiam ser vistos como irrelevantes em comparação com o que ele estava passando? Sua resposta foi simples: "Você assume compromissos", disse ele, "e precisa cumpri-los." Embora os eventos por si só possam não ter tido importância no panorama geral, seus compromissos anteriormente assumidos com certeza tinham — pelo menos para ele. Mas por que os compromissos do sr. Nicklaus foram tão importantes para ele? Havia alguns traços no jogador que o impeliram na direção dessa forma forte de coerência? Na verdade, havia dois: ele tinha 65 anos de idade e era americano.

Idade

Não deve ser surpresa que pessoas com uma tendência particularmente forte na direção da concordância em suas atitudes e ações se tornem vítimas de táticas de influência com base na coerência. Meus colegas e eu desenvolvemos uma escala para medir a preferência de uma pessoa pela coerência em suas respostas, e descobrimos exatamente isso. Indivíduos com pontuação alta na preferência por coerência eram propensos a aceitar um pedido de um solicitante que usou a técnica do pé na porta ou da bola baixa. Em um estudo posterior empregando participantes dos dezoito aos oitenta anos, descobrimos que a preferência pela coerência aumentava com os anos, e que depois dos cinquenta, as pessoas exibiam a maior inclinação de todas a permanecerem coerentes com seus compromissos anteriores.

Acredito que essa descoberta ajude a explicar a adesão de Jack Nicklaus, de 65 anos, a suas promessas anteriores, mesmo diante de uma tragédia familiar que daria a ele uma desculpa compreensível para não participar. Para se manter fiel a seus traços, ele precisava ser coerente com essas promessas. Também acredito que a mesma descoberta pode ajudar a explicar por que praticantes de fraude contra cidadãos mais velhos com tanta frequência usam táticas de compromisso e coerência para agarrar sua presa. Pegue como exemplo um estudo digno de nota feito pela Associação Americana de Pessoas Aposentadas, que ficou preocupada com a incidência crescente (e o sucesso preocupante) de fraudes por telefone com seus membros de mais de cinquenta anos. Junto com investigadores em doze estados, a organização se envolveu em uma operação para descobrir os truques dos golpistas de telefone que tinham idosos como alvo. O resultado foi um acervo de gravações transcritas de conversas entre golpistas e suas possíveis vítimas. Um exame intenso das fitas pelos pesquisadores Anthony Pratkanis e Doug Shadel revelou tentativas difundidas de vigaristas para conseguir — ou às vezes apenas alegar isso — um pequeno compromisso de um alvo, e depois extrair fundos responsabilizando o alvo por isso. Veja como, nos trechos de gravações a seguir, o golpista usa o princípio da coerência como arma contra pessoas cuja preferência pela coerência pessoal dá ao princípio um peso formidável.

> *"Não, não foi apenas uma conversa. O senhor fez o pedido! O senhor disse sim. O senhor disse sim."*
>
> *"Bom, o senhor se inscreveu para isso no mês passado, não se lembra?"*
>
> *"O senhor assumiu o compromisso conosco há mais de três semanas."*
>
> *"Eu tive uma promessa e um compromisso do senhor na semana passada."*
>
> *"O senhor não pode comprar uma moeda e desistir dela cinco semanas depois. Não é possível fazer isso."*

Individualismo

Há outro fator além da idade que pode responder pela forte necessidade de Jack Nicklaus permanecer coerente com seus compromissos. Já me refiri a ele antes: ele é americano, nascido e criado no coração (Ohio) de uma nação famosa por seu "culto ao indivíduo". Em nações individualistas como os Estados Unidos e aquelas da Europa Ocidental, o foco é no eu, enquanto em sociedades mais coletivistas, o foco é no grupo. Consequentemente, individualistas decidem o que vão fazer em uma situação olhando para as próprias histórias, opiniões e escolhas, em vez daquelas de seus pares, e esse estilo de tomada de decisão faz com que fiquem vulneráveis a táticas de influência que usam como arma o que uma pessoa disse ou fez anteriormente.

Para testar a ideia, meus colegas e eu usamos uma versão da técnica do pé na porta em um grupo de estudantes em minha universidade;

metade deles tinham nascidos nos Estados Unidos e metade eram estudantes estrangeiros de países asiáticos, menos individualistas. Primeiro pedimos a todos para participar de uma pesquisa online de vinte minutos sobre "a escola e as relações sociais". Então, um mês depois, pedimos a eles para completarem uma pesquisa relacionada de quarenta minutos sobre o mesmo tópico. Dentre os que completaram a pesquisa inicial de vinte minutos, os estudantes americanos mais individualistas foram duas vezes mais propensos que os estudantes asiáticos a concordar também com o pedido de quarenta minutos (21,6% contra 9,9%). Por quê? Porque eles, pessoalmente, tinham concordado com um pedido anterior semelhante; e individualistas decidem o que fazer em seguida com base no que eles, pessoalmente, fizeram. Assim, membros de sociedades individualistas — em especial membros mais velhos — precisam estar alertas para táticas de influência que começam pedindo apenas um coisa pequena. Essas coisas pequenas e insensíveis podem levar a saltos grandes e irracionais.[12]

RESUMO

- Psicólogos reconhecem há muito tempo um desejo na maioria das pessoas de ser e parecer coerentes com suas palavras, crenças, atitudes e feitos. Essa tendência para a coerência é alimentada por três fontes. Primeiro, a boa coerência pessoal é valorizada pela sociedade. Segundo, além de seu efeito sobre a imagem pública, a conduta coerente oferece uma abordagem benéfica da vida diária. Terceiro, uma orientação coerente permite um atalho valioso através da complexidade da existência moderna. Ao ser coerente com decisões anteriores, reduz-se a necessidade de processar toda a informação relevante em situações semelhantes futuras; em vez disso, é preciso apenas se lembrar da decisão anterior e responder coerentemente a ela.

- Dentro do domínio da persuasão, garantir um compromisso inicial é a chave. Depois de assumir um compromisso (ou seja, fazer uma ação, tomar uma atitude ou uma posição), as pessoas ficam mais propensas a concordar com pedidos para manter o compromisso anterior. Assim, muitos profissionais da persuasão tentam induzir as pessoas a assumirem uma posição inicial que seja coerente com um comportamento que, mais tarde, vão solicitar dessas pessoas. Nem todos os compromissos são igualmente eficazes na produção de ação futura coerente. Os compromissos são mais eficazes quando são ativos, públicos, assumidos com esforço e vistos como tendo uma motivação interna (voluntária), porque cada um desses elementos muda a autoimagem. A razão para fazerem isso é que cada elemento nos dá informação sobre aquilo em que devemos acreditar.

- Decisões de compromisso, mesmo erradas, têm uma tendência a se autoperpetuarem porque podem "criar as próprias pernas". Ou seja, as pessoas acrescentam razões e justificativas novas para sustentar os compromissos que já assumiram. Em consequência, alguns compromissos permanecem válidos tempos depois que as condições que o motivaram mudaram. Esse fenômeno explica a eficácia de certas práticas enganadoras de persuasão como a "técnica da bola baixa".

- Outra vantagem de táticas com base em compromisso é que simples lembretes de um compromisso anterior podem regenerar sua capacidade de guiar comportamento, mesmo em situações novas. Além disso, lembretes fazem mais que restaurar o vigor do compromisso, eles os intensificam, reforçando a autoimagem relacionada de uma pessoa.

- Para reconhecer e resistir à influência indevida de pressões de coerência em nossas decisões, devemos escutar os sinais vindos de dois lugares dentro de nós; nosso estômago e o fundo de nosso coração. Sinais no estômago aparecem quando percebemos que estamos sendo forçados a concordar com pedidos com os quais sabemos que não queremos por pressões de compromisso e coerência. Sob essas circunstâncias, é melhor explicar ao solicitante que esse constituiria um traço de coerência tolo na qual preferimos não nos envolver. Os sinais do fundo do coração são diferentes. Eles são mais bem empregados quando não está evidente para nós se um compromisso inicial tem más intenções. Aqui, devemos nos fazer uma pergunta crucial: "Sabendo o que eu sei agora, se eu pudesse voltar no tempo, eu assumiria o mesmo compromisso?" Uma resposta informativa pode vir com o primeiro lampejo de sentimento registrado. Táticas de compromisso e coerência são propensas a funcionar bem em membros de sociedades individualistas, em especial aqueles com mais de cinquenta anos, que, portanto, devem ficar mais cautelosos em relação a seu uso.

CAPÍTULO 8

UNIDADE

O "nós" é o eu compartilhado

Não temos paz porque esquecemos que pertencemos uns aos outros.

— **Madre Teresa**

Quem nunca teve um colega de quarto estranho, cujos envolvimentos pessoais nos deixavam ao mesmo tempo hesitantes, perplexos e cada vez conhecendo algo novo sobre a extensão das capacidades humanas? Mas provavelmente ninguém se encaixava nisso de forma tão indelével quanto um colega de quarto do antropólogo Ronald Cohen. Em uma conversa tarde da noite, o homem que tinha sido guarda em um campo de concentração nazista descreveu uma ocorrência tão memorável que ele, e depois Cohen, acharam impossível esquecer; na verdade, permanecendo perturbado pelo relato depois de anos, Cohen o usou como peça central de um artigo científico.

Em campos de trabalho nazistas, quando apenas um prisioneiro violava alguma regra, não era incomum que todos ficassem enfileirados enquanto um guarda, percorrendo a fila e contando até dez, parava para atirar e matar a cada dez pessoas. No relato do colega, um guarda veterano com essa função a estava desempenhando de forma rotineira quando, inexplicavelmente, ele fez algo singular: ao chegar a um décimo prisioneiro aparentemente azarado, ele ergueu uma sobrancelha, virou noventa graus e executou o 11º.

Mais tarde, relatarei a razão para o desvio do guarda que determinou uma vida. Para fazer isso de maneira correta, porém, é necessário considerar a arma de influência social que justifica essa atitude.

Unidade

De forma automática e incessante, dividimos as pessoas entre aquelas às quais o pronome *nós* se aplica e aquelas às quais não se aplica. As implicações dessa arma são grandes porque, em nossos grupos, tudo relacionado à influência é mais fácil de alcançar. Aqueles que estão dentro dos limites do "nós" conseguem mais concordância, confiança, ajuda, afeição, cooperação, apoio emocional e perdão, e até são considerados mais criativos, morais e humanos. O favoritismo dentro do grupo não parece apenas ter um impacto de largo alcance na ação humana, mas também é primitivo, pois aparece em outros primatas e em crianças humanas e até bebês. *Clique, rode.*[1]

Assim, a influência social é e está de forma extremamente importante baseada em relações de "nós". Ainda assim, resta uma pergunta central: qual a melhor maneira de caracterizar tais relações? A resposta exige uma distinção sutil, mas crucial. Relacionamentos de "nós" não são aqueles que permitem que as pessoas digam: "Ah, aquela pessoa é *como* nós." São aqueles que permitem que as pessoas digam: "Ah, aquela pessoa é *uma de* nós." A regra de influência da unidade pode, então, ser definida como: *As pessoas tendem a dizer sim a alguém que considerem uma delas.* A experiência da unidade não diz respeito a simples semelhanças (embora ela possa funcionar, também, através da arma da afeição). É sobre identidades, identidades compartilhadas. É sobre categorias tribais que indivíduos usam para definir a si mesmos e a seus grupos, como raça, etnia, nacionalidade e família, assim como filiações políticas e religiosas. Por exemplo, eu posso ter muito mais preferências em comum com um colega de trabalho que com um irmão, mas não há dúvidas sobre qual dos dois eu consideraria *dos* meus e qual eu consideraria apenas como eu. Uma característica-chave dessas categorias é que seus membros tendem a se sentir unidos, combinados uns com os outros. Elas são as categorias nas quais a conduta de um membro influencia a autoestima dos outros membros. De forma simples, o "nós" é o eu compartilhado.

Consequentemente, dentro de grupos de relacionamento de "nós", as pessoas não conseguem distinguir corretamente entre seus próprios traços e aqueles de outros membros, o que reflete uma confusão entre o eu e o outro. Neurocientistas ofereceram uma explicação para a confusão: pedir a alguém para imaginar *o eu* ou *um outro próximo* envolve os mesmos circuitos cerebrais. Esse ponto em comum pode produzir uma "excitação cruzada" neuronal dos dois — através da qual o foco em um simultaneamente ativa o outro e promove uma indefinição das identidades. Muito antes que as evidências neurocientíficas estivessem disponíveis, cientistas sociais estavam estudando a sensação da fusão "eu-outro" pedindo às pessoas para indicar quanta sobreposição em identidade elas sentiam com uma determinada pessoa (ver, por exemplo, a figura 8.1). Com a informação dessa medida, pesquisadores investigaram que fatores levavam a maiores sentimentos de identidade compartilhada e como os fatores operavam.[2]

O leque de circunstâncias e ambientes em que relacionamentos de "nós" afetam a resposta humana é impressionante e variado. Ainda assim, três constantes se destacam. Primeiro, membros dos grupos com base no "nós" favorecem os resultados e o bem-estar de outros membros em relação aos de não membros. Por exemplo, membros de grupos de trabalho rivais (cada um incluindo dois humanos e dois robôs) não apenas tinham mais atitudes positivas em relação a seus colegas de equipe, mas também chegavam ao ponto de ter atitudes mais positivas em relação a seus robôs que em relação aos robôs da equipe rival — e humanos! Segundo, membros de grupos de "nós" são propensos a usar as preferências e ações de outros membros para guiar as próprias, o que é uma tendência que assegura a solidariedade do grupo. Finalmente, essas exortações partidárias de favorecer e seguir surgiram, evolutivamente, como maneiras de dar vantagem aos grupos e, no fim, a nós mesmos. Depois de revisar décadas de trabalhos científicos sobre o tema, um grupo de estudiosos concluiu não apenas que o tribalismo é universal, mas que o "tribalismo é da natureza humana". Um olhar nos nossos domínios sociais mais básicos demonstra a forma disseminada e poderosa com a qual a tendência opera, em estilo *clique, rode.*[3]

Por favor, circule a imagem abaixo que melhor descreve
seu relacionamento com seu parceiro.

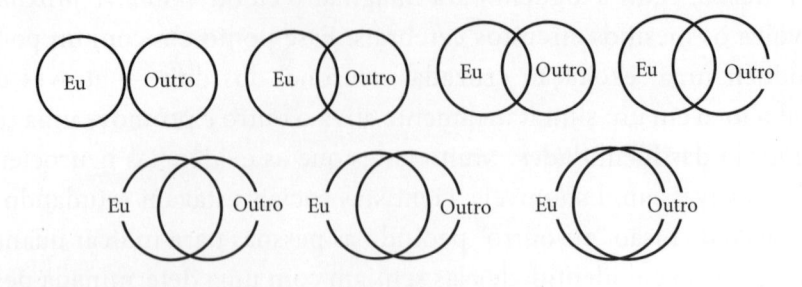

Figura 8.1: Círculos superpostos, eus superpostos
Desde sua publicação em 1992, cientistas têm usado a inclusão do outro na escala
do eu para ver que fatores promovem a sensação de "unidade" com outro indivíduo.
Cortesia de Arthur Aron e da American Psychological Association

NEGÓCIOS

Vendas

Você se lembra do capítulo 3, das grandes conquistas de Joe Girard, o homem que o *Guinness* coroou como o "maior vendedor de carros" do mundo por vender mais de cinco carros e picapes todo dia em que trabalhou por doze anos seguidos — algo que ele fazia sendo "gente como a gente" (ele realmente gostava de seus clientes), mostrando que se afeiçoava a elas enviando com regularidade cartões de "Eu gosto de você", garantindo que recebessem tratamento rápido e cortês quando levavam seus carros para conserto, e sempre dando um preço justo? Recentemente, reportagens destacaram números de vendas que indicam que Joe foi destronado por um vendedor de veículos de Dearborn, Michigan, chamado Ali Reda, cujo resultado anual superou até os melhores anos de Joe. Em entrevistas, o sr. Reda admitiu que seguia as recomendações específicas de Joe Girard para o sucesso. Mas se Ali apenas imitava Joe, como ele conseguiu superar o mestre? Ele deve ter adicionado um ingrediente secreto e diferencial à receita. E ele adicionou, mas isso não era segredo. Era uma dose inteira de um sentimento étnico de "nós".

Figura 8.2: Reda pronto
Ali Reda é uma figura conhecida na comunidade árabe de Dearborn, Michigan, para a qual ele vende um número recorde de veículos.
Cortesia de Greg Horvath

Dearborn, uma cidade com aproximadamente cem mil moradores, tem a maior população de árabes americanos ou residentes de ascendência árabe dos Estados Unidos. O sr. Reda, que é árabe americano, se empenha em ser um membro ativo e visível da comunidade árabe, inclusive vendendo intensamente para ela. Um grande percentual de seus clientes o procura porque o conhece e confia que ele seja *um* deles. Na dimensão do sentimento étnico do "nós", Joe Girard foi superado por Ali. O nome de batismo de Joe era Girardi, um sinal de sua herança siciliana e de um status étnico de não "nós" aos olhos da maioria de seus clientes. Na verdade, ele disse que teve que mudar de nome porque, na época, certos clientes não queriam fazer negócios com um "carcamano".[4]

Transações financeiras

Se uma identidade étnica compartilhada pode explicar como Ali Reda — seguindo os métodos de Joe Girard — pôde superar o desempenho de Joe, talvez o mesmo fator possa explicar outro mistério dos negócios. Facilmente o maior golpe de investimentos de nosso tempo foi o esquema Ponzi orquestrado pelo conhecedor de Wall Street Bernard Madoff. Embora analistas tenham se concentrado em certos aspectos impressionantes da fraude, como seu tamanho (mais de US$ 15 bilhões) e duração (passou décadas sem ser detectado), eu me impressionei com outra característica notável: o nível de sofisticação financeira de muitas de suas vítimas. A lista das pessoas enganadas por Madoff está cheia de nomes de economistas experientes, gerentes financeiros veteranos e líderes empresariais de grande sucesso. Assim, embora os supostos lucros para seus clientes fossem incomuns, a desconfiança deveria ter sido acionada. Com Madoff, não foi apenas mais um caso em que a raposa era mais esperta que as galinhas; essa raposa conseguiu enganar outras raposas. Como?

Quase sempre as grandes ocorrências nas respostas humanas não são causadas por um único fator. De forma quase invariável, elas se devem a uma combinação de fatores. O caso Madoff não é diferente. A figura já conhecida do homem em Wall Street, o intricado mecanismo de derivativos que ele dizia empregar e o supostamente limitado círculo de investidores que ele "permitia" se juntar ao seu fundo, foram os fatores que contribuíram. Mas havia outro elemento ativo na mistura: identidade compartilhada. Madoff era judeu, assim como a maioria de suas vítimas, que eram recrutadas pelos tenentes de Madoff, que também eram judeus. Além disso, os novos recrutados conheciam e eram etnicamente semelhantes a recrutas anteriores, que serviam como fontes semelhantes de aprovação social de que um investimento com Madoff era uma escolha sábia.

Claro, fraudes desse tipo dificilmente se limitam a um grupo étnico ou religioso. Chamados de esquemas de afinidade, esses golpes com investimentos sempre envolveram membros de um grupo se aproveitando de outros membros do mesmo grupo — batistas com batistas, latinos com latinos, armênios americanos com armênios americanos. Charles Ponzi, que deu o nome ao infame esquema Ponzi que Madoff comandava, era um imigrante italiano que enganou imigrantes italianos nos Estados Unidos em milhões de dólares de 1919 a 1920. *Clique, ruína.*

Escolhas com base no "nós" influenciam outras transações financeiras além de decisões de investimento. Em firmas americanas de consultoria financeira, a má conduta fiscal de um consultor tem duas vezes mais chance de ser copiada por outro consultor se os dois tiverem a mesma etnia. Na China, relatórios falsos favorecendo uma empresa são mais frequentes quando o auditor e o CEO da empresa são de cidades natais semelhantes. Um estudo dos registros de um grande banco indiano revelou que agentes de empréstimos aprovaram mais pedidos de empréstimos e deram termos mais favoráveis a solicitantes da mesma religião. Além disso, o favoritismo era uma via de mão dupla: um empréstimo que incorporava a mesma identidade religiosa resultava em um aumento significativo no pagamento dos empréstimos. Em mais um exemplo de favorecimento dentro de um grupo, depois de um problema de serviço em um restaurante de Hong Kong, os clientes eram menos propensos em culpar um funcionário que compartilhava do mesmo sobrenome.

Se o alcance internacional desses estudos não é suficiente para certificar o alcance intercultural dos efeitos dentro de um grupo, considere um último caso. Em Gana, motoristas de táxi e passageiros normalmente negociam o preço de uma corrida antes de ela começar. Quando os dois negociantes apoiam o mesmo partido, o motorista concorda com uma tarifa mais baixa pela corrida — mas com um detalhe intrigante. A redução de preço ocorre apenas nas semanas anteriores e posteriores a uma eleição, quando a afiliação a partidos políticos dos eleitores fica em destaque. Essa descoberta ilustra um aspecto importante de respostas em grupos de "nós". Ela é intensificada por sinais e circunstâncias que trazem à mente a o sentimento de identidade de grupo. Dessa forma, a força da união (ou de qualquer das outras armas de influência) não funciona como um poderoso ímã, com atração forte e constante. Ela opera como um poderoso eletroímã, com uma atração modulada pela intensidade da corrente que está passando por ele no momento.

Veja o que aconteceu na Polônia, país predominantemente católico, quando pesquisadores deixaram cartas aparentemente perdidas em vários locais da cidade que estavam endereçadas a um destinatário de nome polonês (com grandes chances de ser católico) ou de nome árabe (com grandes chances de ser muçulmano). Poloneses que encontraram as cartas ficaram mais propensos a depositá-las em uma caixa de correio se o destinatário fosse Maciej Strzelczyk em vez de Mohammed Abdulah — entretanto, isso aconteceu perto do feriado *religioso* do Natal. Embora o envio de cartas endereçadas a Maciej tenha aumentado em 12% perto do dia santo, os envios para Muhammed caíram em 30%. Nitidamente, a benevolência tinha um lado e era dirigida na direção de um determinado grupo religioso.[5]

POLÍTICA

Há um tipo de mentira recentemente batizado que fica no meio do caminho entre uma mentira inocente, criações que buscam proteger os sentimentos dos outros ("Não, sério, essa roupa/corte de cabelo/ piercing no nariz ficou bem em você"), e uma mentira criada para afetar o interesse dos outros ("E se você aparecer com isso em seu encontro com meu ex-namorado, ele vai amar."). As mentiras "azuis" possuem elementos essenciais das outras duas. Têm a intenção de proteger além de causar mal, mas aqueles selecionados para a proteção e aqueles selecionados para serem prejudicados são diferentes pela inclusão ou não em um grupo de "nós". Elas são mentiras deliberadamente contadas — em sua grande maioria contra um grupo externo — por membros de um grupo interno para proteger a reputação do próprio grupo. Dentro desses grupos de identidades reunidas, a unidade é mais forte que a verdade. Dito de modo diferente, e em uma linguagem com menos carga política, mentiras que valorizam um grupo "nós" são vistas pelos membros como *moralmente* superiores que verdades que enfraquecem seu grupo.

Partidos políticos exibem uma forma purulenta do problema. Como concluiu o revisor de uma pesquisa importante: "Esse tipo de mentira [para ganho político] parece prosperar em uma atmosfera de raiva, ressentimento e hiperpolarização. A identificação com partidos é tão forte que a crítica ao partido parece uma ameaça ao eu, que dispara uma série de mecanismos de defesa psicológicos." Parece familiar? Além de aprovar mentiras que promovam e protejam um partido, mecanismos adicionais de defesa são disparados pela fervente identificação partidária. Indivíduos que possuem identidades "fundidas" com seu partido político relataram maior disposição para esconder evidências de fraude fiscal de um político desse partido. Em evidências mostradas de propostas políticas equivalentes para o bem-estar de suas cidades, membros de um partido se convenceram que ele tinha feito as maiores contribuições. Quando pediram para organizar por ordem uma lista de espera de pacientes sofrendo de problemas renais em relação a seu merecimento para o próximo tratamento disponível, indivíduos escolheram aquelas com o mesmo partido político.

As pessoas não só favorecem membros de seus partidos políticos, mas também acreditam mais neles, mesmo sob circunstâncias surpreendentes. Em um estudo online, mostraram aos participantes algumas formas físicas e lhes pediram para categorizá-las segundo uma série de orientações. Quanto mais formas fossem categorizadas corretamente, mais dinheiro eles recebiam. Para decidir a melhor maneira de classificar uma forma, os participantes podiam escolher saber o que outro participante, cuja preferência política eles conheciam de informações prévias, tinha respondido.

A um nível significativo, eles escolheram ver e usar a resposta de um participante com as mesmas ideias políticas, mesmo quando o indivíduo estava se saindo relativamente mal no teste. Considere isso: as pessoas estavam mais dispostas a buscar o julgamento de um aliado político em uma tarefa, não importando que (a) a tarefa fosse irrelevante para a política, (b) o aliado estivesse se saindo mal na tarefa e (c) que como consequência elas perderiam dinheiro! Em geral, essas descobertas se encaixam com novos conhecimentos que indicam que pessoas que aderem a partidos políticos baseiam suas decisões mais em *lealdade* — nascida de sentimentos de pertencer ao "nós" — e menos em ideologia.[6]

ESPORTES

Reconhecendo plenamente o favoritismo que partidários atribuem a seus grupos, organizadores de disputas esportivas viram, há séculos, a necessidade de avaliadores independentes (árbitros, juízes etc.) para impor regras e declarar os vencedores de forma imparcial. Mas quanto podemos esperar que esses profissionais sejam imparciais? Afinal de contas, se o "tribalismo é da natureza humana", podemos acreditar razoavelmente que eles sejam imparciais? Sabendo o que sabemos sobre favoritismo de grupo, devemos ficar céticos. Além disso, há evidências científicas para apoiar esse ceticismo.

Em jogos internacionais de futebol, jogadores do mesmo país do árbitro obtêm um aumento de 10% de marcações a seu favor, e o favoritismo ocorre de forma igual entre árbitros de elite e aqueles menos experientes. Em jogos da Major League Baseball, a identidade racial entre o árbitro e o arremessador influencia se um lançamento é considerado válido. Em jogos da NBA, os juízes marcam menos faltas contra jogadores da própria raça; a parcialidade é tão grande que, os pesquisadores concluíram que "a probabilidade de um time vencer é perceptivelmente afetada pela composição racial da equipe de arbitragem indicada para o jogo". Assim, a parcialidade de grupo corrói o julgamento mesmo de indivíduos selecionados e treinados especificamente para conseguir descartá-la. Para entender por que isso acontece, temos de reconhecer que as mesmas forças estão operando em árbitros esportivos assim como em fãs de esportes parciais.

Como o famoso autor Isaac Asimov disse ao descrever nossas reações às disputas que vemos: "Quando todas as coisas são iguais, você torce para seu próprio sexo, sua própria cultura, sua própria localidade... e o que você quer provar é que *você* é melhor que a outra pessoa. Para quem quer que você torça, ele representa *você*; e quando ele [ou ela] vence, *você* vence." Vista sob essa luz, a paixão intensa dos fãs de esportes faz sentido. O jogo não é uma diversão simples para ser desfrutada por sua forma e arte inerentes. O eu está em jogo. É por isso que algumas torcidas são tão apaixonadas e, de forma reveladora, gratas àqueles responsáveis pela vitória de seus times. Também é por isso que as mesmas multidões são ferozes no tratamento de jogadores, técnicos e árbitros que levaram a fracassos esportivos.

Uma ilustração apropriada vem de uma de minhas anedotas favoritas. Ela fala de um soldado da Segunda Guerra Mundial que voltou para casa nos Bálcãs depois da guerra e parou de falar. Exames médicos não encontraram nenhuma causa física. Não havia ferimento, não havia dano cerebral, não havia problema vocal. Ele conseguia ler, escrever, entender uma conversa e seguir ordens. Ainda assim não falava — com seus médicos, com seus amigos, nem mesmo com sua família.

Desesperados, os médicos o levaram para outra cidade e o puseram em um hospital para veteranos onde ele permaneceu por trinte anos, nunca rompendo seu silêncio autoimposto e mergulhado em uma vida de isolamento social. Então, um dia, um rádio em sua enfermaria estava sintonizado em um jogo de futebol entre o time de sua cidade natal e um rival tradicional. Quando em um momento crucial do jogo o árbitro marcou falta contra o time do veterano mudo, ele pulou da cadeira, olhou para o rádio e falou suas primeiras palavras em mais de três décadas: "Seu idiota. Está tentando *entregar* o jogo para eles?" Com isso, voltou para sua cadeira e para um silêncio que nunca mais violou.

Duas lições importantes vêm desse relato. A primeira está relacionada à grande força do fenômeno. O desejo do veterano pelo sucesso de seu time foi tão forte que produziu um desvio brusco de seu modo de vida entrincheirado. A segunda lição revela muito sobre a natureza da união dos esportes com os torcedores, algo crucial para seu caráter básico: ela é uma coisa pessoal. Qualquer fragmento de identidade que o homem atormentado ainda possuísse foi acionado pelo jogo de futebol. Não importa o quanto seu ego pudesse ter se tornado enfraquecido depois de trinta anos de estagnação em uma enfermaria de hospital, ele estava envolvido no resultado do jogo. Por quê? Porque ele, pessoalmente, ficaria diminuído por uma derrota do time de sua cidade, e seria valorizado pessoalmente por uma vitória. Como? A simples conexão do seu lugar de nascimento o envolveu e amarrou ao triunfo ou fracasso próximos.

Ofereço um último exemplo esportivo da parcialidade irracional de grupo, um exemplo pessoal. Cresci no estado de Wisconsin, onde o time local na NFL sempre foi o Green Bay Packers. Há pouco tempo, enquanto lia uma reportagem descrevendo os times da NFL favoritos de várias celebridades, descobri que, como eu, os artistas Justin Timberlake e Lil Wayne são torcedores fanáticos dos Packers. Imediatamente, passei a gostar mais da música deles. Mais que isso, desejei que fizessem mais sucesso no futuro. O veterano de guerra silencioso e eu somos diferentes de muitas maneiras (uma delas é que nunca precisaram suplicar para que *eu* falasse), mas em uma dimensão de favoritismo irrefletido dentro do grupo, nós somos iguais. Não adianta negar. *Clique, rode.*[7]

RELACIONAMENTOS PESSOAIS

Parcerias românticas

Todas as parcerias românticas experimentam obstáculos, conflitos que, se deixados como estão, alimentam a discórdia e a insatisfação enquanto causam danos à saúde psicológica e mental de ambas as partes. Existe alguma abordagem de influência eficaz que um parceiro possa usar para convencer o outro a mudar e, portanto, reduzir as desavenças? Há. Além disso, a abordagem é fácil de ser aplicada. Em um estudo, casais que estavam juntos por uma média de 21 meses concordaram em discutir sobre um problema constante em seus relacionamentos e tentar encontrar uma solução. Os pesquisadores perceberam dois aspectos importantes dessas conversas. Primeiro, invariavelmente, um dos parceiros assumia o papel de persuasor tentando mover o outro para sua posição. Segundo, a abordagem de influência do persuasor assumia uma de três formas, com resultados diferentes.

Uma, a abordagem *coercitiva*, baseava-se em comentários degradantes e ameaças tipo "É melhor você mudar ou vai se arrepender"; esse tipo de ataque não só não tinha sucesso, mas tinha o resultado oposto, empurrando o receptor para ainda mais longe da posição do persuasor. Outra, a abordagem *lógica/factual*, afirma a superioridade racional da posição do persuasor, com afirmações do tipo "Se você pensar, vai ver que estou certo"; nesse caso, receptores descartaram as afirmações, deixando de fazer qualquer mudança. Finalmente, uma terceira abordagem, *geração de parceria*, acertou em cheio levando para a coerência a identidade combinada dos indivíduos como casal. Ao fazer referência a sentimentos compartilhados e tempo juntos, ou simplesmente usar os pronomes *nós* ou *nos* — em afirmações como "Você sabe, nós estamos juntos há muito tempo, e gostamos um do outro; eu gostaria que você fizesse isso por mim" —, os persuasores obtiveram a mudança desejada. Há uma pergunta importante aqui: por que o apelo termina com um pedido aparentemente egoísta de "fazer isso por mim" — em vez de um pedido coletivo de "fazer isso por nós"? Acredito que há uma resposta reveladora. A essa altura, depois de elevar a essência unificadora da parceria a nível consciente, a distinção não era mais necessária.

Além da eficácia dessa abordagem de aumento da unidade, outras duas qualidades são dignas de nota. Primeiro, sua essência funcional é uma forma de prova de uma falsa conclusão. Declarar "Você sabe, estamos juntos há um bom tempo, e gostamos um do outro" de jeito nenhum estabelece a validade lógica ou empírica da posição do comunicador. Em vez disso, oferece uma razão diferente para a mudança — lealdade à parceria.

A segunda qualidade notável é que ela não apresenta nada desconhecido. Normalmente, as duas partes entendem bem que estão em uma parceria. Mas essa informação carregada de implicações pode deixar o lugar de destaque quando outras considerações competem pelo mesmo espaço. Fiel a seu nome, a abordagem de aumento da parceria aumenta a consciência que uma pessoa tem da conexão. Essa base para mudanças se encaixa bem com a forma como ultimamente passei a ver muitas pesquisas sobre influência social. O mais provável de guiar as decisões comportamentais de uma pessoa não é o aspecto mais potente ou instrutivo de toda a situação; em vez disso, é o que tem mais importância em nossa consciência no momento de nossa decisão.[8]

Amizades

Além de parcerias românticas, relacionamentos "nós" podem surgir de outras formas de conexão pessoal fortes — amizades são uma delas. Não é surpresa, então, que a atividade física de uma pessoa tenha muito mais chance de ser a mesma de seus amigos que de outros indivíduos que elas conhecem, como colegas de trabalho.

E-BOX 8.1

Hoje, grupos de amigos se reúnem online, criando uma subdivisão da atividade de comércio online chamada f-commerce. Segundo o provedor de softwares de mídias sociais Awareness, que presta consultoria para marcas importantes, os lucros do f-commerce online podem ser ótimos.

Veja o que a Awareness relatou em relação aos esforços de f-commerce de dois negócios físicos, Macy's e Levi's:

"O *Fashion Director* da Macy's permite que usuários criem um look e então recebam opiniões e votos de amigos sobre comprar a roupa. Usando o *Diretor de Moda*, a Macy's conseguiu dobrar o número de 'fãs' no Facebook para 1,8 milhão, e aumentou as vendas em 30% durante o período de seu lançamento. A *Friends Store* da Levi's cria lojas personalizadas feitas com itens dos quais amigos gostam. Essa loja atraiu mais de trinta mil fãs quando foi lançada, e permitiu que a Levi's aumentasse seu alcance social para mais de nove milhões. A *Friends Store* tem um índice de vendas 15% mais alto e um valor de pedidos 50% maior."

Nota do autor: Fico impressionado com as provas da *Friends Store* da Levi's, pois sua influência não vem de amigos que dizem gostar do estilo que membros da loja escolheram. Em vez disso, ela vem do conhecimento das preferências de estilo *existentes* de amigos, que então aumenta a compra desses estilos.

É instrutivo que, quanto mais íntima seja a amizade (e o sentido conexo de unidade), maior é a influência do comportamento de nossos amigos no nosso. Em um enorme experimento político-eleitoral envolvendo 61 milhões de pessoas, uma mensagem de Facebook estimulando-as a votar obteve mais sucesso quando incluía fotografias de amigos do Facebook que já tinham votado e, decisivamente, se uma das fotos fosse de um amigo *próximo*.

Por fim, mais do que entre amigos próximos, há um tipo ainda melhor de unidade sentida entre *melhores* amigos. Rótulos e afirmações especiais — como "somos melhores amigos" ou "Somos BFF" (*Best Friends Forever* — melhores amigos para sempre) — transmitem a força da ligação. Em um estudo dos hábitos de bebida de universitários, o consumo de álcool semanal de um estudante, a frequência e os problemas relacionados ao álcool em sua maioria acompanhavam os níveis de seu melhor amigo ou amiga.[9]

Animais de estimação

Todo mundo boceja, seja por estados de sonolência ou tédio. Para nossos propósitos, há uma causa psicologicamente interessante que implica no processo de influência: o bocejo contagioso, que ocorre apenas porque outra pessoa bocejou. De acordo com o que sabemos sobre os efeitos de sentimentos de unidade sobre as respostas humanas, a frequência do bocejo contagioso está diretamente relacionada ao nível de ligação pessoal entre a primeira e a segunda pessoa que boceja. O bocejo contagioso tem mais chances de ocorrer entre parentes, depois entre amigos, depois conhecidos e menos chance entre estranhos. Algo parecido acontece em outras espécies (chimpanzés, babuínos, bonobos e lobos), com o bocejo de um animal despertando bocejos, de parentes ou contatos amigáveis.

Sabemos que o bocejo contagioso acontece com membros da mesma espécie e principalmente com membros de unidades com base no "nós" dessa espécie. Existe alguma indicação de que esse tipo de influência funcione entre espécies? Um estudo no Japão nos diz que sim, e a evidência é, digamos, de cair o queixo. Os membros da espécie são humanos, de um lado, e cães (frequentemente chamados, de forma reveladora, de "melhores amigos do homem"), do outro. Na verdade, o elo do "nós" é descrito como ultrapassando a amizade até o parentesco. Por exemplo, é comum ouvir pessoas incluírem seus cães dentro dos limites da *família*, com comentários como "Eu sou pai de três filhos e de um Scottish Terrier".

Os procedimentos do estudo foram semelhantes para 25 cachorros testados. Durante um período de cinco minutos, cada cão observou o pesquisador ou seu dono bocejar várias vezes. As reações dos cachorros foram gravadas em vídeo e depois analisadas para ver o número de bocejos contagiosos. As descobertas foram claras: o bocejo contagioso entre espécies *realmente* aconteceu, mas só entre cães e seus donos. Mais uma vez, vemos que os esforços de influência têm muito mais sucesso dentro de unidades com base no "nós" e, além disso, os limites dessas unidades podem ser ampliados a níveis impressionantes — até, neste caso, incluir membros de outra espécie.[10,11]

É evidente que cientistas comportamentais têm se ocupado em mapear a extensão e a profundidade do impacto do princípio da unidade sobre a resposta humana. No processo, eles descobriram duas categorias principais de fatores que levam a um sentimento de unidade — aquelas que envolvem formas de pertencer a um grupo e formas de agir juntos.

Figura 8.3: Gerando bocejos
Animais de estimação e seus donos exibem bocejo contagioso. Até hoje, pesquisadores examinaram apenas a transmissão do dono para o animal. Não sou um homem de apostar, mas eu colocaria minha mão no fogo que ela funciona nos dois sentidos.
Cortesia de iStock Photo

Unidade 1: Pertencimento a um grupo

PARENTESCO

De um ponto de vista genético, ser da mesma família — da mesma linhagem — é a maior forma de unidade "eu-outro". Na verdade, é aceito na biologia evolucionária que indivíduos não tentam assegurar a própria sobrevivência, mas a sobrevivência de cópias de seus genes. A implicação é que o "eu" por interesse próprio pode estar fora do corpo, na pele de outras pessoas que compartilham de uma boa quantidade do material genético. Por essa razão, as pessoas têm disposição especial de ajudar parentes geneticamente próximos, em especial em decisões relacionadas à sobrevivência como doar ou não um rim nos Estados Unidos, resgatar alguém de um prédio em chamas no Japão ou intervir em uma briga de machados nas florestas da Venezuela. Pesquisas com imagens cerebrais identificaram uma causa: as pessoas experimentam estímulos inusitadamente altos dos centros de recompensa de seus cérebros depois de ajudar um membro da família; é quase como se, ao fazer isso, estivessem ajudando a si mesmas... e isso é verdade até com adolescentes!

DEPOIMENTO DO LEITOR 8.1

De uma enfermeira residente em Sydney, Austrália, durante a pandemia do Covid-19

Recentemente entrei em uma loja para comprar artigos essenciais e usei o desinfetante para as mãos oferecido pelo segurança. Percebi que uma pessoa que trabalhava na farmácia da loja se recusou a usar o desinfetante quando entrou no estabelecimento. Essa situação não se limita a um caso. Vi muitos outros casos de pessoas em lojas que foram irresponsáveis, por exemplo, em relação à recomendação de distanciamento social.

Depois, telefonei para a gerente da loja, que disse não ter o poder de fazer nenhuma mudança, mas disse que ia levantar a questão com a "empresa", o que não produziu nenhuma mudança perceptível. Então eu entrei em contato com o membro local do parlamento. Deixei uma mensagem telefônica na qual aconselhava o seguinte ao parlamentar: "Imagine, senhor parlamentar, uma situação em que sua avó ou sua mulher ficam doentes quando isso podia ser evitado com boas medidas de controle de contágio. Por favor, convença os outros a fazerem o mesmo."

Dois dias depois, recebi um telefonema e um e-mail do parlamentar. Ele tinha entrado em contato com o departamento de saúde, com o ministro da saúde e com CEOs de duas redes nacionais varejistas para falar sobre a situação. Eu, então, estava lendo as notícias e descobri que redes varejistas estavam impondo novas restrições de desinfecção das mãos e de distanciamento social. As notícias encorajaram pessoas a entrarem em contato com o parlamentar que tinha levado a essa mudança.

Acho que consegui instigar essa transformação. Mesmo com o parlamentar levando todo o crédito, não me importei.

Nota do autor: Embora seja difícil saber que fatores levaram à mudança testemunhada pela enfermeira, desconfio que um deles foi a referência emotiva a membros da família na situação que ela usou com o parlamentar, quando recomendou que ele empregasse seus próprios esforços de influência.

(A leitora que submeteu este relato pediu para permanecer anônima; por isso, seu nome não aparece entre os colaboradores do Relatório do Leitor no prefácio deste livro.)

De uma perspectiva evolucionária, quaisquer vantagens para os parentes de uma pessoa devem ser promovidas, até aquelas relativamente pequenas. Considere como confirmação a técnica de influência mais eficaz que já empreguei em minha carreira. Uma vez quis comparar as atitudes de estudantes universitários com as de seus pais em uma série de tópicos, o que significava fazer com que os dois grupos preenchessem o mesmo questionário. Fazer um grupo de universitários desempenhar a tarefa não foi difícil; passei o questionário como um exercício em uma grande turma de psicologia para a qual eu estava lecionando e incorporei isso em minha palestra. O problema mais difícil foi encontrar um jeito de fazer os pais responderem, porque eu não tinha dinheiro para oferecer e sabia que os índices de participação de adultos nessas pesquisas não são nada empolgantes — frequentemente abaixo de 20%. Um colega sugeriu jogar a carta do parentesco oferecendo um ponto extra em meu próximo teste (um dos vários na turma) para cada aluno cujo pai respondesse o questionário.

O efeito foi impressionante. Todos os meus 163 alunos enviaram o questionário para um dos pais, 157 dos quais (97%) enviaram uma cópia preenchida em uma semana — por um ponto, em um teste, em uma matéria, em um semestre para um de seus filhos. Como pesquisador da influência, nunca experimentei nada como isso. Entretanto, a partir de experiência pessoal subsequente, acredito haver algo que eu poderia ter feito para obter resultados ainda melhores: eu podia ter pedido a meus alunos que enviassem um questionário para um avô. Acho que dos 163 enviados, eu teria recebido 162 de volta em uma semana. A cópia faltante provavelmente seria devido à hospitalização de um avô por causa de parada cardíaca enquanto corria até o correio. *Clique, rode...* até a caixa de correio.

Obtive validação desse tipo de favoritismo por parte dos avós enquanto lia o relato do humorista Joel Stein sobre tentar convencer a avó a votar em um candidato presidencial em particular — algo que, inicialmente, ela não estava disposta a fazer. Em meio a seu longo discurso, ficou óbvio que seus argumentos não eram convincentes ou não estavam sendo entendidos pela "vovó Ann". Mesmo assim, ela declarou que ia votar em seu candidato. Quando o intrigado Stein perguntou por que, ela explicou que era por que seu *neto* queria que ela fizesse isso.

Figura 8.4: A família primeiro
A importância de laços familiares não se revela apenas nas ações dos mais velhos em relação a seus filhos. Ela opera até o alto da cadeia. Ao aceitar seu prêmio de melhor atriz em uma série de comédia (*Veep*) durante a cerimônia de premiação do Emmy em 2016, Julia Louis-Dreyfus o dedicou ao pai recentemente falecido em um testemunho vívido da importância da conexão: "Fico muito satisfeita que ele tenha gostado de *Veep*, porque sua opinião era a que realmente importava."
Robert Hanashiro

Mas há algum jeito pelo qual indivíduos sem nenhuma conexão genética conosco podem empregar o poder do parentesco para obter nosso favoritismo? Uma possibilidade é usar a linguagem e as imagens para trazer o conceito de parentesco para nossas consciências. Por exemplo, coletivos que criam um sentimento de "nós" entre seus membros são caracterizados pelo uso de imagens e rótulos familiares — como "irmão", "sororidade", "antepassados", "pátria mãe", "ancestralidade", "legado", "herança" e assim por diante — o que leva a uma disposição maior de sacrificar os próprios interesses pelo bem-estar do grupo. Como humanos são criaturas de símbolos, uma equipe internacional de pesquisadores descobriu que essas "famílias fictícias" produzem níveis de autossacrifício associados a clãs inter-relacionados. Em dois estudos, o fato de lembrar espanhóis da natureza familiar de seus laços nacionais levou aqueles que se sentiram "unidos" com seus compatriotas a se tornarem imediata e dramaticamente mais dispostos a lutar e morrer pela Espanha.[12]

Agora, vamos analisar um indivíduo fora de nossos coletivos existentes. Será que um comunicador solitário e sem laços familiares pode usar a força do parentesco para obter concordância? Quando falo em conferências de empresas de serviços financeiros, às vezes pergunto: "Quem vocês diriam que é o investidor financeiro mais bem-sucedido de nosso tempo?" A resposta, dita em uníssono, é sempre: "Warren Buffett". Em uma rara colaboração com o sócio Charlie Munger, Buffett levou a Berkshire Hathaway — uma holding que investe em outras empresas — a níveis impressionantes de valor para seus acionistas desde que a assumiu em 1965.

Vários anos atrás, recebi um presente de ações da Berkshire Hathaway. Foi um presente que continuou a render, e não apenas monetariamente. Ele me deu um ponto elevado de onde observar as abordagens de Buffett e Munger em relação a investimentos estratégicos, coisa que entendo pouco, e comunicação estratégica, que entendo mais. Atendo-me ao processo que conheço, posso dizer que fiquei impressionado com a quantidade de habilidade que vi. Ironicamente, as conquistas financeiras da Berkshire Hathaway foram tão incríveis que fizeram surgir um problema de comunicação — como passar a confiança de que a empresa manterá o mesmo sucesso no futuro para acionistas e acionistas em potencial. Sem essa confiança, podia-se esperar razoavelmente que os acionistas vendessem suas ações, enquanto podia-se esperar que compradores em potencial comprassem em outro lugar.

Não se iluda, a Berkshire Hathaway tem uma ideia atraente a defender para sua avaliação futura, baseada em um excelente modelo de negócios e várias vantagens únicas de escala. Mas ter uma ideia atraente a defender não é o mesmo que defender uma ideia de forma atraente — coisa que Buffett faz invariavelmente nos relatórios anuais da empresa através de uma combinação de honestidade, humildade e humor. Em fevereiro de 2015, porém, algo mais influente que o normal pareceu necessário. Era o momento, em uma carta especial de cinquenta anos para os acionistas, de resumir os resultados da empresa ao longo dos anos e reafirmar o argumento da vitalidade contínua da Berkshire Hathaway nos próximos anos.

Havia, implícita no caráter do aniversário de cinquenta anos, uma preocupação que perdurava por algum tempo, mas que estava se reafirmando em comentários online: após meio século de empresa, Buffett e Munger não eram jovens, e se algum deles não estivesse mais presente para liderá-la, suas perspectivas e valor de ações no futuro podiam despencar. Lembro-me de ler o comentário e de ficar preocupado com ele. Será que o valor de minhas ações, que tinha mais que quadriplicado sob a administração de Buffett e Munger, ia se sustentar se algum dos dois partissem devido à idade avançada? Era hora de vender e realizar meus lucros extraordinários antes que eles evaporassem?

Em sua carta, Buffet enfrentou a questão de frente — especificamente, na seção identificada como "Os próximos cinquenta anos na Berkshire", em que ele apresentava as consequências positivas e com alcance futuro de seu modelo de negócio, de sua fortaleza de ativos financeiros praticamente sem precedentes e da identificação já feita pela empresa da "pessoa certa" para assumir como CEO quando apropriado. Mais revelador para mim como cientista da persuasão foi como Buffett começou essa parte tão importante. De forma característica, ele restabeleceu sua confiabilidade sendo honesto em relação a uma fraqueza potencial: "Agora vamos olhar para a estrada adiante. Tenham em mente que, se eu tivesse tentado há cinquenta anos avaliar o que estava por vir, algumas das minhas previsões ficariam longe do alvo." Então ele fez uma coisa que nunca o tinha visto dizer ou fazer em nenhum fórum público. Ele acrescentou: "Com esse alerta, vou dizer o que diria hoje para minha família se ela me perguntasse sobre o futuro da Berkshire."

O que se seguiu foi uma construção cuidadosa da defesa da previsível saúde econômica da Berkshire Hathaway — o comprovado modelo de negócio, a fortaleza dos ativos financeiros, o futuro CEO escrupulosamente verificado. Por mais convincentes que fossem esses componentes de seu argumento por seus próprios méritos, Buffett fez algo que me fez considerá-lo ainda mais convincentes. Ele disse que me aconselharia da mesma formar que faria com um membro da família. Devido a tudo o que eu sabia sobre o homem, acreditei nessa afirmação. Como resultado, nunca mais questionei vender minhas ações da Berkshire Hathaway. Há um momento memorável no filme *Jerry Maguire — a grande virada* no qual o personagem do título, interpretado por Tom Cruise, entra em uma sala, cumprimenta os presentes (inclusive sua mulher, Dorothy, interpretada por Renée Zellweger) e começa um longo monólogo no qual lista as razões pelas quais ela devia continuar a ser sua parceira. A meio caminho da lista, Dorothy ergue os olhos e interrompe o monólogo com uma frase agora famosa: "Você me ganhou quando disse 'oi'." Em sua carta, Buffett me ganhou com *família*.

É instrutivo que na onda de reação favorável à sua carta de cinquenta anos (com títulos como "Warren Buffett escreveu sua melhor carta anual de todos os tempos" e "Você seria tolo de não investir na Berkshire Hathaway"), ninguém percebeu a estrutura familiar na qual Buffet tinha habilmente enquadrado seus argumentos. Não posso dizer que fiquei surpreso com essa falta de reconhecimento. No mundo prático e com base em fatos do investimento financeiro, o padrão é focar o mérito da mensagem. E, é claro, é verdade que o *mérito* (dos argumentos) pode ser a mensagem. Mas, ao mesmo tempo, há outras dimensões de comunicação eficazes que podem se tornar a mensagem essencial. Aprendemos, através do guru da comunicação Marshall McLuhan, que o *meio* (o método pelo qual a mensagem é transmitida) é a mensagem; através do princípio da aprovação social, que a *multidão* pode ser a mensagem; através do princípio da autoridade, que o *mensageiro* pode ser a mensagem; e agora, através do conceito de unidade, aprendemos que a *união* (de identidades) pode ser a mensagem. Vale a pena considerar, então, quais características adicionais de uma situação, além do parentesco direto, se prestam à união percebida de identidades.

É importante ressaltar quantas dessas características são, contudo, ligadas a sinais de um parentesco aumentado. Obviamente ninguém pode olhar para dentro do outro e determinar o percentual de genes que os dois compartilham. É por isso que, para operar de forma evolutivamente prudente, as pessoas têm de contar com certos aspectos que são detectáveis e associados com a superposição genética — o mais evidente sendo a semelhança física. A atração por outras pessoas de aparência semelhante leva indivíduos a se agruparem em (a) unidades de amizade, (b) fraternidades universitárias e (c) até times de beisebol com pessoas fisicamente semelhantes. Dentro de famílias, os indivíduos são mais colaborativos com os parentes aos quais se assemelham. Fora da unidade familiar, elas usam semelhanças faciais para julgar (de modo razoavelmente preciso) seu grau de relação genética em relação a estranhos. Entretanto, podem ser enganadas a um favoritismo enganador em relação a isso. Observadores de uma fotografia em que o rosto de uma pessoa tinha sido modificado digitalmente para parecer mais com eles vieram a confiar muito mais nessa pessoa. Se o rosto agora mais parecido é o de um candidato político, podem ficar mais propensos a votar nele.[13]

Além da comparação física, as pessoas usam a semelhança de atitudes como base para avaliar a relação genética e, consequentemente, como base para a formação de grupos e para decidir a quem ajudar. Mas, de forma instrutiva, nem todas as atitudes são equivalentes nesse aspecto; atitudes políticas e religiosas fundamentais, em relação a temas como o comportamento sexual e a ideologia liberal/conservadora, parecem funcionar com mais poder para determinar identidades de grupo. Isso pode ser confirmado por outra relação com base familiar: esses são tipos de atitude com mais chances de serem passadas adiante através da hereditariedade e, portanto, refletirem o "nós" genético. Esse tipo de atitude hereditária também é teimosamente resistente a mudanças, talvez porque as pessoas são menos dispostas a mudar de posições que sentem defini-las.[14]

LUGAR

Há, ainda, mais um sinal confiável de alto compartilhamento genético. Ele tem menos relação com a semelhança física e mais com a proximidade física. É a percepção de ser *do* mesmo lugar que o outro, e seu impacto no comportamento humano pode ser impressionante. Não conheço jeito melhor de documentar esse impacto que resolvendo alguns quebra-cabeças sobre a conduta humana que surgiram durante uma das eras mais perturbadoras de nossa história — os anos do Holocausto. Vamos começar com a forma fisicamente menor do lugar de uma pessoa e depois seguir para formas maiores.

Casa

Humanos, assim como animais, reagem àqueles presentes em suas casas enquanto crescem como se fossem parentes. Embora essa pista para o parentesco possa eventualmente ser enganadora, ela é precisa porque as pessoas em uma casa são membros da família. Além disso, quanto mais longa a duração da coabitação, maior o efeito sobre a noção de família dos indivíduos e, consequentemente, sua disposição para se sacrificarem uns pelos outros. Mas há um fator relacionado que produz as mesmas consequências sem um longo tempo junto. Quando as pessoas observam seus pais se importando com as necessidades do outro em casa, elas também experimentam uma sensação de família e se tornam mais dispostas a ajudar esse outro. Um fenômeno posterior intrigante desse processo é que crianças que veem seus pais abrirem a casa para uma variedade de pessoas diferentes devem ser mais propensas, quando adultos, a ajudar estranhos. Para elas, o "nós" deve ir além de sua família imediata ou estendida e se aplicar também à família humana.

Como essa compreensão ajuda a resolver um grande mistério do Holocausto? A história registra os nomes dos ajudantes mais famosos e bem-sucedidos daquela era: Raoul Wallenberg, o sueco corajoso cujos esforços incansáveis de resgate custaram-lhe a vida, e o industrial alemão Oskar Schindler, cuja "lista" salvou 1.100 judeus. Mesmo assim, o que pode ter sido a ação de ajuda concentrada mais eficaz empreendida na época do Holocausto ficou relativamente ignorada nos anos seguintes.

Tudo começou perto do amanhecer de um dia de verão de 1940, quando duzentos judeus poloneses se aglomeraram na porta do consulado japonês na Lituânia para suplicar ajuda em suas tentativas de escapar do avassalador avanço nazista através da Europa Oriental. O fato de buscarem a ajuda japonesa em si representa um enigma. Na época, os governos da Alemanha nazista e do Japão imperial tinham ligações estreitas e interesses comuns. Por que, então, esses judeus, os odiados alvos do Terceiro Reich, se entregaram à misericórdia de um dos parceiros internacionais de Hitler? Que ajuda possível podiam esperar do Japão?

Antes que a associação estratégica com a Alemanha de Hitler se desenvolvesse no fim dos anos 1930, o Japão estava dando a judeus desalojados acesso ao território japonês como forma de obter parte dos recursos financeiros e da boa vontade política que a comunidade judaica internacional podia oferecer em troca. Como o apoio permanecia forte dentro de alguns círculos no Japão, o governo nunca revogou suas políticas de conceder vistos de viagem para judeus europeus. O resultado paradoxal foi que, nos anos do pré-guerra, enquanto a maioria dos países do mundo (inclusive os Estados Unidos) estavam recusando as "presas" desesperadas da solução final de Hitler, era o Japão — aliado de Hitler — que estava oferecendo refúgio, permitindo que elas ficassem em assentamentos judeus controlados pelos japoneses em Xangai, China, e na cidade de Kobe, Japão.

Em julho de 1940, então, quando duzentos judeus se aglomeraram na porta do consulado japonês na Lituânia, eles sabiam que o homem por trás daquela porta era sua melhor chance, e talvez a última, de segurança. O nome dele era Chiune Sugihara e, pelas aparências, era um candidato improvável para conseguir a salvação dos judeus. Diplomata com mais de dez anos de experiência, ele tinha se tornado cônsul-geral do Japão na Lituânia em virtude de anos de serviço comprometido e obediente em diversos postos anteriores. As credenciais certas facilitaram sua ascensão dentro do corpo diplomático: ele era o filho de um alto funcionário do governo e de uma família samurai. Ele tinha elevado seus objetivos profissionais, aprendendo a língua russa na esperança de um dia ser o embaixador japonês em Moscou. Como sua contrapartida mais conhecida, Oskar Schindler, o sr. Sugihara era um grande amante de jogos, música e festa. Na superfície, havia pouco para sugerir que esse diplomata satisfeito, em busca do prazer, arriscaria sua carreira, reputação e futuro para tentar salvar os estranhos que o despertaram de um sono profundo às 5h15 da manhã. Isso, porém, foi o que ele fez — com total conhecimento das consequências em potencial para ele e sua família.

Depois de falar com membros da multidão que esperava do lado de fora de seu portão, Sugihara reconheceu a situação difícil daquelas pessoas e telegrafou a Tóquio para obter a permissão para autorizar vistos de viagem para elas. Embora aspectos das políticas lenientes do Japão em relação a vistos e assentamentos ainda estivessem valendo para judeus, os superiores de Sugihara no Ministério de Relações Exteriores se preocuparam que a continuidade dessas políticas prejudicasse as relações diplomáticas do Japão com Hitler. Em consequência, seu pedido foi negado, assim como foram suas segunda e terceira petições mais urgentes. Foi nesse ponto da vida — aos quarenta anos, sem nenhuma evidência de deslealdade ou desobediência anteriores — que esse funcionário de carreira pessoalmente indulgente e profissionalmente ambicioso fez o que ninguém desconfiaria. Ele começou a emitir os documentos de viagem necessários em desafio aberto às suas ordens expressas e duas vezes reforçadas.

A escolha destruiu sua carreira. Em um mês ele foi transferido de seu posto como cônsul-geral para uma posição muito inferior fora da Lituânia, onde ele não podia mais operar com independência. No fim, acabou demitido do Ministério das Relações Exteriores por insubordinação. Desonrado após a guerra, ele vendia lâmpadas para sobreviver. Mas, nas semanas anteriores ao fechamento do consulado na Lituânia, ele se manteve fiel à escolha que tinha feito, entrevistando solicitantes de visto do início da manhã até tarde da noite e preparando os papéis exigidos para a fuga deles. Mesmo depois do fechamento do consulado e de ir morar em um hotel, ele continuou a emitir vistos. Mesmo depois que a tensão da tarefa o deixou magro e exausto, mesmo depois que essa mesma tensão deixou sua mulher impossibilitada de amamentar seu filho pequeno, ele escreveu sem descanso. Mesmo na plataforma do trem que iria levá-lo para longe de seus solicitantes, mesmo no próprio trem, ele escreveu e entregou documentos em mãos que se agarravam à vida, salvando milhares de inocentes. E, finalmente, quando o trem começou a levá-lo embora, ele fez uma grande reverência e se desculpou com aqueles que tinha deixado desamparados — implorando seu perdão por suas deficiências em ajudar.

Figura 8.5: Sugihara e sua família: por dentro/por fora

Depois de emitir milhares de vistos de viagem para judeus em seu escritório no consulado *(alto)*, Chiune Sugihara foi transferido de seu posto para cargos menores na Europa sob o domínio nazista. Na Tchecoslováquia *(embaixo)*, ele posicionou sua família (mulher, filho e cunhada) para uma foto na porta de um parque com uma placa que dizia em alemão: "Proibido judeus". Essa placa foi uma característica in-cidental da foto ou uma ironia incluída conscientemente? Para evidência sugestiva, veja se você consegue localizar a mão direita de sua cunhada.

Museu do Memorial do Holocausto dos Estados Unidos.

Ambas as fotos cortesia de Hiroki Sugihara

A decisão de Sugihara de ajudar milhares de judeus a escaparem para Xangai não se deve a um único fator. Normalmente, múltiplas forças agem e interagem para gerar esse tipo de benevolência extraordinária. Mas, no caso de Sugihara, um fator *doméstico* se destaca. Seu pai, um funcionário da receita que tinha sido enviado por um tempo para a Coreia, levou a família para lá e abriu um albergue. Sugihara se lembrou de ser afetado pela disposição de seus pais em receber uma ampla mistura de hóspedes — cuidar de suas necessidades básicas por alimentos e abrigo na residência da família, até providenciar banhos e lavar suas roupas —, apesar do fato de alguns serem pobres demais para pagar. Desse ponto de vista, podemos ver uma razão — um sentido expandido de família, vindo do cuidado de seus pais com diversos indivíduos em casa — para os esforços posteriores de Sugihara para ajudar milhares de judeus europeus. Quarenta e cinco anos depois dos acontecimentos, ele declarou em uma entrevista que a nacionalidade e a religião dos judeus não importavam; só importava que eram membros, com ele, da família humana. Sua experiência é um conselho para pais que querem que seus filhos desenvolvam uma natureza caridosa: ponha-os em contato *em casa* com pessoas de um amplo espectro de origens diferentes e trate essas pessoas como família, não como convidados.

A lendária humanitária Madre Teresa contava uma história parecida sobre sua infância, com implicações parecidas para práticas parentais. Ela cresceu na Sérvia — primeiro rica, depois pobre, quando seu pai morreu — e viu sua mãe, Drabna, alimentar, vestir, consertar, limpar e abrigar qualquer um em necessidade. Quando voltava da escola, ela e seus irmãos encontravam estranhos à mesa comendo a comida limitada da família. Quando perguntava por que eles estavam lá, sua mãe respondia: "Eles são nosso povo." Observe que as palavras "nosso povo" são conceitualmente equivalentes a "nós".[15]

Localização

Conforme humanos evoluíam de grupos pequenos, mas estáveis, de indivíduos geneticamente relacionados, também evoluía uma tendência para favorecer e seguir pessoas que, fora de casa, vivam em proximidade conosco. Há até um "ismo" — localismo — para representar essa tendência. Sua influência enorme pode ser vista do nível da vizinhança para o nível comunitário. Uma olhada em dois incidentes do Holocausto oferece uma confirmação pungente.

O primeiro nos permite resolver o mistério da abertura deste capítulo, no qual um guarda de um campo de prisioneiros nazista que estava executando um a cada dez prisioneiro pulou um décimo prisioneiro sem explicação e matou o 11°. É possível imaginar várias razões em potencial para sua atitude. Talvez, no passado, ele tivesse conseguido colaboração do décimo prisioneiro ou houvesse percebido um alto nível de força, inteligência ou saúde que antevisse um futuro trabalho produtivo. Mas, quando um dos outros guardas lhe pediu que se explicasse, ficou evidente que sua escolha não se deveu a nenhuma dessas considerações práticas. Na verdade, foi uma forma horrível de localismo: ele tinha reconhecido o homem como originário de sua cidade natal.

Ao relatar o incidente em um artigo acadêmico, o antropólogo Ronald Cohen descreveu um aspecto incongruente dele: "Mesmo envolvido obedientemente com assassinato em massa, o guarda foi piedoso e simpático com um membro em particular do grupo vitimado." Embora Cohen não tenha aprofundado a questão, é importante identificar o fator potente o suficiente para transformar um assassino frio praticando assassinato em massa em um agente "piedoso e empático". Foi a reciprocidade de local.

Vamos também considerar como esse mesmo fator unificador, durante o mesmo período da história, produziu um resultado radicalmente diferente. Inúmeros relatos históricos de salvadores de judeus na era do Holocausto revelam um fenômeno pouco analisado, mas mesmo assim digno de nota. Na grande maioria dos casos, os salvadores que abrigaram, alimentaram e esconderam os alvos da perseguição nazista não procuraram espontaneamente os judeus para lhes oferecer ajuda. E, o que é ainda mais notável, não eram as próprias vítimas que pediam essa ajuda. Em vez disso, quem solicitava era um parente ou vizinho que pedia ajuda por parte de um indivíduo ou família perseguidos. Em um sentido real, então esses salvadores não precisavam dizer sim para os estranhos em necessidade, mas para seus próprios parentes ou vizinhos.

Claro, não é que não houve salvadores que agiram basicamente por compaixão por outras pessoas vitimadas. O francês André Trocmé, depois de abrigar um refugiado inicial e solitário a sua porta, convenceu outros residentes de sua cidadezinha de Le Chambon a sustentar, abrigar e contrabandear milhares de judeus durante a ocupação nazista. A característica instrutiva da história extraordinária de Trocmé não é como ele conseguiu cuidar daquele primeiro refugiado, mas como conseguiu que cuidassem dos muitos que se seguiram. Ele começou pedindo ajuda a indivíduos que teriam dificuldade de lhe dizer não, seus parentes e vizinhos, depois pressionou-os a fazer o mesmo entre seus parentes e vizinhos. Essa alavancagem estratégica de *unidades existentes* fez dele mais que um herói compassivo. Fez dele também um herói de sucesso extraordinário.

Outros comunicadores extremamente bem-sucedidos alavancaram as "unidades existentes" no interior de uma localidade. Durante a campanha presidencial americana de 2008, com base em estudos que mostravam que certos tipos de contato pessoal direto com eleitores podiam mudar significativamente os números da eleição, os estrategistas de Obama dedicaram uma quantia em dinheiro sem precedentes para montar mais de setecentos escritórios de campo locais concentrados principalmente nos estados divididos em opinião. A responsabilidade principal da equipe e dos voluntários nesses escritórios não era convencer cidadãos da área de que Obama era apropriado para o cargo, era garantir que esses residentes que provavelmente estavam a favor de seu candidato se registrassem para votar e comparecessem no dia da eleição. Para atingir esse objetivo, voluntários dos escritórios de campanha foram enviados para um trabalho de porta a porta intensivo de convencimento de eleitores dentro de suas próprias comunidades, o que os responsáveis pelo planejamento sabiam gerar um maior contato entre vizinhos e, portanto, maior influência. Uma análise posterior dos efeitos da estratégia dos escritórios de campo locais indicou que ela funcionou, ganhando a eleição para Obama em três estados disputados (Flórida, Indiana e Carolina do Norte) e, segundo o autor da análise, transformando o resultado nacional de uma indefinição eleitoral em uma grande vitória eleitoral.[16]

Região

Até ser da mesma região geográfica geral pode levar a sentimentos de "nós" e seus efeitos incríveis. Por todo o planeta, campeonatos de equipes esportivas estimulam os sentimentos de orgulho pessoal em moradores das zonas ao redor dos times — como se os *moradores* tivessem ganhado. Só nos Estados Unidos, evidências de pesquisas reforçam a ideia geral de maneiras adicionais e variadas: cidadãos concordaram mais em participar de uma pesquisa se ela fosse de uma universidade de seu estado natal; compradores de produtos na Amazon ficaram mais propensos a seguir a recomendação de um resenhista que vivesse no mesmo estado; as pessoas superestimam muito o papel de seus estados de origem na história americana; leitores de uma reportagem sobre uma fatalidade militar no Afeganistão se opuseram mais à guerra ao saber que o soldado morto era de seu próprio estado; e, durante a Guerra Civil, se soldados de infantaria viessem da mesma região uns que os outros, eles tinham menos chance de desertar, permanecendo leais a seus companheiros em suas unidades "mais unidas". De torcedores a combatentes, podemos ver o impacto de identidades regionais em respostas estilo "nós". Mas é outro acontecimento aparentemente desconcertante do Holocausto que produz a situação mais significativa.

Embora os vistos de Chiune Sugihara tenham salvado milhares de judeus, quando eles chegaram a território controlado por japoneses, tornaram-se parte de um contingente ainda maior de refugiados judeus concentrados na cidade japonesa de Kobe e na cidade controlada pelos japoneses de Xangai. Depois do ataque a Pearl Harbor em 1941, todo trânsito de judeus para dentro e para fora dessas cidades cessou, e a segurança da comunidade judaica se tornou precária. O Japão, afinal de contas, era na época um conspirador integral com Hitler em tempos de guerra e tinha que proteger a solidariedade dessa aliança com esse antissemita virulento. Além disso, em 1942, o plano de Hitler para aniquilar os judeus do mundo foi formalizado na Conferência de Wannsee, em Berlim. Com a solução final instalada como política do Eixo, autoridades nazistas começaram a pressionar Tóquio a estender essa "solução" para os judeus do Japão. Propostas envolvendo campos da morte, experimentos médicos e afogamentos em massa no mar foram repassadas a Tóquio após a conferência. Ainda assim, apesar do impacto potencialmente danoso sobre suas relações com Hitler, o governo resistiu às pressões no início de 1942 e manteve essa resistência até o fim da guerra. Por quê?

A resposta pode muito bem ter a ver com um conjunto de eventos que ocorreu vários meses antes. Os nazistas tinham enviado a Tóquio o coronel da Gestapo Josef Meisinger, conhecido como o "Açougueiro de Varsóvia" por ordenar a execução de dezesseis mil poloneses. Ao chegar, em abril de 1941, Meisinger começou a pressionar por uma política de brutalidade em relação aos judeus sob o governo do Japão — uma política que ele declarou que ficaria satisfeito em projetar e implementar. Sem saber ao certo no início como responder e querendo ouvir todos os lados, membros do alto escalão do governo militar solicitaram à comunidade judaica que enviasse dois líderes para uma reunião que teria influência importante em seu futuro. Os representantes escolhidos eram ambos líderes religiosos respeitados, mas respeitados de maneiras diferente. Um deles, o rabino Moses Shatzkes, era renomado como um homem estudioso, uma das mais brilhantes autoridades talmúdicas na Europa antes da guerra. O outro, o rabino Shimon Kalisch, era mais velho e conhecido por sua incrível habilidade de entender o funcionamento básico humano — uma espécie de psicólogo social.

Depois que os dois entraram na sala de reunião, eles e seus tradutores se viram diante de um tribunal de membros poderosos do Alto Comando japonês, que iam determinar a sobrevivência de sua comunidade e não perderam tempo para fazer duas perguntas fatídicas: por que nossos aliados nazistas odeiam tanto vocês? E por que deveríamos ficar do seu lado contra eles? O rabino Shatzkes, o estudioso, compreendendo a complexidade emaranhada das questões históricas, religiosas e econômicas, não conseguiu oferecer uma resposta. Mas o conhecimento do rabino Kalisch sobre a natureza humana o havia equipado para emitir a comunicação convincente mais impressionante que encontrei em mais de trinta anos estudando o processo: "Porque", disse ele calmamente, "nós somos asiáticos *como vocês*".

Embora breve, a afirmação foi inspirada. Ela mudou a identidade de grupo reinante de uma com base em uma aliança temporária em tempos de guerra para outra baseada em uma reciprocidade regional. Ela fez isso utilizando o próprio argumento *racial* dos nazistas de que a "raça superior" ariana era geneticamente diferente e naturalmente superior aos povos da Ásia. Com uma única observação penetrante, eram os judeus que estavam alinhados com os japoneses, e os nazistas não estavam (autodeclaradamente). A resposta do rabino mais velho teve um efeito poderoso sobre os oficiais japoneses. Depois de um silêncio, eles se reuniram entre si e anunciaram um recesso. Quando voltaram, o oficial militar mais graduado se levantou e deu as garantias que os rabinos estavam esperando levar para sua comunidade: "Voltem para seu povo. Digam a eles... que vamos cuidar de sua segurança e paz. Vocês não têm nada a temer enquanto estiverem em território japonês." E assim foi.[17]

Não há dúvida de que o poder unificador da família e do local pode ser usado por um comunicador habilidoso — veja a eficácia de Warren Buffett e do rabino Kalisch em relação a isso. Ao mesmo tempo, há outro tipo de efeito unificador disponível para aqueles que buscam uma maior influência. Ele vem não de *pertencer* à mesma genealogia ou geografia, mas de *agir* junto em sincronia ou de forma colaborativa.

Figura 8.6: Rabinos no Japão
Durante a Segunda Guerra Mundial, os japoneses não sucumbiram à pressão nazista para tratar severamente os judeus em territórios controlados pelos japoneses. Uma razão pode ter sido os argumentos de um dos dois rabinos (fotografados com seus tradutores no dia da reunião crucial) para incluir seu povo no sentimento de "nós" dos oficiais japoneses e excluir os nazistas em relação a isso.
Cortesia de Marvin Tokayer

Unidade II: Agindo juntos

Minha colega, a professora Wihelmina Wosinska, se lembra com sentimentos confusos de crescer nos anos 1950 e 1960 na Polônia controlada pelos soviéticos. Do lado negativo, além da escassez constante de produtos básicos, havia limitações desanimadoras em todo o tipo de liberdades pessoais, incluindo de expressão, de privacidade, de informação, de divergência e de movimento. Mesmo assim, ela e seus colegas de escola foram levados a considerá-las positivamente — como necessárias para estabelecer uma ordem social justa e igual. Esses sentimentos positivos eram exibidos com regularidade e estimulados por eventos comemorativos, nos quais os participantes cantavam e marchavam juntos enquanto agitavam bandeiras em uníssono. Os efeitos, diz ela, eram impressionantes: agitação física, edificação emocional e validação psicológica. Ela nunca se sentiu mais atraída pelo conceito de "um por todos e todos por um" que em meio àqueles envolvimentos escrupulosamente coreografados e poderosamente coordenados. Sempre que escutei a professora Wosinska falar dessas atividades, foi em apresentações acadêmicas formais (sobre psicologia dos grupos). Apesar do contexto acadêmico, a descrição de sua participação sempre levava volume para sua voz, sangue para seu rosto e luz para seus olhos. Há algo indelevelmente visceral nessas experiências que as marcam como primevas e centrais para a condição humana.

Na verdade, os registros arqueológicos e antropológicos são claros em relação a isso: todas as sociedades humanas desenvolveram maneiras de responder junto, em uníssono ou de forma coordenada, com canções, marchas, rituais, cânticos, orações e danças. E mais, elas fazem isso desde tempos pré-históricos; dança coletiva, por exemplo, é retratada com extraordinária frequência nos desenhos, arte em pedra e pinturas em cavernas das eras neolítica e calcolítica. O registro da ciência comportamental é claro em relação ao porquê. Quando as pessoas agem de maneiras unitárias, elas se tornam *unidas*. O sentimento resultante de solidariedade de grupo atende bem aos interesses das sociedades, produzindo níveis de lealdade e autossacrifício associados a unidades familiares muito menores. Assim, as sociedades humanas, mesmo as antigas, descobriram "tecnologias" de união de grupos envolvendo respostas coordenadas. Os efeitos são semelhantes àqueles do parentesco: sentimentos de "nós", união, confusão do eu com o outro e disposição para se sacrificar pelo grupo. Não é surpresa, então, que, em sociedades tribais, guerreiros dancem juntos, de forma ritmada, antes da batalha.

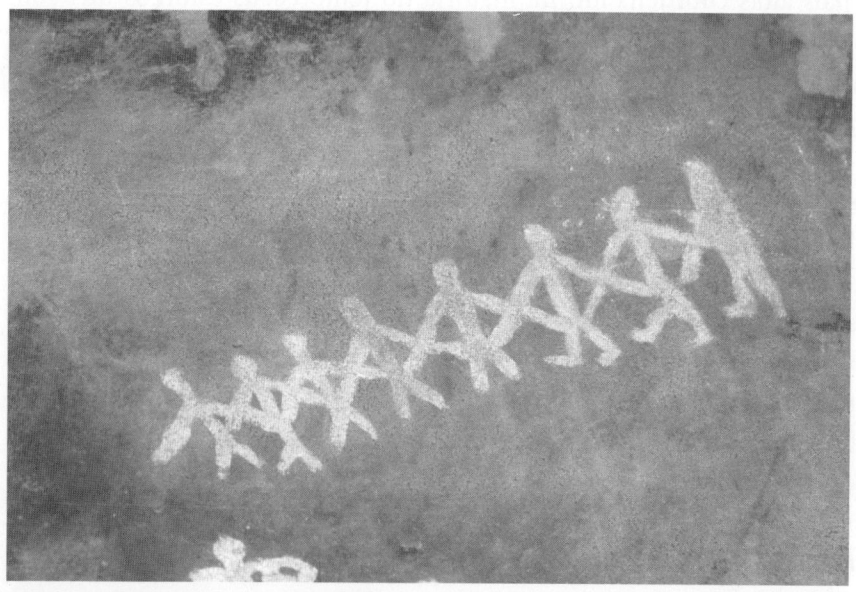

Figura 8.7: Fila de dançarinos do neolítico?
Segundo o arqueólogo Yosef Garfinkel, ilustrações de interações sociais na arte pré-histórica eram quase sempre de dança. Uma pintura em uma caverna de Bhimbetka, Índia, fornece um exemplo.
Arindam Banerjee/ Dreamstime.com

A sensação de estar unido com outras pessoas parece rara, mas não é. Ela pode ser produzida com facilidade e de diversas maneiras. Em um conjunto de estudos, os participantes que leram uma história juntos em voz alta com um parceiro em uníssono (ou de forma coordenada, lendo cada um uma frase da história alternadamente) passaram a ter mais sentido de "nós" e a sentirem mais solidariedade com seus parceiros que os participantes que leram a história de forma independente de seus parceiros. Outra pesquisa mostrou os efeitos favoráveis de agir em conjunto. Em um conjunto de 23 ou 24 membros de cada vez, alguns grupos diziam palavras juntos na mesma ordem que seus membros, enquanto outros grupos diziam as mesmas palavras mas não na mesma ordem que seus membros. Não só aqueles que estavam nos grupos que falaram em uníssono tiveram mais sentimentos de "nós" em relação a outros membros de seu grupo, mas depois, quando jogaram um videogame em grupo, os membros de seu grupo obtiveram pontuações mais altas coordenando na maioria do tempo seus esforços uns com os outros. Uma última demonstração do fenômeno vem de um estudo da atividade cerebral. Quando envolvidos em projetos em conjunto, os padrões de ondas cerebrais dos participantes começaram a se igualar uns aos outros, subindo e descendo juntos. Assim, quando as pessoas estão juntas em sincronia, elas estão no mesmo comprimento de onda. Literalmente.

Se *agir* juntos — de formas motoras, vocais ou cognitivas — pode servir como substituto para *pertencer* a uma unidade de parentesco, devíamos ver consequências semelhantes dessas formas de união. E vemos. Duas dessas consequências são importantes para indivíduos que buscam se tornar mais influentes: cair no gosto e obter maior apoio dos outros.[18]

AFEIÇÃO

Quando as pessoas agem em uníssono, elas não apenas se veem como mais semelhantes, mas também avaliam umas às outras de forma mais positiva. Sua semelhança aumentada se torna uma afeição aumentada. As ações podem envolver tamborilar os dedos no laboratório, sorrir em uma conversa, ou ajustes corporais em uma interação professor-aluno — todas as quais, se sincronizadas, fazem as pessoas avaliarem umas às outras mais favoravelmente. Mas um grupo de pesquisadores canadenses se perguntou se movimento coordenado poderia demandar algo com maior significado social: será que a capacidade de converter semelhança em afeição pode ser empregada para reduzir o preconceito racial? Os pesquisadores perceberam que, embora procuremos "ressoar" (harmonizar) com membros de nossos grupos, *não* fazemos isso com membros de outros grupos. Eles especularam se as diferenças no sentimento de unidade resultantes podiam ser pelo menos parcialmente responsáveis por uma tendência humana automática de favorecer o grupo. Se esse fosse o caso, preparar as pessoas para harmonizar suas ações com pessoas de fora do grupo poderia diminuir o preconceito.

Para testar a ideia, realizaram um experimento no qual participantes brancos assistiam a sete vídeos de indivíduos negros bebendo um gole de água de um copo e em seguida botando-o na mesa. Alguns participantes apenas observaram os vídeos e as ações. A outros pediram que imitassem as ações bebendo de um copo de água a sua frente em exata coordenação com os movimentos que vissem nos vídeos. Mais tarde, em um procedimento desenvolvido para avaliar suas preferências raciais ocultas, os participantes que apenas observaram os atores negros demonstraram o típico favoritismo dos brancos por brancos em relação aos negros. Mas os que tinham sincronizado suas ações com as dos atores negros não mostraram nenhum desse favoritismo.

Antes de darmos importância demais para os resultados do experimento, devemos reconhecer que a mudança positiva foi medida apenas alguns minutos após o processo unificador do estudo. Os pesquisadores não apresentaram evidências de que as mudanças permaneceriam além da hora e do lugar do estudo. Mesmo assim, com essa advertência em mente, há espaço para otimismo, pois uma abordagem menos tendenciosa de preferências de dentro e de fora do grupo pode ser o necessário para fazer a diferença dentro dos limites de uma situação específica como uma entrevista de emprego, uma ligação de vendas ou um primeiro encontro.[19]

APOIO

Certo, está bem, há boas evidências de que agir junto com outras pessoas, mesmo com estranhos, gera sentimentos de unidade e de afeição maiores. Mas será que as formas de unidade e da afeição que emanam de uma resposta coordenada são fortes o bastante para alternar de forma significativa o padrão-ouro da influência social: a conduta resultante? Dois estudos ajudam a responder a pergunta. Um examinou a ajuda dada a um único indivíduo previamente unificado, enquanto o outro examinava a cooperação com um grupo de membros de uma equipe previamente unificados; nos dois casos, o comportamento solicitado exigia autossacrifício.

No primeiro estudo, participantes ouviam uma série de tons de áudio em fones de ouvido enquanto batucavam na mesa ao ritmo que ouviam.

Alguns ouviam os mesmos sons que um parceiro, portanto viam a si mesmos batucando simultaneamente com essa pessoa; outros ouviam uma série diferente de sons que seu parceiro, assim os dois não agiam em sincronia. Depois, todos os participantes foram avisados de que estavam liberados para irem embora do estudo, mas que seus parceiros tinham de ficar para responder uma série de problemas de matemática e de lógica; entretanto, eles podiam escolher ficar e ajudar seus parceiros assumindo para si algumas das tarefas. Os resultados não deixaram dúvida sobre a capacidade da atividade coordenada de aumentar uma conduta de autossacrifício e apoio. Enquanto apenas 18% dos participantes que não batucaram na mesa em sincronia com seus parceiros escolheram ficar e ajudar, dentre aqueles que batucaram em sincronia, 49% abriram mão de seu tempo livre para dar assistência a seus parceiros.

Pesquisadores diferentes conduziram o segundo estudo de interesse e empregaram uma tática militar consagrada pelo tempo para inspirar um sentido de coesão de grupo. Depois de dividir os participantes em equipes, os pesquisadores pediram a algumas equipes para caminhar juntas, *no mesmo passo*, por algum tempo; pediram a outras para andarem juntos pelo mesmo tempo, mas normalmente. Mais tarde, todos os membros das equipes jogaram um jogo de economia no qual podiam maximizar a chance de aumentar o próprio ganho financeiro ou deixar passar essa oportunidade para garantir, em vez disso, que os membros de sua equipe se saíssem bem financeiramente. Membros de equipes que marcharam juntas foram 50% mais cooperativos em relação aos membros da equipe que aqueles que tinham apenas andado juntos normalmente. Um estudo subsequente ajudou a explicar por quê. A sincronia inicial levou a um sentimento de unidade, que levou a uma maior disposição de sacrificar o ganho pessoal pelo bem maior do grupo. Não é surpresa, então, que marchar em uníssono ainda seja empregado no treinamento militar, embora seu valor como técnica em campo de batalha tenha desaparecido muito tempo atrás. Seu valor como técnica de *construção de unidade* é responsável por sua manutenção.[20]

Assim, grupos podem promover unidade, afeição e um comportamento de apoio posterior em uma variedade de situações providenciando o primeiro a obtenção de uma resposta sincronizada. Mas as táticas que examinamos até agora — leitura simultânea de uma história, batucar na mesa e beber água — não parecem implementáveis, pelo menos não de nenhuma forma em grande escala. Marchar em uníssono pode ser melhor nesse quesito, mas só de forma marginal. Não há algum mecanismo *geralmente* aplicável que entidades sociais possam empregar para promover essa coordenação em influenciar membros na direção dos objetivos do grupo? Há. É música. E, felizmente para comunicadores individuais, ela pode ser empregada para mover outras pessoas na direção dos objetivos de um único agente de influência.

MÚSICA NA LUTA POR INFLUÊNCIA

Há uma boa explicação por que a presença da música se é registrada desde o início da história humana, passando pela vastidão de sociedades humanas. Como uma coleção única de regularidades perceptíveis (ritmo, métrica, intensidade, pulso e tempo), a música possui um poder raro de coordenação. Ouvintes podem se alinhar uns com os outros ao longo de dimensões motoras, vocais e emocionais — um estado de coisas que leva a marcadores de unidade familiar como a fusão do eu com o outro, coesão social e conduta de apoio. Sobre esse último aspecto, considere os resultados de um estudo com crianças de quatro anos feito na Alemanha. Como parte de um jogo, algumas crianças andavam em torno de um círculo com um parceiro enquanto cantavam e marcavam o tempo em seus movimentos com a música gravada. Outras crianças fizeram quase o mesmo, mas sem o acompanhamento da música. Quando, mais tarde, as crianças tiveram uma oportunidade de benevolência, aquelas que tinham cantado e andado juntas no tempo da música tinham três vezes mais chances de ajudar seu parceiro do que aquelas que não tiveram uma experiência musical em conjunto.

Os autores do estudo fizeram duas observações instrutivas sobre a ajuda que observaram. Primeiro eles notaram que era um autossacrifício, exigindo que a pessoa que ajudasse abrisse mão de tempo pessoal de brincar para ajudar um parceiro. O fato de a música e o movimento experimentados em conjunto terem aumentado o autossacrifício de maneira tão impressionante deve ser uma revelação para qualquer pai que tentou alterar as escolhas caracteristicamente egoístas de uma criança de quatro anos brincando ("Leia, é a vez de Dawson brincar com esse brinquedo... Leia? Leia! Leia, volte aqui com isso agora mesmo!").

O segundo comentário digno de nota dos autores me parece pelo menos tão importante quanto o primeiro: o sacrifício pessoal das crianças não surgiu de nenhuma avaliação racional das razões pró e contra prestar assistência. A ajuda não estava enraizada na racionalidade. Ela era espontânea, intuitiva e com base em um sentido emocional de conexão que acompanha naturalmente o envolvimento musical compartilhado. As implicações disso para administrar o processo de influência social são significativas.[21]

ENGENHARIA DE SISTEMAS

Há muito tempo, psicólogos afirmaram a existência de duas maneiras de avaliar e conhecer. A mais recente dessas afirmações a conquistar destaque é o tratamento de Daniel Kahneman da disfunção entre o Sistema 1 e o Sistema 2 de pensar. O primeiro é rápido, associativo, intuitivo e emocional, enquanto o segundo é mais lento, deliberativo, analítico e racional. A comprovação da divisão dessas duas abordagens vem de evidências de que ativar uma delas inibe a outra. Da mesma forma que é difícil pensar bem sobre uma ocorrência enquanto você a experimenta de forma emocional, experimentá-la por completo é difícil enquanto você a examina de forma lógica. Há uma implicação para a influência: persuasores fariam bem se combinassem a orientação Sistema 1 *versus* Sistema 2 com qualquer apelo a uma orientação correspondente do receptor. Assim, se você está pensando em comprar um carro do ponto de vista de suas características emocionalmente relevantes (aparência atraente e aceleração empolgante), seria interessante para um vendedor abordá-lo com argumentos relacionados aos sentimentos. Uma pesquisa sugere que dizer "Eu *sinto* que esse é o carro para você" vai gerar mais sucesso. Mas se você está pensando em comprar por razões racionais (economia de combustível e valor de revenda), então "Eu *acho* que esse é o carro para você" vai ter mais chances de fechar a venda.[22]

A influência da música é da variedade do Sistema 1 e não do Sistema 2. Considere, por exemplo, a citação do músico Elvis Costello sobre a dificuldade de descrever adequadamente a música por meio do processo cognitivo da escrita: "Escrever sobre música", disse ele, "é como dançar sobre arquitetura."

Como apoio adicional à separação entre a cognição e a emoção, dessa vez no romance, pense nos versos da canção de Bill Withers, "Ain't no Sunshine", sobre um homem agonizando por uma mulher que deixou a casa mais uma vez: "E eu sei, eu sei/ Eu, eu devia deixá-la em paz/ Mas o sol não brilha quando ela não está." Withers passa sua mensagem na mais bela forma de poesia que já ouvi em uma letra de música: nas dores do amor romântico, o que é possível reconhecer cognitivamente (26 vezes!) não conserta o que se sente emocionalmente.

Em suas respostas sensoriais e viscerais à música, as pessoas cantam, dançam e se balançam em alinhamento rítmico com ela — e, se juntas, umas com as outras. É raro elas pensarem analiticamente quando a música está em destaque na consciência. Sob a influência de música, o caminho deliberativo e racional para o conhecimento torna-se difícil de acessar e, portanto, em geral não disponível. Dois comentários falam sobre um resultado lamentável. O primeiro, uma frase de Voltaire, é de desprezo: "Tudo estúpido demais para ser dito é cantado." O segundo, um ditado de publicitários, é tático: "Se você não consegue explicar seu caso para um público, cante-o para eles." Assim, comunicadores cujas ideias têm pouco apelo racional não precisam desistir da luta; eles podem fazer uma manobra de flanco. Equipando-se de músicas e canções, eles podem levar sua campanha para um campo de batalha onde a racionalidade tem pouca força, onde sensações de harmonia, sincronia e unidade ganham o dia.

Esse reconhecimento me ajudou a resolver um antigo mistério pessoal, um mistério irritante para mim quando jovem sem nenhum talento musical. Por que as jovens são tão atraídas por músicos? Não há lógica nisso, certo? Exatamente. Não importa que as probabilidades de um relacionamento bem-sucedido com a maioria dos músicos sejam notoriamente baixas; essas são probabilidades *racionais*. E não importa que as perspectivas financeiras presentes ou futuras sejam igualmente baixas; essa são razões *econômicas*. Música não tem a ver com essas coisas práticas. Tem a ver com harmonias — harmonias melódicas que levam a harmonias emocionais. Além disso, devido a seus fundamentos comuns na emoção e na harmonia, música e romance estão fortemente associados um ao outro na vida. Qual você diria que é o percentual de músicas contemporâneas que tem o romance como tema? É de 80%, a vasta maioria. Isso é impressionante. O romance não está em questão na ampla maioria do tempo em que falamos, pensamos ou escrevemos, mas está quando cantamos.

Agora eu entendo por que jovens, que estão em uma idade de pico de interesse tanto por música quanto por romance, têm uma fraqueza por músicos. Conexões poderosas entre os dois tipos de experiência deixam os músicos irresistíveis. Quer uma comprovação científica? Se não quiser, só finja que eu estou *cantando* para você os resultados de um estudo francês no qual os pesquisadores (inicialmente céticos) fizeram um homem abordar jovens e pedir a elas seus números de telefone enquanto carregava um case de guitarra, uma bolsa esportiva ou nada:

"Aqueles cientistas na França/ preocupados em aumentar as chances/ de uma guitarra provocar um "Oui"/ ao pedido de um estranho/ não precisavam se preocupar tanto. Os números de telefone mais que dobraram"

Para qualquer um interessado em maximizar o sucesso persuasivo, a mensagem crítica desta sessão não deve ser apenas que a música está conectada ao Sistema 1 de resposta ou que, quando canalizadas para esse tipo de resposta, as pessoas agem com imprudência. A maior lição inclui a importância de combinar o caráter persuasivo da comunicação do Sistema 1 em relação ao Sistema 2 com a mentalidade de Sistema 1 em relação Sistema 2 da audiência que se quer atingir. Receptores com objetivos irracionais e hedonistas devem entrar em contato com mensagens que contenham elementos irracionais como acompanhamento musical, enquanto aqueles com objetivos racionais e pragmáticos devem ser expostos a mensagens contendo elementos racionais como fatos. Em seu excelente livro *Persuasive Advertising (Publicidade persuasiva)*, o especialista em marketing J. Scott Armstrong contou que em uma análise de 1.513 comerciais de TV, 87% incorporavam música. Mas essa adição rotineira de música à mensagem pode apresentar problemas, pois Armstrong também examinou a pesquisa relevante e concluiu que a música só devia ser usada para anunciar produtos familiares com base em sentimentos (como petiscos e perfumes corporais) em um contexto emocional — ou seja, onde o pensamento é improvável. Para produtos com grandes consequências pessoais e argumentos fortes de apoio (como equipamento de segurança e pacotes de software) — ou seja, quando o pensamento tem maior probabilidade de ser efetivado e produtivo —, música de fundo na verdade reduz a eficácia de um anúncio.[23]

TROCA RECÍPROCA REPETIDA

No início de 2015, um artigo no *New York Times* instigou o interesse e os comentários dos leitores, tornando-se viral e um dos textos mais amplamente divulgados do jornal em todos os tempos. Para uma empresa de notícias como o *Times*, essa ocorrência pode não parecer extraordinária, levando-se em conta sua posição jornalística elevada em assuntos de grande importância nacional e internacional. Mas esse texto em especial aparecia não em suas páginas de política, negócios, tecnologia ou saúde, mas na editoria de trivialidades de domingo. Como está refletido no título do ensaio, "Para se apaixonar por alguém, faça isso", sua autora, Mandy Le Catron, dizia ter encontrado um modo maravilhosamente eficaz de produzir a intensa proximidade emocional e os laços sociais do amor — em apenas 45 minutos! Ela sabia que isso funcionava porque tinha funcionado para ela e o namorado.

A técnica veio de um programa de pesquisa iniciado por uma equipe de psicólogos formada por marido e mulher, Arthur e Elaine Aron, que a descobriu em suas investigações sobre relacionamentos íntimos. Ela envolve uma forma diferente de ação coordenada do que vimos até agora, na qual parceiros se envolvem em uma sequência de troca recíproca, se revezando em turnos. Outros psicólogos demonstraram que uma história de troca de favores recíprocos leva indivíduos a fazer favores adicionais a seu parceiro de troca... não importa quem tenha feito o último.

Os Aron e seus colegas de trabalho ajudaram a explicar esse tipo de assentimento espontâneo mostrando como trocas recíprocas estendidas unem os participantes dessas transações. Eles fizeram isso empregando um tipo de troca recíproca unificante, forte o suficiente para "unificar" pessoas no amor uma pela outra: autorrevelação recíproca. O procedimento não foi complicado. Em duplas, participantes se revezaram lendo perguntas para o parceiro, que respondia e então recebia a resposta de seu parceiro sobre o mesmo quesito. Avançar pelas 36 perguntas exigia que os participantes revelassem informação cada vez mais pessoal sobre si mesmos e, por sua vez, descobrissem mais informação pessoal sobre seus parceiros. Uma pergunta inicial seria "O que seria um dia perfeito para você?", enquanto mais tarde na sequência uma pergunta seria "O que você valoriza mais em uma amizade?", e perto do fim da lista uma pergunta seria: "De todas as pessoas em sua família, qual morte seria a mais perturbadora?"

Os relacionamentos se aprofundaram além de todas as expectativas. O procedimento gerou sentimentos de intimidade e unidade sem paralelos em um período de 45 minutos, mesmo entre estranhos no ambiente emocionalmente estéril de um laboratório. Além disso, o resultado não foi uma ocorrência fortuita. Segundo uma entrevista com uma das pesquisadoras, Elaine Aron, centenas de estudos usando o método foram feitos desde então confirmando o efeito e, como resultado, alguns participantes se casaram. Na mesma entrevista, a dra. Aron descreveu dois aspectos do procedimento que ela sentia serem a chave de sua eficácia. Primeiro, os itens ficam mais intensos em relação a revelações pessoais. Ao responder, os participantes se abriram cada vez mais um para o outro com confiança, algo representativo de duplas fortemente ligadas. Em segundo lugar, e para se manter dentro do tema amplo desta seção do capítulo, participantes fizeram isso juntos — ou seja, de forma coordenada e nos dois sentidos, tornando a interação inerente e continuamente sincronizada.[24]

SOFRENDO JUNTOS

A solução para outro mistério da era do Holocausto é pertinente, sendo justificada como mais um caminho na direção da unificação. No verão de 1940, enquanto a Gestapo de Düsseldorf estava sistematicamente identificando e transportando residentes judeus para campos de concentração pela Europa, ela recebeu uma carta de seu líder, o Reichs-führer-SS Heinrich Himmler. Ela a instruía evitar a perseguição de um desses residentes judeus, um juiz da cidade chamado Ernst Hess, por ordem de uma autoridade nazista de alto escalão que ordenou que Hess "não fosse importunado de maneira alguma".

Nenhum dos aspectos de unidade que vimos até agora consegue explicar o tratamento especial a Hess. O juiz não havia decidido favoravelmente em nenhum caso envolvendo a família da autoridade nazista, nem crescido na mesma cidade, ou tinha marchado com ele nas fileiras de soldados de uma unidade militar — embora este tenha ocorrido anos antes. A razão foi algo a mais que isso: durante seu período de serviço militar na Primeira Guerra Mundial, eles tinham sofrido junto as adversidades, privações e desgraças daquele conflito terrível e prolongado. Na verdade, os dois foram feridos em campos de batalha com menos de 24 horas de diferença um do outro, no famoso 141º dia da Batalha do Somme que tirou a vida de 1,2 milhão de soldados, meio milhão apenas nas fileiras alemãs. Talvez o Henrique V de Shakespeare tenha captado a consequência da melhor maneira em um verso de seu famoso discurso do "grupo de irmãos": "Aquele que hoje derrama seu sangue comigo vai ser meu irmão."

Ah, e por falar nisso, a "autoridade nazista" na carta de Himmler que ordenou a reversão do processo regular contra Hess não era uma autoridade comum. A carta declarava que Hess devia receber "assistência e proteção, segundo os desejos do Führer" — Adolf Hitler, o perseguidor mais maligno e eficiente do povo judeu que o mundo já conheceu.

Há uma semelhança assustadora aqui com a história de Ronald Cohen sobre o guarda nazista que, quando devia executar cada décima pessoa em uma fila de prisioneiros de um campo de concentração, inesperadamente desviou-se de sua rotina e matou um 11º. Lembre-se de como Cohen ficou intrigado por "mesmo dedicado obedientemente ao assassinato em massa, o guarda foi piedoso e empático com um membro em particular do grupo vitimado". Resolvemos o quebra-cabeça em termos de uma característica unificadora do guarda e do prisioneiro, um local de nascimento em comum. Nesse caso, Hitler — o monstro moral que instalou procedimentos para o tormento e a aniquilação de milhões de judeus — também escolheu se desviar desses comportamentos-padrão pelo benefício "piedoso e empático" de um homem em particular. Embora, mais uma vez, a causa pareça estar em um fator unificador que unia os homens, dessa vez não foi a semelhança de local de nascimento. Dessa vez, foi sofrimento compartilhado.

Figura 8.8: Juntos, na lama da Mãe Natureza
Empresas buscam utilizar o poder unificador de dificuldades experimentadas juntos em eventos corporativos para a formação de equipes que envolvem adversidade ou risco. Quando visitei os locais onde várias companhias organizam esses eventos, descobri algumas atividades que pareciam árduas, assustadoras ou os dois juntos: descer corredeiras em botes, escalada, rapel em penhascos, bungee jump de uma ponte, andar descalço sobre fogo (sobre carvões quentes) e acampar na neve. O evento de formação de equipes da corrida na lama mostrado nessa foto parece já ter alcançado o efeito desejado de estimular conduta cooperativa, pois vemos dois dos competidores ajudando um terceiro.
iStock Photo

Através da história humana, a dor compartilhada tem sido um agente de união, fundindo identidades em ligações com base no "nós". O reconhecimento do fenômeno por William Shakespeare na declaração do "grupo de irmãos", escrita em 1599, é apenas um caso. Ilustrações mais recentes fornecem evidências científicas dos processos responsáveis. Depois do atentado a bomba na maratona de Boston em 2013, residentes que relataram envolvimento direto com os acontecimentos (por exemplo, ouvir ou ver pessoalmente qualquer aspecto do atentado) e residentes que relataram apenas terem sofrido muito física ou emocionalmente se tornaram mais unidos em suas identidades com a comunidade de Boston do que residentes que não tinham sofrido tanto. Além disso, quanto mais frequente e profundamente os residentes pensavam sobre a tragédia, mais se sentiam "como um", em união com os outros cidadãos de Boston.

Um segundo grupo de pesquisadores analisou os efeitos unificadores quando o sofrimento mútuo não se devia a experiências mútuas de *nenhum* tipo de atividade. Já vimos que performances em conjunto como leitura de histórias, batucar na mesa ou marchar produziram sentimentos de "nós", porém, será que um produto final mais intenso surge quando a dor entra na combinação? Surge. Membros de grupos que completaram uma tarefa de noventa segundos em que deviam submergir as mãos em água congelante ficaram mais unidos uns com os outros que membros de grupos que fizeram uma tarefa idêntica com mãos em água à temperatura ambiente. Mais tarde, quando envolvidos em um jogo de economia com seus colegas de grupo, os que tinham sofrido juntos estavam significativamente mais propensos a fazer escolhas financeiras com o objetivo de enriquecer todo o grupo em oposição a apenas a si mesmos.

A pura força do sofrimento mútuo para produzir unidade e autossacrifício pode ser vista em sua capacidade de forjar elos entre grupos étnicos diferentes. Em 2020, quando povos nativos americanos, em especial a nação navajo, estavam sendo assolados pela pandemia da Covid-19, eles receberam um grande auxílio de um benfeitor inesperado. Voluntários locais que criaram uma página no site GoFundMe para fornecer alimento e outras necessidades de repente começaram a receber centenas de milhares de dólares da Irlanda. A razão pela qual os irlandeses estavam dispostos a doar tanto pode se encaixar facilmente em nosso capítulo 2 sobre reciprocidade: foi um gesto de reciprocidade que atravessou séculos, nacionalidades e milhares de quilômetros. Durante o auge da Grande Fome da Batata na Irlanda em 1847, um grupo de nativos americanos da nação choctaw coletou e enviou US$ 170 (cerca de US$ 5 mil em valores de hoje) para ajudar a aliviar a fome em meio à "Grande Fome" por lá. Agora era a hora de os irlandeses retribuírem a bondade. Como comentou um contribuinte ao fazer uma doação: "Nós na Irlanda nunca vamos nos esquecer de seu maravilhoso gesto de solidariedade e compaixão durante a Fome Irlandesa. Estamos com vocês em sua luta contra a Covid-19."

Se, como eu sugeri, a história se encaixa bem no capítulo 2 junto com outros casos impressionantes da regra da reciprocidade em funcionamento, por que está sendo contada aqui em uma seção sobre sofrimentos compartilhados? Para uma resposta, devemos olhar além da pergunta de por que os irlandeses agiram para ajudar em 2020 para a pergunta de por que os choctaws agiram para ajudar em 1847. Seu presente ocorreu apenas alguns anos depois que a nação choctaw tinha sido submetida a uma marcha de centenas de quilômetros para o oeste para sua realocação em massa por ordem do governo, conhecida por Trilha das Lágrimas, na qual seis mil de seu povo morreram. Como explicou a organizadora nativa americana Vanessa Tully: "A morte de muitas pessoas na Trilha das Lágrimas despertou empatia pelo povo irlandês em seu momento de necessidade. É *por isso* que os choctaws ofereceram o auxílio." É notável que muitos outros participantes em comentários na internet tenham falado da ligação entre as duas nações forjada por adversidades familiares e compartilhadas — lamentando as dificuldades de "nossos irmãos e irmãs nativos americanos" e a mutualidade de "memória de sangue".[25]

E-BOX 8.2

Recentemente, pesquisadores começaram a explorar um rico canal de informação sobre o comportamento humano analisando traços de seu comportamento deixados em plataformas de mídias sociais (Meredith, 2020). Uma dessas análises, da qualidade e caráter de atividade no Twitter após os ataques terroristas em Paris de 13 de novembro de 2015, nos fornece uma nova lente para analisar os efeitos da adversidade compartilhada na solidariedade de grupo. Começando na data do ataque e por vários meses depois, os cientistas comportamentais David Garcia e Bernard Rimé (2019) examinaram quase dezoito milhões de tweets de uma amostra de 62.114 contas de usuários franceses do Twitter. Eles pesquisaram as palavras usadas para sentimentos de distúrbio emocional, para a sincronia da aflição (refletindo sua natureza coletiva) e para a expressão de solidariedade e apoio ao grupo. O evento em si produziu picos imediatos de ansiedade e tristeza compartilhadas, que caíram após dois a três dias. Mas, nas semanas e meses seguintes, expressões de solidariedade e apoio permaneceram altas nos tweets. Além disso, a força e a duração de expressões de unidade e apoio relacionavam-se com a extensão na medida em que a angústia inicial havia ocorrido de forma compartilhada e sincronizada.

Como os autores concluíram: "Nossos resultados lançaram uma nova luz sobre a função social de emoções coletivas, ilustrando que uma sociedade atingida por um trauma coletivo não apenas responde com emoções coletivas simultâneas... Essas descobertas sugerem que não é *apesar* de nossa aflição que ficamos mais unidos após um ataque terrorista, mas é precisamente *por causa* de nossas aflições compartilhadas que nossos elos se tornam mais fortes e nossa sociedade se adapta para encarar a próxima ameaça."

Nota do autor: Fico sempre impressionado quando um padrão de comportamento em especial aparece de forma semelhante através de uma variedade de métodos diferentes para observá-lo. A influência considerável do sofrimento compartilhado sobre a coesão e a promoção de grupo subsequentes é, para mim, um desses padrões que inspira confiança.

CRIAÇÃO COMPARTILHADA

Muito antes da preservação da natureza se tornar algo importante para muitos americanos, um homem chamado Aldo Leopold estava defendendo a causa em seu país. Principalmente durante os anos 1930 e 1940, ao presidir a primeira cátedra de gerenciamento de vida selvagem nos Estados Unidos na Universidade de Wisconsin, ele desenvolveu uma abordagem ética do tema. Como está detalhado em seu livro de sucesso *A Sand County Almanach* (*Um almanaque do condado de Sandy*), sua abordagem desafiava o modelo dominante de conservação ambiental, no qual os ambientes naturais deviam ser gerenciados com o propósito da utilização humana. Ele propôs, em vez disso, uma alternativa com base no direito de toda espécie de planta e animal à existência em seu estado natural sempre que possível. Possuidor de uma posição tão clara e sincera, ele ficou mais que surpreso um dia ao se ver, com machado na mão, se comportando em contradição a isso — cortando uma bétula-vermelha em sua propriedade para que um de seus pinheiros-brancos tivesse mais luz e espaço.

Por que, ele se perguntou, agiria para favorecer o pinheiro sobre a bétula que, segundo sua ética declarada, tinha tanto direito de existir naturalmente quanto qualquer árvore em sua terra? Perplexo, ele investigou sua mente à procura da "lógica" por trás desse gesto tendencioso e, ao levar em conta as várias diferenças entre os dois tipos de árvore que podiam ser responsáveis pela preferência, encontrou apenas um único fator que considerou ser primário. Era algo que não tinha relação alguma com a lógica, mas estava fundamentado em sentimentos: "Bom, em primeiro lugar, eu plantei o pinheiro com minha pá, enquanto a bétula rastejou por baixo da cerca e plantou a si mesma. Minha tendência, portanto, é de algum modo paternal."[26]

Leopold não foi o único a sentir uma afinidade especial por algo que ajudou a criar. É um acontecimento humano comum. Por exemplo, no que os pesquisadores chamam de efeito IKEA, as pessoas que montavam seus móveis sozinhas passaram a ver "suas criações amadoras como tendo valor semelhante às criações dos especialistas". Como se encaixa em nosso foco atual sobre os efeitos da ação em conjunto, vale apena investigar duas possibilidades adicionais. Será que pessoas que ajudaram a criar algo *lado a lado* com outra pessoa passam a sentir uma afinidade especial não só pela criação, mas também pela pessoa que criou junto com ela? Além disso, será que essa afinidade excepcional pode vir de um sentimento de unidade com o outro perceptível nas consequências características de um gostar e de um apoio elevados ao parceiro com autossacrifício?

Vamos procurar a resposta para essas perguntas respondendo uma anterior: por que eu começaria essa seção sobre criação compartilhada com a descrição de Aldo Leopold sobre o efeito de plantar ele mesmo um pinheiro? É porque ele não era um ator solitário no processo. Ele era um criador em conjunto, com a natureza, do pinheiro maduro que tinha posto na terra como muda. A possibilidade intrigante que surge é se, como resultado de agir junto com a Mãe Natureza, ele passou a sentir uma ligação mais pessoal com ela — e, em consequência, ficou ainda mais enamorado e respeitoso por sua parceira na colaboração. Se isso for verdade, teríamos uma indicação de que a criação compartilhada pode ser um caminho para a unificação. Lamentavelmente, o sr. Leopold não está disponível para perguntas sobre o assunto desde 1948. Mas tenho confiança na resposta.

Parte dessa confiança vem dos resultados de um estudo que ajudei a conduzir para investigar o efeito do nível de envolvimento pessoal dos gerentes na criação de um produto de trabalho. Eu esperava que quanto maior o envolvimento que os gerentes sentissem ter tido na geração do produto final em conjunto com um funcionário, melhor avaliariam sua qualidade, que é o que descobrimos: gerentes levados a acreditar terem tido um papel importante no desenvolvimento do produto final (um anúncio para um novo relógio de pulso) avaliaram o anúncio 50% mais favoravelmente que os gerentes levados a acreditar terem tido pouco envolvimento em seu desenvolvimento — embora o anúncio final fosse idêntico em todos os casos. Além disso, descobrimos que os gerentes com maior envolvimento percebido se consideravam mais responsáveis pela qualidade do anúncio em termos de seu maior controle gerencial percebido sobre seu funcionário, o que eu também esperava.

Mas eu não esperava uma terceira descoberta. Quanto mais os gerentes atribuíam o sucesso do projeto a si mesmos, mais também o atribuíam à habilidade de seu funcionário. Eu me lembro, com o quadro de dados nas mãos, de experimentar um momento de surpresa — talvez não tão impactante quanto o momento de Leopold com o machado na mão, mas ainda assim um momento de surpresa. Como supervisores com maior envolvimento percebido no desenvolvimento de um produto de trabalho viam a si mesmos e ao único parceiro no projeto como *ambos* mais responsáveis pela sua forma final de sucesso? Há apenas 100% de responsabilidade pessoal a ser distribuída. Então se a contribuição percebida de uma parte aumenta, por simples lógica, a do parceiro devia diminuir. Eu não compreendi na época, mas acho que agora compreendo. Se a criação compartilhada provoca pelo menos uma união temporária de identidades, então o que se aplica a um parceiro também se aplica ao outro, independentemente da lógica distributiva.

Quadro 1
Sua ideia de melhorar o software de atendimento ao cliente foi ótima.

Quadro 2
Não lembro de ter essa ideia.
Foi genial.

Quadro 3
Bem, parece algo que eu sugeriria.

Quadro 4
Vamos precisar aprovar o orçamento, mas não deve ser problema para você.

Quadro 5
Obviamente tem verba para minha ideia genial.

Quadro 6
Vou atrasar outros projetos. Mas, como você disse, eles não são prioridade.

Quadro 7
Eu disse isso?
Foi muito sábio.

Quadro 8
Como você conseguiu verba para sua ideia?
Tive que "chefificá-la".

Figura 8.9: Evitando estagnação através da chefificação

A contabilidade criativa é um truque de negócios reconhecido, e também, aparentemente, a criação compartilhada criativa.

Dilbert 2014. Scott Adams. Sob permissão de Universal Uclick. Todos os direitos reservados

PEDIR CONSELHO É BOM CONSELHO

> Todos admiramos a sabedoria daqueles que nos procuraram em
> busca de conselhos.
>
> — Benjamin Franklin

A criação compartilhada não apenas reduz o problema de fazer os superiores darem mais crédito a funcionários que trabalharam de forma produtiva em um projeto. Ela pode diminuir uma série de outras coisas tradicionalmente complicadas para reduzir dificuldades. Crianças com menos de seis ou sete anos são egoístas quando se trata de dividir recompensas, quase nunca distribuindo-as igualmente entre companheiros de brincadeiras — a menos que elas tenham obtido essa recompensa através de um esforço colaborativo com um colega, enquanto crianças de até três anos compartilham igualmente na maior parte do tempo. Como vimos no capítulo 3, em escolas americanas, os estudantes tendem a se agrupar por linhas raciais, étnicas e socioeconômicas, encontrando amigos e colegas colaborativos dentro de seus próprios grupos, mas esse padrão decai de modo significativo depois que se envolvem de forma criativa e colaborativa com estudantes dos outros grupos em exercícios de "aprendizado cooperativo". Empresas lutam para fazer com que consumidores se sintam ligados e, portanto, leais a suas marcas; é uma batalha que elas têm vencido convidando clientes atuais e em potencial a criar junto com elas produtos novos ou atualizados, oferecendo à empresa com maior frequência informação sobre características desejáveis.

Entretanto, nessas parcerias de marketing, a informação pedida aos clientes deve ser construída como *conselho* à empresa, não como opiniões ou expectativas em relação à empresa. O fraseado diferenciado pode parecer pouco, mas é crítico para se alcançar o objetivo de unificação da empresa. Dar conselhos coloca uma pessoa em um estado mental de fusão, o que estimula uma ligação entre a própria identidade e a da outra parte. Apresentar uma opinião ou expectativa, por outro lado, leva uma pessoa a um estado mental introspectivo, que envolve se concentrar em si mesma. Essas formas de feedback apenas um pouco diferentes — e os diferentes estados mentais de fusão e separação que produzem — podem ter um impacto significativo no engajamento de consumidores com uma marca.

Foi isso o que aconteceu com um grupo de pesquisadores online de todos os Estados Unidos, que mostraram uma descrição do plano de negócio de um novo restaurante de fast food informal, o Splash!, que tinha o objetivo de se diferenciar da concorrência pelos itens saudáveis de seu cardápio. Depois de ler a descrição, pediram um feedback a todos os participantes da pesquisa. Mas a alguns pediram um "conselho" em relação ao restaurante, enquanto aos outros perguntaram apenas sobre "opiniões" ou "expectativas" que pudessem ter. Finalmente, eles indicaram a probabilidade de serem clientes de um restaurante Splash!. Participantes que deram conselhos relataram querer comer no Splash! significativamente mais que aqueles que deram qualquer dos outros tipos de feedback. E, como era de se esperar, se dar conselhos é um mecanismo de unificação, o maior desejo de apoiar o restaurante veio de sentir mais ligação com a marca.

Outra descoberta dessa pesquisa encerra o caso da unificação para mim: os participantes avaliaram todos os três tipos de feedback como úteis para os donos do restaurante. Então não é que aqueles que deram conselho se sentiram conectados com a marca porque consideraram terem ajudado mais. Em vez disso, ter de dar conselhos pôs os participantes em um estado mental de união em vez de um estado mental de separação pouco antes de refletirem o que dizer sobre a marca.

Esse conjunto de resultados também encerra para mim a sabedoria (e a ética, se feito em busca autêntica de informação útil) de pedir conselho em interações pessoais, com amigos, colegas e clientes. Isso também deve se mostrar eficaz até em nossas interações com superiores. Claro, é racional pensar em uma desvantagem em potencial — que, ao pedir conselho a seu chefe, você possa parecer incompetente, dependente ou inseguro. Enquanto vejo a lógica dessa preocupação, também a considero equivocada porque os efeitos da criação compartilhada não são bem capturados pela racionalidade ou a lógica. Mas eles são bem capturados por um sentimento em particular de promoção social na situação — o sentimento de união. O romancista Saul Bellow teria observado: "Quando pedimos conselho, estamos procurando um cúmplice." Eu só acrescentaria, com base em evidências científicas, que, se recebemos esse conselho, conseguimos esse cúmplice. E que ajuda melhor para se ter em um projeto que alguém no comando?[27]

Ficar juntos

É hora de olhar novamente — e, de forma mais assustadora, além disso — para o que já vimos como as consequências mais favoráveis de *pertencer* e *agir juntos*. Aprendemos, por exemplo, que ao instalar uma dessas duas experiências unificadoras nas pessoas, podemos vencer uma eleição, solidificar o apoio dos acionistas e dos clientes de uma empresa, ajudar a garantir que soldados resistam e lutem em vez de fugir em tempos de guerra e proteger uma comunidade da aniquilação. Além disso, descobrimos que podemos usar essas mesmas duas experiências unificadoras para fazer com que companheiros de brincadeiras, colegas de turma e colegas de trabalho gostem, ajudem e cooperem uns com os outros; para 97% dos pais preencherem uma pesquisa longa sem compensação financeira; e mesmo para o surgimento do amor em um laboratório. Mas há uma pergunta sem resposta: seria possível aplicar as lições desses ambientes a palcos muito maiores, como aqueles envolvendo inimizades internacionais, conflitos religiosos violentos e antagonismos raciais antigos? Será que essas lições do que sabemos sobre pertencer e agir em conjunto aumentam nossa chance de *nos unirmos* como espécie?

Essa é uma pergunta difícil de responder, em grande parte devido às muitas complicações inerentes a essas diferenças agonizantemente intratáveis. Mesmo assim, mesmo nesses campos preocupantes, acredito que procedimentos que criam um sentimento de unidade estabelecem um contexto para uma mudança desejável. Embora essa ideia pareça útil em teoria, as muitas complicações processuais e culturais envolvidas fazem com que seja ingenuidade supor que a teoria funcionaria bem na prática. As especificidades do processo de unificação teriam de ser projetadas de forma otimizada e implementadas com essas complexidades em mente — algo com o que os especialistas nessas questões sem dúvida concordariam e que pode ser um tema merecedor de todo um livro subsequente. É desnecessário dizer que eu receberia bem essas opiniões de especialistas, melhor, conselhos, em relação a isso.

Apesar do status bem-humorado da última frase, a importância de evitar soluções demasiadamente simples para problemas de maior alcance, tenazes e complicados não é brincadeira. O premiado biólogo Steve Jones observou algo relacionado sobre cientistas, digamos, com status sênior avançado. Ele observou que por volta dessa idade, eles começam a "discorrer sobre grandes questões", agindo como se seu conhecimento adquirido em uma esfera especializada lhes permitisse falar com confiança sobre tópicos mais genéricos muito fora desses limites. A observação cautelar de Jones parece pertinente à minha situação nessa conjuntura — porque, primeiro, estou inserido na categoria de idade que ele estava descrevendo e, segundo, porque para fazer declarações mais abertamente, eu teria de chegar a conclusões pertinentes sobre a diplomacia internacional, conflitos religiosos e étnicos e hostilidade racial sem ter um conhecimento aprofundado em nenhuma dessas áreas. Simplesmente, eu estaria falando no escuro.

Seria melhor, então, eu abordar a pergunta de como se unir sob a luz fornecida pelas lições deste capítulo, como demonstradas através do prisma do processo de influência. Também seria melhor considerar maneiras de, *inicialmente*, estabelecer sentimentos de "nós" com a família humana em vez de com formas tribais — de modo que, ao tentar influenciar pessoas a responder de acordo com a versão expandida, o fato de ser membro na família maior já vai estar instalado e capaz de saltar rapidamente à mente. Vamos começar, então, com os anos de formação das crianças e os procedimentos parentais que dão forma a elas e, então, vamos seguir para procedimentos com probabilidades de mudar adultos.

PRÁTICAS UNIFICADORAS

O que sabemos sobre influências domésticas

Em casa, há duas influências que levam crianças a tratarem qualquer indivíduo que lá esteja, mesmo não parentes, como família. A primeira é o tempo de coabitação. Se um adulto não parente (um amigo da família, talvez) mora com a família por um tempo prolongado, ele ou ela adquire o título de "tio" ou "tia"; se é uma criança não aparentada, os rótulos que surgem são "irmão" ou "irmã". Além disso, quanto mais tempo se compartilha a vida doméstica, mais a pessoa não aparentada recebe benefícios característicos da família, como ajuda com autossacrifício de moradores da casa. A segunda é a observação de cuidados parentais, especialmente maternais, com o indivíduo não aparentado — algo que, quando observado, leva a uma conduta semelhante à conduta com parentes. Você se lembra de como nos relatos autobiográficos de Chiune Sugihara e de madre Teresa, dois dos maiores atores humanitários de nosso tempo, ambos contaram ver seus pais cuidando desprendidamente de forasteiros que chegavam a suas casas? É digno de nota que esses gestos de cuidado (abrigar, limpar, vestir e cuidar — todos sem pagamento) são reservados a membros da família.

Implicações das ações

Para pais que desejam expandir o sentimento de "nós" em seus filhos em relação à família humana, essas descobertas apresentam certas implicações para o lar. A primeira — fornecer uma residência domiciliar por longo prazo para crianças de outros grupos —, embora admirável, não é exequível para a maioria das casas. Exigências, custos e compromissos necessários para a paternidade adotiva permanente ou temporária são grandes demais.

Entretanto, uma segunda implicação — fornecer experiências de família em casa para crianças de outros grupos — é muito mais administrável. Ela envolve um processo de dois passos no qual os pais identificam crianças de outros grupos na turma, nas equipes esportivas ou em aulas de dança de seus filhos e então convidam uma delas (com aprovação parental) para ir a sua casa para brincar ou dormir. Uma vez lá, a chave, em meu ponto de vista, não é dar ao visitante status de visita. As crianças da família devem ver o visitante ser tratado como uma delas.

Se as crianças têm tarefas a fazer, o visitante deve ser designado a ajudar. Se a mãe é quem cuida da lavagem da roupa da família e percebe manchas de grama na roupa do visitante depois de alguma brincadeira no jardim, ela deve lavar a roupa. Da mesma forma, ela deve estar alerta a qualquer arranhão que possa cuidar com um antisséptico e um Band-Aid. Se o pai é quem ensina atividades esportivas, se envolver em uma dessas atividades com as crianças reunidas não seria o suficiente. Ele deve ser um professor para todas as crianças — ajustando as mãozinhas no taco de beisebol ou de golfe para conseguir um melhor contato com a bola, explicando como lançar uma bola de futebol americano com a espiral correta, demonstrando como dar uma ginga de corpo antes de chutar uma bola de futebol para além do goleiro enganado. O mesmo se aplica se seu papel é realizar e ensinar reparos em casa ou no carro. Oportunidades para instrução não devem ser adiadas para depois que o visitante for embora.

Claro, essas práticas devem ser repetidas em visitas adicionais e de visitantes de outros grupos. Me parece crucial que a criança visitante não seja favorecida — algo que pais razoáveis podem se sentir tentados a fazer para mostrar sua falta de preconceito. Em vez disso, em benefício das crianças, tudo deve ser feito para incluir os companheiros de brincadeiras de outros grupos na rotina familiar em vez de excluí-los dela.

Recomendações comparáveis se aplicam a convites para jantar feitos à família do companheiro de brincadeiras. Se é um jantar no qual todos vão se sentar à mesa, os pais devem esperar para arrumar a mesa até a chegada dos convidados, para que possam pedir a eles que ajudem da mesma forma que faria um membro da família. Se é um piquenique ou um churrasco no jardim, as mesas e cadeiras só devem ser postas no lugar quando os membros da família visitante puderem ajudar. Nos dois casos, todos na refeição devem ser convidados a participar da limpeza.

Como se ela ainda estivesse conosco, posso ouvir a reação de minha mãe a essas sugestões: "Robert, qual o problema com você? Isso não é jeito de tratar convidados." Talvez ela estivesse certa em um sentido. "Mas mãe", responderia eu, "eles não são *qualquer* convidado. Eles são pessoas com identidades étnica, racial, religiosa ou sexual que você quer que se sintam imediatamente aceitas e integradas ao funcionamento de sua casa. Mais que isso, eles são pessoas que, pesquisas mostram, provavelmente sentiriam maior unidade conosco através das tarefas de arrumação e limpeza, assim como da conversa informal que acompanha as tarefas — unidade que sentiríamos também."

Além disso, há algo que estaria pensando, mas não diria em voz alta, porque minha mãe me ensinou a não ser um "sabichão" quando discutia com ela. Na verdade, mesmo que ela estivesse certa sobre violar a etiqueta conhecida com convidados para o jantar, a hospitalidade adequada não seria o objetivo. O propósito do convite seria estimular nas crianças que observam um sentimento maior de "nós" que englobe todo tipo de outras pessoas. Mais uma vez, eu não diria isso em voz alta, mas estaria pensando: "Mãe, você preferiria que seus filhos se lembrassem de você tratando seus visitantes como convidados ou como família?"[28]

O que sabemos sobre vizinhanças e amizades diversificadas

Eis o que sabemos sobre vizinhanças e amizades diversificadas: aqueles que vivem em vizinhanças étnica ou racialmente diversificadas se tornam mais propensos a se identificar com toda a humanidade, geralmente tornando-se mais cooperativos; além disso, o contato maior os deixa mais favoráveis e com menos preconceito em relação a outras pessoas de grupos diferentes. Efeitos semelhantes vêm de amizades diversificadas, que levam a maior positividade e mais apoio em relação aos grupos étnicos e raciais dos amigos. Esses resultados não ocorrem apenas dentro de grupos da maioria; também se aplicam a membros de grupos de minorias, que passam a ter sentimentos mais positivos em relação a um grupo majoritário se tiverem um amigo do grupo majoritário. Melhor ainda, amizades entre grupos aumentam expectativas de que as interações com membros adicionais de outros grupos se revelem amistosas também — devido a sentimentos aumentados de unidade com o grupo. Melhor de tudo, amizades entre grupos têm uma influência indireta e oculta: saber que um membro de nosso grupo tem um amigo de outro grupo reduz nossos sentimentos negativos em relação ao outro grupo.

As implicações das ações

O que os pais devem fazer ao saberem que seus filhos terão mais chances de se identificarem com toda a humanidade se viverem em uma vizinhança culturalmente diversificada? Fazer as malas e se mudar imediatamente para um desses ambientes pode ser uma tarefa difícil demais, mesmo para pais que valorizem esse modo de pensar. Mas, para esses pais, botar o quesito de diversidade na vizinhança na lista de características a procurar em qualquer casa futura seria um passo adequado. Dependendo do quanto valorizem esse modo de pensar, podem escolher de acordo com o quanto priorizam a diversidade em sua lista.

As implicações da diversidade de amizades, em comparação com as da diversidade na vizinhança, se prestam a mais opções. Uma é a mesma que a recomendação anterior de que pais observem na escola, nos eventos esportivos ou nos parquinhos para encontrar uma escolha de amizade especialmente compatível para seus filhos. Um convite para brincar, para dormir ou para uma festa de aniversário seria natural para avançar o processo, seguido por um convite à família da criança para jantar, o que criaria as bases para a amizade com pais de outros grupos. Essas alianças entre adultos podem ser solidificadas por encontros cara a cara fora de casa para um almoço ou café.

Encontros fora de casa são importantes. Eles são públicos, primeiro de tudo, o que significa que a amizade vai ser observada por outros que, segundo nos dizem as pesquisas, vão reduzir seus preconceitos com outros grupos e ficar mais propensos a estabelecer eles mesmos uma amizade dessas. Na verdade, quanto mais público for esse encontro pessoal, mais os outros vão ser impulsionados na direção de relacionamentos entre grupos, o que pode influenciar ainda mais observadores na mesma direção. Durante a época da pandemia da Covid-19, testemunhamos o funcionamento triste das leis do contágio exponencial de grupo. No caso de amizades entre grupos vistas publicamente, porém, as mesmas regras estariam trabalhando a favor em vez de contra o bem-estar da espécie.

Uma segunda razão racional para organizar encontros pessoais com um outro pai de grupo diferente (ou qualquer adulto de outro grupo) tem menos a ver com ampliar o impacto da amizade que com aprofundá-la. As interações proporcionam a oportunidade de mais um jeito certeiro de reforçar a solidariedade da amizade: autorrevelação recíproca. Aprendemos no capítulo 2 que a regra da reciprocidade governa todo tipo de comportamento. Um deles é a autorrevelação; quando um parceiro de conversa revela uma informação pessoal, o outro de forma quase invariável fornece outra em resposta. Se buscada através do procedimento de 36 perguntas do casal Aron, essa troca pode produzir elos sociais semelhantes aos do amor. Embora alguns pesquisadores tenham usado o método para reduzir o preconceito entre grupos, um caminho passo a passo através das 36 perguntas não seria adequado para uma interação social no Starbucks. Não estamos atrás de respostas amorosas de olhos apaixonados. Ainda assim, estudos mostram que mesmo uma autorrevelação limitada aprofunda relacionamentos entre grupos.

O resultado é evidente — e não particularmente difícil de administrar: se seu objetivo é reduzir sentimentos de hostilidade e preconceito que normalmente acompanham a divisão de nosso mundo entre grupos, então procure fazer uma amizade dentro de outro grupo, modele essa amizade àquelas perto de você, se encontre com o amigo em um lugar público e revele uma informação pessoal no diálogo subsequente.[29]

O que sabemos sobre os tipos de conexão que levam a sentimentos de união

Já vimos que os tipos de conexão que surgem de agir juntos (incluindo dançar, cantar, ler, andar e trabalhar) em sincronia ou de forma cooperativa criam um maior sentimento de "nós". Conexões de um tipo diferente — que surgem de pontos reconhecidamente em comum — fazem o mesmo. Há uma característica excepcionalmente útil desses pontos em comum para indivíduos que esperam estimular sentimentos de unidade dentro de outras pessoas. Eles podem ser acionados simplesmente trazendo-os à consciência.

Empregando a forma mais eficaz de associação em relação a isso, a identidade mútua, o rabino Kalisch conseguiu salvar seu povo indicando uma identidade asiática compartilhada com seus captores japoneses; e um membro de um casal em plena disputa conseguiu obter concordância lembrando ao outro de sua identidade comum como parceiros. O que fazer com que democratas e republicanos tenham sentimentos mais positivos em relação uns aos outros? Lembre-os de sua identidade comum como americanos. Da mesma forma, judeus e árabes que leram sobre um alto grau de identidade genética entre os dois grupos se tornaram menos tendenciosos e hostis em relação uns aos outros enquanto se tornavam mais favoráveis aos esforços de paz de israelenses e palestinos. Esse tipo de favoritismo é tão potente que mesmo psicopatas (extremamente auto-orientados) exibem maior preocupação com membros de seus grupos de "nós". Considerando que psicopatas são famosos por uma falta de preocupação com os outros, como podemos explicar essa descoberta? Precisamos nos lembrar de que procedimentos unificadores de identidade misturam mais do eu com outras pessoas associadas; portanto, psicopatas estão agindo de forma característica.

Outras formas de situação em comum operam de forma semelhante. Por exemplo, grupos tradicionalmente opostos se unem por um inimigo em comum. Depois de ler afirmações sobre terroristas islâmicos, americanos brancos e negros viram uns aos outros como menos diferentes; o mesmo foi verdade com judeus israelenses e árabes que leram sobre sua suscetibilidade compartilhada a doenças como o câncer. Além disso, as mudanças ocorreram automaticamente, sem a necessidade de nenhuma reflexão cognitiva. Outro tipo de ponto em comum, a experiência emocional básica, funciona através de um caminho diferente. Os componentes de um grupo justificam o preconceito, a discriminação e os maus tratos a outro grupo desumanizando seus membros — negando a eles a posse completa de sentimentos humanos fundamentais como empatia, perdão, refinamento, moralidade e altruísmo. Essas crenças rancorosas podem ser enfrentadas com evidências de emoções humanas elementares que são experimentadas de forma semelhante. Torna-se difícil manter uma visão desumanizada de um membro de outro grupo que verte lágrimas conosco diante da mesma cena trágica, ri conosco da mesma piada ou fica igualmente irado com o mesmo escândalo do governo. Quando judeus israelenses souberam que palestinos experimentavam um nível comparável de raiva em relação a um aumento de casos de atropelamento e fuga ou às mortes de milhares de golfinhos devido ao vazamento de esgoto de uma fábrica, eles desenvolveram uma percepção mais humanizada dos palestinos e passaram a apoiar mais políticas favoráveis em relação a eles.

Uma última variação de conexão geradora de unidade que merece destaque envolve o ato de assumir o ponto de vista de outra pessoa — de nos colocarmos na posição do outro para imaginar o que essa pessoa deve estar pensando, sentindo ou experimentando. Por um grande período em minha carreira de pesquisador, estudei os fatores que deixam pessoas com tendência a ajudar outras. Não demorou para eu descobrir uma verdade importante: se você se puser no lugar de outra pessoa, isso provavelmente o impulsionará a ajudá-la. Também não demorou muito até eu aprender a base dessa verdade. Nos colocarmos na situação de outra pessoa faz com que o sentimento de eu-outro se sobreponha. Como resultado, estudantes universitários que assumiram a perspectiva de nativos australianos, sérvios que assumiram a perspectiva de muçulmanos bósnios e moradores da Flórida que assumiram a perspectiva de indivíduos transgêneros, se tornaram mais favoráveis a políticas em favor desses grupos minoritários. Em um detalhe interessante, saber que outra pessoa tentou assumir nossa perspectiva em uma interação nos leva a maior superposição percebida do eu-outro com a pessoa que assumiu nosso ponto de vista, junto com um aumento do gostar e da boa vontade; aparentemente, as consequências de se assumir outra perspectiva podem ser recíprocas.[30]

Ah, mas tem um problema. Ao contrário dos efeitos de estabelecer relacionamentos no estilo familiar, na vizinhança e com amigos de outros grupos, conexões forjadas a partir de inimigos comuns, da maioria dos tipos de identidade compartilhada, de respostas emocionais semelhantes e de tentativas de assumir outra perspectiva não funcionam em muitas situações; e, quando funcionam, não é por muito tempo. Por uma boa razão: o propósito unificador dessas conexões vai de encontro à ação poderosa de pressões darwinianas, que levam os grupos a competirem contra outros adversários por viabilidade e ascendência. A posição "nós somos o mundo" é captada de forma maravilhosa na frase atribuída ao antigo filósofo romano Sêneca: "Somos ondas do mesmo mar, folhas da mesma árvore, flores do mesmo jardim." Embora o sentimento sem dúvida seja válido, sua força motivacional não consegue se equiparar à do princípio evolucionário da seleção natural que afirma uma verdade simultânea e oposta. Cada onda, folha e flor está competindo com outras por recursos, reservas e meios de crescer — sem os quais, marcharão e ou simplesmente desaparecerão.

Pior ainda para os proponentes do ponto de vista da unidade, há mais uma característica poderosa da natureza humana que nos conduz na direção de rivalidade e separação: a experiência da ameaça. Sempre que o bem-estar ou a reputação de nosso grupo são ameaçados, nós atacamos — minimizando os valores, os méritos e até a humanidade de grupos rivais. Em uma época em que entidades nacionais, étnicas e religiosas têm a capacidade de infligir terror em larga escala e danos umas às outras através de tecnologias destrutivas e armamentos perigosos, seria aconselhável que encontrássemos formas de reduzir a hostilidade intergrupal nos voltando na direção da harmonia.[31]

Implicação das ações

Aqueles de nós que aceitam o valor dessa missão encaram um adversário, abastecido por pressões evolucionárias potentes. A força constante para garantir a sobrevivência de cópias de nossos genes, que são super-

-representados em membros de nossos grupos significativos. Análises científicas mostram que temos decisivamente maior superposição de genes com aqueles com quem temos ligações familiares, de amizade, locais, políticas e religiosas. Não é grande surpresa que atuemos com regularidade para promover os resultados desses indivíduos sobre aqueles de grupos com menores ligações genéticas. Com um inimigo tão poderoso como a seleção natural contra nós, como podemos esperar ganhar a luta por maior unidade entre grupos?

Talvez possamos mais uma vez manipular o imperativo darwiniano e utilizar sua força a nosso favor. Lembra-se da afirmação no capítulo 1 de que uma mulher empregando jiu-jitsu podia derrotar um rival mais forte canalizando a força do adversário (energia, peso e força) em seu próprio proveito? Foi através desse estratagema que propus construir unidade fazendo com que membros de outros grupos estivessem presentes com mais frequência em nossas casas, vizinhanças e redes de amizades, que evoluíram como sinais confiáveis de semelhança genética aos quais as pessoas respondem instintivamente. Quando se trata de redirecionar pressões evolucionárias na direção da unidade, o slogan não é o "Que a força esteja com você", de *Star Wars*. Em vez disso, deveria ser a versão jiu-jitsu: "Que a força *deles* esteja com você."

Como, ao usar a mesma abordagem, podemos manipular o processo de evolução para reforçar os efeitos variáveis e geralmente de vida curta da unidade em conexões como inimigos comuns ("Todos somos suscetíveis ao câncer"), identidades compartilhadas relativamente pequenas ("Nós dois somos fãs de basquete"), emoções humanas sentidas de forma igual ("Todo mundo em minha família também ficou furioso com a decisão do prefeito") e esforços para assumir outra perspectiva ("Agora que eu me coloquei no seu lugar, consigo entender melhor sua situação)? Embora, como já vimos, essas conexões possam ter forte impacto no momento, seus efeitos são frágeis demais e descartados com facilidade para gerar comportamentos de forma duradoura. Felizmente, há um fator que pode reforçar sua força e estabilidade. É o *foco com atenção* — uma ação que pode viabilizar crenças, valores e escolhas preferidos.

Quando focalizamos nossa atenção em alguma coisa, imediatamente passamos a vê-la como mais significativa para nós. O ganhador do prêmio Nobel Daniel Kahneman chamou o fenômeno de "a ilusão do foco", no qual as pessoas presumem automaticamente que, se estão prestando atenção a uma coisa em particular, ela deve valer o interesse. Ele até resumiu a ilusão em um ensaio que escreveu: "Nada na vida é tão importante quanto você pensa que é enquanto você está pensando (se concentrando) nisso." Além disso, pesquisas mostram que se o objeto em que você se concentra tem características desejáveis, *elas* também parecem mais importantes — e assim, ainda mais desejáveis.

Todas as ilusões cognitivas surgem devido a um problema em um sistema que funciona bem. No caso da ilusão do foco, o sistema que nos serve com habilidade é eminentemente sensível. Em qualquer ambiente de informação, é sábio se concentrar em sua característica mais importante para nós — um barulho repentino no escuro, o cheiro de comida quando estamos com fome, a visão de nosso CEO de pé para falar. Isso faz grande sentido evolucionário; qualquer coisa menos seria uma má adaptação. Aqui está o problema. O foco de nossa atenção nem sempre é atraído pelo aspecto mais importante de uma situação. Às vezes, podemos ser levados a acreditar que uma coisa é importante não devido a seu significado inerente, mas, em vez disso, por algum *outro* fator ter atraído nossa atenção para esse aspecto.

Quando, em uma pesquisa, pediram a americanos para citar dois acontecimentos nacionais que achavam que tinham sido "especialmente importantes" na história dos Estados Unidos, eles citaram os ataques terroristas de 11 de setembro de 2001 cerca de 30% das vezes. Mas, com o aumento da cobertura da mídia sobre o acontecimento nos dias anteriores a seu aniversário de dez anos, a percepção teve um pico de 65%. Logo depois do aniversário, quando histórias sobre o 11 de setembro se reduziram rapidamente, o mesmo ocorreu com a avaliação da importância da tragédia — voltando ao nível de 30%. Nitidamente, a alteração na extensão da cobertura da mídia, que influenciou a *atenção* dos observadores na direção do acontecimento, mudou de forma dramática seu significado nacional estimado. Um estudo com os visitantes de uma loja de móveis online dirigiu metade deles a uma *landing page* que os focava em uma imagem de nuvens macias e fofas antes de verem as ofertas da loja. Esse foco de atenção, preparado pelos pesquisadores, levou os visitantes a avaliar o conforto dos móveis como um fator mais importante para eles e, consequentemente, a preferir comprar móveis confortáveis. Entretanto, a outra metade de visitantes não viu esse padrão; eles avaliaram o preço como mais importante e preferiram comprar móveis mais baratos. Por quê? Foram enviados para uma página que os concentrava em uma imagem relacionada a custo, um conjunto de moedas. Assim, o conceito sobre o qual a atenção dos clientes foi taticamente focado alterou de modo substancial sua importância para eles. Por fim, pediram a participantes de uma pesquisa online que dirigissem sua atenção a fotos de si mesmos que retratavam como eles se pareciam naquele momento ou como ficariam depois de envelhecer consideravelmente. Aqueles que se concentraram nessas versões artificialmente envelhecidas de si mesmos ficaram mais propensos a dedicar mais fundos para seus planos de aposentadoria. Notavelmente, esse não foi o caso quando viam fotos envelhecidas de outros indivíduos; o efeito foi específico para seu próprio bem-estar futuro. Aqui, a atenção focalizada em imagens de si mesmo quando estivessem perto da aposentadoria levou as pessoas a aumentarem a importância de cuidar dessa pessoa.

Se jornalistas, designers de sites e pesquisadores de poupança podem usar o foco de atenção para aumentar a importância experimentada do ataque de 11 de setembro, os atributos de móveis e o investimento em uma conta de aposentadoria, por que não podemos fazer algo parecido para promover a causa da unidade? Por que não podemos usar o poder de aumentar o status do foco para amplificar o valor percebido de conexões entre grupos? Isso significaria treinar a nós mesmos para estarmos sintonizados com a contracorrente de ressentimento, hostilidade e preconceito em relação a membros de grupos diferentes e redirecionar nossa atenção para conexões compartilhadas legítimas. O ato de redirecionamento não só nos conduziria mentalmente de divisões para conexões, a mudança correspondente na atenção agiria para reduzir o poder das divisões e aumentar o poder das conexões através do impacto com potencial de aumentar a importância do foco. Estou sendo ingênuo aqui? Talvez. Mas talvez não.

Primeiro, teríamos um parceiro formidável em nossa missão. Teríamos o foco como nosso amigo, nossa força e o que nos impulsiona. Segundo, há evidências de que as pessoas podem ser treinadas para desviar sua atenção de pensamentos ameaçadores para outros menos ameaçadores, uma mudança que resultou em ansiedade reduzida em relação às fontes desses pensamentos. Por último, se tentamos sinceramente mudar a atenção de separações e nos focarmos em conexões sempre que encontramos ou apenas ouvirmos falar de outros grupos e isso funciona, então ótimo, missão cumprida. Mas se nosso esforço em fixar os pensamentos em conexões compartilhadas não for bem-sucedido — talvez porque, mesmo com o estímulo do foco da atenção, as ligações simplesmente não são fortes o suficiente —, então ainda temos um ás para jogar. Só precisamos refletir sobre nossa *tentativa sincera* de abraçar o sentimento de "nós" entre grupos como evidência de nossa verdadeira preferência pessoal por isso. De qualquer forma, a unidade entre grupos deve ganhar destaque em nossos autoconceitos. De qualquer forma, a unidade entre grupos deve crescer.[32]

Defesa

A maior parte das empresas têm declarações de "código de conduta", que seus funcionários devem ler assim que entram no emprego e aderir a elas durante o tempo em que estão na organização. Em muitos casos, as declarações servem como base do treinamento ético recebido pelos funcionários. Um estudo de empresas manufatureiras listadas no índice S&P 500 do mercado de ações descobriu que empresas se dividiam entre aquelas cujas declarações de código de conduta eram escritas basicamente em uma linguagem ligada à unidade que se referia ao pessoal em termos de "nós", ou em linguagem mais formal que se referia aos colaboradores em termos como "membro" ou "funcionário". Em uma grande surpresa, as pessoas nas organizações que usam uma linguagem de "nós" para transmitir responsabilidades éticas tiveram significativamente mais chances de se envolver em condutas irregulares durante o exercício de suas funções.

Para entender por que, os pesquisadores fizeram uma série de oito experimentos nos quais contrataram participantes para fazer uma tarefa de trabalho depois de expô-los a instruções éticas de código de conduta que usavam ou linguagem de unidade (descrevendo os funcionários em termos de "nós") ou linguagem impessoal (descrevendo os funcionários em termos de "membros"). Várias descobertas surpreendentes surgiram. Participantes cujo código de conduta estava escrito em linguagem de "nós" ficaram mais propensos a mentir ou enganar para obter bônus de desempenho e, portanto, enriquecer à custa da organização. Duas descobertas adicionais fornecem uma explicação. Primeiro, a escolha de palavras com base em "nós" levou os participantes a acreditar que a organização tinha menos chance de fazer vigilância para pegar violadores da política ética. Segundo, participantes que receberam essas instruções acharam que, se algum violador fosse pego, a organização seria mais tolerante e clemente com eles.

Como vimos em capítulos anteriores, todos as armas de influência podem ser exploradas por aproveitadores que empregam sua força para seus próprios fins — dando presentes pequenos e insignificantes para obrigar os receptores a retribuir com favores maiores, mentindo com estatísticas para dar a falsa impressão de aprovação social para suas ofertas, falsificando credenciais para transmitir autoridade em um tópico e assim por diante. O princípio da unidade não é diferente. Quando exploradores percebem que estão dentro de nossos grupos de "nós", procuram lucrar com nossa tendência primitiva de minimizar, desculpar e até permitir os atos condenáveis de outros membros. Entidades corporativas não são as únicas a fazer isso. A partir de duas experiências pessoalmente desconfortáveis, posso contar que outros tipos de unidades de trabalho dão origem aos mesmos aproveitadores e às mesmas tendências de tolerá-los governadas pela unidade.

Sindicatos são uma delas — o que fica evidente na disposição de sindicatos de policiais, bombeiros, industriais e de serviços a tomar o partido de seus membros, inclusive os piores deles. Sindicatos oferecem benefícios consideráveis não apenas para seus membros, mas também para a sociedade na forma de regras de segurança melhores, ajustes de salário garantidos, políticas de licença-maternidade e paternidade e uma classe média mais ampla e economicamente viável. Mas, na dimensão da conduta ética apropriada no local de trabalho, sindicatos têm um defeito característico. Eles protegem e lutam por indivíduos antiéticos, diante de evidências claras de violações flagrantes e persistentes, simplesmente porque o violador é um deles. Um membro de minha família, já falecido, era um desses violadores prototípicos. No trabalho como soldador em uma indústria, era uma pessoa que inventava desculpas para não trabalhar, faltava o trabalho, fazia pequenos furtos, falsificava a folha de ponta e acidentes de trabalho, do que ele se gabava, rindo das tentativas fúteis de seus chefes de demiti-lo. Ele disse que as mensalidades do sindicato tinham sido o melhor investimento financeiro que ele havia feito. Através de todas as brechas éticas, o sindicato o defendeu — não por preocupação com o certo e o errado, mas por outra obrigação ética diferente: lealdade aos seus membros. A forma resultante e inflexível em que o sindicato permitia que ele se aproveitasse dessa lealdade em vantagem egoísta sempre me perturbou.

As ações de um segundo tipo de unidade de trabalho, o clero católico romano, me afetou de forma parecida. Fui criado em um lar católico, morava em uma vizinhança católica, frequentava escola católica e participei dos serviços da igreja católica até me tornar um jovem adulto. Embora não seja mais um membro praticante, preservo a herança de um elo que me permite sentir orgulho do alcance da caridade e dos programas de redução de pobreza da igreja. O mesmo elo fez com que eu sentisse vergonha pela forma escandalosa com que a hierarquia da igreja tratou padres predatórios que, em vez de rezar pelas crianças, se aproveitavam delas. Quando notícias da lamentável administração da situação por parte da hierarquia — perdoar os padres culpados, esconder seus abusos e lhes dar segundas e terceiras chances em novas paróquias — surgiram pela primeira vez, ouvi defensores dentro do grupo tentando minimizar o erro de conduta. Eles argumentavam que os clérigos que compõem a hierarquia também são padres, e um de seus papéis definidores é conceder o perdão aos pecados; portanto, eles estavam fazendo apenas o que cabia em seus deveres religiosos. Eu sabia que essa não era uma verdadeira justificativa. As autoridades da igreja não apenas perdoaram o abuso; elas esconderam informação sobre isso. Para a proteção do grupo, elas encobriram isso de formas que permitiram que voltasse a acontecer com novas populações de crianças que logo seriam aterrorizadas e ficariam permanentemente marcadas. Desceram para uma trincheira moral de onde podiam justificar suas ações com base em sentimentos de "nós".

Seria possível impedir membros malignos de grupos de trabalho com base em "nós" de fazer atividades em proveito próprio em alianças tão diferentes quanto unidades empresariais, sindicatos e organizações religiosas? Acredito que sim, mas isso exigiria que cada uma dessas alianças se comprometesse com três passos: (1) reconhecer que seus atores corruptos supõem estar protegidos pela disposição de grupos de "nós" desculparem membros que descumprem regras éticas, (2) anunciar a todos os envolvidos que essa leniência não vai acontecer nesse grupo de "nós" em especial e (3) estabelecer uma política subsequente de tolerância zero para o desdém por abusos comprovados.

Quando e como esse compromisso com um comportamento ético deve ser assumido? No início — na entrada de um membro do grupo para a declaração de código de conduta da organização — e, depois, com regularidade, em reuniões de equipe, onde define-se a conduta ética contra a conduta antiética, e a firmeza da política de tolerância zero é reiterada e explicada. Uma análise da pesquisa descrita no capítulo 7 nos diz que um compromisso reforçado e por escrito com valores importantes pode fazer com que esses valores sigam adiante. Uma vez aprendi, em primeira mão e por acidente, como opera bem um compromisso escrito desse tipo.

Durante um período em minha carreira, trabalhei como testemunha especialista em casos jurídicos, em sua maioria relacionados a anúncios e práticas de marketing enganadores de fabricantes de produtos. Mas, depois de três anos, eu parei. A maior razão foi a urgência do trabalho que eu tinha de fazer. Não era raro receber caixas cheias de papelada — testemunhos, depoimentos, petições, relatórios de provas e julgamentos anteriores — para digerir antes de formar uma declaração preliminar de opinião. Era uma opinião que, então, eu teria de submeter e defender quando logo fosse interrogado em um depoimento formal por um conjunto de advogados adversários. Antes da data do depoimento, esperava-se que eu me encontrasse, várias vezes, com membros da equipe de advogados que tinha me contratado, para estruturar e afiar minha declaração para obter o máximo impacto.

O que ocorria nessas reuniões criou um problema diferente para mim, um problema ético. Eu me tornei um membro de um grupo de "nós" unificado com um propósito específico — ganhar o caso contra o grupo diferente da outra equipe de advogados e testemunhas especialistas do outro lado. Durante as vezes em que trabalhamos juntos, eu construía amizades com os colegas de trabalho, passando a apreciar suas habilidades intelectuais em nossas discussões, descobrindo gostos iguais para comida e música durante refeições e passando a me sentir mais próximo enquanto tomávamos um drink fazendo autorrevelações recíprocas (que normalmente surgiam depois da segunda dose). Nos próprios preparativos, ficou óbvio para mim que minha opinião era uma arma importante no arsenal empregado contra nossos rivais. Quanto maior suporte ao caso minha opinião desse, e quanto mais confiante nela eu pudesse declarar estar, melhor para a gente.

Embora esses sentimentos raramente fossem expressos de forma explícita, entendi logo como fazer com que meu status como membro do time aumentasse. Se enfatizasse com segurança em minha declaração a importância de aspectos das provas — incluindo a literatura de pesquisa — que se encaixavam em nossos argumentos enquanto minimizava a importância dos aspectos que não se encaixavam, eu seria visto como cada vez mais leal a nosso grupo e seus objetivos.

Desde o início, senti a tensão da posição moralmente conflitante em que estava. Como cientista, estava obrigado a fazer a apresentação mais precisa da prova como eu a enxergava e, além disso, com as afirmações mais verdadeiras de minha confiança na análise dessa prova. Ao mesmo tempo, eu era um membro de um grupo de "nós" com obrigações éticas (por *suas* responsabilidades profissionais) de apresentar o melhor caso para nossos clientes. Embora de vez em quando eu mencionasse para meus parceiros minha dedicação aos valores da integridade científica, não tenho certeza se eles chegaram a registrar essa prioridade. Depois de algum tempo, achei melhor deixar meus compromissos com esses valores, em vez dos deles, evidentes para meus colegas de equipe (e para mim mesmo) em uma declaração formal. Eu comecei a acrescentar a minhas declarações de opinião um parágrafo final, indicando que minhas opiniões estavam baseadas em parte na informação e nos argumentos fornecidos a mim pelos advogados que tinham me contratado e que essas opiniões estavam sujeitas a modificações a partir de qualquer nova informação ou argumento que eu pudesse encontrar, incluindo aqueles oferecidos pelos advogados adversários. O parágrafo fez uma diferença imediata, fazendo com que meus colegas de equipe me vissem menos como um legalista e fazendo com que eu me sentisse reforçado em meu papel preferido.

Além disso, o parágrafo teve um benefício inesperado em um caso no qual era minha opinião que a campanha publicitária de uma empresa estava afirmando de forma ilusória as propriedades de seus produtos para a saúde. A empresa era lucrativa e tinha recursos para contratar uma falange de advogados liderados por, talvez, o melhor interrogador que eu já conheci. Em um depoimento envolvendo a minha declaração preliminar de opinião, meu trabalho era defender minha posição; o dele era tentar degradar minhas opiniões, credibilidade e integridade de todas as maneiras disponíveis, o que ele fazia com críticas que pareciam uma espada de cujos golpes eu tinha sempre que desviar. Foi uma interação da qual eu estava estranhamente gostando devido ao desafio intelectual daquilo tudo quando ele fez algo que eu nunca esperava. Ele me lembrou de que eu tinha escrito sobre a tática de influência do pé na porta (ver capítulo 7) e um estudo no qual os proprietários concordaram em colocar uma placa pequena em suas residências defendendo a direção segura que, semanas mais tarde, deixou-os muito mais propensos a fazer algo relacionado a isso que, do contrário, não teriam feito — concordar em botar um outdoor em seus jardins pela mesma causa.

Ele me perguntou se eu achava que isso significava que um compromisso público inicial com uma ideia, como um cartão em uma janela, levaria, em consequência, as pessoas a tomarem posições mais extremas sobre a ideia. Quando respondi sim, ele atacou, erguendo minha declaração preliminar de opinião e dizendo: "Essa afirmação me parece um compromisso público inicial que o senhor assumiu que vai, segundo suas próprias palavras, levá-lo a ser rigidamente consistente com ele, não importa o que aconteça. Portanto, por que devemos acreditar em qualquer coisa que o senhor diga daqui em diante? É óbvio, professor Cialdini, que o senhor já botou uma placa em sua janela."

Eu fiquei tão impressionado que me apoiei no encosto da cadeira e admiti. "Isso é bem inteligente!" Ele deu um aceno com a mão para dispensar o elogio e me pressionou a responder — enquanto usava o tempo inteiro o sorriso de um caçador vendo uma presa se debatendo em sua armadilha. Felizmente, essa armadilha não me pegou. Eu pedi a ele que lesse o último parágrafo de minha declaração que me comprometia a ser receptivo a nova informação e consequente mudança em vez de uma consistência fixa. "Na verdade", disse eu a ele quando tirou os olhos do parágrafo, "*essa* é a minha placa na janela." Ele não apoiou suas costas no encosto da cadeira, e não disse isso em voz alta, mas tenho quase certeza de que o vi dizer para si mesmo: "Isso é bem inteligente."

Fico feliz que ele tenha pensado isso, mas, verdade seja dita, o parágrafo não foi feito para rebater seu ataque contra minha declaração de opinião naquele dia. Ele tinha a intenção de abordar uma questão diferente com a qual eu estava lidando como uma testemunha especialista; ou seja, a pressão dentro de meu grupo de "nós" jurídico — e, com o crescimento das amizades, a pressão dentro de mim mesmo — para criar uma versão da verdade leal à obrigação ética de meu grupo. O parágrafo era uma tentativa, acho que bem-sucedida, de informar a todos por escrito que eu não ia me deixar levar nessa direção.

Qual a relevância desse relato para organizações que desejam colher os benefícios de uma cultura comunal de grupos de trabalhos com base em "nós", como maior cooperação e harmonia, sem incorrer nos custos danosos de aproveitadores soltos em seu meio? Dentro de sua declaração de código de conduta, cada organização deve botar "uma placa na janela" em sinal de comprometimento consigo mesma, na forma de uma cláusula de tolerância zero, especificando a dispensa com base em uma violação comprovada importante ou diversas violações menores comprovadas do código. As razões para a política de tolerância zero devem ser estabelecidas em termos de satisfação e orgulho no local de trabalho associados com uma cultura ética — e, o que é importante, em termos de um desejo honesto de preservar sentimentos de unidade no local de trabalho. Por que essa última inclusão? Porque se ela realmente funcionar para resgatar a organização de um defeito no sentimento de "nós" apelando pela *necessidade* de um sentimento de "nós"... isso seria muito inteligente.[33]

RESUMO

- As pessoas dizem sim para alguém que consideram uma delas. A experiência do "nós" (unidade) com outras pessoas está relacionada a identidades compartilhadas — categorias estilo tribais que indivíduos usam para definirem a si mesmos e a seus grupos, como raça, etnia, nacionalidade e família, assim como filiações políticas e religiosas.

- Pesquisas com grupos de "nós" produziram três conclusões gerais. Membros desses grupos favorecem os resultados e o bem-estar de outros membros em relação a não membros. Membros de grupos de "nós" também usam as ações e preferências de outros membros para guiar as suas próprias, o que aumenta a solidariedade do grupo. Finalmente, essas tendências partidárias surgiram, evolutivamente, como formas vantajosas para grupos de "nós" e, no fim, para nós mesmos. Essas três constantes surgem em uma ampla variedade de domínios, incluindo negócios, política, esportes e relacionamentos pessoais.

- A percepção de *pertencer* com outros é um fator fundamental que leva a sentimentos de "nós". Essa percepção é gerada por associações de parentesco (quantidade de superposição genética), assim como associações de lugar (incluindo a residência, o local e a região).

- A experiência de *agir juntos* em uníssono ou coordenação é um segundo fator fundamental que leva a um sentimento de união com outras pessoas. Compartilhar experiência musical é uma forma em que as pessoas podem agir juntas e sentir uma consequente unidade. Outras maneiras envolvem trocas recíprocas repetidas, sofrimento em conjunto e criação compartilhada.

- É possível usar os efeitos unificadores de pertencer e agir juntos para aumentar as probabilidades de *ficar juntos* como espécie. Seria preciso escolher compartilhar, com membros de fora do grupo, experiências de família em nossas casas, experiências de vizinhos em nossas comunidades e experiências de amizade em nossas interações sociais.

- Outros tipos de conexão envolvendo identidade nacional, inimigos em comum, experiência emocional conjunta e compartilhamento de perspectivas podem levar a sentimentos de unidade com membros de outros grupos; infelizmente, eles são de curta duração. Entretanto, com foco concentrado, a atenção repetida a essas conexões pode torná-las mais duradouras aumentando sua importância percebida.

CAPÍTULO 9

INFLUÊNCIA INSTANTÂNEA

Consentimento primitivo para uma era automática

Todo dia de todas as maneiras, estou ficando melhor.

— **Émile Coué**

Todo dia de todas as maneiras, estou ficando mais ocupado.

— **Robert Cialdini**

Nos anos 1960, um homem chamado Joe Pyne apresentava um talk show na Califórnia bem famoso. O programa se diferenciou pelo estilo cáustico e agressivo de Pyne com seus convidados — em geral, uma coleção de artistas ávidos por exposição, pretendentes a celebridades e representantes de organizações políticas e sociais marginais. A abordagem áspera do apresentador foi criada para provocar seus convidados a entrarem em discussões, deixá-los confusos fazendo confissões embaraçosas e fazê-los parecerem tolos. Não era raro que Pyne apresentasse um convidado e iniciasse um ataque contra as crenças, talento ou a aparência do indivíduo. Algumas pessoas diziam que esse estilo ácido era parcialmente causado por uma perna amputada que o deixara amargurado para o resto da vida; outros diziam que não, que ele era apenas ofensivo por natureza.

Uma noite, o músico de rock Frank Zappa foi convidado do programa. Essa era uma época nos anos 1960 quando cabelo comprido para homem ainda era incomum e controverso. Assim que Zappa foi apresentado e se sentou, o seguinte diálogo ocorreu:

Pyne: *Acho que seu cabelo comprido faz de você uma garota.*

Zappa: *Acho que sua perna de madeira faz de você uma mesa.*

Automação primitiva

Além de conter minha resposta favorita, o diálogo entre Pyne e Zappa ilustra um tema fundamental deste livro: quando tomamos uma decisão sobre alguém ou alguma coisa, não usamos todas as informações relevantes disponíveis. Usamos apenas uma única informação, extremamente representativa do total. Uma informação isolada, embora aconselhe corretamente, pode levar a erros nitidamente estúpidos — erros que, quando explorados por outras pessoas espertas, fazem com que pareçamos tolos ou pior que isso.

Ao mesmo tempo, um tema anexo complicador está presente: apesar da suscetibilidade a decisões estúpidas que acompanha a confiança em uma única característica dos dados disponíveis, o ritmo da vida moderna exige que usemos esse atalho com frequência. No início do capítulo 1, comparamos o atalho para a resposta automática de animais, cujos padrões elaborados de comportamento podiam ser disparados pela presença de uma única característica estimulante — um pio, um tom de penas vermelhas do peito, ou uma sequência específica de luzes piscando. A razão para que os animais tenham de confiar nessas características de estímulo solitárias é sua capacidade mental restrita. Seus cérebros pequenos não conseguem registrar e processar toda a informação relevante em seus ambientes. Então essas espécies evoluíram sensibilidades especiais a certos aspectos da informação. Como esses aspectos de informação são normalmente o suficiente para provocar uma resposta correta, o sistema em geral é eficiente: por exemplo, sempre que uma mãe perua ouve o pio característico, *clique, rode*, entra em ação o comportamento maternal adequado de um jeito mecânico que conserva grande parte de seu poder cerebral limitado para lidar com outras situações e escolhas que ela deve enfrentar.

Nós, é claro, temos mais mecanismos cerebrais eficazes que mães peruas ou qualquer outro grupo de animais. É indiscutível nossa capacidade de levar em conta uma multidão de fatores e, consequentemente, tomar boas decisões. Na verdade, é essa vantagem de processamento de informação sobre outras espécies que ajudou a nos tornar a forma de vida dominante no planeta.

Entretanto, também temos limitações em nossa capacidade; e, em nome da eficiência, às vezes abrimos mão de um tipo de tomada de decisão que consome tempo, é sofisticado e informado para um tipo de resposta automático, primitivo e com uma única característica. Por exemplo, ao decidir se dizemos sim ou não a um solicitante, prestamos atenção a uma única unidade da informação relevante na situação. Em capítulos anteriores, exploramos as informações únicas que mais usamos para acionar nossas decisões de consentimento. Cada uma, por si só, fornece um sinal confiável. Elas são os motivadores mais populares precisamente porque são as mais confiáveis — aquelas que nos apontam na direção de uma escolha correta. É por isso que empregamos os fatores da reciprocidade, da afeição, da aprovação social, da autoridade, da escassez, do compromisso e coerência e da unidade com tanta frequência e de forma tão automática quando tomamos decisões de consentimento. Cada uma, por si só, fornece um sinal confiável de quando estaremos melhor dizendo sim em vez de não.

Somos propensos a usar esses sinais solitários quando não temos tendência, tempo, energia ou recursos cognitivos para fazer uma análise completa da situação. Quando estamos apressados, estressados, inseguros, indiferentes, distraídos ou cansados, nos concentramos em menos da informação disponível. Sob essas circunstâncias, voltamos à abordagem um tanto primitiva, mas necessária de levar em conta um só bom sinal. Tudo isso leva a uma compreensão enervante: com o aparato mental sofisticado que usamos para construir nossa superioridade mundial como espécie, criamos um ambiente tão complexo, veloz e cheio de informação que temos de lidar cada vez mais com ele da mesma maneira que os animais que superamos tanto tempo atrás.

Automaticidade moderna

John Stuart Mill, economista, pensador político e filósofo da ciência britânico, morreu há um século e meio. O ano de sua morte (1873) é importante porque ele tem a reputação de ter sido o último homem a conhecer tudo o que havia para conhecer no mundo. Hoje, a noção de que um de nós pode ter consciência de todos os fatos é absurda. Depois de eras de acumulação lenta, o conhecimento humano cresceu como uma bola de neve em uma era de expansão monstruosa, alimentada por impulso e multiplicadora. Hoje vivemos em um mundo em que a maioria da informação tem menos de quinze anos de idade. Em certos campos da ciência (a física, por exemplo), diz-se que o conhecimento dobra a cada oito anos. A explosão de informação científica não se limita a arenas arcanas como química molecular ou física quântica, mas se estende a áreas cotidianas de conhecimento, onde lutamos para nos manter atualizados — saúde, educação, nutrição. Além disso, esse crescimento rápido provavelmente continuará pois os pesquisadores estão divulgando suas descobertas em uma estimativa de dois milhões de artigos em publicações científicas por ano.

Além do avanço incrível da ciência, as coisas estão mudando depressa mais perto de casa. Segundo pesquisas anuais do Gallup, as questões consideradas como importantes na pauta pública estão se tornando mais diversas e permanecem em pauta por menos tempo. Além disso, viajamos mais e mais rápido, mudamo-nos com mais frequência para residências novas, que são construídas e demolidas mais rapidamente; entramos em contato com mais pessoas e temos relacionamentos mais curtos com elas; no supermercado, na loja de automóveis ou no shopping center, enfrentamos uma série de escolhas entre estilos, produtos e dispositivos tecnológicos desconhecidos um ano atrás que podem muito bem estar obsoletos ou esquecidos no próximo ano. Novidade, transitoriedade, diversidade e aceleração são ótimas palavras para descrever a existência civilizada.

A avalanche de informação e escolha se torna possível pelo processo tecnológico crescente. Nossa capacidade de coletar, armazenar, recuperar e comunicar informação abre o caminho para isso. No início, os frutos desse avanço ficavam limitados a grandes organizações — agências governamentais ou corporações poderosas. Com mais desenvolvimento nas telecomunicações e na tecnologia digital, o acesso a quantidades tão impressionantes de informação está ao alcance dos indivíduos. Extensas redes sem fios e sistemas de satélites fornecem caminhos para a informação chegar aos lares e às mãos da população. O poder de informação de um único celular é maior que o de universidades inteiras há apenas alguns anos.

Mas observe algo revelador: nossa era moderna, chamada de Idade da Informação, nunca foi chamada de idade do conhecimento. A informação não se traduz diretamente em conhecimento. Ela deve, primeiro, ser processada — acessada, absorvida, compreendida, integrada e retida.

E-BOX 9.1

Você aceita esse telefone? Aceito... em toda parte

Nota do autor: Não só o poder de informação de nossos dispositivos eletrônicos não tem precedentes, como ele pode ser viciante (Foerster *et al.*, 2015; Yu & Sussman, 2020). Pesquisas mostram que as pessoas checam seus telefones uma média de mais de cem vezes por dia, e 84% dizem que "não conseguem passar um dia sem seus celulares".
BIZZAROCOMICS.COM Facebook.com/BizarroComics Distribuído por King Features

Atalhos serão sagrados

Como a tecnologia pode evoluir muito mais depressa que nós, nossa capacidade natural de processar informação tende a ser cada vez menos apropriada para lidar com a abundância de mudanças, escolhas e desafios que é característica da vida moderna. Com cada vez mais frequência, nós nos vemos na posição de animais — com um aparato mental não equipado para lidar inteiramente com as complicações e a riqueza do ambiente externo. Ao contrário dos animais, cujos poderes cognitivos sempre foram relativamente deficientes, nós criamos nossa própria deficiência construindo um mundo radicalmente mais complexo. A consequência da nossa deficiência é a mesma antiga dos animais: ao tomar uma decisão, cada vez menos nos engajaremos em uma análise completa da situação total. Em resposta a essa "paralisia da análise", voltamos cada vez mais a nos concentrar em uma única característica confiável da situação.[1]

Quando essas características únicas são confiáveis, não há nada inerentemente errado com a abordagem de atalho da atenção estreitada e a resposta automática a uma informação em particular. O problema surge quando algo faz com que os sinais normalmente confiáveis nos aconselhem mal, nos levem a ações erradas e decisões perversas. Como vimos, uma dessas causas são os truques de certos praticantes de persuasão que buscam lucrar com a natureza irrefletida e mecânica de respostas baseadas em atalhos. Se, como parece, a frequência das respostas através de atalhos aumenta com o ritmo e a forma da vida moderna, podemos ter certeza de que a frequência desses truques também está destinada a crescer.

O que podemos fazer em relação ao ataque intensificado contra nosso sistema de atalhos? Mais que uma ação evasiva, eu sugiro um contra-ataque forte; entretanto, há uma qualificação importante. Profissionais da persuasão que jogam limpo de acordo com as regras das respostas através de atalhos não devem ser considerados nossos adversários; ao contrário, são nossos aliados em um processo eficiente e adaptativo de troca. Os alvos certos para contra-atacar são apenas aqueles que falsificam, forjam ou interpretam erroneamente as evidências que provocam nossas respostas através de atalhos.

Vamos analisar o que talvez seja nosso atalho usado com mais frequência. Segundo o princípio da aprovação social, decidimos fazer o que outras pessoas como nós estão fazendo. Isso faz todo o sentido porque, na maior parte do tempo, uma ação popular em determinada situação é também funcional e apropriada. Assim, um publicitário que, sem usar estatísticas enganosas, nos dá a informação de que uma determinada marca de pasta de dentes é a mais vendida nos deu evidência valiosa sobre a qualidade do produto e a probabilidade de que gostemos dele. Se estivermos no mercado para comprar um tubo de boa pasta de dentes, podemos querer contar com essa única informação e experimentá-la. A estratégia vai nos conduzir corretamente, e pouco provavelmente nos conduzirá numa direção 100% errada, e vai conservar nossas energias cognitivas para lidar com o resto de nosso ambiente cada vez mais carregado de informação e sobrecarregado de decisões. O publicitário que nos permite usar com eficácia essa estratégia eficiente não é nosso antagonista, mas, em vez disso, é nosso parceiro colaborativo.

A história fica bem diferente, entretanto, quando um praticante de persuasão tenta estimular uma resposta de atalho nos dando um sinal fraudulento para ela. Nossa nêmese é o publicitário que procura criar uma imagem de popularidade para uma marca de pasta de dente, digamos, construindo uma série de anúncios com "entrevistas espontâneas" armadas nas quais atores posando como cidadãos normais elogiam o produto. Aqui, onde as evidências são falsificadas, nós, o princípio da aprovação social e nossa resposta de atalho para ele, estamos todos sendo explorados. Em um capítulo anterior, fiz uma recomendação contrária à compra de qualquer produto mostrado em um anúncio com "entrevistas espontâneas" falsas e estimulei que escrevêssemos aos fabricantes detalhando a razão e sugerindo que eles dispensassem a agência de publicidade. Também recomendei estender essa postura agressiva a qualquer situação na qual um profissional de influência abuse da arma da aprovação social (ou de qualquer outro princípio de influência) dessa maneira. Nós devíamos nos recusar a assistir a programas que usem risadas enlatadas. Se, depois de esperar na fila em frente a uma casa noturna, descobrimos pela quantidade de espaço disponível que a espera foi criada apenas para impressionar as pessoas que passavam com evidência falsa da popularidade, devemos sair imediatamente e anunciar nossas razões para aqueles que ainda estão na fila. Devemos boicotar marcas que plantam avaliações de produtos falsas em sites de avaliação — e espalhar a informação nas mídias sociais. Em suma, devemos estar dispostos a usar vergonha, ameaça, confrontação, censura, críticas e quase tudo para retaliar.

Não me considero uma pessoa belicosa por natureza, mas defendo ativamente essas ações beligerantes porque, de certa forma, estou em guerra com os exploradores. Todos estamos. É importante reconhecer, porém, que seu motivo de lucro não é a causa das hostilidades; esse motivo, afinal de contas, é algo que até certo ponto todos compartilhamos. O verdadeiro embuste, e o que não podemos tolerar, é uma tentativa de lucrar de um jeito que ameace a confiabilidade de nossos atalhos. A agitação da moderna exige que tenhamos atalhos fiéis, princípios amplos e sólidos para lidar com tudo. Isso não é mais um luxo; são necessidades em todos os aspectos que se tornam cada vez mais vitais com a aceleração do ritmo. É por isso que devemos retaliar sempre que vemos alguém traindo um de nossos princípios amplos por lucro. Queremos que a regra seja tão eficaz quanto possível. Considerando que o grau de sua aptidão para o dever é minado com regularidade pelos truques de um aproveitador, vamos usá-lo menos e vamos lidar com menos eficiência com o fardo decisório de nossos dias. Não podemos permitir isso sem luta. Há muito em risco.

DEPOIMENTO DO LEITOR 9.1

De Robert, um pesquisador de influência social no Arizona

Há algum tempo, estava em uma loja de artigos eletrônicos quando vi uma TV de tela grande de alta qualidade em liquidação por um preço atraente. Eu não estava procurando uma TV, mas a combinação do preço de liquidação com uma boa avaliação do produto me fizeram parar e examinar algumas informações. Um vendedor, Brad, se aproximou e disse: "Vejo que você está interessado nesse aparelho. Entendo por quê. É um ótimo negócio por esse preço. Mas tenho que lhe dizer que ele é o último." Isso aumentou meu interesse imediatamente. Então ele me disse ter acabado de receber um telefonema de uma mulher que disse que podia passar lá naquela tarde para comprar. Sempre fui pesquisador da persuasão em minha vida profissional, por isso sabia que ele estava usando em mim o princípio da escassez.

Não fez diferença. Vinte minutos depois eu estava saindo da loja com o "prêmio" que tinha obtido. Diga-me, doutor, eu fui um tolo por reagir como reagi à história de escassez de Brad?

Nota do autor: Como os leitores devem reconhecer a essa altura, o Robert no relatório sou eu, o que me dá uma perspectiva especialmente bem-informada sobre essa questão. Se ele deve se sentir enganado pelo apelo depende se Brad lhe informou com precisão sobre as características relacionadas à escassez da situação. Se a resposta for positiva, Robert devia se sentir *agradecido* a Brad pelo presente dessa informação. Por exemplo, imagine se Brad não tivesse informado sobre as verdadeiras circunstâncias e Robert fosse para casa para pensar melhor e voltasse à noite para fazer a compra — descobrindo que a última televisão tinha sido vendida. Ele teria ficado furioso com o vendedor: "O quê? Por que você não me contou que era a última antes que eu fosse embora? Qual é o seu problema?"

Agora, suponha que em vez de dar informação honesta, Brad tenha fabricado as condições relacionadas à escassez em torno da TV. Então, quando Robert fosse embora, ele ia até os fundos da loja, pegava outra do mesmo modelo e a punha na prateleira, onde poderia vendê-la para o cliente seguinte usando a mesma história. (Por falar nisso, funcionários das lojas de eletrônicos Best Buy foram flagrados fazendo exatamente isso alguns anos atrás.) Ele não seria mais um informante valioso para Robert, seria um bendito aproveitador.

O que aconteceu? Robert estava determinado a descobrir. Ele voltou à loja na manhã seguinte para ver se havia outra daquelas TVs em exposição. Não havia. Brad tinha sido honesto com ele — o que motivou Robert a ir para seu escritório e escrever uma avaliação muito favorável da loja e, especialmente, de Brad. Se Brad tivesse mentido, a avaliação teria sido uma condenação igualmente forte. Quando expostos às armas da influência, devemos sempre promover aqueles que procuram nos *armar* e atrapalhar aqueles que procuram nos *ferir* com elas.

RESUMO

- A vida moderna é diferente de todas as outras épocas anteriores. Graças a avanços tecnológicos incríveis, a informação aumenta, as alternativas se multiplicam e o conhecimento está explodindo. Nessa avalanche de mudanças e escolhas, precisamos nos ajustar. Um ajuste fundamental está na forma como tomamos decisões. Embora todos desejemos tomar a decisão mais pensada e refletida em todas as situações, a forma em mutação e o ritmo acelerado da vida moderna nos privam das condições adequadas para fazer uma análise de todos os prós e os contras relevantes. Cada vez mais, somos forçados a recorrer a outra abordagem na tomada de decisões — uma abordagem de atalho na qual a decisão de ceder (ou concordar, ou acreditar ou comprar) é tomada com base em uma única informação normalmente confiável. Os mais confiáveis e, portanto, mais populares desses gatilhos únicos de persuasão são aqueles descritos neste livro. Eles são compromissos, oportunidades de reciprocidade, o comportamento concordante de outras pessoas semelhantes, sentimentos de gostar e de unidade, diretivas de autoridades e informação de escassez.

- Devido à tendência crescente de sobrecarga cognitiva em nossa sociedade, o predomínio de tomadas de decisão por atalhos provavelmente vai aumentar de maneira proporcional. Profissionais da persuasão que incluem em seus pedidos uma ou outra arma de influência têm mais chance de obter sucesso. O uso dessas armas por praticantes não é necessariamente uma exploração. Só se torna exploração quando a arma não é uma característica natural da situação, mas foi fabricada pelo praticante. Para preservar o caráter benéfico das respostas através de atalhos, é importante se opor a essas fabricações de todos os meios possíveis.

Agradecimentos

Uma série de pessoas merece e tem meu apreço por sua ajuda no início do processo para tornar *As armas da persuasão 2.0* possível. Vários de meus colegas acadêmicos leram e forneceram comentários notórios sobre todo o texto em seu rascunho inicial, reforçando muito as versões subsequentes. Eles são Gus Levine, Doug Kenrick, Art Beaman e Mark Zanna. Além disso, o primeiro rascunho foi lido por alguns familiares e amigos — Richard e Gloria Cialdini, Bobette Gorden e Ted Hall — que forneceram não apenas apoio emocional muito necessário, mas comentários compreensivos e substantivos também.

Um segundo grupo maior ofereceu sugestões úteis para capítulos selecionados ou grupos de capítulos: Todd Anderson, Sandy Braver, Catherine Chambers, Judi Cialdini, Nancy Eisenberg, Larry Ettkin, Joanne Gersten, Jeff Goldstein, Betsy Hans, Valerie Hans, Joe Hepworth, Holly Hunt, Ann Inskeep, Barry Leshowitz, Darwyn Linder, Debbie Littler, John Mowen, Igor Pavlov, Janis Posner, Trish Puryear, Marilyn Rall, John Reich, Peter Reingen, Diane Ruble, Phyllis Sensenig, Roman Sherman e Henry Wellman.

Certas pessoas foram úteis nos estágios iniciais. John Staley foi o primeiro profissional do mercado editorial a reconhecer o potencial do projeto. Jim Sherman, Al Goethals, John Keating, Dan Wagner, Dalmas Taylor, Wendy Wood e David Watson fizeram resenhas iniciais e positivas que encorajaram igualmente o autor e os editores. Eu gostaria de agradecer aos seguintes leitores por seu feedback em uma pesquisa por telefone: Emory Griffin, Wheaton College; Robert Levine, Universidade California State, Fresno; Jeffrey Lewin, Universidade Georgia State; David Miller, Daytona Beach Community College; Lois Mohr, Universidade Georgia State; e Richard Rogers, Daytona Beach Community College. As edições anteriores se beneficiaram muito com as resenhas de Assaad Azzi, Universidade de Yale; Robert M. Brady, Universidade de Arkansas; Amy M. Buddie, Universidade Kennesaw State; Brian M. Cohen, Universidade do Texas em San Antonio; Christian B. Crandall, Universidade da Flórida; Maria Czyzewska, Universidade Texas State; A. Celeste Farr, Universidade Estadual da Carolina do Norte; Arthur Frankel, Universidade Salve Regina; Catherine Goodwin, Universidade do Alasca; Robert G. Lowder, Universidade de Bradley; James W. Michael, Júnior, Instituto Politécnico e Universidade Virginia State; Eugene P. Sheehan, Universidade de Northern Colorado; Jefferson A. Singer, Connecticut College; Brian Smith, Universidade de Graceland; e Sandi W. Smith, Universidade Michigan State.

Como observa a presente edição, vários indivíduos merecem um agradecimento especial. Meu agente, Jim Levine, foi fonte de excelentes conselhos. Meu editor na Harper Business, Hollis Heimbouch, e eu estávamos tão de acordo em questões de pequena e grande importância que o processo de escrever e o processo editorial foram os mais organizados da minha vida. Também na Harper Business, Wendy Wong e o editor Plaegian Alexander foram ótimos em dar forma a meu manuscrito para a produção. Meu colega Steve J. Martin forneceu dados de sua propriedade sobre seus experimentos conduzidos de forma brilhante que enriqueceram e deram vida a meu conteúdo. Devido ao alcance internacional de edições anteriores, pedi a Anna Ropiecka para me dar retorno sobre o manuscrito da perspectiva de uma pessoa que não fosse nativa no idioma inglês, o que ela fez com grande perspicácia e muito benefício para o produto final. Em minha equipe na Influence at Work, Eily Vandermeer e Cara Tracy estiveram dispostos a ir além de suas responsabilidades e, no processo, revelaram novas competências valiosas. Eu ficaria em falta se deixasse de agradecer o apoio constante para *Armas da persuasão 2.0* de Charlie Munger, que deu ao livro credibilidade instantânea entre as comunidades financeira e de investimentos.

E tem também Bobette Gorden — ajudante, colega de trabalho, de brincadeiras e alma gêmea —, cujos comentários delicados sempre melhoraram o trabalho e cujo amor fez de cada dia uma alegria.

Notas

Prefácio

1. Vale a pena tentar entender por que, desde a publicação de *As armas da persuasão*, não enfrentei nenhuma da condescendência indignada prevista por Boyle (2008), inclusive um dos mais belicosos de meus colegas acadêmicos. Acho que há duas razões principais. Primeiro, ao contrário das formas popularizadas de ciência social vistas nos artigos de "interesse humano" de jornais diários, fiz um esforço concentrado para citar publicações individuais (centenas delas) sobre as quais baseio minhas afirmações e conclusões. Segundo, em vez de procurar valorizar minhas investigações ou qualquer determinado grupo em participar de investigações, procurei elevar uma *abordagem* em especial para investigar as respostas humanas — a abordagem da ciência comportamental experimental. Não era minha intenção na época, mas o efeito apaziguador sobre meus colegas cientistas comportamentais experimentais pode confirmar uma crença que tenho há muito tempo: as pessoas não afundam os barcos em que navegam.

2. Infelizmente, um pouco de pesquisa na internet revelou que não posso atribuir a origem dessa frase perspicaz a meu avô. Ela vem de seu famoso compatriota Giuseppe Tomasi di Lampedusa.

Introdução

1. Vale a pena observar que não incluí entre os sete princípios a regra do interesse pessoal: que as pessoas querem obter o máximo e pagar o mínimo por suas escolhas. Essa omissão não é fruto de nenhuma percepção de minha parte de que o desejo de maximizar benefícios e minimizar custos não seja importante em motivar nossas decisões. Nem de nenhuma evidência que eu tenha de que profissionais da persuasão ignorem o poder dessa regra. Muito pelo contrário; em minhas investigações, vi praticantes usarem (às vezes de forma honesta, às vezes não) a abordagem atraente do "Posso lhe oferecer um bom negócio". Escolhi não tratar a regra do interesse pessoal neste livro porque a vejo como um fator que é desnecessário explicar, que merece ser reconhecido, mas não em uma análise extensa.

Capítulo 1: Armas de influência

1. O experimento das bebidas energéticas foi realizado por Shiv, Carmon & Ariely (2005). Na época em que li o artigo (e me questionei: O quê?), tomava energéticos para conseguir terminar de escrever um grande projeto com um prazo que estava perto de se esgotar. Antes de ver os resultados do estudo, nunca teria imaginado que comprar os energéticos em promoção, o que eu tentava fazer sempre que possível, ia deixá-los *menos* eficazes para mim.

2. A descrição completa do experimento da mãe perua é encontrada na monografia de M.W. Fox (1974) — sim, o nome desse pesquisador de animais é Fox (raposa, em inglês). Fontes sobre o tordo e o rouxinol-de-peito-azul estão em Lack (1943) e Peiponen (1960), respectivamente.

3. Talvez a resposta mais comum que as crianças dão quando pedimos para que expliquem suas ações ("Porque sim") venha do reconhecimento sagaz que elas têm do poder que adultos atribuem à palavra porquê — *porquê* sugere uma razão, e pessoas querem razões para agir (Bastardi & Shafir, 2000). Em um capítulo instrutivo, Langer (1989) explora maiores implicações do estudo da Xerox (Langer, Blank & Chanowitz, 1978) e defende a presença difundida das respostas automáticas no comportamento humano, uma posição compartilhada por Bargh & Williams (2006).

4. Cronley *et al.* (2005) e Rao & Monroe (1989) mostraram que, quando não estão familiarizadas com um produto ou serviço, pessoas se tornam particularmente propensas a empregar a regra do caro = bom. No mundo do marketing, o caso clássico desse fenômeno é o uísque escocês Chivas Regal, que era uma marca pouco conhecida e que enfrentava problemas até que seus administradores resolveram aumentar o preço a um nível muito acima da concorrência. As vendas dispararam, embora nada tenha sido modificado no produto em si (Aaker, 1991).

   Além dos estudos com bebidas energéticas (Shiv, Carmon & Ariely, 2005) e analgésicos (Waber *et. al*, 2008), outros pesquisadores descobriram que pessoas estabelecem uma conexão direta entre o preço de um item e a sua qualidade, e essa conexão equivocada influencia as respostas delas (Kardes, Posavac & Cronley, 2004). Um estudo com imagens cerebrais ajuda a explicar por que o estereótipo do caro = bom é tão poderoso. Ao provarem o mesmo vinho, degustadores não só experimentaram mais prazer quando acharam que custava US$45 e não US$5, como seus centros de prazer no cérebro realmente *foram* mais ativados pelo sabor do vinho de supostamente US$45 (Plassmann *et al.*, 2008).

5. Para evidências da necessidade e do valor de reações automáticas em nossas vidas e de como elas se revelam em heurística crítica, ver Collins (2018); Fennis, Janssen & Vohs (2008); Fiske & Neuberg (1990); Gigerenzer & Goldstein (1996); Kahneman, Slovic & Tversky (1982); Raue & Scholl (2018); Shah & Oppenheimer (2008); e Todd & Gigerenzer (2007). Petty *et al.* (2019) oferecem diversos exemplos de como as pessoas confiam na heurística para responder à informação, com exceção dos casos em que tenham tanto a motivação quanto a habilidade para examinar com cuidado a informação recebida. O estudo dos exames abrangentes (Petty, Cacioppo & Goldman, 1981) é um desses exemplos; ver Epley & Gilovich (2006) para outro.

   É instrutivo que, embora não adotemos uma abordagem complexa e deliberativa em relação a tópicos pessoalmente importantes (Anderson & Simester, 2003; Klein & O'Brien, 2018; Milgram, 1970; Miller & Krosnick, 1998), queremos que as pessoas que nos aconselham — médicos, contadores, advogados e corretores — façam isso para nós (Kahn & Baron, 1995). Quando estamos tomados por uma escolha complicada e com consequências, queremos uma análise bem pensada e detalhada — uma análise que não conseguiríamos obter exceto, o que é irônico, por meio de um atalho: a confiança em um especialista. Um relato de Thomas Watson Júnior, ex-presidente do conselho da IBM, apresenta exemplos do fenômeno de Captainitis. Durante a Segunda Guerra, ele foi incumbido de investigar acidentes aéreos nos quais oficiais de alta patente eram mortos ou feridos. Um dos casos envolvia um famoso general da Força Aérea chamado Uzal Girard Ent, cujo copiloto passou mal antes de um voo. Enviaram para Ent um substituto, que se sentiu honrado por voar ao lado daquele general lendário. Durante a decolagem, Ent começou a cantar consigo mesmo, balançando-se no ritmo da música em sua cabeça. O copiloto interpretou o ato como um sinal para levantar as rodas. Embora eles estivessem indo devagar demais para voar, ele levantou o equipamento de aterrissagem, fazendo o avião cair de barriga. No acidente, uma pá de hélice entrou nas costas de Ent, cortando sua espinha e deixando-o paraplégico. Watson relatou a explicação do piloto para sua ação:

Quando tomei o testemunho do copiloto, perguntei a ele: "Se você sabia que o avião não ia voar, por que levantou o equipamento?"
Ele respondeu: "Achei que o general queria que eu fizesse isso. Ele foi estúpido."
(1990, p. 117)

Estúpido? Eu diria que em circunstâncias singulares, sim.
Compreensível? No labirinto de atalhos da vida normal, eu também diria que sim.

6. Aparentemente, a tendência de machos serem enganados por poderosos sinais de acasalamento vai dos vaga-lumes (Lloyd, 1965) aos humanos. Dois biólogos da Universidade de Viena, Astrid Jütte e Karl Grammer, expuseram, em segredo, homens jovens a produtos químicos (chamados de copulinas) que imitavam os cheiros vaginais humanos. Os homens, então, avaliaram a beleza de rostos de mulheres. A exposição às copulinas aumentou o julgamento da beleza de *todas* as mulheres e mascarou a verdadeira diferença de beleza física entre elas (*Arizona Republic*, 1999). Embora o romance não esteja em questão, certos patógenos primitivos também imitam substâncias para tornar corpos saudáveis (células) receptivas a eles (Goodenough, 1991).

Stevens (2016) descreve uma série de exemplos de como esses artistas da fraude do reino vegetal e animal operam. Exemplos de truques semelhantes de golpistas humanos podem ser encontrados em Shadel (2012) e Stevens (2016).

7. Para um relato completo do estudo dos pesquisadores de Cornell, ver Ott *et al.* (2011). As comparações entre leitores de avaliações online em 2014 e 2018 foram oferecidas por Shrestha (2018). Em 2019, a Comissão Federal de Comércio dos Estados Unidos emitiu uma reclamação contra o dono de uma empresa de cosméticos acusado de criar falsas avaliações de produtos. A reclamação incluía uma citação do proprietário para os funcionários, ilustrando como os criadores de fake news entendem sua influência: "Se perceberem alguém dizendo coisas como 'eu não gostei de tal coisa', escrevam uma avaliação que diga o contrário. O poder das avaliações é grande; as pessoas procuram o que as outras estão dizendo para convencê-las e esclarecer dúvidas que talvez tenham" (Maheshwari, 2019).

Minha amiga não foi original em seu uso da regra do caro = bom para conquistar pessoas em busca de uma barganha. Trinta anos de pesquisas indicam que identificar em um item o preço anterior e o preço pelo qual está sendo vendido é uma técnica que funciona muito bem (Kan *et al.*, 2014). Na verdade, varejistas têm usado isso com sucesso mesmo antes das pesquisas confirmarem sua eficácia. O culturista e escritor Leo Rosten usa o exemplo dos irmãos Drubeck, Sid e Harry, que tinham uma alfaiataria na vizinhança de Rosten nos anos 1930. Sempre que Sid estava com um novo cliente em frente ao espelho de três lados da loja, ele comentava que tinha um problema auditivo e pedia que o homem falasse mais alto. Quando o cliente encontrava um terno que lhe agradava e perguntava o preço, Sid chamava seu irmão, o alfaiate-chefe, nos fundos do salão. "Harry, quanto é este terno?" Erguendo os olhos de seu trabalho — e exagerando muito o preço verdadeiro do terno — Harry respondia: "Por esse belo terno de lã, 42 dólares." Fingindo não ter ouvido e levando a mão em concha ao ouvido, Sid perguntava outra vez. E novamente, Harry respondia: "42 dólares." A essa altura, Sid se voltava para o cliente e dizia: "Ele disse 22 dólares." Muitos homens corriam para comprar o terno e sair rápido com sua barganha caro = bom antes que o pobre Sid descobrisse o "erro".

8. Alexander Chernev (2011) conduziu o estudo da contagem de calorias. O experimento que mostrava um declínio na atração sexual por parceiros após a exposição a corpos nus na mídia foi feito por Kenrick, Gutierres & Goldberg (1989). Outros pesquisadores descobriram efeitos semelhantes sobre a atração de obras de arte, demonstrando que uma pintura abstrata é avaliada significativamente como menos atraente quando vista após

uma pintura abstrata de alta qualidade em relação a como é avaliada ao ser vista sozinha (Mallon, Redies & Hayn-Leichsenring, 2014). Evidências de que o efeito do contraste pode operar sem reconhecimento cognitivo são reforçadas por evidências de que ele funciona até em ratos (Dwyer *et al.*, 2018).

Capítulo 2: Reciprocidade

1. Certas sociedades formalizaram a regra da reciprocidade em ritual. Veja, por exemplo, o Vartan Bhanji, costume institucionalizado de troca de presentes em partes do Paquistão e da Índia. Ao comentar sobre o Vartan Bhanji, Alvin Gouldner (1960) observa:

É [...] notável que o sistema se esmere para impedir a eliminação total de grandes obrigações. Assim, em um casamento, os convidados ganham doces de presente ao irem embora. Ao partilhá-los, a anfitriã pode dizer "Esses cinco são para você", significando que "Eles são um pagamento pelo que você me deu anteriormente", então ela acrescenta um pouco mais e diz: "Esses são meus." Na ocasião seguinte, ela receberá os últimos de volta com uma medida adicional que depois retribuirá e assim por diante. (p. 175)

O estudo original do cartão de boas festas foi feito por Phillip Kunz (Kunz & Woolcott, 1976) e, em um caso digno de nota de continuidade, foi estendido um quarto de século depois por sua filha cientista comportamental, Jenifer Kunz (2000), que descobriu um alto índice de reciprocidade se o remetente do primeiro cartão tivesse um status elevado. Para acesso ao relato completo dos pedidos de um dia de salário para funcionários de um banco de investimentos: https://assets.publishing.service.gov.uk/government/uploads/system/uploads/attachment_data/file/203286/BIT_Charitable_Giving_Paper.pdf (pp. 20-21).

O desejo de interações recíprocas dentro e entre sociedades foi reconhecido por cientistas sociais muito antes de sociólogos como Gouldner (1960), arqueólogos como Leakey e Lewin (1978) e antropólogos culturais como Tiger & Fox (1989). Veja, por exemplo, o trabalho de exame etnográfico inovador de Bronislaw Malinowski sobre os padrões de troca entre os moradores das ilhas Trobriand, *Argonautas do Pacífico Ocidental* (1918). Evidências mais recentes mostram que a regra não se aplica apenas a trocas positivas; ela abastece trocas negativas também (Hugh-Jones, Ron & Zultan, 2019; Keysar *et al.*, 2008), todas as quais se encaixam com a famosa citação de W. H. Auden: "Eu e o público sabemos/ o que todo estudante aprende/ Aqueles a quem fazem o mal/ fazem o mal em resposta". De maneira geral, pode-se dizer que a regra da reciprocidade garante que sempre que o fruto de nossos atos é doce ou amargo, colheremos o que plantamos (Oliver, 2019). Isso também é verdade nas relações entre homens e máquinas. Usuários que receberam informação positiva de um computador, deram informações melhores para essa máquina do que para outras; além disso, usuários que receberam uma informação de baixa qualidade de um determinado computador retaliaram fornecendo a ele informação de qualidade mais baixa do que a dada a um computador diferente (Fogg & Nass, 1997a). Em geral, a reciprocidade, em todas as suas formas, é um motivador da conduta humana (Melamed, Simpson & Abernathy, 2020).

2. A longevidade da obrigação da Etiópia em ajudar o México ("Ethiopian Red Cross", 1985) e da obrigação de lorde Weidenfeld em ajudar famílias cristãs (Coghlan, 2015) podem ser superadas pelo caso do desejo transgeracional de um grupo de crianças francesas em ajudar um grupo de crianças australianas que nunca conheceram. Em 23 e 24 de abril de 1918, perto do fim da Primeira Guerra Mundial, vários batalhões de soldados australia-

nos perderam a vida libertando a cidadezinha francesa de Villers-Bretonneux das forças alemãs. Quando, em 2009, estudantes de Villers-Bretonneux souberam de um incêndio florestal que destruiu a cidade australiana de Strathewen, eles arrecadaram US$21 mil para ajudar a reconstruir a escola primária da cidade. Segundo uma reportagem de jornal, "Eles conheciam pouco das crianças que estavam ajudando. Só sabiam que seus bisavós tinham prometido 91 anos atrás nunca esquecer a Austrália nem os 1.200 soldados australianos que morreram libertando seu vilarejo" (*The Australian*, 2009).

Embora formas de assistência memoráveis e com consequências durarouras, como as relatadas anteriormente, possam criar sentimentos duradouros de obrigação, seria um erro achar que todas as ações desse tipo gerem o mesmo em resposta. Na verdade, há boas evidências de que favores cotidianos perdem seu poder de obrigação com o passar do tempo (Burger et al., 1997; Flynn, 2003). Um conjunto de estudos chegou até a descobrir que receptores se sentem mais em dívida com um prestador de favor antes que o ato fosse terminado (Converse & Fishbach, 2012). O resultado? Pequenos gestos de ajuda se enquadram à "regra do pãozinho"; as pessoas gostam mais deles quando estão quentes e fresquinhos que frios e velhos.

3. Mesmo antes de entrarem na escola, crianças começam a entender a obrigação de retribuir e de reagir de acordo com o contexto (Chernyak *et al.*, 2019; Dunfield & Kuhlmeier, 2010). O estudo de Regan (1971) foi conduzido na Universidade de Stanford. O jornalista vencedor do prêmio Pulitzer Job Warrick (2008) escreveu sobre o caso do chefe tribal afegão em dívida que se encaixa com as evidências relacionadas de que, no Oriente Médio, métodos "sutis" como favores indutores de retribuição trazem melhores resultados que técnicas coercitivas de interrogatório envolvendo provações, tormentos ou tortura (Alison & Alison, 2017; Ghosh, 2009; Goodman-Delahunty, Martschuck & Dhami, 2014). Para links com essas informações adicionais, ver www.psychologicalscience.org/index.php/news/were-only-human/the-science-of-interrogation-rapport-not-torture.html.

4. O padrão de dados do experimento do "cheque-presente" de US$5 (James & Bolstein, 1992) se encaixa com pesquisas recentes que mostram que questionários em que é oferecido uma pagamento antes da participação (quando o dinheiro é incluído em uma carta de solicitação) obtêm mais respostas do que aqueles que oferecem um pagamento igual ou maior depois da participação (Mercer *et al.*, 2015). Ele combina com um estudo no qual hóspedes de hotel encontravam um cartão em seus quartos pedindo que reusassem suas toalhas. A doação antes do ato se revelou significativamente mais eficaz que a após o ato (Goldstein, Griskevicius & Cialdini, 2011). Garçons que presenteiam seus clientes com balas antes de entregar a conta aumentavam significativamente a gorjeta dada por americanos em um restaurante de Nova Jersey (Strohmetz *et al.*, 2002) e por clientes de todas as sete nacionalidades em um restaurante polonês (Zemla & Gladka, 2016). Por fim, o estudo do balão de gás de brinde do McDonald's foi feito por meus colegas da InfluenceAtWork, Steve J. Martin e Helen Mankin, em conjunto com Daniel Gertsacov, na época diretor executivo de marketing da Arcos Dorados S.A., dona dos restaurantes McDonald's. Para detalhes adicionais sobre esse e outros estudos do McDonald's feitos por nossa equipe, ver www.influenceatwork.com/wp-content/uploads/2020/03/Persuasion-Pilots-McDonalds-Arcos-Dorados-INFLUENCE-AT-WORKpdf.pdf.

Os benefícios de dar primeiro nos negócios são apresentados e analisados de maneira especialmente convincente em dois livros de Adam Grant (2013) e Tom Rollins (2020). Para um exemplo bem-humorado, ver https://youtu.be/c6V_zUGVlTk. Para uma coleção de abordagens com base na reciprocidade usadas por especialistas em marketing digital, ver https://sleeknote.com/blog/reciprocity-marketing-examples.

5. Presentes dados por empresas farmacêuticas não só afetaram as descobertas dos cientistas sobre a eficácia de suas drogas (Stelfox *et al.*, 1998), como também afetam a tendência dos médicos em receitá-las. Pagamentos da indústria farmacêutica a médicos (para treinamento educativo, participação em palestras, viagens, valores de consultoria, inscrição em conferências e assim por diante) estão ligados à frequência de prescrição pelos médicos das drogas patrocinadas (Hadland *et al.*, 2018; Wall & Brown, 2007; Yeh *et al.*, 2016). Até o pagamento irrisório de uma refeição funciona — embora refeições mais caras estejam associadas com maiores índices de prescrição (DeJong *et al.*, 2016). Estudos mostrando os efeitos de doações para membros do legislativo são descritos por Salant (2003) e Brown, Drake & Wellman (2014).

6. O conhecimento mais completo em relação ao novo relato sobre como terminou a crise cubana dos mísseis pertence a Sheldon Stern (2012), que trabalhou por 23 anos como historiador da Biblioteca Presidencial John F. Kennedy. Ver também a resenha esclarecedora de Benjamin Schwartz em www.theatlantic.com/magazine/archive/2013/01/the-real-cuban-missile-crisis/309190.

7. A pesquisa na loja de doces foi realizada por Mammers (1991). Em outro padrão de compra que se encaixa com a regra da reciprocidade, clientes de supermercados que receberam um cupom-presente para um tipo de item em especial compraram mais itens da loja, resultando em um aumento de 10% no tamanho total da compra (Heilman, Nakamoto & Rao, 2002). A experiência do Costco foi descrita por Pinsker (2014). Anderson & Zimbardo (1984) comentaram sobre a sabedoria da regra da reciprocidade de Diane Louie em Jonestown.

8. O padrão do chaveiro em relação ao iogurte (Friedman & Rahman, 2011) também apareceu em um estudo em supermercado (Fombelle et al., 2010) que dava a clientes um presente não alimentar (um chaveiro) ou um produto relacionado a alimento (batatas Pringles), ao entrarem; o que aumentou as compras em geral em 28% e 60%, respectivamente. Michael Schrange (2004) escreveu o artigo analisando os resultados do programa da experiência suave dos clientes de uma cadeia de hotéis em relação à satisfação dos clientes. Personalizar o presente à necessidade não funciona apenas em ambientes comerciais, dar importância ao atendimento leva a maior satisfação com o relacionamento apenas quando ele é adequado às necessidades do receptor (Maisel & Gable, 2009).

9. Paese & Gilin (2000) demonstraram a força de favores não solicitados em situações de negociação. Ofertas não solicitadas de cooperação produziram atos em retribuição por parte de receptores mesmo quando isso ia contra seus interesses financeiros. Em uma ilustração do mundo real sobre a influência de favores não solicitados, a Uber conseguiu aumentar significativamente o número de passageiros em Boston *depois* de dar à cidade um presente não solicitado: durante a greve de ônibus na cidade de 2013, a empresa alugou ônibus e forneceu serviço gratuito para todas as escolas públicas de Boston.

   Marcel Massus publicou sua obra prima *The Gift: The Form and Reason for Exchange in Archaic Societies* em 1925, mas é possível encontrar uma tradução em inglês excelente em uma reedição de 1990 publicada pela Routledge.

10. Embora esteja claro que não gostamos daqueles que recebem sem retribuir (Wedekind & Milinski, 2000), um estudo intercultural mostrou que as pessoas também não gostam daqueles que rompem a regra da reciprocidade na direção inversa — dar sem permitir ao receptor uma oportunidade de retribuição. Descobriu-se que o resultado era válido nas três nacionalidades investigadas — americanos, suecos e japoneses (Gergen *et al.*, 1975). Há vastas evidências de que as pessoas deixam de pedir ajuda para não se sentirem socialmente endividadas (DePaulo, Nadler & Fisher, 1983; Grenberg & Shapiro, 1971; Riley & Eckenrode, 1986). Um estudo é digno de nota por sua duração de dez

anos e pela investigação de um dilema que muitos de nós enfrentaram: pedir ou não que familiares e amigos ajudem na mudança para outra casa ou deixar toda a tarefa com uma empresa de mudanças. O estudo descobriu que as pessoas deixam de pedir ajuda dos que conhecem não por medo que esses não profissionais danifiquem propriedades valiosas, mas por medo da "dívida" que essa assistência possa gerar nelas como resultado (Marcoux, 2009).

Outra pesquisa apontou para a força motriz da dívida em relações recíprocas. Por exemplo, Belmi & Pfeffer (2015), Goldstein, Griskevicius & Cialdini (2011) e Pilluta, Malhotra & Mirningham (2003) identificaram uma razão principal do motivo da primeira funcionar tão bem: ela produz um sentimento de obrigação de retribuição por parte do receptor. Ainda assim, vale notar que na família de fatores relacionados à reciprocidade, a obrigação tem uma irmã igualmente ativa porém mais gentil — a gratidão — que opera para estimular retribuições não tanto porque os receptores dos favores têm um sentimento de dívida, mas porque os receptores têm um sentimento de apreciação. Embora os dois sentimentos provoquem de forma confiável uma reciprocidade positiva, a gratidão parece estar relacionada com a intensificação de relacionamentos em vez de apenas a instigação ou a manutenção deles. Evidências em relação a isso estão disponíveis na pesquisa de Sara Algoe e seus associados (Algoe, 2012; Algoe, Gable & Maisel, 2010; Algoe & Zhaoyang, 2016).

George, Gournic & McAfee (1988) pesquisaram sobre a disponibilidade sexual percebida de uma mulher que permite que um homem pague suas bebidas. Ver Clark, Mills & Corcoran (1989) para um exame dos dados demonstrando uma diferença no tipo de norma recíproca que se aplica entre familiares e amigos íntimos (norma comunal) em relação a estranhos (norma da troca). Mais recentemente, Clark *et al.* (2010) mostraram que fortes normas comunais dentro de um casamento estão associadas com sucesso marital. Kenrick (2020) oferece uma perspectiva atualizada da distinção entre normas comunais e de troca que se aplicam a amizades; ver http://spsp.org/news-center/blog/kenrick-true-friendships#gsc.tab=o.

11. Os resultados do experimento da minha equipe sobre a ida ao zoológico foram relatados em Cialdini *et al.* (1975). O estudo israelense dos efeitos de primeiros pedidos absurdos foi conduzido por Schwarzwald, Raz & Zvibel (1979). A técnica da rejeição seguida de recuo se mostrou um sucesso em outras culturas também, como na Grécia (Rodafinos, Vicevic & Sideridis, 2005). Talvez minha demonstração favorita dentre essas tenha ocorrido na França, onde garçonetes de três restaurantes, enquanto limpavam a mesa, perguntavam a clientes se gostariam de sobremesa. Se um cliente dizia não, a garçonete recuava para uma proposta de café ou chá, o que triplicou esses pedidos. O que achei instrutivo apareceu em outra situação do estudo no qual em vez de recuar para uma proposta de café ou chá, a garçonete esperava três minutos antes de perguntar. Com essa técnica, os pedidos dobraram (Guéguen, Jacob & Meineri, 2011). Aparentemente, a descoberta de que a obrigação de retribuir pequenos favores se reduz com o tempo (Flynn, 2003) também se aplica à obrigação de reciprocidade em pequenas concessões.

12. Como já comentei, as descobertas de que a tática de rejeição seguida de recuo leva seus alvos a ficarem mais propensos a fazerem um favor solicitado (Miller *et al.*, 1976) e a concordarem em fazer favores semelhantes (Cialdini & Ascani, 1976) são consistentes com os sentimentos resultantes de responsabilidade e satisfação que foram encontrados no experimento da UCLA (Benton, Kelley & Liebling, 1972). Lembre-se de que houve outro resultado no experimento da UCLA — começar com um pedido extremo e então recuar para um moderado se revelou muito mais eficaz que começar com um pedido

moderado e se aferrar a ele. Esse resultado é consistente com a lição de negociação dos donos da pet shop. Os estudos por Robert Schindler dos níveis de satisfação de consumidores do varejo foram publicados em 1998.

Capítulo 3: Afeição

1. Os dados sobre o percentual de americanos que acreditam que os humanos evoluíram por meio processos naturais veio de uma pesquisa do Pew Research Center (www. pewresearch.org/fact-tank/2019/02/22/darwin.day), que também documentou o papel das crenças religiosas na resistência à teoria da evolução. Análises feitas por Andrew Stuhman (2006) e Dan Kahan (www.culturalcognition.net/blog/2014/5/24/weekend-u-pdate-youd-have-to-be-science-illiterate-to-think-b.html) mostram a desconexão entre a compreensão da teoria evolucionária e a crença nela. A citação da advogada especializada em erros médicos Alice Burkin veio de uma entrevista com Berkeley Rice (2000).

   Graças a dois procedimentos experimentais adicionais, a pesquisa que cita George Clooney e Emma Watson (Arnocky et al., 2018) é mais instrutiva do que descrevi. O primeiro estende a amplitude do efeito básico demonstrando que a opinião das celebridades tinha o poder de não só aumentar a aceitação da evolução, mas também de reduzi-la. Quando alguns participantes do estudo foram levados a crer que Clooney ou Watson tinham feito comentários favoráveis sobre um livro *anti*evolutivo, o apoio à teoria da evolução caiu significativamente entre esses observadores. Então a influência da afeição não é uma via de mão única; ela pode conduzir em direções positivas ou negativas. Um segundo procedimento experimental reforça a sabedoria de se usar comunicadores de quem se gosta (em vez de autoridades) para criar mudança em um determinado assunto. Os pesquisadores mostraram comentários favoráveis em relação a um livro pró ou antievolutivo, supostamente escritos por um professor de biologia de uma universidade de prestígio, a um grupo diferente de participantes. A opinião do especialista — a favor ou contra a evolução — não teve efeito significativo na aceitação da teoria por parte dos participantes. Aqui vemos a evidência mais óbvia que conheço de por que o esforço dos pesquisadores em aumentar o apoio à evolução fracassou ao longo dos anos; eles escolheram o campo de batalha errado para atacar.

2. Evidências mostrando que é a qualidade das conexões sociais — em vez dos produtos físicos — que determina a compra em festa da Tupperware vêm de estudos feitos por Taylor (1978) e Frenzen & Davis (1990). Para uma análise financeira de como a Tupperware Brands emprega com sucesso os princípios de influência social, especialmente em mercados emergentes, ver https://seekingalpha.com/article/4137896-tuppereare--brand-sealed-nearly-2--percent-upside?page=2. Como uma evidência da base social do sucesso dos produtos Tupperware: depois que a ameaça do coronavírus surgiu no mundo em fevereiro de 2020, o valor das ações da Tupperware Brands caiu na bolsa de Nova York. A queda (90% de seu valor em comparação com fevereiro anterior) deveu-se, em grande parte, a percepções de que as reuniões, mesmo de amigos, não eram mais consideradas seguras pelos consumidores.

   A pesquisa da Nielsen Company mostrando maior confiança na recomendação de um amigo é descrita em www.nielsen.com/us/en/insights/news/2012/trust-in-advertising--pais-owned-and-earned.html. Mas esse padrão se inverte quando se deixa de ter afeição, como ocorre tipicamente com uma ex-namorada ou um ex-namorado. Nesse caso, os consumidores ficam 66% *menos* propensos a confiar na opinião de seu exs sobre um produto do que na de um avaliador online: www.convinceandconvert.com/word-of-mouth/statistics-about-word-of-mouth. Nos dois casos, a afeição parece ser uma questão-chave. A pesquisa sobre a lucratividade de um banco com clientes vindos de indicações é descrita em https://hbr.org/2011/06/why-customer-referrals-can-drive-stunning-profits.

3. A ideia de que a aparência física cria um efeito de halo para o julgamento de outras pessoas não é nova. Pense na afirmação de mais 120 anos de Lev Tolstói: "É incrível como é completa a ilusão de que a beleza é boa." Os fundamentos para os efeitos amplos (Langlois *et al.*, 2000), imediatos (Olson & Marshuetz, 2005) e iniciais (Dion, 1972; Ritts, Patterson & Tubbs, 1992) da atração física em uma variedade de arenas sociais (Benson, Karabenic & Lerner, 1976; Chaiken, 1979; Stirrat & Perret, 2010) e profissionais (Judge, Hurst & Simon, 2009; Hamermesh & Patterson, 1976; Budesheim & DePaola, 1994) são historicamente fortes. Uma visão mais recente (Maestripieri, Henry & Nickels, 2017) não apenas atualiza esses fundamentos, mas também fornece uma explicação evolucionária para grande parte do efeito básico: nossos sentimentos positivos e comportamentos benéficos em relação a indivíduos atraentes emana de um sentimento romântico automático e generalizado em relação a eles.

4. O trabalho de medição de sentimentos favoráveis de crianças em relação a outras crianças semelhantes foi feito por Hamlin *et al.* (2013), usando fantoches cujas preferências de gosto (por biscoitos *versus* feijões) eram semelhantes ou iguais às das crianças. O estudo de preferência em encontros online foi realizado por Levy, Markell & Cerf (2019). O impacto impensado de estilos de roupas semelhantes em manifestações antiguerra foi visto em uma época de grande conflito civil motivado pela guerra americana no Vietnã (Sudfeld, Bochner & Matas, 1971). Os efeitos de semelhanças aparentemente triviais como as características de impressão digital na decisão de ajudar foram obtidos por Burger *et al.* (2004). O efeito positivo da semelhança de nomes na preferência por marcas e em respostas de pesquisas foi demonstrado, respectivamente, em cinco experimentos diferentes por Brendl *et al.* (2005) e em dois estudos de Garner (2005).

5. A ampla influência da semelhança é evidenciada em seu impacto em ambientes educacionais (DuBois *et al.*, 2011; Gehlbach *et al.*, 2016; Marx & Ko, 2012) assim como no resultado de negociações (Moore *et al.*, 1999; Morris *et al.*, 2002), na escolha de eleitores (Bailenson *et al.*, 2018), em interesses românticos (Ireland *et al.*, 2011; Jones *et al.*, 2004; Ohadi *et al.*, 2018) e nas negociações de reféns (Taylor & Thomas, 2008). Sua utilidade fica clara a partir das evidências de que alvos de influência subestimam sua força (Bailenson & Yee, 2005; Gonzales *et al.*, 1983), assim como do aumento *ensinado* das gorjetas de garçons de restaurantes (van Baaren *et al.*, 2003), dos lucros de vendedores de produtos eletrônicos (Jacob *et al.*, 2011), dos resultados de negociadores (Maddux, Mullen & Galinsky, 2008; Moore *et al.*, 1999; Morris *et al.*, 2002; Swaab, Maddux & Sinaceur, 2011) e de sucessos românticos em encontros rápidos (Guéguen, 2009).

6. A ideia de que as pessoas dão mais atenção às diferenças que às coisas em comum tem como base os estudos de Houston, Sherman & Baker (1991) e Olson & James (2002); entretanto, esses resultados foram encontrados em culturas ocidentais. Embora eu não conheça pesquisas sobre o tema, valeria a pena saber se o mesmo padrão aparece nas culturas orientais, onde, tradicionalmente, a harmonia é enfatizada. A análise de 32 estudos sobre negociações envolveu mais de cinco mil participantes e foi conduzida por Thompson & Hrebec (1996). A pesquisa demonstrando que as pessoas inicialmente subestimam o aspecto favorável de interações com membros de outros grupos (Mallett, Wilson & Gilbert, 2008) mostrou que homens e mulheres eram igualmente susceptíveis a esse erro. Ao que parece, a conhecida tendência das mulheres em favor da harmonia interpessoal não é suficiente para protegê-las desse erro quando a outra pessoa é de outro grupo.

7. O estudo com imagens cerebrais foi realizado no Brain Mapping Center da UCLA por Sherman *et al.* (2016). É interessante que no contexto de estudos mostrando que elogios feitos por humanos geram quantidades significativas de afeição como resposta (Higgins

& Judge, 2004; Seiter, 2007; Seiter & Dutson, 2007), os autores da pesquisa com elogios feitos por máquinas defenderam que *seus* resultados se devem às mesmas tendências psicológicas e que, portanto, designers deviam inserir elogios em programas (como "Seu trabalho cuidadoso é impressionante" ou "Bem pensado!") e fazer isso "mesmo quando pode haver pouca base para avaliação" (Fogg & Nass, 1997b).

8. O estudo que mostra que nossa suscetibilidade a elogios insinceros ou oferecidos em busca de um evidente motivo posterior (Drachman, deCarufel & Insko, 1978) foi sustentado por pesquisas subsequentes (Chan & Sengupta, 2010; Vonk, 2002). Eu sou suscetível como todo mundo. Depois de minha eleição para certa sociedade científica, recebi uma nota de congratulações de uma das representantes eleitas de meu estado elogiando minha "dedicação à excelência". Embora eu soubesse que o bilhete era uma tática eleitoral com a intenção de angariar favores, passei a gostar mais dela depois. Ver Vonk (2002) para evidências de que observadores que desconfiam da sinceridade dos elogios de uma pessoa atribuem a essa pessoa uma intenção posterior para o elogio; assim, embora *receptores* de elogios tendam a acreditar em elogios tanto sinceros quanto insinceros, *há* uma penalidade para elogios insinceros — os recebedores entendem o ato pelas intenções e passam a não ter afeição pela pessoa.

9. Não sou o único a ter problemas em elogiar. A maioria das pessoas tem — uma das razões é por subestimar o efeito positivo de elogios sobre os receptores (Boothby & Bons, 2020; Zhao & Epley, 2020). A tendência das pessoas de procurarem se associar com boas notícias e evitar serem associadas com notícias ruins, mesmo que não sejam o motivo delas, foi confirmada por Rosen & Tesser (1970); além disso, essa tendência parece existir pois as pessoas percebem que adquirem o caráter das mensagens que carregam (John, Blunden & Liu, 2019). A vantagem que elogios feitos pelas costas têm de evitar a percepção de intenções posteriores é considerável. Pesquisa feita por Main, Dahl & Dark (2007) mostra que em situações em que se desconfia de uma segunda intenção, os elogios têm um impacto negativo automático na confiança.

10. O *altercasting* foi descrito pela primeira vez como técnica de influência pelos sociólogos Eugene Weinstein e Paul Deutschberger (1963); desde então, seu desenvolvimento teórico foi avançado pelo psicólogo Anthony Pratkanis (2000, 2007; Pratkanis & Uriel, 2011). A jornalista Elizabeth Bernstein (2016) apresentou um popular relato na imprensa de como o *altercasting* funciona; ver www.wsj.com/articles/if-you-want-to-persuade-people-try-altercasting-1473096624. É comprovado que atribuir um traço elogioso tanto a crianças (Cialdini *et al.*, 1998; Miller, Brickman & Bollen, 1975) quanto a adultos (Kraut, 1973; Strenta & DeJong, 1981) pode produzir comportamentos semelhantes ao traço como consequência.

11. O estudo das fotografias de imagem real *versus* imagem invertida (Mita, Dermer & Knight, 1977) teve suas pesquisas estendidas por Cho & Schwartz (2010). Instruções sobre como inverter a imagem de uma selfie podem ser encontradas em https://web-cazine.com/17190/qa-can-you-flip-or-mirror-a-picture-using-the-native-photo-editor-on-samsung-galaxy-phone. O efeito positivo da familiaridade sobre o gostar foi relatado em vários ambientes (Monahan, Murphy & Zajone, 2000; Moreland & Topolinski, 2010; Reis *et al.*, 2011; Verosky & Todorov, 2010).

Evidências de que pessoas passam a acreditar em comunicações às quais foram expostas com a maior frequência são perturbadoras e atraentes ao mesmo tempo (Bornstein, Leone & Galley, 1987; Fang, Singh & Ahulwailia, 2007; Moons, Mackie & Garcia-Marques, 2009; Unkelbach *et al.*, 2019), assim como trabalhos indicando que os efeitos se aplicam até em alegações implausíveis como as "fake news" (Fazio, Rand & Pennycook, 2019; Pennycook, Conner & Rand, 2018). Um conjunto de avaliadores do fenômeno da verdade por repetição atribui isso a um efeito de "fluência" no qual a repetição faz com que uma ideia seja mais fácil de ser lembrada, visualizada e processada, dando a ela a "sensação" psicológica da verdade (Dechêne *et al.*, 2010). Apesar de reconhecer o papel da fluência, outros pesquisadores também apontaram para o papel da saliência (a extensão em que um item captura a ação) nas razões porque relativamente mais exposições a um item fazem com que ele seja visto como mais valioso (Mrkva & Van Boven, 2020).

12. Pesquisadores não só documentaram os efeitos benéficos do contato positivo sobre atitudes em relação a membros adultos de outros grupos como indivíduos de raça (por exemplo, Onyeador *et al.*, 2020; Shook & Fazio, 2008), e etnia (por exemplo, Al Ramiah & Hewstone, 2013; Kende *et al.*, 2018; Jackson *et al.*, 2019) ou orientação sexual (por exemplo, Tadlock *et al.*, 2017) diferentes. Vários ofereceram razões para o benefício — incluindo redução de ansiedade (Pettigrew & Tropp, 2006; Wölfer *et al.*, 2019), maior empatia (Al Ramiah & Hewstone, 2013; Hodson, 2011) e uma maior abertura a experiências (Hodson *et al.*, 2018).

    As razões pelo qual os esforços de maior contato para melhorar atitudes nas escolas (Stephan, 1978) fracassaram podem ser entendidas como frutos de tendências de autosseparação racial (Dixon, Durrhein & Tredoux, 2005; Oskamp & Schultz, 1998) e das diversas experiências negativas que elas trazem, que inverteram o efeito positivo do contato e o tornaram mais intensamente negativo (Barlow *et al.*, 2012; Ilmarinen, Lönnqvist & Paunonen, 2016; McKeown & Dixon, 2017; Richeson & Shelton, 2007).

13. A longa citação descrevendo a natureza competitiva das salas de aula americanas (Aronson, 1975, pp. 44, 47), assim como evidências do impacto transformador do programa de quebra-cabeça, podem ser encontradas no trabalho de Elliot Aronson e seus colaboradores (ver Aronson *et al.*, 1978, para um resumo). Outras versões de procedimentos de aprendizado cooperativo em diferentes sistemas escolares — ou mesmo em tipos diferentes de instituições como organizações empresariais (Blake & Mouton, 1979) — produziram resultados parecidos (Johnson, 2003; Oskamp & Shulthz, 1998; Roseth, Johnson & Johnson, 2008).

14. A pesquisa clássica de Sherif e seus colegas (1961) foi apoiada por outros pesquisadores (Paolini *et al.*, 2004; Wright *et al.*, 1997), que confirmaram que uma transformação do papel de rivais para amigos torna-se possível pela mudança de competição para cooperação. Os estudos mostrando que começar uma negociação com um aperto de mão aumenta os resultados das duas partes envolvidas (Schroeder *et al.*, 2019) me faz pensar que o efeito pode ser reforçado se, depois de um intervalo para o almoço, as partes apertarem as mãos de novo. Embora evidências consideráveis estabeleçam a superioridade típica de abordagens cooperativas para outras formas de orientações interpessoais (Johnson, 2003; Roseth, Johnson & Johnson, 2008; Stanne, Johnson & Johnson, 1999), seria ingenuidade pensar que atos cooperativos seriam sempre melhores ou mesmo eficazes. Por exemplo, se uma pessoa envolvida em uma negociação iniciasse um aperto de mão com o intervalo de alguns minutos durante a negociação, meu palpite é que a tática levantaria suspeitas e o efeito seria tóxico. Como outra pessoa indicou, instalar programas de aprendizado cooperativo não é um sucesso absoluto (Rosenfeld & Stephan, 1981; Slavin, 1983), a competição às vezes pode se mostrar útil (Murayama & Elliot, 2012), e esforços invariáveis de cooperação podem sair pela culatra (Cikara & Paluck, 2013).

    A concepção de inferno e céu atribuída ao rabino Haim de Romshishok aparece em versões análogas nas tradições religiosas budista, cristã e hindu. Embora os detalhes possam mudar — por exemplo, em vez de juntas rígidas dos cotovelos, os habitantes podem ser equipados com colheres ou pauzinhos compridos demais para se alimentarem —, a lição da cooperação como solução celestial para os problemas humanos surge em cada uma delas.

15. É impressionante a inocência dos mensageiros de más notícias em estudos mostrando a hostilidade resultante em relação a eles dos receptores. Em qualquer visão racional, eles não foram responsáveis pelas notícias desagradáveis; eles só foram incumbidos de transmiti-las e não deram indicações de gostar de fazer isso (Blunden, 2019; Manis, Cornell & Moore, 1974). Não há dúvida de que essas associações inocentes se aplicam tanto a conexões positivas quanto negativas; por exemplo, ouvir a música de que se gosta ou não se gosta afeta a preferência por produtos favorável e desfavoravelmente respectivamente (Gorn, 1982). Para evidências adicionais desse impacto de mão dupla de meras associações, ver Hofmann *et al.* (2010), Hughes *et al.* (2019) e Jones (2009). As evidências de que observadores supõem que temos as mesmas características de nossos amigos (Miller *et al.*, 1966) e que uma modelo atraente em um anúncio de automóvel influencia os homens a gostar mais do carro (Smith & Engel, 1968) estão disponíveis há muito tempo.

As descobertas sobre os efeitos de cartão de crédito na disposição de pagar (Feinberg, 1986, 1990) foram estendidas por McCall & Belmont (1996) ao tamanho das gorjetas em restaurantes, e por Prelec & Simester (2001) ao pagamento de ingressos de um evento esportivo; neste último caso, os torcedores estavam dispostos a pagar mais de 100% para verem um jogo de basquete quando pagavam com cartão do que quando pagavam com dinheiro.

16. O comentário de um parágrafo sobre a atual tendência de "o que é natural é melhor" veio de Meier, Dillard & Lappas (2019). Os Jogos Olímpicos não são o único evento esportivo que as empresas gastam muito dinheiro para patrocinar. Para a temporada 2018-19, os patrocínios empresariais da National Football Association totalizaram US$1,39 bilhão. Quando a Papa John's Pizza terminou seu patrocínio como a "Pizza Oficial da NFL", investidores de Wall Street sentiram o impacto, e o preço de suas ações caiu 8% imediatamente (https://thehustle.co/why-do-brands-want-to-sponsor-the-nfl). Jornalistas documentaram a influência de fenômenos culturais pop nas compras de produtos de consumo incidentalmente relacionados como barras de chocolate Mars (White, 1997) e o Nissan Rogue (Bomey, 2017). Mas foram pesquisadores que descobriram a conexão de placas de liquidação a níveis de compra acima daqueles permitidos pela economia financeira (Naylor, Raghunathan & Ramanathan, 2006).

17. Claro, a pesquisa da "técnica do almoço" de Gregory Razan (1938, 1940) foi precedida pela descoberta de Pavlov (1927) do condicionamento clássico na qual a técnica é baseada. Li *et al.* (2007) realizaram o trabalho que ampliou as descobertas de Razran em relação a cheiros e odores tão sutis que os participantes não tinham como saber que os estavam sentindo. As evidências são enormes que, como os cães de Pavlov, podemos ser suscetíveis a combinações estrategicamente criadas sem saber nada sobre nossa suscetibilidade. Por exemplo, para a alegria dos publicitários, simplesmente sobrepor uma marca de cerveja belga cinco vezes em imagens de atividades prazerosas, como velejar, praticar esqui aquático e se abraçar, aumentou o sentimento positivo dos observadores em relação à cerveja (Sweldens, van Osselaer & Janizewski, 2010); de forma semelhante, sobrepor uma marca de antisséptico bucal em imagens de belas cenas de natureza seis vezes levou os observadores a ter sentimentos mais favoráveis em relação à marca imediatamente e *ainda* por três semanas depois (Till & Priluck, 2000), além disso, expor oito vezes de forma subliminar pessoas com sede a imagens de rostos de pessoas felizes (em oposição a raivosas) logo antes de fazê-las provar um refrigerante novo fez com que consumissem mais da bebida e estivessem dispostas a pagar três vezes mais por ela na loja (Winkielman, Berridge & Wilberger, 2005). Em nenhum desses estudos os participantes tiveram consciência de que tinham sido influenciados pelas combinações. Só porque somos influenciados sub-repticiamente por meras associações, isso não significa

que não reconhecemos como elas funcionam, pois isso fica evidente a partir da pesquisa (Rosen & Tesser, 1970) sobre nossa tendência a nos conectarmos com boas notícias e nos distanciarmos das más.

18. Embora minha equipe (Cialdini *et al.*, 1976) tenha conduzido a pesquisa "desfrutar da glória refletida" com torcedores de futebol americano nos Estados Unidos, ela foi replicada com torcedores de futebol ingleses e franceses (Bernache-Assolant, Lacassagne & Braddock, 2007; Fan *et al.*, 2019) e eleitores após as eleições na Holanda e nos Estados Unidos (Boen *et al.*, 2002; Miller, 2009). Pesquisas adicionais indicam uma razão para a prática: ela funciona. Carter e Sanna (2006) descobriram que indivíduos que conseguiam estreitar sua conexão com uma equipe esportiva de sucesso eram favorecidos aos olhos dos observadores; entretanto, respeitando-se o princípio da associação, esse efeito se invertia se os observadores não vissem o time de sucesso de modo favorável. Tal-Or (2008) descobriu que o efeito de desfrutar da glória refletida se aplicava a uma forma específica e desejável de avaliação por parte dos outros. Indivíduos que disseram ter uma associação próxima ("bom amigo") com um jogador de basquete de sucesso foram avaliados por observadores como mais bem-sucedidos.

Capítulo 4: Aprovação social

1. Como outra medida da força e da facilidade de implementação da tática dos "pratos mais populares", a rede de restaurantes de Pequim (Mei Zhou Dong Po) desde então incorporou essa ação em *todas* as suas filiais (Cai, Chen & Fang, 2009). O impacto da placa no pub londrino foi relatado pelo especialista em publicidade Richard Shotton, que criou o teste (Shotton, 2018). Uma pesquisa sobre os pedidos de sorvete McFlurry foi realizada por meus colegas na InfluenceAtWork, Steve J. Martin e Helen Mankin sob os auspícios de Dan Gertsacov, na época diretor executivo de marketing da Arcos Dorados S. A., que era dona de todos os McDonald's na América Latina. Para detalhes adicionais sobre esse e outros estudos sobre o McDonald's feitos por nossa equipe, ir em www.influenceatwork.com/wp-content/uploads/2020/03/Persuasion-Pilots-McDonalds-Arcos-Dorados-INFLUENCE-AT-WORKpdf.pdf.

   A lição de que a popularidade produz popularidade também surge de pesquisas sobre as escolha de downloads de música. Se em um site de música uma canção nunca ouvida antes for considerada (aleatoriamente por pesquisadores) popular, ela se torna mais popular (Salganick, Dodds & Watts, 2006). Resultados como esses se encaixam com as evidências de que pessoas acreditam, corretamente, que a multidão está certa (Surowiecki, 2004). Para uma exploração extensa do crescimento da popularidade no ambiente de informação dos dias de hoje, ver o cativante livro de Derek Thompson (2017) sobre o assunto, que confirma a observação irônica "A popularidade hoje em dia está na moda".

2. O experimento que demonstra o efeito da informação de aprovação social em estimativas de moralidade foi conduzido por Aramovich, Lytle & Skitka (2012). Ver Barnett, Sanborn & Shane (2005) para a pesquisa demonstrando que a percepção da frequência de crimes por outras pessoas está relacionada à probabilidade de elas mesmas cometerem os crimes. Mesmo com a má notícia de que pessoas que percebem a violência do parceiro como frequente se tornam mais propensas a se envolver nela (Mulla *et al.*, 2019), há a boa notícia de quando têm evidências de que o mau comportamento não é a norma social, elas deixam de praticá-lo (Paluck, 2009). Os dados indicando que 98% de compradores online priorizam avaliações de produto autênticas quando tomam decisões de compras vêm de pesquisa publicada no *Search Engine Journal* (Nijjer, 2019). Marijn Stok e seus colegas (2014) fizeram uma pesquisa sobre o consumo de frutas por adolescentes holandeses. O sucesso da cidade de Louisville em fazer com que pessoas

multadas por estacionamento irregular pagassem o que deviam no prazo foi relatado pelo Behavioral Insights Team na p. 29 da *Behavioral Insights for Cities* (www.bi.team/wp-content/uploads/2016/10/Behavioral-Insights-for-Cities-2.pdf). A pesquisa sobre uso de máscara no Japão foi conduzida por Nakayachi *et al.* (2020). Para exemplos da eficácia de intervenções de aprovação social em várias formas de ação pró-ambientais, ver Andor & Fels (2018), Bergquist, Nilsson & Schultz (2019) e Farrow, Groleau & Ibanez (2017). A Indonésia (Garcia, Sterner & Afsah, 2007) e a Índia (Powers *et al.*, 2011) são os países que usam a aprovação social para reduzir a poluição empresarial. Albert Bandura e seus colegas realizaram o trabalho sobre como reduzir o medo de crianças por cães por meio da aprovação social em dois estudos famosos (Bandura, Grusec & Menlove, 1967; Bandura & Menlove, 1968).

3.   Talvez devido ao puro desespero com a qual abordaram a tarefa, os fiéis não tiveram sucesso em aumentar seus números. Segundo Festinger, Riecken & Schachter (1964), nem um único convertido foi conquistado. Àquela altura, diante dos fracassos duplos de provas sociais e físicas, o culto rapidamente se desintegrou. Menos de três meses depois da data prevista para o dilúvio, os membros se espalharam e mantinham apenas comunicação esporádica uns com os outros. Em uma não confirmação final — e irônica — da previsão, foi o movimento que pereceu na inundação.

     A ruína, porém, nem sempre foi o destino de grupos do juízo final cujas previsões se revelaram falsas. Quando esses grupos conseguiram construir aprovações sociais de suas crenças por meio de esforços eficientes de recrutamento, eles cresceram e prosperaram. Por exemplo, quando os anabatistas holandeses viram o ano profetizado para a destruição acabar, passaram a buscar convertidos furiosamente, investindo energia sem precedentes na causa. Um missionário muitíssimo eloquente, Jakob van Kampen, teria batizado cem pessoas em um único dia. O crescimento das aprovações sociais no apoio da posição anabatista foi tão poderoso que ela rapidamente superou a evidência física não confirmada e transformou dois terços da população das grandes cidades holandesas em adeptos. Evidências mais recentes sustentam a ideia de que, quando suas crenças centrais são solapadas, as pessoas se envolvem em esforços para convencer os outros dessas crenças como forma de restaurar sua validade (Gal & Rucker, 2010).

4.   A literatura científica deixa claro que a atenção às ações dos outros se intensifica sob condições de incerteza porque essas ações servem para reduzir esse sentimento (Sechrist & Stangor, 2007; Sharps & Robinson, 2017; Wooten & Reed, 1998; Zitek & Hebl, 2007). Para a história de Sylvan Goldman, ver Dauten (2004) e www.wired.com/2009/06/dayintech-0604.

     Além da falta de familiaridade com uma situação em particular, ocorre outro tipo de incerteza quando não temos muita confiança em nossas preferências. Nesse caso, somos mais uma vez influenciados pela aprovação social. Pegue como evidência os resultados de mais um estudo feito nos restaurantes do McDonald's da América Latina por meus colegas na InfluenceAtWork, Steve J. Martin e Helen Mankin. A maioria dos clientes do McDonald's não compra a sobremesa em seu pedido; desse modo, as pessoas não têm confiança em suas preferências em relação à seleção de sobremesas. Então, quando receberam a informação da aprovação social de que o McFlurry era a escolha preferida, sua propensão a comprar um McFlurry aumentou significativamente. Mas a maioria dos clientes do McDonald's *tem* muita experiência com os hambúrgueres. Com essa confiança do que preferiam já instalada, quando lhes contaram sobre o hambúrguer favorito no restaurante, essa informação não afetou suas escolhas de hambúrguer. Para detalhes adicionais sobre esse e outros estudos sobre o McDonald's feitos por nossa equipe, ver www.influenceatwork.com/wp-content/uploads/2020/03/Perssuasion-Pilots-McDonalds-Arcos-Dorados-INFLUENCE-AT-WORKpdf.pdf.

Finalmente, em um estudo, participantes que eram conectados a equipamentos que produziam imagens cerebrais viram a avaliação de produtos de itens disponíveis na Amazon. Os participantes com baixos níveis de confiança nas próprias opiniões iniciais dos produtos ficaram propensos a seguir a direção das avaliações dos outros à medida que viam cada vez mais delas. Essa influência maior foi registrada em uma área do cérebro associada com o valor percebido — o córtex pré-frontal dorsomedial (De Martino *et al.*, 2017).

5. O famoso, e agora infame, relato da "apatia" dos vizinhos foi apresentado pela primeira vez em uma reportagem de primeira página do *New York Times* (Gansberg, 1964) e mais tarde em um livro do editor de cidades do *Times* A. M. Rosenthal (1964). Trabalhos iniciais desafiando com sucesso muitos detalhes centrais desses relatos podem ser creditados a Manning, Levine & Collins (2007); ver também Philpot *et al.* (2020). Evidências do fenômeno da ignorância pluralista foram apresentadas por Latané e Darley (1968), enquanto evidências de que isso e a inação das pessoas têm poucas chances de ocorrer quando os observadores estão confiantes de que uma emergência existe podem ser vistas em Clark e Word (1972, 1974) assim como em Fischer *et al.* (2011). Shotland e Straw (1976) conduziram estudos sobre o que uma mulher deve gritar para chamar a atenção quando estiver sendo agredida por um homem.

6. O estudo feito em Nova York sobre olhar para o alto em uma multidão (Milgram, Bickman & Berkowitz, 1969) foi replicado por cientistas que descobriram um padrão semelhante quase meio século mais tarde e em um lugar diferente: Oxford, Inglaterra (Gallup *et al.*, 2012). Ver Fein, Goethals & Kugler (2007) e Stewart *et al.* (2018) para o trabalho sobre os efeitos contagiosos das reações das plateias em debates presidenciais norte-americanos.

7. Joseph Adalian, "Please Chuckle Here", *New York Magazine*, 23 de novembro, 2011, http://nymag.com/arts/tv/features/laughtracks-2011-12/; "How Do Laughing Tracks Work?" www.youtube.com/watch?v=suD4KbgTl4).

8. Pesquisadores dos Alfresco Labs fizeram o estudo do shopping; ver www.campaignlive.co.uk/article/behavioral-economics-used-herd-shoppers/1348142. Frelilng & Dacin (2010) colheram dados demonstrando a eficácia cada vez maior de anúncios relatando percentagens cada vez mais altas da preferência dos outros pela marca anunciada. A pesquisa com as moscas-da-fruta foi feita por Danchin *et al.* (2018). Doug Lansky (2002) relatou sua experiência nas corridas de Royal Ascot em sua coluna de viagens no jornal *Vagabond Roaming the World*. O relato de Charles Mackay sobre o pânico do terremoto de Londres de 1761 apareceu em seu livro clássico *Extraordinary Popular Delusions and the Madness of Crowds* (1841). Para um relato detalhado das consequências do frenesi das vans brancas, ver www.insider.com/suspicious-white-van-unfounded-facebook-stories-causing-mass-hysteria-2019-12.

Existem outras evidências para a validação do componente da aprovação social. Em um estudo, crianças de seis a onze anos que receberam a informação de que outras tinham decidido comer muitas cenouras responderam comendo mais de suas próprias cenouras — *porque* a informação lhes deu confiança de que comê-las era uma boa escolha (Sharps & Robinson, 2017). Um experimento online sobre escolha dos consumidores mostrou um efeito parecido. Participantes que souberam que dois terços das garrafas de um vinho em especial já tinham sido vendidos ficaram mais propensos a comprá-lo do que se soubessem que apenas um terço das garrafas tinha sido vendido. Por quê? Porque eles atribuíram maior qualidade ao vinho se as vendas fossem maiores (van Herpen, Pieters & Zeelenberg, 2009).

9. Os dados sobre a disposição dos italianos de reciclar o lixo doméstico foram coletados nas cidades de Roma, Cagliari, Terni e Macomer por Fornara *et al.* (2011). Meus colegas

e eu coletamos nossos dados sobre economia doméstica de energia em San Marcos, Califórnia, onde, além dos efeitos que descrevi, descobrimos outra coisa que achamos digna de nota. Nosso estudo incluiu dois grupos de controle — um conjunto de moradores que recebeu uma mensagem estimulando-os a economizar energia, mas sem dar nenhuma razão para isso e um segundo conjunto de moradores que não recebeu mensagem nenhuma. Esses dois grupos de controle não foram diferentes um do outro na energia que usaram posteriormente (Nolan *et al.*, 2008). Em outras palavras, simplesmente pedir para que as pessoas poupassem teve o mesmo impacto que nada. As pessoas querem razões para agir. A pergunta que devemos fazer, é claro, é: Que razões são especialmente mobilizadoras? Em nosso estudo, a razão mais persuasiva em casa foi a que a maioria dos vizinhos estava fazendo o mesmo.

10. Quando as pessoas desejam aprovação social, ficam mais propensas a pensar como o grupo em uma questão; mais há riscos, elas também ficam mais propensas a se adaptar aos níveis de consumo de álcool do grupo (Cullum *et al.*, 2013). Berns *et al.* (2005) coletaram os dados que demonstram maior conformidade e maior sofrimento psicológico quando as pessoas deixam de seguir as opiniões das outras (contra computadores); ver Ellemers & van Nunspeet (2020) para evidências adicionais. Para uma descrição do bombardeio de amor dos cultos, ver Hassan (2000).

11. Várias equipes de pesquisa confirmaram que alunos preocupados se ajustam melhor quando informados que outros alunos como eles superaram preocupações parecidas (Binning *et al.*, 2020; Borman *et al.*, 2019; Stephens *et al.*, 2010; Wilson & Linville, 1985). O trabalho sobre agressão adolescente foi revisado por Jung, Busching & Krahé (2019). Boh & Wong (2015) fizeram o estudo demonstrando que colegas de trabalho recorrem uns aos outros mais que seus gerentes para decidir se devem compartilhar informação. Estudos demonstrando que as práticas de prescrição de médicos estão de acordo com as normas de seus pares foram relatados por Fox, Linder & Doctor (2016), Linder *et al.* (2017) e Scarny *et al.* (2018). O estudo de Robert Frank sobre o impacto do comportamento dos pares em ações ambientais está em seu livro *Under the Influence: Putting Peer Pressure to Work* (2020). Para evidências adicionais do impacto da persuasão dos pares em ações pró-ambientais, ver Nolan *et al.* (2021), Schultz (1999) e Wolske, Gillingham & Schultz (2020). Finalmente, as atitudes de universitários em relação a grupos minoritários podem ser modificadas por meio de informações sobre as atitudes de seus pares (Murrar, Campbell & Brauer, 2020).

12. Foram Aune & Basil (1994) que criaram a hipótese correta de que as doações aumentariam depois que um solicitante de doações em um *campus* dissesse: "Eu também estudo aqui." Os estudos demonstrando a influência de pessoas semelhantes da mesma idade foram feitos por Murray *et al.* (1984) dentro de um programa antitabagismo e Melamed *et al.* (1978) para ansiedades em relação aos dentistas. O sucesso dos relatórios Opower Home Energy contendo comparações de consumo foi documentado por Allcott (2011), Alcott & Rogers (2014) e Ayres, Raseman & Shich (2013); embora os relatórios da Opower tenham sido enviados por correio, eles funcionaram igualmente bem se enviados por e-mail (Henry, Farraro & Kontoleon, 2019). Devido a uma aquisição corporativa, o nome da Opower mudou para Oracle Utilities/Opower.

13. A sequência de investigações de Phillips começou com o efeito Werther (Phillips, 1974, 1979) — cuja operação moderna pode ser encontrada no estudo da série da Netflix *13 Reasons Why* (Bridge *et al.*, 2019) — e continuou com seu exame do impacto de noticiários de suicídio amplamente divulgados sobre acidentes de avião e automóvel (Phillips, 1980). A história de suicídios em série contagiosos em uma escola do ensino médio na Califórnia foi contada pela repórter do *Los Angeles Times* Maria La Ganga (2009).

Sumner, Burke & Kooti (2020) fornecem um análise do papel da mídia no aumento de suicídios. Uma descrição da natureza infecciosa de episódios de sabotagem de produtos é apresentada por Toufexis (1993). Assassinatos em massa nos Estados Unidos estão ficando mais frequentes com o tempo — o maior número total de registros dessas mortes, 224, ocorreu em 2017, enquanto o maior número de incidentes na história, 41, ocorreu em 2019 (Pane, 2019). Evidências do aumento de assassinatos em massa foram reunidas por Towers *et al.* (2015) e relatadas também por Goode & Carey (2015) e Carey (2016).

Relatos fiéis sobre o massacre de Jonestown foram feitos pelo jornalista J. Oliver Conroy em uma retrospectiva de 2018 (www.theguardian.com/world/2018/nov/17/an-apocalyptic-cult-900-dead-remembering-the-jonestown-massacre-40-years-on) e pelo sobrevivente Tim Reiterman em seu livro de 2008 sobre o assunto. A análise dos fatores afetando a parcela de mercado de uma marca foi feita por Bronnenberg, Dhar & Dubé (2007), cujas descobertas são compatíveis com pesquisas demonstrando grandes diferenças de personalidade e atitude de pessoas que vivem em regiões diferentes (Rentfrow, 2010).

14. As pesquisas sobre os programas de transtorno alimentar, prevenção de suicídio e consumo do álcool foram realizadas por Mann *et al.* (1997), Shaffer *et al.* (1991) e Donaldson *et al.* (1995), respectivamente. Em pesquisa mais recente sobre programas criados para reduzir os estereótipos, informar aos participantes que estereótipos são predominantes levou-os a aumentá-los (Duguid & Thomas-Hunt, 2015). O estudo que eu e minha equipe realizamos no Parque Nacional da Floresta Petrificada está descrito com mais detalhes em Cialdini (2003).

    Infelizmente, depois de relatarmos os resultados de nosso estudo para os administradores do parque, eles decidiram não mudar os aspectos relevantes da sinalização. Essa decisão teve base em evidências de uma pesquisa na qual a equipe do parque ouviu dos visitantes que a informação indicando o problema de furto *não* aumentaria sua propensão a roubar madeira, e sim o contrário. Nós ficamos decepcionados — mas, verdade seja dita, não surpresos — que, em sua decisão sobre a sinalização, os funcionários do parque deram mais peso às respostas subjetivas dos visitantes a perguntas hipotéticas que às nossas evidências empíricas com base em experimentos, pois ela confirma o que parece ser uma falta de compreensão dentro da sociedade como um todo do que constituem resultados de pesquisa que merecem confiança (Cialdini, 1997).

15. A propensão das pessoas experimentarem uma tendência a continuar foi documentada por Hubbard (2015), Maglio & Polman (2016), Markman & Guenther (2007) e Maus, Goh & Lisi (2020). Nossa pesquisa sobre os efeitos de uma tendência na economia de água também incluiu um estudo com resultados semelhantes sobre a disposição de completar uma pesquisa sem pagamento (Mortensen *et al.*, 2017). Além disso, pesquisadores demonstraram o impacto positivo de tendências sobre outros comportamentos pouco populares como refeições sem carne (Sparkman & Walton, 2017), redução do consumo de açúcar (Sparkman & Walton, 2019), escolha por copos reutilizáveis em um refeitório (Loschelder *et al.*, 2019) e, entre alunos do ensino médio e universitários do sexo feminino, a intenção de se dedicar aos campos da ciência, da tecnologia, da engenharia e da matemática para estudos futuros (Cheng *et al.*, 2020).

16. Talvez não seja acidente que os eventos que levaram à quebra bancária tenham ocorrido em Singapura (News, 1988), pois pesquisas nos dizem que cidadãos de sociedades do Extremo Oriente têm maior tendência a responder a informação de aprovação social do que aqueles de culturas ocidentais (Bond & Smith, 1996). Mas qualquer cultura que valorize o grupo acima do indivíduo exibe essa suscetibilidade à informação sobre as escolhas dos semelhantes. Alguns anos atrás, alguns de meus colegas e eu demonstramos como essa tendência operava na Polônia, um país cuja população está se moven-

do na direção de valores ocidentais, mas ainda mantém uma orientação mais voltada para a comunidade que os norte-americanos médios. Perguntamos a universitários na Polônia e nos Estados Unidos se eles estariam dispostos a participar de uma pesquisa de marketing. Para os universitários norte-americanos, o melhor previsor de sua decisão era informação sobre a frequência com que eles mesmos tinham concordado com pesquisas de marketing no passado; isso corresponde com o ponto de referência primeiramente individualista da maioria dos norte-americanos. Para os poloneses, porém, o melhor previsor de suas decisões era informação sobre a frequência com que seus amigos tinham concordado com pedidos para participar de pesquisas no passado; isso corresponde aos valores mais coletivistas da nação (Cialdini *et al.*, 1999). Claro, como as evidências do capítulo demonstram, a aprovação social também funciona em culturas predominantemente individualistas, como a norte-americana. Dados demonstrando a influência mortal desse princípio na decisão de pilotos de avião vêm de voos norte-americanos, por exemplo (Facci & Kasarda, 2004).

Capítulo 5: Autoridade

1. Razões adicionais que me fazem crer que "a ciência comportamental não está tão na moda" estão explicadas em Cialdini (2018). O estudo do Behavioral Insights Team (BIT) sobre caridade é descrito no texto da *The Behavioral Insights Team Update, 2013-1-2015*, www.bi.team/publications/the-behavioural-insights-team-update-repport-2013-2015. Para uma história da unidade e uma descrição do trabalho inicial do BIT por um de seus fundadores, ver Halpern (2006). Embora no estudo sobre caridade do BIT combinar dois princípios de influência teve efeito maior sobre as doações, seria um erro supor que usar mais de um princípio em uma mensagem persuasiva sempre aumentará o impacto. Tentar encaixar múltiplas táticas na mesma comunicação pode alertar os receptores de um esforço exagerado para persuadi-los, o que pode ter o efeito contrário (Friestad & Wright, 1995; Law & Brown, 2000; Shu & Carlson, 2014).

2. O experimento básico e suas outras variações são apresentados no livro de Milgram *Obedience to Authority* (1974), assim como no excelente *Social Psychology of Obedience toward Authority* (2020), de Doliński & Grzyb. Uma variedade de análises de pesquisas subsequentes sobre obediência desde o trabalho de Milgram concluiu que os níveis de obediência que ele encontrou em seu procedimento nos EUA nos anos 1960 são incrivelmente parecidos com os de períodos de tempo mais recentes (Blass, 2004; Burger, 2009; Doliński *et al.*, 2017, "Fake Torture TV 'Game Show' Reveals Willingness to Obey", www.france24.com/en/20100317-fake-torture-tv-game-show-reveals-willingness-obey) e também com os de outros países.

   Nesse último aspecto, Milgram começou a investigar como os cidadãos alemães podem ter participado na destruição em campos de concentração das vidas de milhões de inocentes durante os anos do domínio nazista. Depois de testar seus procedimentos experimentais nos EUA, ele planejou levá-los para a Alemanha, um país cuja população, acreditava ele, demonstraria obediência o bastante para uma análise científica completa do conceito. O primeiro experimento esclarecedor em New Haven, Connecticut, entretanto, mostrou que ele podia economizar seu dinheiro e ficar em casa. "Encontrei tanta obediência", disse ele, "que mal vi necessidade de levar o experimento para a Alemanha". Mas os norte-americanos não têm o monopólio da necessidade de obedecer à autoridade. Quando o procedimento básico de Milgram foi repetido em outros lugares (África do Sul, Holanda, Alemanha, Áustria, Espanha, Itália, Austrália, Índia e Jordânia), os resultados foram em média parecidos (ver Blass, 2012; e Meeus & Raaijmakers para análises).

A saga de décadas de Milgram tem um fim que parece de história de detetive. A jornalista Gina Perry conseguiu obter acesso ao arquivo na Universidade de Yale onde as anotações de Milgram são mantidas e onde encontrou os procedimentos e descobertas de um estudo que ele nunca publicou. Nele, cada Professor foi instruído a dar um choque em um Aprendiz que ele achava ser um amigo ou vizinho. A obediência às ordens do pesquisador, em consequência, foi drasticamente diferente. Em comparação com os 65% de participantes que normalmente obedeciam o pesquisador até o fim, apenas 15% fizeram isso sob essas novas circunstâncias. Esse resultado está de acordo com as evidências que vamos ver no capítulo 8 que, em comparação com estranhos ou meros conhecidos, as pessoas são mais propensas a tomar o lado de indivíduos com quem tenham uma sensação de união, como amigos, vizinhos ou parentes. Além do relato do tamanho de um livro de Perry (2012), Rochat & Blas (2014) escreveram um artigo acadêmico descrevendo o "estudo secreto" de Milgram.

3. As estatísticas alarmantes sobre a frequência e o impacto dos erros médicos vêm de análises de Szabo (2007), Makary & Daniel (2016) e Wears & Sutcliffe (2020). Lamentavelmente, a situação não melhorou desde "To Err Is Human", primeiro relatório sobre a magnitude dos erros médicos nos EUA feito pelo Instituto de Medicina mais de duas décadas atrás. Como destaca a pesquisadora Kathleen Sutcliffe (2019), grande parte do problema é atribuível não ao funcionamento do corpo humano, mas sim da psicologia humana.

4. As pesquisas que demonstram o "crescimento" físico de palestrantes em salas de aula, políticos e participantes em tarefas com base em seu status percebido foram realizadas por Wilson (1968), Higham & Carment (1992), Sorokowski (2010) e Duguid & Goncalo (2012). Além disso, políticos que são mais altos que seus adversários recebem mais votos (McCann, 2001). Por exemplo, desde 1900, a presidência norte-americana foi vencida pelo candidato mais alto dos principais partidos em quase 90% das eleições. Então, na mente das pessoas, o status não apenas aumenta a altura; a altura também aumenta o status. Dados adicionais coletados no estudo de Hofling *et al.* (1966) sobre enfermeiros sugerem que esses profissionais podem não ter consciência do grau em que o título de "médico" altera seus julgamentos e ações. Perguntou-se a um grupo separado de 33 enfermeiros e estudantes de enfermagem o que teriam feito na situação experimental. Ao contrário do que as descobertas mostraram, só dois previram que teriam dado a medicação como instruído.

Estudos mais complexos sobre como hackers usam a psicologia para penetrar proteções elaboradas de segurança estão disponíveis. Um tem o benefício da coautoria de Keven Mitnick, o reconhecido rei dos hackers de segurança (Sagarin & Mitnick, 2012). O outro oferece uma descrição eficiente, extensa como um livro (Hadnagy & Schulman, 2020).

5. Os estudos dos efeitos do aumento da persuasão com um uniforme com autoridade foram feitos por Bickman (1974) e Bushman (1988); em uma atualização relacionada, Smith, Chandler & Schwartz (2020) descobriram que pessoas que recebem um serviço ruim do funcionário de uma empresa têm mais chances de culpar a organização que o empregado se o empregado estiver usando um uniforme enquanto presta o serviço. O estudo sobre atravessar fora da faixa foi feito por Lefkowitz, Blake & Mouton (1955); Doub & Gross (1968) fizeram o experimento do carro de luxo *versus* o carro econômico. Nelissen & Meijers (2011) coletaram os dados demonstrando o impacto positivo de roupas de grife nos níveis de participação em pesquisas, doações para instituições de caridade e entrevistas de emprego, enquanto Oh, Shafir & Todorov (2020) realizaram a pesquisa que demonstra a atribuição praticamente instantânea de competência a pes-

soas usando roupas de qualidade *versus* pessoas com roupas de baixa qualidade. Esses últimos autores comentaram um aspecto perturbador de seus resultados: indivíduos de origem econômica mais pobre, que não são capazes de comprar roupas caras, são colocados automaticamente em desvantagem em entrevistas de emprego.

6. O relato de Michel Strauss vem de seu livro *Pictures, Passion and Eye* (2011). Para um tratamento abrangente do papel cada vez mais valorizado do especialista em vida moderna, ver Stehr & Grundmann (2011). A pesquisa sobre o "efeito halo" de ser um especialista em um consultório de terapeuta é atribuível a Devlin *et al.* (2009), enquanto o grande impacto de um único artigo de um especialista em uma página de opinião foi documentado por Coppock, Ekins & Kirby (2018), que demonstraram esse efeito tanto em leitores comuns quanto em "elites" profissionais, como estudiosos de *think-tanks*, jornalistas, banqueiros, professores de direito, funcionários do Congresso americano e acadêmicos. A disposição de seguir aqueles que parecem saber o que estão fazendo começa cedo, aparecendo em alunos do pré-escolar (Keil, 2012) e bebês (Poulin-Dubois, Brooker & Polonia, 2011).

    Para confirmação de que tanto ser um especialista quanto ser confiável levam a uma credibilidade percebida e a uma influência drasticamente maior, ver Smith, De Houwer & Nosek (2013). A eficácia em contextos jurídicos da tática de "ser a pessoa a revelar uma fraqueza" foi demonstrada várias vezes (por exemplo, Dolnik, Case & Williams, 2003; Stanchi, 2008; Williams, Bourgeois & Croyle, 1993); a mesma tática se mostrou eficaz para empresas que revelavam informação negativa sobre si mesmas (Fennis & Stroebe, 2014). A informação que políticos podem aumentar sua confiabilidade assim como seu potencial de voto declarando-se contra o interesse pessoal foi oferecida por Cavazza (2016) e Combs & Keller (2010); um efeito relacionado na arena política é que políticos que estruturam uma mensagem em termos negativos ("15% estão desempregados") *versus* termos positivos ("85% estão empregados") são mais persuasivos pois são vistos como mais confiáveis (Koch & Peter, 2017). A agência de publicidade Doyle Dane Berbach (hoje DDB) foi a primeira a produzir anúncios bem-sucedidos admitindo uma fraqueza que era então rebatida com um ponto como os anúncios "Ugly is only skin deep" e "It's ugly but it gets you there" dos primeiros fuscas Volkswagen, assim como a campanha revolucionária "We're #2. We try harder" da locadora de automóveis Avis. Desde então, promoções com redação parecida a de produtos como a de xarope para tosse Buckley's ("It tastes Awful and It Works") também foram eficientes. Ward & Brenner (2006) confirmaram que uma estratégia de reconhecer um ponto negativo é eficaz apenas quando o ponto negativo vem primeiro.

7. A equipe que treinou com sucesso pessoas para descartar anúncios que usem falsos especialistas — reconhecendo sua vulnerabilidade e distinguindo entre especialização relevante ou irrelevante — foi liderada por meu colega Brad Sagarin (Sagarin *et al.*, 2002). A tendência de atender aos apelos de especialistas que parecem imparciais e resistir aos apelos de especialistas que têm algo a ganhar com nossa deferência foi demonstrada em todo o mundo (Eagly, Wood & Chaiken, 1978; McGuinnies & Ward, 1980; Van Overwalle & Heylighen, 2006) e em crianças pequenas (Mills & Keil, 2005).

Capítulo 6: Escassez

1. Pesquisas sobre a primazia psicológica da perda como demonstrado no refeitório universitário (West, 1975), em diversos países (Cortijos-Bernabeu *et al.*, 2020), em diversas áreas de atuação (Hobfoll, 2001; Sokol-Hessner & Rutledge, 2019; Thaler *et al.*, 1997; Walker *et al.*, 2018), em decisões materiais (Shelley, 1994), nos esforços de golfistas profissionais (Pope & Schweitzer, 2011), nas emoções de universitários (Ketelaar, 1995), nas

preferências por fornecedores de energia (Shotton, 2018), na escolha de procrastinar das pessoas fazendo tarefas (Effron, Bryan & Murnighan, 2015; Kern & Chung, 2009; Pettit *et al.*, 2016) e nas reações físicas dos indivíduos (Sheng *et al.*, 2020; ver Yechiam & Hochman, 2012, por uma revisão) demonstram o amplo espectro de aplicação da teoria da perspectiva (Kahneman & Tversky, 1979). Evidências em vários contextos indicam que a aversão à perda é forte quando o risco e/ou a incerteza são grandes (De Dreu & McCusker, 1997; Kahneman, Slovic & Tversky, 1982; Walker *et al.*, 2018; Weller *et al.*, 2007), incluindo o contexto médico/de saúde (Gerend & Maner, 2011; Meyerwitz & Chaiken, 1987; Rothman & Salovey, 1997; Rothman *et al.*, 1999). Quando o risco e a incerteza são baixos, entretanto, uma orientação promotora (em vez de protetora) se torna dominante, e as pessoas valorizam os ganhos acima das perdas (Grant Halvorson & Higgins, 2013; Higgins, 2012; Higgins, Shah & Friedman, 1997; Lee & Aaker, 2004). A influência da escassez sobre os julgamentos de compradores de carros novos e avaliadores de preços justos pode ser vista nas descobertas de Balancher, Liu & Stock (2009) e Park, Lalwani & Silvera (2020), respectivamente.

2. Os resultados de vários experimentos demonstram que os consumidores são atraídos por produtos e experiências que possuem elementos únicos (Burger & Caldwell, 2011; Keinan & Kivetz. 2011; Reich, Kupor & Smith, 2018). Evidências demonstrando que depois que um item escasso volta a ter bom fornecimento, as pessoas perdem a atração por ele vêm de Schwartz (1984). Uma observação relacionada — que um objeto raro que pode nos surpreender por suas qualidades inerentes e perder o apelo quando perde sua escassez — é feita de forma persuasiva em um Relatório do Leitor que recebi de uma moradora de Minneapolis: "Embora eu seja norte-americana, sempre adorei montar quebra-cabeças do Big Ben. Eles eram difíceis de encontrar nos EUA e era empolgantes quando eu me deparava com um. Mas quando apareceu o eBay, comecei a encontrar muitos desses quebra-cabeças e passei a comprar todos. Em pouco tempo, perdi o interesse por eles. Seu livro me ajudou a perceber que a escassez de quebra-cabeças do Big Ben era a principal razão por eu querê-los e não meu fascínio pela construção em si. Depois de 23 anos amando montar quebra-cabeças do Big Ben, eu não tinha mais vontade de montar nenhum."

3. Para pesquisas demonstrando que as pessoas atribuem mais valor a algo que é difícil de obter e que elas estão normalmente certas nessa suposição, ver Lynn (1989) e McKenzie & Chase (2010). Tão entranhada é a crença de que o que é escasso é valioso que passamos acreditar que se algo é valioso, ele deve ser escasso (Dai, Wertenbroch & Brendel, 2008). Jack Brehm formulou a teoria da reatância em meados dos anos 1960 (J. W. Brehm, 1966), e trabalhos subsequentes forneceram sustentação considerável para ela (por exemplo, Burgoon *et al.*, 2002; Bushman, 2006; Dillard, Kim & Li, 2018; Koch & Peter, 2017; Koch & Zerback, 2013; Miller *et al.*, 2006; Schumpe, Belanger & Nisa, 2020; Zhang *et al.*, 2011). O estudo que revela as tendências da reatância na direção de barreiras físicas em meninos de dois anos foi realizado por S. S. Brehm & Weintraub (1977). Meninas de dois anos em seu estudo não demonstraram a mesma resposta resistente à barreira maior que os meninos. Outro estudo sugeria que isso era verdade *não* porque as meninas não se opunham a tentativas de limitar suas liberdades. Em vez disso, parece que as meninas são reatantes a restrições que venham de outras pessoas em vez de obstáculos físicos (S. S. Brehm, 1981). Para ambos os sexos, porém, as crianças passavam a se ver como indivíduos distintos com aproximadamente 18 a 24 meses de idade, quando reconheciam pela primeira vez seu "eu cognitivo" (Southgate, 2020; Howe, 2003).

Driscoll, Davis & Lipetz (1972) fizeram o trabalho inicial de identificar o efeito Romeu e Julieta. A ocorrência do efeito não deve ser interpretada como um alerta para os pais sempre aceitarem as escolhas românticas de seus filhos adolescentes. Novos participantes desse jogo delicado são propensos a cometer erros com frequência e, consequentemente, se beneficiariam da direção de um adulto com maior perspectiva e experiência. Ao fornecer tal direcionamento, os pais devem reconhecer que adolescentes, que se veem como jovens adultos, não responderão bem a tentativas de controle que são típicas de relacionamentos pai-filho. Especialmente na seara do acasalamento, as ferramentas de influência dos adultos (preferência e persuasão) vão ser mais eficazes que formas tradicionais de controle parental (proibições e castigos). Embora a experiência das famílias Montéquio e Capuleto seja um exemplo extremo, restrições exageradas contra uma jovem aliança romântica podem muito bem torná-la clandestina, tórrida e triste.

O alcance da reatância na decisão de consumidores de supermercado a assinar abaixo-assinados foi identificado por Heilman (1976). Moore & Pierce (2016) coletaram os dados indicando que autoridades eram mais propensas a punir violadores de regras em seus aniversários e, especialmente, quando o aniversário estava em destaque; entre os seis estudos dos pesquisadores sobre o fenômeno, um examinou 134 mil prisões feitas por direção sob efeito de álcool no estado de Washington e descobriu que os policiais penalizavam os motoristas de forma mais dura em seus aniversários. A investigação dos efeitos da proibição de detergentes de fosfato foi feita por Michael Mazis e seus colegas (Mazis, 1975; Mazis, Settle & Leslie, 1973), enquanto pesquisas iniciais sobre informação proibida foram feitas por uma vasta gama de pesquisadores (Ashmore, Ramchandra & Jones, 1971; Lieberman & Arndt, 200; Wicklund & Brehm, 1974, Worchel, 1992; Worchel & Arnold, 1973; Worchel, Arnold & Baker, 1975; Zellinger *et al.*, 1974). O estudo dos efeitos da escassez de *commodities* além de informação sobre exclusividade foi feito como tese de doutorado por Amram Knishinsky (1982); por razões éticas, a informação fornecida aos consumidores sempre foi verdadeira; e essa notícia tinha realmente chegado à empresa através de fontes exclusivas.

4. Veja pesquisas de Thomas Koch (Koch & Peter, 2017; Koch & Zerback, 2013) para evidências de que a intenção percebida de persuadir gera reatância, e a reatância resultante enfraquece a eficácia da mensagem. Nicolas Guéguen e seus colegas são responsáveis por desenvolver e testar a técnica do "Mas você é livre" (Guéguen *et al.*, 2013; Guéguen & Pascual, 2000). A meta-análise de 42 experimentos foi feita por Carpenter (2013). Mais recentemente, Guéguen construiu outra tática de persuasão com base na reatância. Em vez de reduzir a reatância em aceitar um pedido através de palavras como "Mas você pode recusar", ele constrói reatância em *negar* com as palavras "Você provavelmente vai recusar, mas...". Acrescentar "Você provavelmente vai recusar, mas..." a um pedido de doação para uma organização de saúde infantil aumentou o percentual de doadores em um estudo de 25% para 39% (Guéguen, 2016).

5. Worchel, Lee & Adewolr (1975) merecem o crédito pelo famoso estudo do biscoito. Para descrições orientadas para o marketing da história da Nova Coke, ver Benjamin (2015) e C. Klein (2020); para um relato acadêmico com base na escassez e na reatância, ver Ringold (1988).

Os trabalhos que identificam a privação novamente imposta como fator iniciante em revoluções políticas podem ser encontrados em Davies (1962, 1969) e Fleming (1997); o comentário de Lance Morrow (1991) sobre como a população na União Soviética deu um golpe contra o golpe ainda resiste ao teste da história. Estudos demonstrando que liberdades permitidas de forma inconsistente por parte dos pais gera crianças em geral mais rebeldes foram feitos por Lytton (1979) e O'Leary (1995). Para evitar essa última forma de insurgência, os pais não precisam ser severos nem manter estritamente as regras. Por exemplo, uma criança que nunca come no almoço pode ganhar um lanche antes do jantar porque isso não violaria a regra normal contra esses lanches e, consequentemente, não estabeleceria uma liberdade geral. A dificuldade vem quando os pais permitem que a criança coma petiscos em um dia mas não em outro, e não se vê boa razão para a diferença. É essa abordagem arbitrária que pode construir liberdades percebidas e provocar insurreição.

6. Publicitários empregam ofertas limitadas em suas mensagens na forma de número limitado ou tempo limitado. De longe, ofertas por tempo limitado são as mais frequentes — em um estudo de 13.594 anúncios de jornal, quase três vezes mais frequentes (Howard, Shu & Kerin, 2007). Ainda assim, pesquisas indicam que, se tivessem escolha, publicitários se sairiam melhor usando ofertas de número limitado, que têm resultados superiores — porque apenas arranjos de número limitado incluem o fator (potencialmente enlouquecedor) de competição interpessoal (Aggarwal, Jun & Huh, 2011; Häubl & Popkowski Leszczyc, 2019; Teuscher, 2005).

7. A ideia de que, em situações com novas oportunidades românticas, indivíduos busquem se diferenciar tem sido validada em estudos de animais (Miller, 2000) e humanos (Griskevicius, Cialdini & Kenrick, 2006). Na última pesquisa, quando postos em um estado mental romântico, universitários exibiam significativamente mais criatividade. O efeito em humanos não se restringe a universitários. Por exemplo, cada uma das fases produtivas de Pablo Picasso (azul, rosa, cubista e surrealista) revela uma constante. Como afirmam Griskevicius e colegas: "Cada nova fase desabrocha com pinturas de uma nova mulher; não uma modelo ou alguém posando, mas amantes, cada uma delas celebradas por ter servido Picasso como uma musa incandescente, embora temporária" (Crespelle, 1969; MacGregor-Hastie, 1988). A pesquisa sobre o anúncio do Museu de Arte de São Francisco também foi liderada por meu colega Vladas Griskevicius (Griskevicius *et al.*, 2009). Ver Chan, Berger & Van Boven (2012) para uma descrição completa da pesquisa demonstrando como membros de um grupo equilibram o desejo de se adequar às preferências de gosto do grupo com o desejo de expressar sua individualidade. O melhor relato das razões do general Shinseki de fornecer boinas pretas para a maioria do pessoal do exército norte-americano, assim como o problema que isso criou e sua solução, vem do jornal oficial dos militares norte-americanos, o *Stars and Stripes*, de 20 de outubro de 2000.

8. Dados documentando a excitação emocional e o estreitamento do foco que acompanham limitações são convincentes (Shah *et al.*, 2015; Zhu & Ratner, 2015; Zhu, Yang & Hsee, 2018). Normalmente esquemas de marketing que usam falsas restrições de um produto (através da "escassez fabricada") são mantidos ocultos (www.wired.com/2007/11best-buy-lying;www.nbcnews.com/technolog/dont-blame-santa-xbox--playstation-supply-probably-wont-meet-demand-6C10765763), mas a Kellogg's decidiu divulgar um desses esquemas como evidência do valor de seus Rice Krispies Treats (www.youtube.com/watch?v=LKc0Gtt91Js).

Capítulo 7: Compromisso e coerência

1. Para um artigo instrutivo sobre o programa de demissão voluntária da Amazon, ver www.cnbc.com/2018/05/21/why-amazon-pays-employees-5000-to-quit.html. Evidências da capacidade de um compromisso após assumido levar a uma resposta subsequente foram encontradas no estudo dos apostadores de cavalo (Knox & Inkster, 1968), em eleições políticas (Regan & Kilduff, 1988) e nos esforços para a economia de energia (Abrahamse & Steg, 2013; Andor & Fels, 2018; Pallak, Cook & Sullivan, 1980). Apoio geral para a existência de pressões de coerência foi obtido em uma grande variedade de estudos (Brinol, Petty & Wheeler, 2006; Bruneau, Kteily & Urbiola, 2020; Harmon-Jo-

nes, Harmon-Jones & Levy, 2015; Ku, 2008; Mather, Shafir & Johnson, 2000; Meeker *et al.*, 2014; Rusbult *et al.*, 2000; Stone & Focella, 2011; Sweis *et al.*, 2018).

2. Embora não tenha sido o primeiro teórico importante a dar à necessidade de coerência um lugar central no comportamento humano, sem dúvida o mais famoso foi Leon Festinger, cuja teoria da dissonância cognitiva (1957) se baseou na suposição de que nos sentimos desconfortáveis com nossas incoerências e vamos fazer o possível para reduzi-las ou removê-las, mesmo que seja necessário nos enganar no processo (ver Aronson & Tavris [2020] para uma aplicação moderna dessa formulação poderosa à pandemia do Covid-19). Moriarty (1975) conduziu o experimento do roubo do rádio. Não só a incoerência é vista como um traço negativo em nós mesmos; também não gostamos dela em outras pessoas (Barden, Rucker & Petty, 2005; Heinrich & Borkenau, 1998; Wagner, Lutz & Weitz, 2009; Weisbuck *et al.*, 2010). Há boas evidências de que respostas coerentes podem ocorrer de forma automática (Fennis, Janssen & Vohs, 2009) tanto para evitar as conclusões indesejáveis que o pensamento racional pode provocar (Woolley & Risen, 2018) quanto simplesmente para evitar os rigores de pensar, o que pode ser, como disse sir Joshua Reynolds, trabalhoso (Ampel, Muraven & McNay, 2018; Wilson *et al.*, 2014). Além desses benefícios de uma tendência mecânica em direção da coerência, também é verdade que a propensão a permanecer coerente com uma interpretação ou escolha inicial com muita frequência leva a decisões apropriadas (Qiu, Luu & Stocker, 2020). Siegal (2018) oferece um olhar crítico sobre a história e o modelo de negócios da meditação transcendental.

3. É ao mesmo tempo incrível e instrutivo que compromissos verbais relativamente pequenos possam levar a mudanças muito maiores de comportamento em arenas como vendas de carros (Rubinstein, 1985), voluntariado para instituições de caridade (Sherman, 1980), comparecimento às urnas no dia da eleição (Greenwald *et al.*, 1987; Spangenberg & Greenwald, 2001), compras em casa (Howard, 1990), apresentações pessoais (Clifford & Jerit, 2016), escolhas com cuidados de saúde (Sprott *et al.*, 2006) e infidelidade sexual (Fincham, Lambert & Beach, 2010).

4. Informação sobre programas de doutrinação psicológica na Guerra da Coreia está disponível nos relatórios do dr. Edgar Schein (1956) e do dr. Henry Segal (1954). É importante observar que a colaboração difundida que Schein e Segal documentaram nem sempre era intencional. Os investigadores americanos definiram como colaboração "qualquer tipo de comportamento que tenha ajudado o inimigo", e isso incluía coisas como atividades diversas como assinar petições pela paz, fazer tarefas, fazer aparições no rádio, aceitar favores especiais, fazer falsas confissões, informar sobre outros prisioneiros, divulgar informação militar.

   O estudo "Como vai você hoje?", conduzido por Daniel Howard (1990), foi um dos três que mostraram o mesmo padrão. Ver Carducci *et al.* (1989) e Schwartz (1970) para estudos demonstrando o "momento do efeito de consentimento". Os dados iniciais documentando a técnica do pé na porta foram coletados por Freedman & Fraser (1966), mas diversos estudos subsequentes sustentam sua eficácia; Doliński (2016) oferece uma análise. Burger e Caldwell (2003) mostram como mesmo compromissos irrelevantes podem levar a mudanças no conceito pessoal.

5. A razão porque compromissos ativos públicos, que demandam esforço e são livremente escolhidos, mudam nossas autoimagens é que cada elemento nos dá informação sobre em que devemos realmente acreditar. Se você se percebe se comprometendo com uma posição em particular e fazendo uma ação em relação a isso, fica propenso a atribuir a si mesmo uma crença pessoal mais forte na posição. O mesmo é verdade se você se vê assumindo a posição para que todos vejam, de um jeito que exija muito esforço de sua parte, por causa de uma escolha totalmente voluntária. O impacto consequente em seu

conceito pessoal levaria a mudanças resilientes e duradouras (Chugani, Irwin & Redden, 2015; Gneezy *et al.*, 2012; Kettle & Häubi, 2011; Sharot, Velasquez & Dolan, 2010; Sharot *et al.*, 2012; Schrift & Parker, 2014).

A ideia de que as pessoas usam suas ações como fonte primária para definir quem são foi testada com rigor pela primeira vez por Bem (1972), e desde então recebeu boa confirmação (por exemplo, Burger & Caldwell, 2003; Doliński, 2000). Poza (2006) publicou o artigo descrevendo as vantagens de formulários de registro que limitavam a primeira página a dois ou três campos de informação. As evidências para um maior consentimento a partir de comentários feitos de maneira ativa vêm de Cioffi & Garner (1996), assim como de outros experimentos (Allison & Messick, 1988; Fazio, Sherman & Herr, 1982; Silver *et al.*, 2020). A tendência de observadores acreditarem que o autor de uma afirmação acredita no que escreveu a menos que haja fortes evidências do contrário surgiu em pesquisa por Allison *et al.* (1993), Gawronski (2003) e Jones & Harris (1967). Os efeitos de dar às pessoas um rótulo ao qual corresponder no contexto de solicitações de instituições de caridade, compras em supermercados e negociações internacionais foram descritos por Kraut (1973), Kristensson, Wästlund & Söderlund (2017) e Kissinger (1982), respectivamente.

6. A afirmação de que compromissos públicos tendem a ser compromissos duradouros foi bem sustentada (por exemplo, Dellande & Nyer, 2007; Lokhorst *et al.*, 2013; Matthies, Klöckner & Preissner, 2006; Nyer & Dellande, 2010). Uma forma interessante dessa sustentação vem de um trabalho que mostra que consumidores são mais leais a marcas que usam em público *versus* marcas que usam em particular (Khamitov, Wang & Thomson, 2019). Evidências de que queremos ser coerentes com nós mesmos e parecer coerentes para outras pessoas foram fornecidas por Schlenker, Dlugolecky & Doherty (1994) e Tedeschi, Schlenker & Bonoma (1971). A teimosia que compromissos públicos conferem a escolhas iniciais que Deutsch & Gerard (1955) observaram pode ser vista nas descobertas sobre júris divididos de Kerr & MacCoun (1985).

Uma pesquisa (Gollwitzer *et al.*, 2009) faz forte contraste com a conclusão à qual chegamos sobre compromissos públicos relatando dados que sugerem que se comprometer publicamente com um objetivo na verdade *reduz* a chance de atingi-lo. Depois de analisar a literatura existente, um conjunto de pesquisadores (H. J. Klein *et al.*, 2020) expressou frustração, pois esse grupo de dados contraditórios foi único a encontrar esse padrão, e mesmo assim está recebendo mais cobertura da mídia fora dos círculos acadêmicos — em blogs, livros populares e uma palestra TED Talk vista por milhões. Como podemos responder por esse padrão atípico? Eu acredito que a reatância psicológica (ver capítulo 6) pode ter tido um papel importante. Lembre-se que a teoria da reatância afirma que as pessoas ficam menos propensas a empreender uma ação se (1) fazê-la representar uma liberdade importante para elas e (2) se experimentam pressão externa para fazer a ação. No trabalho de Gollwitzer *et al.* (2009), primeiro pediram aos participantes que especificassem que passos dariam para ampliar seus objetivos educacionais. Em seguida, para tornar esses passos *públicos*, foi pedido a alguns participantes que os submetessem a uma avaliação externa do pesquisador, que julgava seus passos antes de permitir que os participantes continuassem. Outros participantes em condição *particular* não tiveram de obter a aprovação do pesquisador antes de ter permissão para continuar; simplesmente submeteram seus passos planejados sem as restrições da permissão do pesquisador para continuar. Esses procedimentos levaram os participantes a ficarem menos propensos a dar os passos específicos na direção de seu objetivo apenas se tanto (1) o objetivo fosse importante para eles (2) quanto experimentassem a barreira externa de ter seus passos autorizados pelo pesquisador — exatamente o que a teoria da reatância preveria.

7. Os dados do compromisso com esforço de Hangzhou foram coletados por Xu, Zhang & Ling (2008). Uma pesquisa adicional sobre o maior impacto de compromissos assumidos com dificuldade revelou que as pessoas que pagam por produtos e serviços usando meios de pagamento psicologicamente menos confortáveis (dinheiro e cheques contra cartões de crédito ou de débito) se tornam mais comprometidas com a transação e a marca e assim ficam mais propensas a repetir a compra (Shah *et al.*, 2015).

Embora Whiting, Kluckhohn & Anthony tenham escrito sobre ritos de iniciação entre os thonga da África do Sul em 1958, pouco de sua severidade mudou nas décadas desde então. Em maio de 2013, por exemplo, o governo sul-africano teve de ordenar uma interrupção temporária de cerimônias de iniciação de várias tribos, incluindo os thonga, depois que 23 jovens iniciados morreram no período de nove dias (Makurdi, 2013). Uma conclusão semelhante pode ser tirada em relação a cerimônias de iniciação de fraternidades universitárias, que foram registradas pela primeira vez nos Estados Unidos na Universidade de Harvard em 1657 e permanecem presentes, obstinadas e mortais desde então. Para um resumo de tamanho razoável, ver Reilly (2017); mas para um registro abrangente e continuamente atualizado de cerimônias de iniciação em escolas, vá ao site do professor universitário Hank Nuwer (www.hanknuwer.com) e seus diversos livros sobre o assunto, de onde obtive grande parte de minha informação. A pesquisa sobre os efeitos da dificuldade — seja em forma de constrangimento (Aronson & Mills, 1959) ou dor (Gerard & Mathewson, 1966) — nas respostas positivas de um inscrito em uma oportunidade foi estendida para um contexto comercial; consumidores que obtêm acesso a uma oferta exclusiva de liquidação ficavam mais favoráveis ao negócio quando obtê-lo é mais difícil (Barone & Roy, 2010).

8. A ideia de que pagar pessoas para assumirem uma posição produz maior compromisso com ela se receberem uma quantia pequena em vez de uma quantia grande pelo compromisso recebeu apoio constante desde que foi prevista pela primeira vez (Festinger & Carlsmith, 1959). Por exemplo, em um experimento mais recente, participantes que se colocaram na posição de indicar um amigo para uma marca se tornaram mais favoráveis e leais à marca quando a recompensa monetária pela indicação era pequena (Kuester & Blankenstein, 2014). Numa linha similar, desde suas primeiras demonstrações (Cooper & Fazio, 1984; Deci *et al.*, 1982; Zuckerman *et al.*, 1978), a ideia de que dar às pessoas liberdade de escolha produz maior compromisso também continuou a receber apoio (por exemplo, Shi *et al.*, 2020; Geers *et al*; 2013; Staats *et al*; 2017; Zhang *et al.*, 2011), inclusive entre crianças pequenas (Silver *et al.*, 2020). Uma razão para escolhas voluntárias reforçarem compromissos é que elas ativam os setores de recompensa de nossos cérebros (Leotti & Delgado, 2011). Evidências de que compromissos não são fortes quando assumidos sob pressões externas como grandes recompensas monetárias ou punições podem ser vistas no trabalho de Deci & Ryan (1985), Higgins *et al.* (1995) e Lepper & Grene 91978). Finalmente, quando todos os compromissos são assumidos por razões internas em vez de externas, eles levam a um maior bem-estar psicológico. Mulheres muçulmanas na Arábia Saudita e no Irã que usam véu têm maiores níveis de satisfação com a vida se fazem isso por razões internas, como preferências ou valores pessoais, em vez de razões externas, como controles do governo ou aprovação social (Legate *et al.*, 2020).

9. Para exemplos de como as pessoas apoiam seus compromissos com novos motivos de justificativa, ver Brockner & Rubin (1985). Além do estudo de Cialdini *et al.* (1978), vários outros experimentos confirmam o sucesso do procedimento da técnica da bola baixa em uma variedade de circunstâncias e com ambos os sexos (Brownstein & Katzev, 1985; Burger & Petty, 1981; Guéguen & Pascual, 2014; e Joule, 1987). Burger & Caputo (2015) relatam uma metanálise confirmando a eficácia da tática, assim como Pascual *et al.* (2016),

que sustentam uma explicação com base em compromisso. Uma descrição completa do estudo com os usuários de energia de Iowa é fornecida em Pallak, Cook & Sullivan (1980).

10. O estudo de Grant & Hofmann (2011) também avaliou o impacto de duas outras placas colocadas acima de frascos de sabão e álcool em gel, nenhuma das quais era projetada para lembrar os médicos de seu compromisso com a *segurança* dos pacientes ("Use gel ao entrar, lave ao sair" e "A higiene das mãos protege você de doenças") e nenhuma das quais teve nenhum efeito sobre o uso de sabonete ou gel. Meeker *et al.* (2014) conduziu o estudo sobre a prescrição de antibióticos, enquanto os trabalhos sobre lembretes de compromissos ambientais anteriores foram realizados por Cornelissen *et al.* (2008) e Van der Werff, Steg & Keizer (2014).

11. Não é totalmente incomum que a maioria dos ditados que nos são familiares fique truncada pelo tempo de maneiras que modificam muito seu caráter inicial. Por exemplo, não é o dinheiro que a Bíblia diz ser a raiz de todos os males; é o amor por dinheiro. Então, para não ser culpado do mesmo tipo de erro, eu devo observar que a frase de Emerson é um pouco mais longa e com substancialmente mais texturas que eu relatei. Completa, ela diz: "A coerência de um tolo é o duende das mentes pequenas, adorada por pequenos estadistas, filósofos e divindades."

Evidências de que somos sensíveis a nossos sentimentos sobre um assunto antes de nossas cognições em relação a ele vêm de Murphy & Zajonc (1993) e Van den Berg *et al.* (2006). Isso não quer dizer que o que sentimos sobre uma questão é sempre diferente nem sempre deve merecer confiança mais do que pensamos sobre ele. Entretanto, os dados são claros de que nossas emoções e crenças não apontam na mesma direção. Portanto, em situações envolvendo um compromisso que provavelmente gerou realizações em apoio, os sentimentos podem dar os conselhos mais verdadeiros. Isso se aplica especialmente em exemplos como a questão da felicidade de Sara, pois está relacionada a uma emoção (Wilson *et al.*, 1989).

12. O trabalho da minha equipe em uma escala de preferência por coerência e a relação da idade com a preferência por coerência aparece em Cialdini, Trost & Newsom (1995) e Brown, Asher & Cialdini (2005), respectivamente. A análise das gravações de golpistas tentando fraudar idosos está no livro informativo de Pratkanis & Shadel, *Weapons of Fraud: A Sourcebook for Fraud Fighters* (2005). Há boas evidências da tendência de residentes dos Estados Unidos serem individualistas (Santos, Varnum & Brossman, 2017; Vandello & Cohen, 1999) e que essa tendência os leva na direção da coerência com suas escolhas anteriores (Cialdini *et al.*, 1999; Petrova, Cialdini & Stills, 2007).

Capítulo 8: Unidade

1. Esse capítulo incorpora e atualiza material de meu livro *Persuasion: A Revolutionary Way to Influence and Persuade* (2016), com permissão da editora Simon & Schuster. Evidências dos efeitos positivos multifacetados de favoritismo dentro de grupos vêm de Guadagno & Cialdini (2007) e Stallen, Smidts & Sanfey (2013) para concordância; Foddy, Platow & Yamagishi (2009) e Yuki *et al.* (2005) para confiança; Cialdini *et al.* (1997), De Dreu, Dussel & Tem Velden (2015), Gaesser, Shimura & Cikara (2020) e Greenwald & Pettigrew (2014) para ajuda e afeição; Westmaas & Silver (2006) para apoio emocional; Karremans & Aartz (2007) e Noor *et al.* (2008) para perdão; Adarves--Yorno, Haslam & Postmes (2008) para criatividade; Gino & Galinsky (2012) e Leach, Ellemers & Barreto (2007) para moralidade; e Brandt & Reyna (2011), Haslam (2006), Smith (2020) e Markowitz & Slovic (2020) para humanidade. Evidências de que o favoritismo dentro de grupos aparece em outros primatas e em bebês humanos estão disponíveis em Buttleman & Bohm (2014), Mahajan *et al.* (2011) e Over & McCall (2018).

2. A confusão cognitiva que surge entre as identidades de membros de um grupo pode ser vista na tendência deles de projetar os próprios traços nos outros membros (Cadinu & Rothbart, 1996; DiDonato, Ulrich & Krueger, 2011), de forma a mal se lembrar se tinham traços previamente avaliados pertencentes a si mesmos ou a outros membros do grupo (Mashek, Aron & Boncimino, 2003) e de levar mais tempo para diferenciar os traços diferentes entre si mesmos e os membros (Aron *et al.*, 1991; Otten & Epstude, 2006; Smith, Coats & Walling, 1999). As evidências neurocientíficas para a indefinição do eu e representações de outros próximos localizam seus setores e circuitos do cérebros em comum no córtex pré-frontal (Ames *et al.*, 2008; Kang, Hirsh & Chasteen, 2010; Cikara & van Bavel, 2014; Mitchell, Banaji & Macrae, 2005; e Volz, Kessler & von Cramon, 2009). Pfaff (2007, 2015) apresentou o conceito de "excitação cruzada" neuronal.

  Outros tipos de confusão cognitiva também parecem ser fruto das mesmas estruturas e mecanismos cerebrais para tarefas diferentes (Anderson, 2014). Por exemplo, a tendência de indivíduos que repetidamente imaginam fazer determinada coisa passarem a acreditar que fizeram isso pode ser parcialmente explicada por pesquisas que mostram que desempenhar uma ação e imaginar desempenhá-la envolvem alguns dos mesmos componentes do cérebro (Jabbi, Bastiaansen & Keysers, 2008; Oosterhof, Tipper & Downing, 2012). Em outra ilustração, a dor da rejeição social é experimentada nas mesmas regiões do cérebro que a dor física, o que permite que o Tylenol reduza o desconforto de ambas (DeWall *et al.*, 2010).

3. Shayo (2020) fornece uma apresentação abrangente sobre as evidências de que identidades compartilhadas dentro de grupos estão constantemente ligadas a ser favoráveis e agir conforme os outros membros. O estudo mostrando que membros de uma equipe foram mais favoráveis em relação aos robôs em suas equipes foi feito por Fraune (2020). Clark *et al.* (2019) oferecem forte sustentação a sua afirmação de que "O tribalismo é da natureza humana", assim como Greene (2014); e, como Greene, Tomasello (2020) defende que grupos humanos buscaram fortificar esse tribalismo tornando-o um dever moral.

4. Não é surpresa que partidários de Joe Girard tenham contestado a alegação de Ali Reda de uma maior produção em vendas. Entretanto, o gerente de vendas do sr. Reda, que tem acesso aos registros da revendedora, defende a alegação. Artigos informativos sobre as semelhanças e diferenças entre Girard e Reda podem ser encontrados em www.autonews.com/article/20180225/RETAIL/180229862/who-s-the-world-s-best-car-salesman e www.foxnews.com/auto/the-worlds-best-car-salesman-broke-a-44-year-old-record-and-someones-not-too-pleased. Pesquisas científicas confirmam o impacto favorável do "nós" compartilhado no resultado de vendas: clientes ficaram significativamente mais propensos a aceitar um apelo de venda para entrar em um programa de treinamento pessoal se seu futuro personal trainer tivesse nascido na mesma comunidade. De forma semelhante, um apelo de vendas por um pacote de serviços dentários obteve mais sucesso se os pacientes soubessem que tinham nascido no mesmo lugar que o dentista com quem se consultariam (Jiang *et al.*, 2010).

5. Dimmock, Gerken & Graham (2018) fizeram o trabalho de demonstrar que assessores financeiros ficavam mais propensos a condutas financeiras ilícitas se, em seus escritórios, tivessem tido contato com outro assessor da mesma etnia que tivesse feito o mesmo. O estudo sobre afirmações falsas de auditores financeiros foi feito por Du (2019). Fisman, Paravisini & Vig (2017) analisaram os efeitos das semelhanças religiosas entre indianos em relação a empréstimos, termos e pagamentos. A maior disposição de clientes perdoarem um erro de serviço se tinham o mesmo sobrenome do fornecedor do serviço foi observada por Wan & Wyer (2019). No estudo polonês usando cartas "perdidas" (Dolińska, Jarzabek & Doliński, 2020), as cartas foram deixadas em cem lugares de

uma cidade de tamanho médio, entre eles paradas de ônibus, shopping centers, caixas eletrônicos e calçadas que estavam a pelo menos 250 metros da caixa de correio visível mais próxima. Kristin Michelitch (2015) realizou o estudo da barganha do preço do táxi em locais em torno de um mercado de localização central na cidade de Acra.

6. O relatório resumindo a ciência de mentiras "azuis" (Smith, 2017) apareceu na *Scientific American Online*: https://blogs.scientificamerican.com/guest-blog/how-the-science-of--blue-lies-may-explain-trumps-support; em uma descoberta semelhante, as pessoas estavam dispostas a seguir as normas de um grupo, mesmo quando sabiam que não estavam conectadas com a realidade, desde que sentissem uma forte identidade compartilhada com o grupo (Pryor, Perfors & Howe, 2019). As pesquisas mostrando que membros muito reconhecidos de um partido estão dispostos a ocultar uma fraude fiscal de outro membro (Ashokkumar, Galaif & Swann, 2019), iludir a si mesmos em relação às contribuições do partido para o bem-estar da comunidade (Blanco, Gomez-Fortes & Matute, 2018), priorizar o tratamento médico de indivíduos do mesmo partido (Furnham, 1966) e aceitar os julgamentos de seguidores pouco habilidosos do mesmo partido (Marks *et al.*, 2019) estão de acordo com novos estudos que indicam que partidários de coligações políticas baseiam muitas de suas decisões políticas menos em ideologia e mais nas lealdades a esses partidos definidores de identidade e seus membros (Achen & Bartels, 2017; Iyengar, Sood & Lelkes, 2012; Jenke & Huettel, 2020; Kalmoe, 2019.; Schmidtt *et al.*, 2019). Essa visão de moralidade com base em lealdades dentro de um grupo se tornou uma característica central dos esforços modernos de persuasão política (Buttrick, Molder & Oishi, 2020). Ellemers & van Nunspeet (2020) fornecem um resumo instrutivo dos mecanismos neuropsicológicos através dos quais essas tendências surgem dentro de um grupo.

Partidos políticos não são as únicas estruturas com base no "nós" nas quais membros estão dispostos a ocultar os malfeitos de seus parceiros. Quando perguntadas, as pessoas (1) expressaram uma forte tendência contra comunicar à polícia uma ação nociva de outra pessoa próxima, como um bom amigo ou membro da família; (2) ficaram contrárias a fazer essa comunicação quando a ação nociva foi severa em relação a uma de menor importância (por exemplo, roubo ou assédio sexual físico contra baixar músicas ilegalmente ou abuso sexual com base no olhar); e (3) admitiram que a razão para essa relutância era para proteger a *própria* reputação (Weidman *et al.*, 2020; ver também Hildreth & Anderson, 2018, e Waytz, Dungan & Young, 2013). Mais uma vez, vemos que o "nós" tem implicações no "eu".

7. Marcações tendenciosas por árbitros de futebol internacional, da Major League Baseball e da National Basketball Association, foram descobertas em pesquisas por, respectivamente, Pope & Pope (2015), Parsons *et al.* (2011) e Price & Wolfers (2010). A citação de Asimov (1975) apareceu em uma reportagem na revista *TV Guide*, na qual ele comentava a tendência exagerada de cada estado americano por sua candidata no concurso de miss Estados Unidos naquele ano.

8. Para pesquisas documentando o declínio na saúde de parceiros românticos se problemas contínuos não forem resolvidos, ver Shrout *et al.* (2019). Complicações para a saúde feminina surgiram principalmente da quantidade de tempo que discordâncias no relacionamento permaneciam sem solução; enquanto para homens, era o simples número de discordâncias não resolvidas. Para os dois sexos, o impacto na saúde pôde ser visto por até dezesseis anos. O estudo de aumento da parceria, um de meus favoritos em todos os tempos, foi feito por Oriña, Wood & Simpson (2002). Para um exame completo das bases para minha afirmação que "a coisa com maior probabilidade de guiar as decisões de comportamento de uma pessoa [...] é a mais destacada na consciência no momento da decisão", ver Cialdini (2016).

9. O estudo mostrando a ligação entre os níveis de atividade física de amigos (Priebe & Spink, 2011) também descobriu que participantes subestimaram a influência de seus amigos na sua produção de atividade, atribuindo equivocadamente maior influência a fatores associados com saúde e aparência pessoal. Bond *et al.* (2012) fizeram um estudo sobre mobilização de eleitores no Facebook. O estudo do impacto dos melhores amigos no hábito de beber de universitários demonstrou esse efeito tanto para estudantes brancos quanto para estudantes nativos americanos (Hagler *et al.*, 2017). Em geral, amigos veem e, na realidade, possuem níveis mais altos de superposição genética uns com os outros do que com não amigos (Cunningham, 1986; Christakis & Fowler, 2014; Daly, Salmon & Wilson, 1997).

10. Norscia & Palagi (2011) coletaram os dados que revelam a relação proporcional entre o bocejo humano contagioso e o grau de conexão pessoal entre as pessoas que bocejam; eles descobriram a mesma relação quando os bocejos eram transmitidos apenas acusticamente (Norscia *et al.*, 2020). Demonstrações de bocejos contagiosos intensificados por ligações sociais em chimpanzés, babuínos, bonobos e lobos são fornecidas por Campbell & de Waal (2011), Palagi *et al.* (2009), Demuru & Palagi (2012) e Romero *et al.* (2014), respectivamente. Romero, Konno & Hasegawa (2013) realizaram o experimento do bocejo contagioso entre espécies.

    Amantes de gatos, não se desesperem. Não ter fornecido dados mostrando bocejos contagiosos entre felinos de estimação e seus donos não significa que o efeito não exista. A falta de evidências pode vir apenas do fato de pesquisadores ainda não terem testado a possibilidade — provavelmente porque é difícil fazer gatos ficarem quietos e concentrados por tempo suficiente. Mesmo assim, qualquer um que queira acreditar pode ganhar confiança a partir desse artigo: https://docandphoebe.com/blogs/the-catvocate-blog/why-do-animals-yawn.

11. Além dos negócios, da política, dos esportes e das relações pessoais, outros domínios importantes da interação humana mostram efeitos prejudiciais de identidade de grupo de "nós", com graus tendenciosos igualmente impressionantes. Na saúde, a mortalidade infantil no nascimento cai significativamente quando o médico responsável é da mesma raça do recém-nascido (Greenwood *et al.*, 2020). Dentro do sistema de segurança, carros parados pela polícia de Boston tinham menos chances de serem revistados se o policial e o motorista fossem de raças semelhantes (Antonovics & Knight, 2009). Nos juizados de pequenas causas israelenses, as decisões de juízes árabes e israelenses favoreciam de forma robusta membros dos próprios grupos étnicos (Shayo & Zussman, 2011). Na educação, as práticas de avaliação de professores mostram efeitos comparáveis: quando professores e aluno têm a mesma raça, religião, gênero, etnia ou nacionalidade aumentam as avaliações do aluno em sala de aula e as notas de provas (Dee, 2005). Evidências óbvias do favoritismo vêm de um estudo em uma universidade holandesa (Maastrich) localizada perto da fronteira com a Alemanha, que tem grandes populações de estudantes e professores tanto da Holanda quanto da Alemanha. Enquanto os trabalhos dos alunos a serem avaliados foram distribuídos aleatoriamente para serem corrigidos por professores com nacionalidade similar ou não, notas mais altas foram atribuídas a estudantes com nomes com a mesma nacionalidade do avaliador (Feld, Salamanca & Hamermesh, 2015).

12. O suporte principal do pensamento evolucionário — que indivíduos não tentam assegurar a própria sobrevivência, mas sim a sobrevivência de cópias de seus genes — deriva do conceito da "adaptação inclusiva", inicialmente especificado por W. D. Hamilton (1964), que continuou a receber apoio contra muitos opositores (Kay, Keller & Lehmann, 2020). Evidências da grande força do parentesco em situações de vida ou

morte está disponível em Borgida, Conner & Mamteufal (1992), Burnstein, Crandall & Kitayama (1994) e Chagnon & Bugos (1979). Além disso, quanto mais próximo é o parente em termos de superposição genética (por exemplo, pai ou irmão contra tio ou primo), maior o sentimento de superposição eu-outro (Tan *et al.*, 2015). Telzer *et al.* (2010) chegaram à descoberta de que adolescentes experimentam recompensas de seus sistemas cerebrais depois de ajudar a família. Análises de pesquisas feitas com "famílias fictícias" podem ser encontradas em Swann & Buhrmester (2015) e Freedman *et al.* (2015); pesquisa adicional oferece uma explicação para esses efeitos de promoção do grupo: dar destaque a uma identidade de grupo na consciência faz com que indivíduos concentrem sua atenção na informação compatível com essa identidade (Coleman & Willeams, 2015), o que faz com que eles, por sua vez, vejam essa informação como mais importante. Um estudo de Elliot & Thrash (2004) mostrou que quase a totalidade da quantidade de apoio para seus filhos não é por acaso. Esses pesquisadores ofereceram um ponto extra em uma turma de psicologia para alunos cujos pais respondessem um questionário com 47 itens; 96% dos questionários foram devolvidos preenchidos. O artigo "vovó Ann" de Joel Stein pode ser lido na íntegra em http://content.time.com/time/magazine/article/0,9171,1830395,00.html. Preston (2013) fornece uma análise detalhada dos cuidados com a prole como base de formas muito mais amplas de ajuda.

Embora biólogos, economistas, antropólogos, sociólogos e psicólogos saibam disso por seus estudos, não é preciso ser cientista para reconhecer a enorme atração que os filhos têm sobre seus pais. Por exemplo, romancistas retrataram toda a força emocional dessa atração. Conta-se uma história sobre uma aposta feita pelo escritor Ernest Hemingway, que era conhecido pelo poder emotivo que sua prosa conseguia criar apesar de sua parcimônia. Enquanto bebia em um bar com um de seus editores, Hemingway apostou que, com apenas seis palavras, ele podia escrever uma história inteiramente dramática que qualquer pessoa entenderia e experimentaria profundamente. Se depois de ler a história o editor concordasse, ele pagaria bebidas para todo o bar; se não, Hemingway pagaria. Com os termos definidos, Hemingway escreveu seis palavras em um guardanapo e as mostrou para o homem, que então se levantou, foi até o bar e pagou uma rodada de bebida para todos os presentes. As palavras eram: "Vendo. Sapatinhos de bebê. Nunca usados."

13. Uma cópia da carta de 50 anos de Buffett está disponível em www.berkshirehathaway.com/letters/2014ltr.pdf como parte do relatório anual da Berkshire Hathaway de 2014, que foi publicado em fevereiro de 2015. Para um tratamento instrutivo de como o mensageiro pode ser a mensagem, ver o livro de leitura muito agradável sobre o tópico de Mastin & Mark (2019). Tanto dentro quanto fora dos limites familiares, as pessoas usam semelhanças para julgarem a superposição genética e favorecer aquelas que estão altas nessa dimensão (deBruine, 2002, 2004; Hehman, Flake & Freeman, 2018; Kaminski *et al.*, 2010). Dados que sustentam o fenômeno de membros da família se tornarem mais colaborativos e se sentirem mais próximos daqueles que se parecem com eles vêm de pesquisas por Leek & Smith (1989, 1991) e Heijkoop, Dubas & van Aken (2009), respectivamente. As evidências de que semelhanças físicas manipuladas podem influenciar o voto foram coletadas por Bailenson *et al.* (2008).

14. As pessoas usam semelhanças de atitude como base para atribuir relações genéticas e, consequentemente, para a formação de grupos, o que por sua vez afeta suas decisões sobre quem ajudar (Grey *et al.*, 2014; Park & Schaller, 2005). O fato de atitudes políticas e religiosas terem mais probabilidades de passarem através de hereditariedade e, portanto, refletir o "nós" genético, está bem documentado (Bouchard *et al.*, 2003; Chambers, Schlenker & Collisson, 2013; Hatemi & McDermott, 2012; Hufer *et al.*, 2020; Kandler,

Bleidorn & Riemann, 2012; Lewis & Bates, 2010). Esses tipos de atitude são também extremamente resistentes a mudanças (Bourgeois, 2002; Tesser, 1993).

15. Uma boa análise dos sinais que humanos (e não humanos) usam para identificar parentesco foi feita por Park, Schaller & Van Vugt (2008); um desses sinais é um local de residência comum (Lieberman & Smith, 2012). Evidências fortes do impacto da coabitação e do cuidado observado dos pais com o altruísmo subsequente dos filhos podem ser encontradas em Cosmides & Tooby (2013) e Lieberman, Tooby & Cosmides (2007). Em relação a Chiune Sugihara, é sempre arriscado a generalização de um único caso para uma conclusão mais ampla, mesmo uma amparada pelo relato de madre Teresa sobre seu ambiente familiar. Nesse caso, porém, sabemos que ele não foi a única pessoa que ajudou os judeus cuja vida doméstica na infância incorporava a diversidade humana. Oliner & Oliner (1988) encontraram essas histórias em uma grande amostra de gentios europeus que abrigaram judeus dos nazistas. E, como seria de se esperar, ao crescer, os responsáveis por resgates na amostra de Oliner & Oliner tinham uma sensação de algo em comum com um grupo mais variado de pessoas do que uma amostra comparável de pessoas que não foram responsáveis por resgates na época. Não só esse sentido expandido do "nós" estava relacionado a sua decisão subsequente de ajudar pessoas diferentes de si mesmas durante o Holocausto; quando entrevistadas meio século depois, pessoas responsáveis por resgates ainda estavam ajudando uma grande variedade de pessoas e causas (Midlarsky & Nemeroff, 1995; Oliner & Oliner, 1988).

   Mais recentemente, pesquisadores desenvolveram uma escala de personalidade para avaliar o nível com o qual um indivíduo se identifica espontaneamente com toda a humanidade. Essa escala importante, que inclui medidas da frequência do uso do pronome *nós*, o conceito de outros como *família* e a extensão percebida da *superposição eu-outro* com pessoas em geral, prevê a disposição de ajudar os necessitados em outros países através da contribuição com esforços humanitários de alívio (McFarland, Webb & Brown, 2012; McFarland, 2017). Informação sobre fatores situacionais e pessoais que levaram à ação de ajudar de Sugihara no ambiente anterior à Segunda Guerra Mundial vem de histórias das circunstâncias no Japão e na Europa na época (Kranzler, 1976; Levine, 1997; Tokayer & Swartz, 1979) e de entrevistas com Sugihara (Craig, 1985; Watanabe, 1994).

16. A descrição de Cohen (1972) do incidente no campo de concentração veio de uma conversa com um ex-guarda nazista que, em uma associação bizarra, era colega de quarto de Cohen quando ele retransmitiu a história. Estima-se que os moradores de Le Chambon, liderados por André Trocmé e sua esposa, Magda, salvaram as vidas de 3.500 pessoas. Quanto à pergunta de por que decidiu ajudar o primeiro desses indivíduos — uma mulher judia que ele encontrou passando frio em frente a sua casa em dezembro de 1940 — é difícil de responder com certeza. Mas quando estava sob custódia perto do fim da guerra, e autoridades de Vichy exigiram saber os nomes dos judeus que ele e os outros moradores da cidade tinham ajudado, sua resposta podia facilmente ter saído da boca (mas, mais fundamentalmente, do coração e da visão de mundo) de Chiune Sugihara: "Não conhecemos o que é um judeu. Só conhecemos seres humanos" (Trocmé, 2007/1971). Em relação à pergunta se seus parentes ou vizinhos foram mais propensos a atender os pedidos de Trocmé, evidências de outras fontes indicam que teriam sido os primeiros — indivíduos para quem a certeza de parentesco seria mais forte (Curry, Roberts & Dunbar, 2013; Rachlin & Jones, 2008). Por exemplo, quando, durante o genocídio em Ruanda em meados dos anos 1990, ataques contra tutsis por hutus incluíram vizinhos, aqueles que incitavam os ataques faziam isso com base no pertencimento à tribo; "poder hutu" era ao mesmo tempo um grito de guerra e uma justificativa para o massacre.

17. A análise estatística da eficácia do plano de escritórios de campo locais de Obama foi feita por Masket (2009). Para uma visão geral de como os estrategistas de Obama empregaram outras compreensões da ciência comportamental durante a campanha, ver Issenberg (2012). A descoberta de que pessoas são suscetíveis a vozes locais (por exemplo, Agerström *et al.*, 2016) foi chamada de "efeito do domínio local" (Zell & Alike, 2010), o que, quando traduzido para a política eleitoral, significa que os cidadãos são mais propensos a concordar com pedidos de comparecimento eleitoral de membros de sua própria comunidade (Nickerson & Feller, 2008). Por falar nisso, este último reconhecimento não surgiu de uma leitura superficial da literatura da ciência comportamental; David Nickerson foi assessor de ciência comportamental na campanha de Obama.

    Você já percebeu como certas organizações comerciais se referem a seus clientes, assinantes ou seguidores como membros da "*comunidade* XYZ"? Acho que é pela mesma razão que outras dessas organizações mencionam os membros "da *família* XYZ". Cada designação recruta um sentido poderoso e primordial de "nós".

    As evidências da disposição de responder uma pesquisa, seguir a recomendação de um avaliador de produtos da Amazon, superestimar o papel de um estado natal na história, se opor à guerra no Afeganistão e desertar de uma unidade militar vêm de Edwards, Dillman & Smyth (2014), Forman, Ghose & Wiesenfeld (2008), Putnam *et al.* (2018), Kriner & Shen (2012) e Costa & Kahn (2008), respectivamente. Segundo Levine (1997), os vistos de Sugihara salvaram a vida de até dez mil judeus, a maioria dos quais encontrou asilo em território japonês. Os eventos relacionados à decisão japonesa de abrigá-los foram descritos por vários historiadores (por exemplo, Kranzler, 1976, e Ross, 1994); mas o relato mais detalhado é fornecido por Marvin Tokayer, ex-rabino chefe de Tóquio (Tokayer & Swartz, 1979). Meu próprio relato é modificado de uma versão mais acadêmica que apareceu em um livro didático em coautoria (Kenrick *et al.*, 2020).

    Leitores observadores podem ter percebido que, ao descrever as políticas assassinas do Holocausto, me referi a eles como nazistas, não alemães. Isso ocorreu porque meu ponto de vista é que não é preciso nem justo igualar o regime nazista na Alemanha com a cultura ou o povo desse país, como algumas vezes é feito. Afinal de contas, não igualamos a cultura e o povo do Camboja, da Rússia, da Ibéria ou dos Estados Unidos com os programas brutais do Khmer Vermelho sob Pol Pot, Stálin depois da Segunda Guerra mundial, a Gangue dos Quatro durante a Revolução Cultural, os conquistadores depois de colombo ou os promotores do Destino Manifesto dos Estados Unidos adolescentes (a lista podia continuar). Regimes de governo, que surgem de circunstâncias situacionais temporárias e poderosas, não caracterizam com justiça um povo. Portanto, não confundo os dois ao discutir o período de domínio nazista na Alemanha.

18. Para uma análise dos vários tipos de dados de ciência comportamental que sustentam o papel da sincronia de resposta sobre sentimentos de unificação, incluindo confusão de identidades de eu-outro (por exemplo, Milward & Carpenter, 2018; Palidino *et al.*, 2010), ver Wheatley *et al.* (2012). A tendência de coordenar movimentos no tempo de sons ritmados aparece em nosso passado evolucionário mesmo antes das eras neolítica e calcolítica; chimpanzés se movem juntos em respostas a batidas acústicas, algo que sugere a presença da resposta em um ancestral comum aproximadamente seis milhões de anos atrás (Hattori & Tomonaga, 2020). Um pesquisador descreveu os agrupamentos resultantes de movimentos coordenados entre humanos como "vizinhanças" temporárias, nas quais membros exercem grandes níveis de influência sobre as direções uns dos outros (Warren, 2018). O caso dos mecanismos sociais projetados para promover a solidariedade coletiva é exposto de maneira particularmente convincente por Kesebir

(2012) e Paez *et al.* (2015). Demonstrações dos efeitos de agir juntos sobre o "nós", assim como no desempenho em videogames e padrões de ondas cerebrais, foram fornecidas por Koudenburg *et al.* (2015), von Zimmermann & Richardson (2016) e Dikker *et al.* (2017), respectivamente. Para consistência com a ideia de que pessoas que pretendem ser influenciadoras podem conseguir se beneficiar muito do efeito unificante da sincronia, considere a declaração de resumo abrangente do famoso historiador William H. McNeill (1995, p. 152): "Movimentar-se de forma ritmada enquanto vocalizando juntos é a forma mais segura, rápida e eficaz de criar e sustentar comunidades [significativas] já vista por nossa espécie."

19. Estudos sobre os efeitos homogeneizantes do movimento coordenado através de tamborilar de dedos, sorrisos e movimentos corporais foram conduzidos por Hove & Risen (2009), Capella (1997) e Bernieri (1988), respectivamente. O experimento de beber água foi feito por Inzlicht, Gutsell & Legault (2012), que também incluíram um terceiro procedimento no estudo, no qual pediam a participantes para imitar as ações de beber água de atores de seu grupo (brancos). Esse procedimento produziu o preconceito típico de brancos contra negros em um nível um tanto exagerado.

    É interessante que haja uma forma de atividade sincrônica que tem um benefício adicional: ao direcionar a atenção para uma informação, as pessoas fazem isso com maior intensidade (isso é, destinam a isso mais recursos cognitivos) se veem que estão fazendo isso simultaneamente com outra pessoa. Entretanto, isso só acontece se têm uma relação de "nós" com a outra pessoa. O ato de prestar atenção conjunta em algo com uma pessoa próxima é um sinal de que a coisa merece um foco especial (Shteynberg, 2015).

20. Minha afirmação de que o padrão-ouro da influência social é a "conduta de apoio" não significa descartar a importância de alterar os sentimentos (ou as crenças, percepções e atitudes) de uma pessoa dentro do processo de influência. Ao mesmo tempo, não me parece que os esforços para gerar mudança nesses fatores sejam quase sempre empreendidos a serviço de criar mudança na conduta de apoio. O estudo da batucada foi feito por Valdesolo & DeSteno, enquanto a pesquisa da marcha foi feita por Wiltermuth & Heath (2009). Marchar em uníssono é uma prática interessante por ainda ser empregada no treinamento militar, embora seu valor como tática de batalha tenha desaparecido há muito tempo. Em dois experimentos, Wiltermuth fornece uma razão. Depois de marchar juntas, as pessoas se tornam mais dispostas a concordar com os pedidos de outra não só quando o solicitante é uma figura de autoridade (Wiltermuth, 2012a), mas também quando o solicitante é um igual (Wiltermuth, 2012b).

21. Conforme crescem as evidências da ideia, há cada vez mais aceitação do conceito de música como um mecanismo socialmente unificador que cria solidariedade de grupo e acontece através da fusão eu-outro (Bannan, 2012; Dunbar, 2012; Harvey, 2018; Loersch & Arbuckle, 2013; Oesch, 2019; Savage *et al.*, 2020; Tarr, Launay & Dunbar, 2014). Estudiosos não são os únicos a reconhecer a função unificadora da música, às vezes em nível cômico; seria difícil não rir dessa: www.youtube.com/watch?v=etEQz7NYSLg. O estudo sobre a ajuda entre crianças de quatro anos foi feito por Kirschner & Tomasello (2010); resultados conceitualmente parecidos foram obtidos por Cirelli, Einarson & Trainor (2014) entre crianças muito mais novas: bebês de 14 meses. Um estudo com adultos oferece uma explicação para a disponibilidade em ajudar. Cantar juntos leva a sentimentos de união eu-outro com outros cantores (Bullack *et al.*, 2020).

22. O livro de Kahneman *Thinking, Fast and Slow* (2011), é a fonte da exposição mais completa do pensamento de Sistema 1 e Sistema 2. Evidências da validade da distinção entre os dois sistemas estão disponíveis aí, mas também é apresentada de forma menos completa em Epstein *et al.* (1992, 1999). Evidências de "eu penso" *versus* "eu sinto" podem

ser encontradas em Clarkson, Tormala & Rucker (2011) e Mayer & Tormala (2010). Mas, em geral, a sabedoria de ter uma boa combinação entre a base emocional *versus* racional de uma atitude e um argumento persuasivo também pode ser vista em Drolet & Aaker (2002) e Sinaceur, Heath & Cole (2005).

23. Bonneville-Roussy *et al.* (2013) revisam e contribuem com dados que mostram que mulheres jovens veem a música como mais importante para elas que roupas, filmes, livros, revistas, jogos de computador, TV e esportes — mas não romance. Há sólidas evidências científicas de que música e ritmo operam independentemente do processo racional (por exemplo, De La Rosa *et al.*, 2012; Gold *et al.*, 2013). A citação de Elvis Costello vem de um artigo interessante de Elizabeth Hellmuth Margulis (2010), que acrescentou à mistura suas próprias evidências mostrando que dar à plateia informação estrutural prévia sobre peças musicais (trechos dos quartetos de cordas de Beethoven) reduziu o prazer de experimentá-las.

    O estudo do conteúdo de canções populares em um período recente de quarenta anos descobriu que 80% continham temas românticos e/ou sexuais (Madanika & Bartholomew, 2014). O experimento francês da guitarra (Guéguen, Meineri & Fischer-Lokou, 2014) registrou os seguintes percentuais de sucesso de pedidos de telefone: com case de guitarra = 31%, bolsa esportiva = 9%, nada = 14%. A descrição de Armstrong dos efeitos da música sobre o sucesso de um anúncio é apresentada nas páginas 271 e 272 de seu livro de 2010.

24. O texto de Mandy Len Catron no *New York Times* pode ser encontrado em www.nytimes.com/2015/01/11/fashion/modern-love-to-fall-in-love-with-anyone-do-this.html, junto com um link para as 36 perguntas. A entrevista com Elaine Aron está disponível em www.huffingtonpost.com/elaine-aron-phd/36-questions-for-intimacy_b_6472282. html. O artigo científico que serviu de base para os ensaios de Catron é Aron *et al.* (1997). Evidências da importância funcional da característica de se revezar reciprocamente das 36 perguntas são fornecidas por Sprecher *et al.* (2013). O procedimento foi usado de forma modificada para reduzir o preconceito entre grupos étnicos, mesmo entre indivíduos com atitudes iniciais preconceituosas (Page-Gould, Mendoza-Denton & Tropp, 2008).

25. Provavelmente a versão mais bem informada da saga de Ernst Hess é a da historiadora Susanne Mauss (Mauss, 2012), que descobriu a "carta de proteção" de Himmler nos arquivos oficiais da Gestapo e verificou isso através de outros documentos. Estudiosos debatem se o próprio Hitler instruiu pessoalmente Himmler a preparar e enviar a carta ou se isso foi feito pelo auxiliar pessoal de Hitler, Fritz Wiedemann, de parte de Hitler. Embora o status de intocável de Hess tenha durado apenas um ano (ele depois foi levado para postos de trabalhos forçados durante a guerra, incluindo um campo de trabalho, uma construtora e uma empresa de encanamento), ele nunca foi levado para um campo de extermínio, como foram outros membros de sua família, como sua irmã, que morreu em uma câmara de gás em Auschwitz. Depois da guerra, ele se tornou um executivo de ferrovia e acabou chegando até a presidência da Autoridade Ferroviária Federal Alemã em Frankfurt, onde morreu em 1983.

    Os pesquisadores que analisaram os efeitos do sofrimento compartilhado em identidades unidas de grupo depois do atentado a bomba na maratona de Boston fizeram uma análise semelhante sobre os efeitos do conflito prolongado entre unionistas da Irlanda do Norte e republicanos e obtiveram resultados parecidos (Jong *et al.*, 2015). O trabalho mostrando o efeito de submergir a mão de uma pessoa em água gelada também demonstrou seus efeitos ao usar outros tipos de procedimentos que causam dor como comer uma pimenta forte e fazer vários agachamentos com membros do grupo (Bastian, Jetten & Ferris, 2014). Para pesquisas adicionais detalhando o papel da adversidade compartilhada em produzir identidades unidas e conduta de apoio e autossacrifício, ver Drury (2018) e Whitehouse *et al.* (2017). Para estudos que indicam que o conceito de emoção coletiva é diferente em natureza daquele da emoção individual, ver Goldenberg *et al.* (2020) e Parkinson (2020).

Mais detalhes sobre a saga da unidade de irlandeses e nativos americanos estão disponíveis em vários relatos jornalísticos (ver, por exemplo, www.irishpost.com/news/irish-donate-native-american-tribes-hit-covid-19-repay-173-year-old-favour-184706; e https://nowthisnews.com/news/irish-repay-a-173-year-old-debt-to-native-community-hard-hit-by-covid-19) e em um episódio do podcast informativo *The Irish Passport* (www.theirishpassport.com/podcast/irish-and-native-american-solidarity). A dimensão das desgraças das provações da Trilha das Lágrimas é revelada em um fato pouco divulgado. Seu nome original, extraído de um retrato feito por um chefe choctaw, era "trail of tears and death" ("trilhas das lágrimas e da morte") (Faiman-Silva, 1997, p. 19).

26. O manifesto de Aldo Leopold, *A Sand County Almanac,* que foi publicado pela primeira vez em 1949 e desde então se tornou uma cartilha de leitura obrigatória para grupos apreciadores da vida selvagem, é a fonte de meu tratamento sobre suas reflexões sobre bétula *versus* pinheiro (ver pp. 68-70 da edição em brochura de 1989). Sua forte crença de que o gerenciamento da natureza é alcançado da melhor maneira através de uma abordagem centralizada na ecologia em vez de na humanidade é ilustrada em seus argumentos contra as políticas do governo de controle de predadores em seu ambiente natural. Evidências surpreendentes sustentam sua posição no caso de lobos predadores. Uma apresentação visual dessas evidências está disponível em www.youtube.com/watch?v=ysa5OBhXz-Q; você vai gostar de assistir.

27. A pesquisa sobre o efeito IKEA foi feita por Norton, Mochon & Ariely (2012). O estudo das avaliações de colegas de trabalho e produtos de criação compartilhada foi conduzido em colaboração com Jeffrey Pfeffer (Pfeffer & Cialdini, 1998) — uma das mentes acadêmicas mais impressionantes que conheço. Os efeitos da colaboração sobre o compartilhamento entre crianças de três anos foram demonstrados por Warneken *et al.* (2011). Os resultados positivos de técnicas de aprendizado cooperativo estão resumidos em Paluck & Green (2009) e em Roseth, Johnson & Johnson (2008); educadores à procura de informação sobre como implementar uma dessas abordagens ("a sala de aula quebra-cabeça", conforme desenvolvida por Elliot Aronson e seus associados) podem encontrar essa informação em www.jigsaw.org.

A pesquisa sobre os efeitos de pedir conselhos ao consumidor no engajamento posterior dos consumidores foi publicada por Liu & Gal (2011), que descobriram, de forma instrutiva, que pagar aos consumidores uma quantia inesperadamente alta por seu aconselhamento eliminava qualquer favoritismo aumentado em relação à marca; embora os pesquisadores não tenham investigado por que isso acontece, eles especularam que o pagamento inesperado levava o foco dos participantes do aspecto comunal de dar seu conselho para um aspecto individualizante disso — neste caso, seus próprios resultados econômicos associados a uma transação financeira. Para alguns exemplos de como várias marcas estão empregando práticas de criação compartilhada para aumentar o engajamento dos clientes, ver www.visioncritical.com/5-examples-how-brands-are-using-co-creation e outros dois links: www.visioncritical.com/cocreation-101 e www.greenbookblog.org/2013/10/01/co-creation-3-0. Há uma boa razão para marcas usarem técnicas como a criação compartilhada para aumentar a ligação da identidade dos consumidores com a marca. Consumidores que têm um forte sentimento de identidade compartilhada com uma marca (por exemplo, a Apple) são mais propensos a ignorar informação sobre problemas nos produtos dessa marca ao determinar suas atitudes e lealdades em relação a ela (Lin & Sung, 2014).

28. A questão de como o parentesco é determinado por várias espécies foi tema de uma miríade de investigações científicas (por exemplo, Holmes, 2004; Holmes & Sherman, 1983; Mateo, 2003). Embora em menor número, investigações sobre como os humanos passam pelo processo foram especialmente informativas para nossos propósitos (Gyuris *et al.*, 2020; Mateo, 2015). Por exemplo, Wells (1987) relatou que o conceito de "parente honorário" — indivíduos sem relação que estão presentes na casa e que adquirem status de família como resultado — existe em todas as culturas humanas. De forma mais instrutiva, ver a análise marcante da detecção de parentesco entre humanos por Lieberman e seus associados (Lieberman, Tooby & Cosmides, 2007; Sznycer *et al.*, 2016), assim como seu breve resumo em Cosmides & Tooby (2013, pp. 219-22). Minha recomendação para pais tratarem visitantes de outros grupos em casa como família em vez de como convidados tem o apoio de uma pesquisa que mostra que crianças captam e seguem sinais não verbais dos adultos em relação a membros do grupo social (Skinner, Olson & Meltzoff, 2020).

29. Nai *et al.* (2028) coletaram os dados que mostram os efeitos positivos de viver em uma vizinhança diversificada sobre a benevolência em relação a estranhos e sobre a identificação com toda humanidade. Efeitos conceitualmente semelhantes foram encontrados em regiões e países mais etnicamente diversificados (Bai, Ramos & Fiske, 2020). Evidências das consequências favoráveis de amizades entre grupos em atitudes, expectativas e ações dentro do grupo tanto para membros de grupos majoritários quanto minoritários vêm de uma variedade de fontes (Page-Gould *et al.*, 2010; Pettigrew, 1997; Swart *et al.*, 2011; Wright *et al.*, 1997). Por exemplo, na África do Sul, alunos não brancos de escolas dos últimos anos do Ensino Fundamental que tinham amizades entre grupos com brancos tinham atitudes de maior confiança e menos intenções prejudiciais em relação a brancos em geral (Stewart *et al.*, 2011). A versão das 36 perguntas que reduziu o preconceito entre indivíduos com atitudes preconceituosas arraigadas foi desenvolvida por Page-Gould *et al.* (2008). O papel significativo da autorrevelação sobre os efeitos benéficos de amizades entre grupos apareceu em trabalhos por Davies *et al.* (2011) e Turner *et al.* (2007).

30. O efeito unificador de uma identidade americana foi descoberto por Riek *et al.* (2010) e Levendusky (2018), enquanto um efeito semelhante da identidade genética foi confirmado por Kimel *et al.* (2016); Flade, Klar & Imhoff (2019) descobriram o impacto comparável de um inimigo em comum; ver também Shnabel, Halabi & Noor (2013). A pesquisa sobre a suscetibilidade de psicopatas aos efeitos de identidade compartilhada foi conduzida por Arbuckle & Cunningham (2012). McDonald *et al.* (2017) forneceram as evidências de que a tendência lamentável de grupos de desumanizar grupos rivais (Haslam, 2006; Haslam & Loughnan, 2014; Kteily *et al.*, 2015; Markowitz & Slovic, 2020; Smith, 2020) pode ser enfrentada através da experiência compartilhada de emoções humanas básicas.

Evidências de que assumir a perspectiva de outra pessoa pode aumentar a sensação de superposição do eu-outro com ela são consideráveis (Ames *et al.*, 2008; Sehajic & Brown, 2010; Davis *et al.*, 1996; Galinsky & Moskowitz, 2000); a pesquisa de Ames *et al.* ofereceu uma sustentação criativa mostrando que indivíduos que assumiram perspectiva para pensar em outra pessoa experimentaram maior ativação do setor do cérebro (córtex ventromedial pré-frontal) associado com pensar sobre si mesmo. Os trabalhos que implicam assumir perspectiva em aprovação a políticas favoráveis em relação a grupos minoritários foram conduzidos por Berndsen & McGarty (2012);

Cehajic & Brown (2010); e Broockman & Kalla (2016). A descoberta de que reconhecer que outra pessoa assumiu nossa perspectiva nos leva a sentir maior solidariedade com essa pessoa foi feita em seis experimentos separados por Goldstein, Vezich & Shapiro (2014).

31. Embora a frase das ondas, folhas e flores seja atribuída a Sêneca, ele não foi seu autor. Mais provavelmente, ela é de Bahá'u'lláh, fundador da fé Baha'i.

Há evidências consideráveis do sucesso variável e frequentemente temporário de conexões criadas para reduzir a desumanização de grupos rivais ou para construir unidade com eles destacando inimigos comuns, descobrindo algum tipo de identidade em comum ou por assumir perspectiva (Catapano, Tormala & Rucker, 2019; Dovidio, Gaertner & Saguy, 2009; Goldenberg, Courtney & Felig, 2020; Lai *et al.*, 2016; Mousa, 2020; Over, 2020; Sasaki & Vorauer, 2013; Todd & Galinsky, 2014; Vorauer, Martens & Sasaki, 2009). Evidências documentando os efeitos prejudiciais de ameaça percebida sobre procedimentos de geração de unidade são extensas (Gómez *et al.*, Kauff *et al.*, 2013; Morrison, Plaut & Ybarra, 2010; Pierce *et al.*, Riek, Manie & Gaertner, 2006; Sassenrath, Hodges & Pfattheicher, 2016; Vorauer & Sasaki, 2011).

32. Para um estudo de evidências de provável maior semelhança genética entre aqueles que compartilham da mesma família, amizades e locais, assim como atitudes políticas e religiosas, ver pesquisa incluída nas notas deste capítulo 9, 12, 14, 16 e 17. A pesquisa inicial na qual Kahneman baseou a ilusão do foco foi publicada em Schkade & Kahneman (1998); para sustentação posterior, ver Gilbert (2006), Krizan & Suls (2008), Wilson *et al.* (2000) e Wilson & Gilbert (2008). Dados relacionados vêm de um estudo que investigou por que itens colocados no centro de uma variedade de marcas nas prateleiras das lojas tendem a ser comprados com mais frequência. O do centro recebe mais atenção visual que aqueles à esquerda ou à direita. Além disso, é essa maior atenção que prevê a decisão de compra (Atalay, Bodur & Rasolofoarison, 2012). Em relação à base lógica e às consequências da ilusão com foco, há evidências de que o que é importante ganha nossa atenção e aquilo de que cuidamos ganha em importância. Por exemplo, no domínio das atitudes, pesquisadores mostraram que somos organizados cognitivamente de modo que as atitudes às quais temos acesso mais fácil (sobre as quais focamos) são aquelas mais importantes para nós (Bizer & Krosnick, 2001). Além disso, qualquer atitude que possamos acessar com facilidade passa a ser vista como mais importante (Roese & Olson, 1994). Há ainda mais evidências de que atenção visual concentrada sobre um item de consumo aumenta o valor avaliado do item pelos setores influentes do cérebro que governam o valor percebido (Lim, O'Doherty & Rangel, 2011; Krajbich *et al.*, 2009). Os estudos demonstrando como o foco da atenção da cobertura da mídia, das imagens em *landing pages* e de fotos antigas influenciaram a importância percebida foram feitos por Corning & Schuman (2013), Mandel & Johnson (2002) e Hershfeld *et al.* (2011).

Embora nem todos os métodos tenham se mostrado eficazes, pesquisas consideráveis indicam que é possível ser treinado para desviar a atenção de entidades ameaçadoras na direção de outras mais positivas ou, pelo menos, menos assustadoras (Hakamata *et al.*, 2010; Mogg, Allison & Bradley, 2017; Lazarov *et al.*, 2017; Price *et al.*, 2016). Além de nos treinarmos a desviar o foco de aspectos às vezes ameaçadores de grupos externos, podemos usar o foco de outra maneira para reduzir a ansiedade resultante. Isso envolve desviar o foco das ansiedades em si para nossas qualidades. Quando experimentamos esse tipo de ameaça, a chave é se envolver em "autoafirmações" que canalizem a atenção sobre algo em nós que valorizemos, como um relacionamento forte com um membro da família, amigo ou rede de amigos — também pode ser um traço que valorizemos, talvez nossa criatividade ou senso de humor. O efeito é reorientar nosso foco de aspectos ameaçados de nós mesmos e das respostas defensivas que os acompanham (preconceito, combatividade, autopromoção) para aspectos valorizados de nós mesmos e as respostas confiantes que se seguem (abertura, equanimidade, autocontrole). Vários estudos registraram a capacidade apropriada de autoafirmações para reverter o impacto negativo de ameaças de fora do grupo (Cehajic-Clancy *et al.*, 2011; Cohen & Sherman, 2014; Shnabel *et al.*, 2013; Sherman, Brookfield & Ortosky, 2017; Stone *et al.*, 2011).

33. Os estudos que documentam a maior desonestidade de funcionários de empresas com um código de conduta com afirmações que enfatizam a união foram publicados por Kouchaki, Gino & Feldman (2019). A tendência de desculpar essa conduta em membros de um grupo de "nós" não se limita a humanos. Em outra ilustração, o roubo de comida por jovens chimpanzés é muito mais tolerado por adultos que têm comida se o jovem ladrão é seu parente (Frölich *et al.*, 2020).

A sabedoria de uma política de tolerância zero em relação a condutas comprovadamente antiéticas pode ser vista diante das evidências das consequências econômicas tóxicas de permitir tais comportamentos dentro de uma organização. Meus colegas e eu chamamos essas consequências de "a estrutura do tumor triplo da desonestidade organizacional". Nós defendemos que uma organização que permite com regularidade o uso de táticas enganadoras por seu pessoal (contra colegas de trabalho e também contra clientes, consumidores, acionistas, fornecedores, distribuidores e assim por diante) vai experimentar um trio de resultados internos custosos: declínio no desempenho dos funcionários, alto giro de funcionários e fraude e conduta ilegal correntes de funcionários. Além disso, os resultados vão funcionar como tumores malignos — crescendo, se espalhando e devorando progressivamente a saúde e o vigor da organização. Em um conjunto de estudos, revisões e análises de literatura, encontramos sustentação para nossas afirmações (Cialdini, 2016, cap. 13; Cialdini *et al.*, 2019; Cialdini, Petrova & Goldstein, 2004).

Uma política de tolerância zero de demissões após infrações éticas em organizações, especialmente organizações com a mentalidade unificada, pode parecer cruel, e me lembro de nunca ter defendido a crueldade nas relações humanas. Entretanto, com base em nossas descobertas, ela parece justificada. Claro, reconheço que sou em geral simpático a argumentos contrários que valorizem a clemência, que dizem que errar é humano e que as pessoas devem ter uma segunda chance, e ao ponto abordado pelos versos de Shakespeare em *O mercador de Veneza* em relação ao tratamento de pessoas que abusam da ética: "A qualidade da misericórdia não é valorizada./ Ela cai como a chuva delicada do céu/ Sobre os lugares abaixo." Mas, em relação específica à conduta antiética na força de trabalho, eu (ao contrário do Bardo) já vi pesquisas consideráveis documentando um conjunto de consequências corrosivas e contagiosas que seria tolice subestimar.

Capítulo 9: Influência instantânea

1. Evidências do estreitamento perceptivo e decisório produzido por sobrecarga cognitiva podem ser encontradas em Albarracin & Wyer (2001); Bawden & Robinson (2009); Carr (2010); Chajut & Algom (20030; Conway & Cowan (2001), Dhami (2003); Easterbrook (1959); Hills (2019); Hills, Adelman & Noguchi (2017); Sengupta & Johar (2001) e Tversky & Kahneman (1974).

Bibliografia

Aaker, D. A. *Managing brand equity.* Nova York: Free Press, 1991.

Abrahamse, W. & Steg, L. Social influence approaches to encourage resource conservation: A meta-analysis. *Global Environmental Change,* 23, p. 1.773-1.785, 2013.

Achen, C. H. & Bartels, L. M. *Democracy for realists: Why elections do not produce responsive government.* Princeton, NJ: Princeton University Press, 2017.

Adarves-Yorno, I., Haslam, S. A. & Postmes, T. And now for something completely different? The impact of group membership on perceptions of creativity. *Social Influence,* 3, p. 248-266, 2008.

Agerstrom, J., Carlsson, R., Nicklasson L. & Guntell L. Using descriptive social norms to increase charitable giving: The power of local norms. *Journal of Economic Psychology,* 52, p. 147-153, 2016. Disponível em: http://dx.doi.org/10.1016/j.joep.2015.12.007.

Aggarwal, P., Jun, S. Y. & Huh, J. H. Scarcity messages. *Journal of Advertising,* 40, p. 19-30, 2011. Disponível em: http://dx.doi.org/10.2753/JOA0091-3367400302.

Albarracin, D. & Wyer, R. S. Elaborative and nonelaborative processing of a behavior-related communication. *Personality and Social Psychology Bulletin,* 27, p. 691-705, 2001.

Alison, L. & Alison, E. Revenge versus rapport: Interrogation, terrorism, and torture. *American Psychologist,* 72, p. 266-277, 2017.

Algoe, S. B. Find, remind, and bind: The functions of gratitude in everyday relationships. *Social and Personality Psychology Compass*, 6, p. 455-469, 2012.

Algoe, S. B., Gable, S. L. & Maisel, N. It's the little things: Everyday gratitude as a booster shot for romantic relationships. *Personal Relationships*, 17, p. 217-233, 2010.

Algoe, S. B. & Zhaoyang, R. Positive psychology in context: Effects of expressing gratitude in ongoing relationships depend on perceptions of enactor responsiveness. *Journal of Positive Psychology*, 11, p. 399-415, 2016. Disponível em: http://dx.doi.org/10.1080/17439760.2015.1117131.

Allcott, H. Social norms and energy conservation. *Journal of Public Economics*, 95, p. 1.082-1.095, 2011. Diponível em: http://dx.doi.org/10.1016/j.jpubeco.2011.03.003.

Allcott, H. & Rogers, T. The short-run and long-run effects of behavioral interventions: Experimental evidence from energy conservation. *American Economic Review*, 104, p. 3.003-37, 2014.

Allison, S. T., Mackie, D. M., Muller, M. M. & Worth, L. T. Sequential correspondence biases and perceptions of change. *Personality and Social Psychology Bulletin*, 19, p. 151-157, 1993.

Allison, S. T. & Messick, D. M. The feature-positive effect, attitude strength, and degree of perceived consensus. *Personality and Social Psychology Bulletin*, 14, p. 231-241, 1988.

Al Ramiah, A. & Hewstone, M. Intergroup contact as a tool for reducing, resolving, and preventing intergroup conflict: Evidence, limitations, and potential, 2013. *American Psychologist*, 68, p. 527-542. Disponível em: http://dx.doi.org/10.1037/a0032603.

Ames, D. L.; Jenkins, A. C.; Banaji; M. R. & Mitchell, J. P. Taking another person's perspective increases self-referential neural processing. *Psy-*

chological Science, 19, p. 642-644, 2008. Disponível em: https://doi.org/10.1111/j.1467-9280.2008.02135.x.

Ampel, B. C.; Muraven, M. & McNay, E. C. Mental work requires physical energy: Self-control is neither exception nor exceptional. *Frontiers in Psychology*, 9, p. 1.005, 2018. Disponível em: https://doi.org/10.3389/fpsyg.2018.01005.

Anderson, M. *After Phrenology: Neural Reuse and the Interactive Brain.* Cambridge, MA: The MIT Press, 2014.

Anderson, E. & Simester, D. Mind your pricing cues. *Harvard Business Review*, 81, p. 103-134, 2003.

Anderson, S. M. & Zimbardo, P. G. On resisting social influence. *Cultic Studies Journal*, 1, p. 196-219, 1984.

Andor, M. A. & Fels, K. M. Behavioral economics and energy conservation — a systematic review of non-price interventions and their causal effects. *Ecological Economics*, 148, p. 178-210, 2018.

Antonovics, K. & Knight, B. G. A new look at racial profiling: Evidence from the Boston Police Department. *Review of Economics and Statistics*, 91, p. 163-177, 2009.

Aramovich, N. P., Lytle, B. L. & Skitka, L. J. Opposing torture: Moral conviction and resistance to majority influence. *Social Influence*, 7, p. 21-34, 2012.

Arbuckle, N. L & Cunningham, W. A. Understanding everyday psychopathy: Shared group identity leads to increased concern for others among undergraduates higher in psychopathy. *Social Cognition*, 30, p. 564-583, 2012. Disponível em: https://doi.org/10.1521/soco.2012.30.5.564.

Arizona Republic. For women, all's pheromones in love, war, E19, 7 mar., 1999.

Armstrong, J. S. *Persuasive advertising*. Londres: Palgrave Macmillan, 2010.

Arnocky, S., Bozek, E., Dufort, C., Rybka, S. & Herbert, R. Celebrity opinion influences public acceptance of human evolution. *Evolutionary Psychology*, 2018. Disponível em: https://doi.org/10.1177/1474704918800656.

Aron, A., Aron, E. N., Tudor, M. & Nelson, G. Self-relationships as including other in the self. *Journal of Personality and Social Psychology*, 60, p. 241-253, 1991.

Aron, A., Melinat, E., Aron, E. N., Vallone, R. D. & Bator, R. J. The experimental generation of interpersonal closeness: A procedure and some preliminary findings. *Personality and Social Psychology Bulletin*, 23, p. 363-377, 1997.

Aronson, E. The jigsaw route to learning and liking. *Psychology Today*, p. 43-50, feb., 1975.

Aronson, E. & Mills, J. The effect of severity of initiation on liking for a group. *Journal of Abnormal and Social Psychology*, 59, p. 177-181, 1959.

Aronson, E., Stephan, C., Sikes, J., Blaney, N. & Snapp, M. *The jigsaw classroom*. Beverly Hills, CA: Sage, 1978.

Aronson, E. & Tavris, C. The role of cognitive dissonance in the pandemic. *The Atlantic*, 20 jul., 2020. Disponível em: www.theatlantic.com/ideas/archive/2020/07/role-cognitive-dissonance-pandemic/614074.

Ashmore, R. D., Ramchandra, V. & Jones, R. A. *Censorship as an attitude change induction*. Trabalho apresentado na reunião da Eastern Psychological Association, Nova York, NY, abr., 1971.

Ashokkumar, A., Galaif, M., Swann, W. B. Tribalism can corrupt: Why people denounce or protect immoral group members. *Journal of Experimental Social Psychology*, 85, 2019. Disponível em: https://doi.org/10.1016/j.jesp.2019.103874.

Asimov, I. The Miss America pageant. *TV Guide,* 30 ago., 1975.

Atalay, A. S., Bodur, H. O. & Rasolofoarison, D. Shining in the center: Central gaze cascade effect on product choice. *Journal of Consumer Research, 39,* p. 848-856, 2012.

Aune, R. K. & Basil, M. C. A relational obligations approach to the foot-in-the-mouth-effect. *Journal of Applied Social Psychology,* 24, p. 546-556, 1994.

Australian. Coin by coin, B14, 11 dec., 2009.

Ayres, I., Raseman, S. & Shih, A. Evidence from two large field experiments that peer comparison feedback can reduce residential energy usage. *Journal of Law, Economics, and Organization,* 29, p. 992-1.022, 2013. Disponível em: http://dx.doi.org/10.1093/jleo/ews02056.

Bai, X., Ramos, M. R. & Fiske, S. T. As diversity increases, people paradoxically perceive social groups as more similar. *Proceedings of the National Academy of Sciences,* 117, p. 12.741-12.749, 2020. Disponível em: https://doi.org/10.1073/pnas.2000333117.

Bailenson, J. N. & Yee, N. Digital chameleons: Automatic assimilation of nonverbal gestures in immersive virtual environments. *Psychological Science,* 16, 10, p. 814-819, 2005. Disponível em: https://doi.org/10.1111/j.1467-9280.2005.01619.x.

Bailenson, J. N., Iyengar, S., Yee, N. & Collins, N. A. Facial similarity between voters and candidates causes influence. *Public Opinion Quarterly,* 72, p. 935-961, 2008.

Balancher, S., Liu, Y. & Stock, A. An empirical analysis of scarcity strategies in the automobile industry. *Management Science,* 10, p. 1.623-1.637, 2009.

Balliet, D., Wu, J. & De Dreu, C. K. W. Ingroup favoritism in cooperation: A meta-analysis. *Psychological Bulletin,* 140, p. 1.556-1.581, 2014.

Bandura, A., Grusec, J. E. & Menlove, F. L. Vicarious extinction of avoidance behavior. *Journal of Personality and Social Psychology*, 5, p. 16-23, 1967.

Bandura, A. & Menlove, F. L. Factors determining vicarious extinction of avoidance behavior through symbolic modeling. *Journal of Personality and Social Psychology*, 8, p. 99-108, 1968.

Bannan, N. (ed.). *Music, language, and human evolution*. Oxford: Oxford University Press, 2012.

Barden, J., Rucker, D. D. & Petty, R. E. "Saying one thing and doing another": Examining the impact of event order on hypocrisy judgments of others. *Personality and Social Psychology Bulletin*, 31, p. 1.463-1.474, 2005. Disponível em: https://doi.org/10.1177/0146167205276430.

Bargh, J. A. & Williams, E. L.. The automaticity of social life. *Current Directions in Psychological Science*, 15, p. 1-4, 2006.

Barlow, F. K., Paolini, S., Pedersen, A., Hornsey, M. J., Radke, H. R. M., Harwood, J., Rubin, M. & Sibley, C. G. The contact caveat: Negative contact predicts increased prejudice more than positive contact predicts reduced prejudice. *Personality and Social Psychology Bulletin*, 38, p. 1.629-1.643, 2012. Disponível em: https://doi.org/10.1177/0146167212457953.

Barnett, M. A., Sanborn, F. W. & Shane, A. C. Factors associated with individuals' likelihood of engaging in various minor moral and legal violations. *Basic and Applied Social Psychology*, 27, p. 77-84, 2005. Disponível em: http://doi.org/10.1207/s15324834basp2701_8.

Barone, M. J. & Roy, T. The effect of deal exclusivity on consumer response to targeted price promotions: A social identification perspective. *Journal of Consumer Psychology*, 20, p. 78-89, 2010.

Bastardi, A. & Shafir, E. Nonconsequential reasoning and its consequences. *Current Directions in Psychological Science*, 9, p. 216-219, 2000.

Bastian, B., Jetten, J. & Ferris, L. J. Pain as social glue: shared pain increases cooperation. *Psychological Science*, 25, p. 2.079-2.085, 2014. Disponível em: https://doi.org/10.1177/0956797614545886.

Bawden, D. & Robinson, L. The dark side of information: Overload, anxiety and other paradoxes and pathologies. *Journal of Information Science*, 35, p. 180-191, 2009.

Benjamin, J. Market research fail: How New Coke became the worst flub of all time. Business 2 Community (site), 25 jun., 2015. Disponível em: www.business2community.com/consumer-marketing/market-research-fail-new-coke-became-worst-flub-time-01256904.

Benson, P. L., Karabenic, S. A. & Lerner, R. M. Pretty pleases: The effects of physical attractiveness on race, sex, and receiving help. *Journal of Experimental Social Psychology*, 12, p. 409-415, 1976.

Benton, A. A., Kelley, H. H. & Liebling, B. Effects of extremity of offers and concession rate on the outcomes of bargaining. *Journal of Personality and Social Psychology*, 24, p. 73-83, 1972.

Bergquist, M., Nilsson, A. & Schultz, W. P. A meta-analysis of field experiments using social norms to promote pro-environmental behaviors. *Global Environmental Change*, 58, 2019. Disponível em: doi.org/10.1016/j.gloenvcha.2019.101941.

Bernache-Assolant, I., Lacassagne, M-F. & Braddock, J. H. Basking in reflected glory and blasting: Differences in identity management strategies between two groups of highly identified soccer fans. *Journal of Language and Social Psychology*, 26, p. 381-388, 2007.

Berndsen, M. & McGarty, C. Perspective taking and opinions about forms of reparation for victims of historical harm. *Personality and Social Psychology Bulletin*, 38, p. 1.316-1.328, 2012. Disponível em: https://doi.org/10.1177/0146167212450322.

Bernieri, F. J. Coordinated movement and rapport in teacher-student interactions. *Journal of Nonverbal Behavior*, 12, p. 120-138, 1988.

Berns, G. S., Chappelow J., Zink, C. F., Pagnoni, G., Martin-skuski, M. E. & Richards, J. Neurobiological correlates of social conformity and independence during mental rotation. *Biological Psychiatry*, 58, p. 245-253, 2005.

Bickman, L. The social power of a uniform. *Journal of Applied Social Psychology*, 4, p. 47-61, 1974.

Binning, K. R., Kaufmann, N., McGreevy, E. M., Fotuhi, O., Chen, S., Marshman, E., Kalender, Z. Y., Limeri, L., Betancur, L. & Singh, C. Changing social contexts to foster equity in college science courses: An ecological--belonging intervention. *Psychological Science*, 31, p. 1.059-1.070, 2020. Disponível em: https://doi.org/10.1177/0956797620929984.

Bizer, G. Y. & Krosnick, J. A. Exploring the structure of strength-related attitude features: The relation between attitude importance and attitude accessibility. *Journal of Personality and Social Psychology*, 81, p. 566-586, 2001. Disponível em: https://doi.org/10.1037/0022-3514.81.4.566.

Blake, R. & Mouton, J. Intergroup problem solving in organizations: From theory to practice. *In*: W. Austin & S. Worchel (eds.), *The social psychology of intergroup relations*. Monterey, CA: Brooks/Cole, p. 19-32, 1979.

Blanco, F., Gomez-Fortes, B. & Matute, H. Causal illusions in the service of political attitudes in Spain and the United Kingdom. *Frontiers in Psychology*, 28, 2018. Disponível em: https//:doi.org/10.3389/fpsyg.2018.01033.

Blass, T. *The man who shocked the world: The life and legacy of Stanley Milgram*. Nova York: Basic Books, 2004.

Blass, T. A cross-cultural comparison of studies of obedience using the Milgram paradigm: A review. *Social and Personality Psychology Compass*, 6, p. 196-205, 2012.

Boen, F., Vanbeselaere, N., Pandelaere, M., Dewitte, S., Duriez, B., Snauwa-ert, B., Feys, J., Dierckx, V. & Van Avermaet, E. Politics and basking-in--reflected-glory. *Basic and Applied Social Psychology,* 24, p. 205-214, 2002.

Boh, W. F. & Wong, S-s. Managers versus co-workers as referents: Compa-ring social influence effects on within-and outside-subsidiary knowle-dge sharing. *Organizational Behavior and Human Decision Processes,* 126, p. 1-17, 2015.

Bollen, K. A. & Phillips, D. P. Imitative suicides: A national study of the effects of television news stories. *American Sociological Review,* 47, p. 802-809, 1982.

Bomey, N. Nissan Rogue gets a galactic sales boost from "Star Wars". *Arizo-na Republic,* B4, 3 jul., 2017.

Bond, M. H. & Smith, P. B. Culture and conformity: A meta-analysis of stu-dies using Asch's (1952b, 1956) line judgment task. *Psychological Bulle-tin,* 119, p. 111-137, 1996.

Bond, R., Fariss, C. J., Jones, J. J., Kramer, A. D. I., Marlow, C., Settle, J. E. & Fowler, J. H. A 61-million-person experiment in social influence and political mobilization. *Nature,* 489, p. 295-298, 2012. Disponível em: https://doi.org/10.1038/nature11421.

Bonneville-roussy, A., Rentfrow, P. J., Potter, J. & Xu, M. K. Music through the ages: Trends in musical engagement and preferences from adoles-cence through middle adulthood. *Journal of Personality and Social Psy-chology,* 105, p. 703-717, 2013.

Boothby, E. J. & Bohns, V. K. Why a simple act of kindness is not as simple as it seems: Underestimating the positive impact of our compliments on others. *Personality and Social Psychology Bulletin,* 2020. Disponível em: https://doi.org/10.1177/0146167220949003.

Borgida, E., Conner, C. & Manteufal, L. Understanding living kidney donation: A behavioral decision-making perspective. *In*: S. Spacapan & S. Oskamp (eds.), *Helping and being helped*. Newbury Park, CA: Sage, p. 183-212, 1992.

Borman, G. D., Rozek, C. S., Pyne, J. & Hanselman, P. Reappraising academic and social adversity improves middle school students' academic achievement, behavior, and well-being. *Proceedings of the National Academy of Sciences*, 116, p. 16.286-16.291, 2019. Disponível em: https:// doi.org/10.1073/pnas.1820317116.

Bornstein, R. F., Leone, D. R. & Galley, D. J. The generalizability of subliminal mere exposure effects. *Journal of Personality and Social Psychology*, 53, p. 1.070-1.079, 1987.

Bouchard, T. J., Segal, N. L., Tellegen, A., McGue, M., Keyes, M. & Krueger, R. Evidence for the construct validity and heritability of the Wilson-Paterson conservatism scale: A reared-apart twins study of social attitudes. *Personality and Individual Differences*, 34, p. 959-969, 2003.

Bourgeois, M. J. Heritability of attitudes constrains dynamic social impact. *Personality and Social Psychology Bulletin*, 28, p. 1.063-1.072, 2002.

Brandt, M. J. & Reyna, C. The chain of being: A hierarchy of morality. *Perspectives on Psychological Science*, 6, p. 428-446, 2011.

Brehm, J. W. *A theory of psychological reactance*. Nova York: Academic Press, 1966.

Brehm, S. S. Psychological reactance and the attractiveness of unattainable objects: Sex differences in children's responses to an elimination of freedom. *Sex Roles*, 7, p. 937-949, 1981.

Brehm, S. S. & Weintraub, M. Physical barriers and psychological reactance: Two-year-olds' responses to threats to freedom. *Journal of Personality and Social Psychology*, 35, p. 830-836, 1977.

Brendl, C. M., Chattopadhyay, A., Pelham, B. W. & Carvallo, M. Name letter branding: Valence transfers when product specific needs are active. *Journal of Consumer Research,* 32, p. 405-415, 2005. Disponível em: https://doi.org/10.1086/497552.

Bridge, J. A., Greenhouse, J. B., Ruch, D., Stevens, J., Ackerman, J., Sheftall, A. H., Horowitz, L. M., Kelleher, K. J. & Campo, J. V. Association between the release of Netflix's *13 Reasons Why* and suicide rates in the United States: An interrupted times series analysis. *Journal of the American Academy of Child and Adolescent Psychiatry,* 2019. Disponível em: https://doi.org/10.1016/j.jaac.2019.04.020.

Brinol, P., Petty, R. E. & Wheeler, S. C. Discrepancies between explicit and implicit self-concepts: Consequences for information processing. *Journal of Personality and Social Psychology,* 91, p. 154-170, 2006.

Brockner, J. & Rubin, J. Z. *Entrapment in escalating conflicts: A social psychological analysis.* Nova York: Springer-Verlag, 1985.

Bronnenberg, B. J., Dhar, S. K. & Dube, J.P. Consumer packaged goods in the United States: National brands, local branding. *Journal of Marketing Research,* 44, p. 4-13. Disponível em: https://doi.org/10.1509/jmkr.44.1.004.

Broockman, D. & Kalla, J. Durably reducing transphobia: A field experiment on door-to-door canvassing. *Science,* 352, p. 220-224, 2016.

Brown, J. L., Drake, K. D. & Wellman, L. The benefits of a relational approach to corporate political activity: Evidence from political contributions to tax policymakers. *Journal of the American Taxation Association,* 37, p. 69-102, 2015.

Brown, S. L., Asher, T. & Cialdini, R. B. Evidence of a positive relationship between age and preference for consistency. *Journal of Research in Personality,* 39, p. 517-533, 2005.

Browne, W. & Swarbrick-Jones, M. What works in e-commerce: A meta-analysis of 6.700 online experiments. *Qubit Digital LTD*, 2017.

Brownstein, R. & Katzev, R. The relative effectiveness of three compliance techniques in eliciting donations to a cultural organization. *Journal of Applied Social Psychology,* 15, p. 564-574, 1985.

Bruneau, E. G., Kteily, N. S. & Urbiola, A. A collective blame hypocrisy intervention enduringly reduces hostility towards Muslims. *Nature Human Behaviour,* 4, p. 45-54, 2020. Disponível em: https://doi.org/10.1038/s41562-019-0747-7.

Buchan, N. R., Brewer, M. B., Grimalda, G., Wilson, R. K., Fatas, E. & Foddy, M. Global social identity and global cooperation. *Psychological Science,* 22, p. 821-828, 2011.

Budesheim, T. L. & DePaola, S. J. Beauty or the beast? The effects of appearance, personality, and issue information on evaluations of political candidates. *Personality and Social Psychology Bulletin,* 20, p. 339-348, 1994.

Bullack, A., Gass, C., Nater, U. M. & Kreutz, G. Psychobiological effects of choral singing on affective state, social connectedness, and stress: Influences of singing activity and time course. *Frontiers of Behavioral Neuroscience.* 12, p. 223, 2018. Disponível em: https://doi.org/10.3389/fnbeh.2018.00223.

Burger, J. M. Replicating Milgram: Would people still obey today? *American Psychologist,* 64, p. 1-11, 2009.

Burger, J. M. & Caldwell, D. F. The effects of monetary incentives and labeling on the foot-in-the-door effect. *Basic and Applied Social Psychology,* 25, p. 235-241, 2003.

Burger, J. M. & Caldwell, D. F. When opportunity knocks: The effect of a perceived unique opportunity on compliance. *Group Processes & Intergroup Relations,* 14, p. 671-680, 2011.

Burger, J. M. & Caputo, D. The low-ball compliance procedure: a meta-analysis. *Social Influence*, 10, p. 214-220, 2015. DOI: 10.1080/15534510.2015.1049203.

Burger, J. M., Horita, M., Kinoshita, L., Roberts, K. & Vera, C. Effects of time on the norm of reciprocity. *Basic and Applied Social Psychology*, 19, p. 91-100, 1997.

Burger, J. M., Messian, N., Patel, S., del Prado, A. & Anderson, C. What a coincidence! The effects of incidental similarity on compliance. *Personality and Social Psychology Bulletin*, 30, p. 35-43, 2004.

Burger, J. M. & Petty, R. E. The low-ball compliance technique: Task or person commitment? *Journal of Personality and Social Psychology*, 40, p. 492-500, 1981.

Burgoon, M., Alvaro, E., Grandpre, J. & Voulodakis, M. Revisiting the theory of psychological reactance. *In:* J. P. Dillard and M. Pfau (eds.), *The persuasion handbook: Theory and practice.* Thousand Oaks, CA: Sage, p. 213-232, 2002.

Burnstein, E., Crandall, C. & Kitayama, S. Some neo-Darwin decision rules for altruism: Weighing cues for inclusive fitness as a function of the biological importance of the decision. *Journal of Personality and Social Psychology*, 67, p. 773-789, 1994.

Bushman, B. J. The effects of apparel on compliance. *Personality and Social Psychology Bulletin*, 14, p. 459-467, 1988.

Bushman, B. J. Effects of warning and information labels on attraction to television violence in viewers of different ages. *Journal of Applied Social Psychology*, 36, p. 2.073-2.078, 2006. Disponível em: https://doi.org/10.1111/j.0021-9029.2006.00094.x.

Buttleman, D. & Bohm, R. The ontogeny of the motivation that underlies in-group bias. *Psychological Science*, 25, p. 921-927, 2014.

Buttrick, N., Moulder, R. & Oishi, S. Historical change in the moral foundations of political persuasion. *Personality and Social Psychology Bulletin*, 46, p. 1.523-1.537, 2020. DOI:10.1177/0146167220907467.

Cadinu, M. R. & Rothbart, M. Self-anchoring and differentiation processes in the minimal group setting. *Journal of Personality and Social Psychology*, 70, p. 666-677, 1996.

Cai, H., Chen, Y. & Fang, H. Observational learning: Evidence from a randomized natural field experiment. *American Economic Review*, 99, p. 864-882, 2009.

Campbell, M. W. & de Waal, F. B. M. Methodological problems in the study of contagious yawning. *Frontiers in Neurology and Neuroscience*, 28, p. 120-127, 2010.

Cappella, J. N. (1997). Behavioral and judged coordination in adult informal social interactions: Vocal and kinesic indicators. *Journal of Personality and Social Psychology*, 72, p. 119-131, 1997.

Carducci, B. J., Deuser, P. S., Bauer, A., Large, M. & Ramaekers, M. An application of the foot-in-the-door technique to organ donation. *Journal of Business and Psychology*, 4, p. 245-249, 1989.

Carey, B. Mass killings may have created contagion, feeding on itself. *New York Times*, A11, jul., 2016.

Caro, R. A. The passage of power. *The years of Lyndon Johnson*, v. 4. New York: Knopf, 2012.

Carpenter, C. J. A meta-analysis of the effectivenes of the "But You Are Free" compliance-gaining technique. *Communication Studies*, 64, p. 6-17, 2013. Disponível em: https://doi.org/10.1080/10510974.2012.727941.

Carr, N. *The shallows: What the internet is doing to our brains*. Nova York: W. W. Norton, 2010.

Carter, S. E. & Sanna, L. J. Are we as good as we think? Observers' perceptions of indirect self-presentation as a social influence tactic. *Social Influence,* 1, p. 185-207, 2006. Disponível em: https://doi.org/10.1080/15534510600937313.

Catapano, R., Tormala, Z. L. & Rucker, D. D. Perspective taking and self-persuasion: Why "putting yourself in their shoes" reduces openness to attitude change. *Psychological Science*, 30, p. 424-435, 2019. Disponível em: https://doi.org/10.1177/0956797618822697.

Cavazza, N. When political candidates "go positive": The effects of flattering the rival in political communication. *Social Influence,* 11, p. 166-176, 2016. Disponível em: https://doi.org/10.1080/15534510.2016.1206962.

Čehajić, S. & Brown, R. Silencing the past: Effects of intergroup contact on acknowledgment of in-group responsibility. *Social Psychological and Personality Science*, 1, p. 190-196, 2010. Disponível em: https://doi.org/10.1177/1948550609359088.

Čehajić-Clancy, S., Effron, D. A., Halperin, E., Liberman, V. & Ross, L. D. Affirmation, acknowledgment of in-group responsibility, group-based guilt, and support for reparative measures. *Journal of Personality and Social Psychology*, 101, p. 256-270, 2011.

Chagnon, N. A. & Bugos, P. E. Kin selection and conflict: An analysis of a Yanomano ax fight. *In*: N. A. Chagnon and W. Irons (eds.), *Evolutionary biology and social behavior*. North Scituate, MA: Duxbury, p. 213-238, 1979.

Chaiken, S. Communicator physical attractiveness and persuasion. *Journal of Personality and Social Psychology*, 37, p. 1.387-1.397, 1979.

Chaiken, S. Physical appearance and social influence. *In*: C. P. Herman, M. P. Zanna, and E. T. Higgins (eds.), *Physical appearance, stigma, and social behavior: The Ontario Symposium*. Hillsdale, NJ: Lawrence Erlbaum, v. 3, p. 143-177, 1986.

Chajut, E. & Algom, D. Selective attention improves under stress. *Journal of Personality and Social Psychology*, 85, p. 231-248, 2003.

Chambers, J. R., Schlenker, B. R. & Collisson, B. Ideology and prejudice: The role of value conflicts. *Psychological Science*, 24, p. 140-149, 2013.

Chan, C.; Berger, J. & Van Boven, L. Identifiable but not identical: Combining social identity and uniqueness motives in choice. *Journal of Consumer Research*, 39, p. 561-573, 2012. Disponível em: https://doi.org/10.1086/664804.

Chan, E. & Sengupta, J. Insincere flattery actually works: A dual attitudes perspective. *Journal of Marketing Research*, 47, p. 122-133, 2010.

Cheng, L.; Hao, M., Xiao, L. & Wang, F. Join us: Dynamic norms encourage women to pursue STEM. *Current Psychology*, 2020. Disponível em: https://doi.org/10.1007/s12144-020-01105-4.

Chernyak, N., Leimgruber, K. L., Dunham, Y. C., Hu, J. & Blake, P. R.. Paying back people who harmed us but not people who helped us: Direct negative reciprocity precedes direct positive reciprocity in early development. *Psychological Science*, 2019. Disponível em: https://doi.org/10.1177/0956797619854975.

Christakis, N. A. & Fowler, J. H. Friendship and natural selection. *Proceedings of the National Academy of Sciences*, 111, p. 10.796-10.801, 2014. Disponível em: https://doi.org/10.1073/pnas.1400825111.

Chugani, S., Irwin, J. E. & Redden, J. P. Happily ever after: The effect of identity-consistency on product satiation. *Journal of Consumer Research*, 42, p. 564-577, 2015. Disponível em: https://doi.org/10.1093/jcr/ucv040.

Cialdini, R. B. Crafting normative messages to protect the environment. *Current Directions in Psychological Science*, 12, p. 105-109, 2003.

Cialdini, R. B. Professionally responsible communication with the public: Giving psychology a way. *Personality and Social Psychology Bulletin,* 23, p. 675-683, 1997.

Cialdini, R. B. *Pre-suasion: A revolutionary way to Influence and persuade.* Nova York: Simon & Schuster, 2016.

Cialdini, R. B. Why the world is turning to behavioral science. *In*: A. Samson (ed.), *The behavioral economics guide 2018,* p. vii-xiii, 2018. Disponível em: www.behavioraleconomics.com/the-behavioral-economics-guide-2018.

Cialdini, R. B. & Ascani, K. Test of a concession procedure for inducing verbal, behavioral, and further compliance with a request to give blood. *Journal of Applied Psychology,* 61, p. 295-300, 1976.

Cialdini, R. B.; Borden, R. J.; Thorne, A.; Walker, M. R; Freeman, S. & Sloan, L. R.. Basking in reflected glory: Three (football) field studies. *Journal of Personality and Social Psychology,* 34, p. 366-375, 1976.

Cialdini, R. B., Brown, S. L., Lewis, B. P., Luce, C. & Neuberg, S. L.. Reinterpreting the empathy-altruism relationship: When one into one equals oneness. *Journal of Personality and Social Psychology,* 73, p. 481-494, 1997.

Cialdini, R. B., Cacioppo, J. T., Bassett, R. & Miller, J. A.. Low-ball procedure for producing compliance: Commitment then cost. *Journal of Personality and Social Psychology,* 36, p. 463-476, 1978.

Cialdini, R. B., Eisenberg, N., Green, B. L., Rhoads, K. v. L. & Bator, R. Undermining the undermining effect of reward on sustained interest. *Journal of Applied Social Psychology,* 28, p. 249-263, 1998.

Cialdini, R. B., Li, J., Samper, A. & Wellman, E. How bad apples promote bad barrels: Unethical leader behavior and the selective attrition effect. *Journal of Business Ethics,* 2019. Disponível em: https://doi.org/10.1007/s10551-019-04252-2.

Cialdini, R. B., Petrova, P. & Goldstein, N. J. The hidden costs of organizational dishonesty. *MIT Sloan Management Review*, 45, p. 67-73, 2004.

Cialdini, R. B., Trost, M. R. & Newsom, J. T. Preference for consistency: The development of a valid measure and the discovery of surprising behavioral implications. *Journal of Personality and Social Psychology*, 69, p. 318-328, 1995.

Cialdini, R. B., Vincent, J. E., Lewis, S. K., Catalan, J., Wheeler, D. & Darby, B. L. Reciprocal concessions procedure for inducing compliance: The door-in-the-face technique. *Journal of Personality and Social Psychology*, 31, p. 206-215, 1975.

Cialdini, R. B., Wosinska, W., Barrett, D. W., Butner, J. & Gornik-Durose, M. Compliance with a request in two cultures: The differential influence of social proof and commitment/consistency on collectivists and individualists. *Personality and Social Psychology Bulletin* 25, p. 1.242-1.253, 1999.

Cikara, M. & Paluck, E. L. When going along gets you nowhere and the upside of conflict behaviors. *Social and Personality Psychology Compass*, 7, p. 559-571, 2013. Disponível em: https://doi.org/10.1111/spc3.12047.

Cikara, M. & van Bavel, J. The neuroscience of inter-group relations: An integrative review. *Perspectives on Psychological Science*, 9, p. 245-274, 2014.

Cioffi, D. & Garner, R. On doing the decision: The effects of active versus passive choice on commitment and self-perception. *Personality and Social Psychology Bulletin*, 22, p. 133-147, 1996.

Cirelli, L. K., Einarson, K. M. & Trainor, L. J. Interpersonal synchrony increases prosocial behavior in infants. *Developmental Science*, 17, p. 1.003-1.011, 2014. Disponível em: https://doi.org/10.1111/desc.12193.

Clark, C. J., Liu, B. S., Winegard, B. M. & Ditto, P. H. Tribalism is human nature. *Current Directions in Psychological Science,* 28, p. 587-592, 2019. Disponível em: https://doi.org/10.1177/0963721419862289.

Clark, M. S., Lemay, E. P., Graham, S. M., Pataki, S. P. & Finkel, E. J. Ways of giving benefits in marriage: Norn use, relationship satisfaction, and attachment-related variability. *Psychological Science,* 21, p. 944-951, 2010.

Clark, M. S., Mills, J. R. & Corcoran, D. M. Keeping track of needs and inputs of friends and strangers. *Personality and Social Psychology Bulletin,* 15, p. 533-542, 1989.

Clark, R. D., III & Word, L. E. Why don't bystanders help? Because of ambiguity? *Journal of Personality and Social Psychology,* 24, p. 392-400, 1972.

Clark, R. D., III & Word, L. E. Where is the apathetic bystander? Situational characteristics of the emergency. *Journal of Personality and Social Psychology,* 29, p. 279-287, 1974.

Clarkson, J. J., Tormala, Z. L. & Rucker, D. D. Cognitive and affective matching effects in persuasion: An amplification perspective. *Personality and Social Psychology Bulletin,* p. 1.415-1.427, 2011.

Clifford, S. & Jerit, J. Cheating on political knowledge questions in online surveys. *Public Opinion Quarterly,* 80, p. 858-887, 2016.

Coghlan, T. Weidenfeld's crusade to save Christians of Syria. *The Times* (Londres), A30, 14 jul., 2015.

Cohen, R. Altruism: Human, cultural, or what? *Journal of Social Issues,* 28, p. 39-57, 1972.

Cohen, A. Special report: Troubled kids. *Time,* 38, 31 mai., 1999.

Cohen, G. L. & Sherman, D. K. The psychology of change: Self-affirmation and social psychological intervention. *Annual Review of Psychology,* 65, p. 333-371, 2014.

Cohen, M. & Davis, N. *Medication errors: Causes and prevention.* Filadélfia: G. F. Stickley, 1981.

Coleman, N. V. & Williams, P. Looking for myself: Identity-driven attention allocation. *Journal of Consumer Psychology,* 25, p. 504-511, 2015.

Collins, J. Simple heuristics that make algorithms smart, 2018. Disponível em: http://behavioralscientist.org/simple-heuristics-that-make-algorithms-smart.

Combs, D. J. Y. & Keller, P. S. Politicians and trustworthiness: Acting contrary to self-interest enhances trustworthiness. *Basic and Applied Social Psychology,* 32, p. 328-339, 2010.

Converse, B. A. & Fishbach, A. Instrumentality boosts appreciation: Helpers are more appreciated while they are useful. *Psychological Science,* 23, p. 560-566, 2012.

Conway, A. & Cowan, N. The cocktail party phenomenon revisited: The importance of working memory capacity. *Psychonomic Bulletin & Review,* 8, p. 331-335, 2001.

Cooper, J. & Fazio, R. H. A new look at dissonance theory. *In*: L. Berkowitz (ed.), *Advances in experimental social psychology.* Nova York: Academic Press, v. 17, p. 229-266, 1984.

Coppock, A., Ekins, E. & Kirby, D. The long-lasting effects of newspaper op-eds on public opinion. *Quarterly Journal of Political Science,* 13, p. 59-87, 2018.

Cornelissen, G., Pandelaere, M., Warlop, L. & Dewitte, S. Positive cueing: Promoting sustainable consumer behavior by cueing common environmental behaviors as environmental. *International Journal of Research in Marketing,* 25, p. 46-55, 2008. Disponível em: https://doi.org/10.1016/j.ijresmar.2007.06.002.

Corning, A. & Schuman, H. Commemoration matters: The anniversaries of 9/11 and Woodstock. *Public Opinion Quarterly*, 77, p. 433-454, 2013.

Cortijos-Bernabeu, A., Bjorndal, L. D., Ruggeri, K., Ali, S., Friedemann, M., Esteban-serna, C., Khorrami, P. R., *et al.* Replicating patterns of prospect theory for decision under risk. *Nature Human Behaviour*, 4, p. 622-633, 2020.

Cosmides, L. & Tooby, J. Evolutionary psychology: New perspectives on cognition and motivation. *Annual Review of Psychology*, 64, p. 201-229, 2013.

Craig, B. A story of human kindness. *Pacific Stars and Stripes*, p. 13-16, 30 jul., 1985.

Crespelle, J. P. *Picasso and his women*. Nova York: Hodder & Stoughton, 1969.

Cronley, M., Posavac, S. S., Meyer, T., Kardes, F. R. & Kellaris, J. J. A selective hypothesis testing perspective on price-quality inference and inference-based choice. *Journal of Consumer Psychology*, 15, p. 159-169, 2005.

Cullum, J., O'Grady, M., Sandoval, P., Armeli, A. & Tennen, T. Ignoring norms with a little help from my friends: Social support reduces normative influence on drinking behavior. *Journal of Social and Clinical Psychology*, 32, p. 17-33, 2013. Disponível em: https://doi.org/10.1521/jscp.2013.32.1.17.

Cunningham, M. R. Levites and brother's keepers: A sociobiological perspective on prosocial behavior. *Humboldt Journal of Social Relations*, 13, p. 35-67, 1986.

Curry, O., Roberts, S. G. B. & Dunbar, R. I. M. Altruism in social networks: Evidence for a "kinship premium." *British Journal of Psychology*, 104, p. 283-295, 2013. Disponível em: https://doi.org/10.1111/j.2044-8295.2012.02119.x.

Dai, X., Wertenbroch, K. & Brendel, C. M. The value heuristic in judgments of relative frequency. *Psychological Science,* 19, p. 18-19, 2008.

Daly, M., Salmon, C. & Wilson, M. Kinship: The conceptual hole in psychological studies of social cognition and close relationships. *In*: J. A. Simpson e D. T. Kendrick (eds.), *Evolutionary Social Psychology*. Mahwah, NJ: Erlbaum, p. 265-96, 1997.

Danchin, E., Nobel, S., Pocheville, A., Dagaeff, A-C., Demay, L., Alphand, M., Ranty-roby, S., *et al.* Cultural flies: Conformist social learning in fruitflies predicts long-lasting mate-choice traditions. *Science,* 362, p. 1.025-1.030, 2018.

Darley, J. M. & Latane, B. Bystander intervention in emergencies: Diffusion of responsibility. *Journal of Personality and Social Psychology,* 8, p. 377-383, 1968.

Dauten, D. How to be a good waiter and other innovative ideas. *Arizona Republic*, D3, 22 jul., 2004.

Davies, J. C. Toward a theory of revolution. *American Sociological Review,* 27, p. 5-19, 1962.

Davies, J. C. The J-curve of rising and declining satisfactions as a cause of some great revolutions and a contained rebellion. *In*: H. D. Graham e T. R. Gurr (eds.), *Violence in America*. Nova York: Signet, p. 547-644, 1969.

Davies, K., Tropp, L. R., Aron, A., Pettigrew, T. F. & Wright, S. C. Cross-group friendships and intergroup attitudes: A meta-analytic review. *Personality and Social Psychology Review*, 15, p. 332-351, 2011. Disponível em: https://doi.org/10.1177/1088868311411103.

Davis, M. H., Conklin, L., Smith, A. & Luce, C. Effect of perspective taking on the cognitive representation of persons: A merging of self and other.

Journal of Personality and Social Psychology, 70, p. 713-726, 1996. Disponível em: https://doi.org/10.1037/0022-3514.70.4.713.

DeBruine, L. M. Facial resemblance enhances trust. *Proceedings of the Royal Society, Série B,* 269, p. 1.307-1.312, 2002.

DeBruine, L. M. Resemblance to self increases the appeal of child faces to both men and women. *Evolution and Human Behavior,* 25, p. 142-154, 2004.

Dechene, A., Stahl, C., Hansen, J. & Wanke, M. The truth about the truth: A meta-analytic review of the truth effect. *Personality and Social Psychology Review,* 14, p. 238-257, 2010. Disponível em: https://doi.org/10.1177/1088868309352251.

Deci, E. L. & Ryan, R. M. *Intrinsic motivation and self-determination in human behavior.* Nova York: Plenum, 1985.

Deci, E. L., Spiegel, N. H., Ryan, R. M., Koestner, R. & Kauffman, M. Effects of performance standards on teaching styles: Behavior of controlling teachers. *Journal of Educational Psychology,* 74, p. 852-859, 1982. Disponível em: https://doi.org/10.1037/0022-0663.74.6.852.

De Dreu, C. K. W. & McCusker, C. Gain-loss frames and cooperation in two-person social dilemmas: A transformational analysis. *Journal of Personality and Social Psychology,* 72, p. 1.093-1.106, 1997.

De Dreu, C. K. W., Dussel, D. B. & Ten Velden, F. S. In intergroup conflict, self-sacrifice is stronger among pro-social individuals and parochial altruism emerges especially among cognitively taxed individuals. *Frontiers in Psychology,* 6, p. 572, 2015. Disponível em: https://doi.org/10.3389/fpsyg.2015.00572.

DeJong, C., Aguilar, T., Tseng, C-W., Lin, G. A., Boscardin, W. J. & Dudley, R. A. Pharmaceutical industry-sponsored meals and physician prescribing patterns for Medicare beneficiaries. *Journal of the American Medical Association: Internal Medicine,* 176, p. 1.114-1.122, 2016.

de la Rosa, M. D., Sanabria, D., Capizzi, M. & Correa, A. Temporal preparation driven by rhythms is resistant to working memory interference. *Frontiers in Psychology,* 3, 2012. Disponível em: https://doi.org/10.3389/fpsyg.2012.00308.

Dellande, S. & Nyer, P. Using public commitments to gain customer compliance. *Advances in Consumer Research,* 34, p. 249-255, 2007.

De Martino, B., Bobadilla-suarez, S., Nouguchi, T., Sharot, T. & Love, B. C. Social information is integrated into value and confidence judgments according to its reliability. *Journal of Neuroscience,* 37, p. 6.066-6.074, 2017. Disponível em: https://doi.org/10.1523/JNEUROSCI.3880-16.2017.

Demuru, E. & Palagi, E. *In*: Bonobos yawn contagion is higher among kin and friends. *PLoS ONE,* 7, 2012. Disponível em: https://doi.org/10.1371/journal.pone.0049613.

DePaulo, B. M., Nadler, A. & Fisher, J. D. (eds.). *Help seeking – New directions in helping.* New York: Academic Press, v.2, 1983.

Deutsch, M. & Gerard, H. B. A study of normative and informational social influences upon individual judgment. *Journal of Abnormal and Social Psychology,* 51, p. 629-636, 1955.

Devlin, A. S., Donovan, S., Nicolov, A., Nold, O., Packard, A. & Zandan, G. "Impressive?" Credentials, family photographs, and the perception of therapist qualities. *Journal of Environmental Psychology,* 29, p. 503-512, 2009. Disponível em: https://doi.org/10.1016/j.jenvp.2009.08.008.

DeWall, C. N., MacDonald, G., *et al.* Acetaminophen reduces social pain: Behavioral and neural evidence. *Psychological Science,* 21, p. 931-937, 2010.

Dhami, M. K. Psychological models of professional decision making. *Psychological Science*, 14, p. 175-180, 2003.

Dikker, S., Wan, L., Davidesco, I., Kaggen, L., Oostrik, M., McClintock, J., Rowland, J. *et al.* (2017). Brain-to-brain synchrony tracks real-world dynamic group interactions in the classroom. *Current Biology*, 27, p. 1.375-1.380, 2017. Disponível em: https://doi.org/10.1016/j.cub.2017.04.002.

Dillard, J. P., Kim, J. & Li, S. S. Anti-sugar-sweetened beverage messages elicit reactance: Effects on attitudes and policy preferences. *Journal of Health Communication*, 23, p. 703-711, 2018. Disponível em: https://doi.org/10.1080/10810730.2018.1511012.

Dimmock, S. G., Gerken, W. C. & Graham, N. P. Is fraud contagious? Coworker influence on misconduct by financial advisors. *Journal of Finance*, 73, p. 1.417-1.450, 2018. Disponível em: https://doi.org/10.1111/jofi.12613.

Dion, K. K. Physical attractiveness and evaluation of children's transgressions. *Journal of Personality and Social Psychology*, 24, p. 207-213, 1972.

Dixon, J., Durrheim, K. & Tredoux, C. Beyond the optimal contact strategy: A reality check for the contact hypothesis. *American Psychologist*, 60, p. 697-711, 2005.

Dolińska, B., Jarząbek, J. & Doliński, D. I like you even less at Christmas dinner! *Basic and Applied Social Psychology*, 42, p. 88-97, 2020. Disponível em: https://doi.org/10.1080/01973533.2019.1695615.

Doliński, D. Inferring one's beliefs from one's attempt and consequences for subsequent compliance. *Journal of Personality and Social Psychology*, 78, p. 260-272, 2000.

Doliński, D. *Techniques of social Influence: The psychology of compliance.* Nova York: Routledge, 2016.

Doliński, D. & Grzyb, T. *Social psychology of obedience toward authority*: *Empirical tribute to Stanley Milgram*. Londres: Routledge, 2020.

Doliński, D., Grzyb, T., Folwarczny, M., Grzybała, P., Krzyszycha, K., Martynowska, K. & Trojanowski, J. Would you deliver an electric shock in 2015? Obedience in the experimental paradigm developed by Stanley Milgram in the 50 years following the original studies. *Social Psychological and Personality Science*, 8, p. 927-933, 2017.

Dolnik, L., Case, T. I. & Williams, K. D. Stealing thunder as a courtroom tactic revisited: Processes and boundaries. *Law and Human Behavior*, 27, p. 267-287, 2003.

Donaldson, S. I., Graham, J. W., Piccinin, A. M. & Hansen, W. B. Resistance-skills training and onset of alcohol use. *Health Psychology*, 14, p. 291-300, 1995.

Doob, A. N. & Gross, A. E. Status of frustrator as an inhibitor of horn-honking response. *Journal of Social Psychology*, 76, p. 213-218, 1968.

Dovidio, J. F., Gaertner, S. L. & Saguy, T. Commonality and the complexity of "We": Social attitudes and social change. *Personality and Social Psychology Review*, 13, p. 3-20, 2009. Disponível em: https://doi.org/10.1177/1088868308326751.

Drachman, D., deCarufel, A. & Inkso, C. A. The extra credit effect in interpersonal attraction. *Journal of Experimental Social Psychology*, 14, p. 458-467, 1978.

Driscoll, R., Davis, K. E. & Lipetz, M. E. Parental interference and romantic love: The Romeo and Juliet effect. *Journal of Personality and Social Psychology*, 24, p. 1-10, 1972.

Drolet, A. & Aaker J. Off-target? Changing cognitive-based attitudes. *Journal of Consumer Psychology*, 12, p. 59-68, 2002.

Drury, J. The role of social identity processes in mass emergency behaviour: An integrative review. *European Review of Social Psychology,* 29, p. 38-81, 2018. Disponível em: https://doi.org/10.1080/10463283.2018.1471948.

Du, X. What's in a surname? The effect of auditor-CEO surname sharing on financial misstatement. *Journal of Business Ethics,* 158, p. 849-874, 2019. Disponível em: https://doi.org/10.1007/s10551-017-3762-5.

DuBois, D. L., Portillo, N., Rhodes, J. E., Silverthorn, N. & Valentine, J. C. How effective are mentoring programs for youth? A systematic assessment of the evidence. *Psychological Science in the Public Interest,* 12, p. 57-91, 2011. Disponível em: https://doi.org/10.1177/1529100611414806.

Duguid, M. M. & Goncalo, J. A. Living large: The powerful overestimate their own height. *Psychological Science,* 23, p. 36-40, 2012. Disponível em: https://doi.org/10.1177/0956797611422915.

Duguid, M. M. & Thomas-Hunt, M. C. Condoning stereotyping? How awareness of stereotyping prevalence impacts expression of stereotypes. *Journal of Applied Psychology,* 100, p. 343-359, 2015. Disponível em: https://doi.org/10.1037/a0037908.

Dunbar, R. I. M. On the evolutionary function of song and dance. *In*: N. Bannan (ed.), *Music, language and human evolution.* Oxford: Oxford University Press, p. 201-214, 2012.

Dunfield, K. A. & Kuhlmeier, V. A. Intention-mediated selective helping in infancy. *Psychological Science,* 21, p. 523-527, 2010.

Eagly, A. H., Wood, W. & Chaiken, S. Causal inferences about communicators and their effect on opinion change. *Journal of Personality and Social Psychology,* 36, p. 424-435, 1978.

Easterbrook, J. A. The effects of emotion on cue utilization and the organization of behavior. *Psychological Review,* 66, p. 183-201, 1959.

Edwards, M. L., Dillman, D. A. & Smyth, J. D. An experimental test of the effects of survey sponsorship on internet and mail survey response. *Public Opinion Quarterly*, 78, p. 734-750, 2014.

Effron, D. A., Bryan, C. J. & Murnighan, J. K. Cheating at the end to avoid regret. *Journal of Personality and Social Psychology*, 109, p. 395-414, 2015. Disponível em: https://doi.org/10.1037/pspa0000026.

Efran, M. G. & Patterson, E. W. J. The politics of appearance. Manuscrito não publicado, Universidade de Toronto, 1976.

Ellemers, N. & van Nunspeet, F. Neuroscience and the social origins of moral behavior: How neural underpinnings of social categorization and conformity affect everyday moral and immoral behavior. *Current Directions in Psychological Science*, set., 2020. Disponível em: https://doi.org/10.1177/0963721420951584.

Epley, N. & Gilovich, T. The anchoring-and-adjustment heuristic: Why adjustments are insufficient. *Psychological Science*, 17, p. 311-318, 2006.

Epstein, S., Lipson, A., Holstein, C. & Huh, E. Irrational reactions to negative outcomes: Evidence for two conceptual systems. *Journal of Personality and Social Psychology*, 62, p. 328-339, 1992.

Epstein, S., Donovan, S. & Denes-raj, V. The missing link in the paradox of the Linda conjunction problem: Beyond knowing and thinking of the conjunction rule, the intrinsic appeal of heuristic processing. *Personality and Social Psychology Bulletin*, 25, p. 204-214, 1999.

Facci, E., L. & Kasarda, J. D. Revisiting wind-shear accidents: The social proof factor. Ata do 49º Corporate Aviation Safety Seminar. Alexandrea, VA: Flight Safety Foundation, p. 205-232, 2004.

Faiman-silva, S. *Choctaws at the crossroads*. Lincoln: University of Nebraska Press, 1997.

Fan, M., Billings, A., Zhu, X. & Yu, P. Twitter-based BIRGing: Big data analysis of English National Team fans during the 2018 FIFA World Cup. *Communication & Sport*, 2019. Disponível em: https://doi.org/10.1177/2167479519834348.

Fang, X., Singh, S. & Ahulwailia, R. An examination of different explanations for the mere exposure effect. *Journal of Consumer Research*, 34, p. 97-103, 2007.

Farrow, K., Grolleau, G. & Ibanez, L. Social norms and pro-environmental behavior: A review of the evidence. *Ecological Economics*, 140, p. 1-13, 2017.

Fazio, L. K., Rand, D. G. & Pennycook, G. *Psychonomic Bulletin Review*, 2019. Disponível em: https://doi.org/10.3758/s13423-019-01651-4.

Fazio, R. H., Sherman, S. J. & Herr, P. M. The feature-positive effect in the self-perception process. *Journal of Personality and Social Psychology*, 42, p. 404-411, 1982.

Fein, S., Goethals, G. R. & Kugler, M. B. Social influence on political judgments: The case of presidential debates. *Political Psychology*, 28, p. 165-192, 2007. Disponível em: https://doi.org/10.1111/j.1467-9221.2007.00561.x.

Feinberg, R. A. Credit cards as spending facilitating stimuli. *Journal of Consumer Research*, 13, p. 348-356, 1986.

Feinberg, R. A. The social nature of the classical conditioning phenomena in people. *Psychological Reports*, 67, p. 331-334, 1990.

Feld, J., Salamanca, N., Hamermesh, D. S. Endophilia or exophobia: Beyond discrimination. *Economic Journal*, 126, p. 1.503-1.527, 2015.

Fennis, B. M., Janssen, L. & Vohs, K. D. Acts of benevolence: A limited-resource account of compliance with charitable requests. *Journal of Consumer Research*, 35, p. 906-924, 2008.

Fennis, B. M. & Stroebe, W. Softening the blow: Company self-disclosure of negative information lessens damaging effects on consumer judgment and decision making. *Journal of Business Ethics,* 120, p. 109-120, 2014.

Festinger, L. *A theory of cognitive dissonance.* Stanford, CA: Stanford University Press, 1957.

Festinger, L. & Carlsmith, J. M. Cognitive consequences of forced compliance. *Journal of Abnormal and Social Psychology,* 58, p. 203-210, 1959. Disponível em: https://doi.org/10.1037/h0041593.

Festinger, L., Riecken, H. W. & Schachter, S. *When prophecy fails.* Nova York: Harper & Row, 1964.

Fischer, P., Krueger, J. I., Greitemeyer, T., Vogrincic, C., Kastenmuller, A., Frey, D., Heene, M. *et al.* The bystander-effect: A meta-analytic review on bystander intervention in dangerous and non-dangerous emergencies. *Psychological Bulletin,* 137, p. 517-537, 2011. Disponível em: https://doi.org/10.1037/a0023304.

Fiske, S. T. & Neuberg, S. L. A continuum of impression formation: Influences of information and motivation on attention and interpretation. *In:* M. P. Zanna (ed.), *Advances in experimental social psychology.* Nova York: Academic Press, v. 23, p. 1-74, 1990.

Fisman, R., Paravisini, D. & Vig. Cultural proximity and loan outcomes. *American Economic Review,* 107, p. 457-492, 2017.

Flade, F., Klar, Y. & Imhoff, R. Unite against: A common threat invokes spontaneous decategorization between social categories. *Journal of Experimental Social Psychology,* 85, 2019. Disponível em: https://doi.org/10.1016/j.jesp.2019.103890.

Fleming, T. 13 things you never knew about the American Revolution. *Parade,* p. 14-15, 23 nov., 1997.

Flynn, F. J. What have you done for me lately? Temporal adjustments to favor evaluations. *Organizational Behavior and Human Decision Processes,* 91, p. 38-50, 2002.

Foddy, M., Platow, M. J. & Yamagishi, T. Group-based trust in strangers. *Psychological Science,* 20, p. 419-422, 2009.

Foerster, M., Roser, K., Schoeni, A. & Roosli, M. Problematic mobile phone use in adolescents: Derivation of a short scale MPPUS-10. *International Journal of Public Health,* 60, p. 277-286, 2015. Disponível em: https://doi.org/10.1007/s00038-015-0660-4.

Fogg, B. J. & Nass, C. How users reciprocate to computers: An experiment that demonstrates behavior change. Em *Extended Abstracts of the CHI97 Conference of the ACM/SIGCHI.* Nova York: ACM, 1997a.

Fogg, B. J. & Nass, C. Silicon sycophants: The effects of computers that flatter. *International Journal of Human-Computer Studies,* 46, 5, p. 551-561, 1997b.

Fombelle, P., Gustafsson, A., Andreassen, T. W. & Witell, L. *Give and thou shall receive: Customer reciprocity in al retail setting.* Trabalho apresentado na 19ª Conferência Anual da Frontiers In Service, Karlstad, Suécia, 2010.

Forman, C., Ghose, A. & Wiesenfeld, B. Examining the relationship between reviews and sales: The role of reviewer identity disclosure in electronic markets. *Information Research Systems,* 19, p. 291-313, 2008. Disponível em: https://doi.org/10.1287/isre.1080.0193.

Fornara, F., Carrus, G., Passafaro, P. & Bonnes, M. Distinguishing the sources of normative influence on pro-environmental behaviors: The role of local norms in household waste recycling. *Group Processes & Intergroup Dynamics,* 14, p. 623-635, 2011.

Fox, C. R., Linder, J. A. & Doctor, J., N. How to stop overprescribing antibiotics. *New York Times,* 27 mar., 2016. Disponível em: www.nytimes.

com/2016/03/27/opinion/sunday/how-to-stop-overprescribing-antibiotics.html.

Fox, M. W. *Concepts in ethology: Animal and human behavior.* Minneapolis: University of Minnesota Press, 1974.

Frank, R. H. *Under the Influence: Putting peer pressure to work.* Princeton, NJ: Princeton University Press, 2020.

Fraune, M. R. Our robots, our team: Robot anthropomorphism moderates group effects in human–robot teams. *Frontiers in Psychology,* 11, p. 1.275, 2020. Disponível em: https://doi.org/10.3389/fpsyg.2020.01275.

Fredman, L. A., Buhrmester, M. D., Gomez, A., Fraser, W. T., Talaifar, S., Brannon, S. M. & Swann, Júnior, W. B. Identity fusion, extreme pro-group behavior, and the path to defusion. *Social and Personality Psychology Compass,* 9, p. 468-480, 2015. Disponível em: https://doi.org/10.1111/spc3.12193.

Freedman, J. L. Long-term behavioral effects of cognitive dissonance. *Journal of Experimental Social Psychology,* 1, p. 145-155, 1965.

Freedman, J. L. & Fraser, S. C. Compliance without pressure: The foot-in-the-door technique. *Journal of Personality and Social Psychology,* 4, p. 195-203, 1966.

Freling, T. H. & Dacin, P. A. When consensus counts: Exploring the impact of consensus claims in advertising. *Journal of Consumer Psychology,* 20, p. 163-175, 2010.

Frenzen, J. R. & Davis, H. L. Purchasing behavior in embedded markets. *Journal of Consumer Research,* 17, p. 1-12, 1990.

Friedman, H. H. & Rahman, A. Gifts-upon-entry and appreciative comments: Reciprocity effects in retailing. *International Journal of Marketing Studies,* 3, p. 161-164, 2011.

Friestad, M. & Wright, P. Persuasion knowledge: Lay people's and researchers' beliefs about the psychology of persuasion. *Journal of Consumer Research*, 22, p. 62-74, 1995.

Frohlich, M., Muller, G., Zeitrag, C., Wittig, R. M. & Pika, S. Begging and social tolerance: Food solicitation tactics in young chimpanzees (*Pan troglodytes*) in the wild. *Evolution and Human Behavior*, 41, p. 126-135, 2020. Disponível em: https://doi.org/10.1016/j.evolhumbehav.2019.11.002.

Furnham, A. Factors relating to the allocation of medical resources. *Journal of Social Behavior and Personality*, 11, p. 615-624, 1996.

Gaesser, B., Shimura, Y. & Cikara, M. Episodic simulation reduces intergroup bias in prosocial intentions and behavior. *Journal of Personality and Social Psychology*, 118, p. 683-705, 2020. Disponível em: https://doi.org/10.1037/pspi0000194.

Gal, D. & Rucker D. D. When in doubt, shout! Paradoxical influences of doubt on proselytizing. *Psychological Science*, 21, p. 1.701-1.707, 2010.

Galinsky, A. D. & Moskowitz, G. B. Perspective-taking: Decreasing stereotype expression, stereotype accessibility, and in-group favoritism. *Journal of Personality and Social Psychology*, 78, p. 708-724, 2000. Disponível em: https://doi.org/10.1037/0022-3514.78.4.708.

Gallup, A. C., Hale, J. J., Sumpter, D. J. T., Garnier, S., Kacelnik, A., Krebs, J. R. & Couzin, I. D. Visual attention and the acquisition of information in human crowds. *Proceedings of the National Academy of Sciences*, 109, p. 7.245-7.250, 2012. Disponível em: https://doi.org/10.1073/pnas.1116141109.

Gansberg, M. 37 who saw murder didn't call the police. *New York Times*, 1, 27 mar., 1964.

Garcia, D. & Rime, B. Collective emotions and social resilience in the digital traces after a terrorist attack. *Psychological Science*, 30, p. 617-628, 2019. Disponível em: https://doi.org/10.1177/0956797619831964.

Garcia, J. H., Sterner, T. & Afsah, S. Public disclosure of industrial pollution: The PROPER approach in Indonesia. *Environmental and Developmental Economics*, 12, p. 739-756, 2007.

Garner, R. L. What's in a name? Persuasion perhaps? *Journal of Consumer Psychology*, 15, p. 108-116, 2005.

Gawronski, B. Implicational schemata and the correspondence bias: On the diagnostic value of situationally constrained behavior. *Journal of Personality and Social Psychology*, 84, p. 1.154-1.171, 2003.

Geers, A. L., Rose, J. P., Fowler, S. L., Rasinski, H. M., Brown, J. A. & Helfer, S. G. Why does choice enhance treatment effectiveness? Using placebo treatments to demonstrate the role of personal control. *Journal of Personality and Social Psychology*, 105, 4, p. 549-566, 2013. Disponível em: https://doi.org/10.1037/a0034005.

Gehlbach, H., Brinkworth, M. E., King, A. M., Hsu, L. M., McIntyre, J. & Rogers, T. Creating birds of similar feathers: Leveraging similarity to improve teacher-student relationships and academic achievement. *Journal of Educational Psychology*, 108, 3, p. 342-352, 2016. Disponível em: http://dx.doi.org/10.1037/edu0000042.

George, W. H., Gournic, S. J. & McAfee, M. P. Perceptions of postdrinking female sexuality. *Journal of Applied Social Psychology*, 18, p. 1.295-1.317, 1988.

Gerard, H. B. & Mathewson, G. C. The effects of severity of initiation on liking for a group: A replication. *Journal of Experimental Social Psychology*, 2, p. 278-287, 1966.

Gerend, M. A. & Maner, J. K. Fear, anger, fruits, and veggies: Interactive effects of emotion and message framing on health behavior.

Health Psychology, 30, p. 420-423, 2011. Disponível em: https://doi. org/10.1037/a0021981.

Gergen, K., Ellsworth, P., Maslach, C. & Seipel, M. Obligation, donor resources, and reactions to aid in three cultures. *Journal of Personality and Social Psychology,* 31, p. 390-400, 1975.

Ghosh, B. How to make terrorists talk. *Time,* p. 40-43, 8 jun., 2009.

Gigerenzer, G. & Goldstein, D. G. Reasoning the fast and frugal way: Models of bounded rationality. *Psychological Review,* 103, p. 650-669, 1996.

Gilbert, D. T. *Stumbling on happiness.* Nova York: Knopf, 2006.

Gino, F. & Galinsky, A. D. Vicarious dishonesty: When psychological closeness creates distance from one's moral compass. *Organizational Behavior and Human Decision Processes,* 119, p. 15-26, 2012.

Gneezy, A., Imas, A., Brown, A., Nelson, L. D. & Norton, M. I. Paying to be nice: Consistency and costly prosocial behavior. *Management Science,* 58, p. 179-187, 2012.

Gold, B. P., Frank, M. J., Bogert, B. & Brattico, E. Pleasurable music affects reinforcement learning according to the listener. *Frontiers in Psychology,* 4, 2013. Disponível em: https://doi.org/10.3389/fpsyg.2013.00541.

Goldenberg, A., Garcia, D., Halperin, E. & Gross, J. J. Collective Emotions. *Current Directions in Psychological Science,* 29, 2, p. 154-160, 2020. Disponível em: https://doi.org/10.1177/1745691620917659

Goldenberg, J. L., Courtney, E. P. & Felig, R. N. Supporting the dehumanization hypothesis, but under what conditions? A commentary on "Over." *Perspectives on Psychological Science,* 29 abr., 2020. Disponível em: https://doi.org/10.1177/1745691620917659.

Goldstein, N. J., Griskevicius, V. & Cialdini, R. B. Reciprocity by proxy: A new influence strategy for motivating cooperation and prosocial behavior. *Administrative Science Quarterly,* 56, p. 441-473, 2011.

Goldstein, N. J., Mortensen, C. R., Griskevicius, V. & Cialdini, R. B. I'll scratch your back if you scratch my brother's: The extended self and extra-dyadic reciprocity norms. Cartaz apresentado para a reunião da Society of Personality and Social Psychology, Memphis, TN, 16 jan., 2007.

Goldstein, N. J., Vezich, I. S. & Shapiro, J. R. Perceived perspective taking: When others walk in our shoes. *Journal of Personality and Social Psychology,* 106, p. 941-960, 2014. Disponível em: https://doi.org/10.1037/a0036395.

Gomez, A., Dovidio, J. F., Gaertner, S. L., Fernandez, S. & Vazquez, A. Responses to endorsement of commonality by in-group and outgroup members: The roles of group representation and threat. *Personality and Social Psychology Bulletin*, 39, p. 419-431, 2013. Disponível em: https://doi.org/10.1177/0146167213475366.

Gonzales, M. H., Davis, J. M., Loney, G. L., Lukens, C. K. & Junghans, C. M. Interactional approach to interpersonal attraction. *Journal of Personality and Social Psychology,* 44, p. 1.192-1.197, 1983.

Goode, E. & Carey, B. Mass killings are seen as a kind of contagion. *New York Times*, A21, 7 out., 2015.

Goodenough, U. W. Deception by pathogens. *American Scientist,* 79, p. 344-355, 1991.

Goodman-Delahunty, J., Martschuk, N. & Dhami, M. K. Interviewing high value detainees: Securing cooperation and disclosures. *Applied Cognitive Psychology,* 28, p. 883-897, 2014.

Gorn, G. J. The effects of music in advertising on choice behavior: A classical conditioning approach. *Journal of Marketing,* 46, p. 94-101, 1982.

Gould, M. S. & Shaffer, D. The impact of suicide in television movies. *New England Journal of Medicine*, 315, p. 690-694, 1986.

Grant, A. *Give and take*. Nova York: Viking, 2013.

Grant, A. M. & Hofmann, D. A. It's not all about me: Motivating hand hygiene among health care professionals by focusing on patients. *Psychological Science*, 22, p. 1.494-1.499, 2011.

Grant Halvorson, H. & Higgins, E. T. *Focus: Use different ways of seeing the world for success and Influence*. Nova York: Penguin, 2013.

Green, F. The "foot-in-the-door" technique. *American Salesmen*, 10, p. 14-16, 1965.

Greenberg, M. S. & Shapiro, S. P. Indebtedness: An adverse effect of asking for and receiving help. *Sociometry*, 34, p. 290-301, 1971.

Greene, J. *Moral tribes*. Nova York: Penguin, 2014.

Greenwald, A. F., Carnot, C. G., Beach, R. & Young, B. Increasing voting behavior by asking people if they expect to vote. *Journal of Applied Psychology*, 72, p. 315-318, 1987.

Greenwald, A. G. & Pettigrew, T. F. With malice toward none and charity for some. *American Psychologist*, 69, p. 669-684, 2014.

Greenwood, B. N., Hardeman, R. R., Huang, L. & Sojourner, A. Physician-patient racial concordance and disparities in birthing mortality for newborns. *Proceedings of the National Academy of Sciences*, 117, p. 21.194-21.200, 2020. Disponível em: https://doi.org/10.1073/pnas.1913405117.

Grey, K., Rand, D. G., Ert, E., Lewis, K., Hershman, S. & Norton, M. I. The emergence of "us and them" in 80 lines of code: Modeling group genesis in homogeneous populations. *Psychological Science,* 25, p. 982-990, 2014.

Griskevicius, V., Cialdini, R. B. & Kenrick, D. T. Peacocks, Picasso, and parental investment: The effects of romantic motives on creativity. *Journal of Personality and Social Psychology,* 91, p. 63-76, 2006.

Griskevicius, V., Goldstein, N. J., Mortensen, C. R., Sundie, J. M., Cialdini, R. C. & Kenrick, D. T. Fear and loving in Las Vegas: Evolution, emotion, and persuasion. *Journal of Marketing Research,* 46, p. 384-395, 2009.

Guadagno, R. E. & Cialdini, R. B. Persuade him by email, but see her in person: Online persuasion revisited. *Computers in Human Behavior,* 23, p. 999-1.015, 2007.

Guéguen, N. Mimicry and seduction: An evaluation in a courtship context. *Social Influence,* 4, p. 249-255, 2009.

Guéguen, N. "You will probably refuse, but...": When activating reactance in a single sentence increases compliance with a request. *Polish Psychological Bulletin,* 47, p. 170-173, 2016.

Guéguen, N., Jacob, C. & Meineri, S. Effects of the door-in-the-face technique on restaurant customers' behavior. *International Journal of Hospitality Management,* 30, p. 759-761, 2011.

Guéguen, N., Joule, R. V., Halimi, S., Pascual, A., Fischer-Lokou, J. & Dufourcq-Brana, M. I'm free but I'll comply with your request: Generalization and multidimensional effects of the "evoking freedom" technique. *Journal of Applied Social Psychology,* 43, p. 116-137, 2013.

Guéguen, N., Meineri, S. & Fischer-Lokou, J. Men's music ability and attractiveness to women in a real-life courtship contest. *Psychology of Music,* 42, p. 545-549, 2014.

Guéguen, N. & Pascual, A. Evocation of freedom and compliance: The "But you are free of..." technique. *Current Research in Social Psychology,* 5, p. 264-270, 2000.

Guéguen, N. & Pascual, A. Low-ball and compliance: Commitment even if the request is a deviant one, *Social Influence,* 9, p. 162-171. Disponível em: https://doi.org/10.1080/15534510.2013.798243.

Gyuris, P., Kozma L., Kisander Z., Lang A., Ferencz, T. & Kocsor, F. Sibling relations in patchwork families: Co-residence is more influential than genetic relatedness. *Frontiers of Psychology,* 11, p. 993, 2020. Disponível em: https://doi.org/10.3389/fpsyg.2020.00993. /10.1177/0963721420901574.

Hadland, S. E., Cerda, M., Li, Y., Krieger, M. S. & Marshall, B. D. L.. Association of pharmaceutical industry marketing with opioid products to physicians with subsequent opioid prescribing. *Journal of the American Medical Association: Internal Medicine,* 178, p. 861-863, 2018.

Hadnagy, C. & Schulman, S. *Human hacking: Win friends, Influence people, and leave them better off for having met you.* Nova York: Harper Business, 2010.

Hagler, K. J, Pearson, M. R., Venner, B. L. & Greenfield, K. L. (2017). Descriptive drinking norms in Native American and non-Hispanic white college students. *Addictive Behaviors,* 72, p. 45-50, 2017. Disponível em: https://doi.org/10.1016/j.addbeh.2017.03.017.

Hakamata, Y., Lissek, S., Bar-Haim, Y., Britton, J. C., Fox, N. A., Leibenluft, E., Ernest, M. & Pine, D. S. Attention bias modification treatment: A meta-analysis toward the establishment of novel treatment for anxiety. *Biological Psychiatry,* 68, p. 982-990, 2010. Disponível em: https://doi. org/10.1016/j.biopsych.2010.07.021.

Halpern, D. *Inside the nudge unit: How small changes can make a big difference.* Londres: Elbury, 2016.

Hamermesh, D. *Beauty pays: Why attractive people are more successful.* Princeton, NJ: Princeton University Press, 2011.

Hamermesh, D. & Biddle, J. E. Beauty and the labor market. *American Economic Review,* 84, p. 1.174-1.194, 1994.

Hamilton, W. D. The genetic evolution of social behavior. *Journal of Theoretical Biology,* 7, p. 1-52, 1964.

Hamlin, J. K., Mahajan, N., Liberman, Z. & Wynn, K. Not like me = bad: Infants prefer those who harm dissimilar others. *Psychological Science,* 24, p. 589-594, 2013. Disponível em: https://doi.org/10.1177/0956797612457785.

Harmon-Jones, E., Harmon-Jones, C. & Levy, N. An action-based model of cognitive-dissonance processes. *Current Directions in Psychological Science,* 24, p. 184-189, 2015. Disponível em: https://doi.org/10.1177/0963721414566449.

Harvey, A. R. Music and the meeting of human minds. *Frontiers in Psychology,* 9, p. 762, 2018. Disponível em: https://doi.org/10.3389/fpsyg.2018.00762.

Haselton, M. G. & Nettle, D. The paranoid optimist: An integrated evolutionary model of cognitive biases. *Personality and Social Psychology Review,* 10, p. 47-66, 2006.

Haslam, N. Dehumanization: An integrative review. *Personality and Social Psychology Review,* 10, p. 252-264, 2006.

Haslam, N. & Loughnan, S. Dehumanization and infrahumanization. *Annual Review of Psychology,* 65, p. 399-423, 2014. Disponível em: https://doi.org/10.1146/annurev-psych-010213–115045.

Hassan, S. *Releasing the bonds: Empowering people to think for themselves.* Boston: Freedom of Mind Press, 2000.

Hatemi, P. K. & McDermott, R. The genetics of politics: Discovery, challenges, and progress. *Trends in Genetics,* 28, p. 525-533, 2012.

Hattori, Y. & Tomonaga, M. Rhythmic swaying induced by sound in chimpanzees (*Pan troglodytes*). *Proceedings of the National Academy of Sciences,* 117, p. 936-942, 2020. Disponível em: https://doi.org/10.1073/pnas.1910318116.

Haubl, G. & Popkowski Leszczyc, P. T. L. Bidding frenzy: Speed of competitor reaction and willingness to pay in auctions. *Journal of Consumer Research,* 45, p. 1.294-1.314, 2019. Disponível em: https://doi.org/10.1093/jcr/ucy056.

Hehman, E., Flake, J. K. & Freeman, J. B. The faces of group members share physical resemblance. *Personality and Social Psychology Bulletin,* 44, 1, p. 3-15, 2018. Disponível em: https://doi.org/10.1177/0146167217722556.

Heijkoop, M., Dubas, J. S. & van Aken, M. A. G. Parent-child resemblance and kin investment. 2009. *European Journal of Developmental Psychology,* 6, p. 64-69, 2009.

Heilman, C. M., Nakamoto, K. & Rao, A. G. Pleasant surprises: Consumer response to unexpected in-store coupons. *Journal of Marketing Research,* 39, p. 242-252, 2020.

Heilman, M. E.. Oppositional behavior as a function of influence attempt intensity and retaliation threat. *Journal of Personality and Social Psychology,* 33, p. 574-578, 1976.

Heinrich, C. U. & Borkenau, P. Deception and deception detection: The role of cross-modal inconsistency. *Journal of Personality,* 66, p. 687-712, 1998.

Henry, M. L., Ferraro, P. J. & Kontoleon, A. The behavioural effect of electronic home energy reports: Evidence from a randomised field trial in the United States. *Energy Policy,* 132, p. 1.256-1.261, 2019. Disponível em: https://doi.org/10.1016/j.enpol.2019.06.039.

Hershfield, H. E., Goldstein, D. G., Sharpe, W. F., Fox, J., Yeykelis, L., Carstensen, L. L. & Bailenson, J. N. Increasing saving behavior through age-progressed renderings of the future self. *Journal of Marketing Research,* 48, p. 23-37, 2011. Disponível em: https://doi.org/10.1509/jmkr.48.SPL.S23.

Higgins, C. A. & Judge, T. A. The effect of applicant influence tactics on recruiter perceptions of fit and hiring recommendations: A field study. *Journal of Applied Psychology,* 89, p. 622-632, 2004.

Higgins, E. T. *Beyond pleasure and pain: How motivation works.* Nova York: Oxford University Press, 2012.

Higgins, E. T., Lee, J., Kwon, J. & Trope, Y. When combining intrinsic motivations undermines interest. *Journal of Personality and Social Psychology,* 68, p. 749-767, 1995.

Higgins, E. T., Shah, J. & Friedman, R. Emotional responses to goal attainment: Strength of regulatory focus as moderator. *Journal of Personality and Social Psychology,* 72, p. 515-525, 1997. Disponível em: https://doi.org/10.1037/0022-3514.72.3.515.

Higham, P. A. & Carment, D. W. The rise and fall of politicians. *Canadian Journal of Behavioral Science,* p. 404-409, 1992.

Hildreth, J. A. & Anderson, C. Does loyalty trump honesty? Moral judgments of loyalty-driven deceit. *Journal of Experimental Social Psychology,* 79, p. 87-94, 2018.

Hills, T. T. The dark side of information proliferation. *Perspectives on Psychological Science,* 14, p. 323-330, 2019. Disponível em: https://doi.org/10.1177/1745691618803647.

Hills, T. T., Adelman, J. S. & Noguchi, T. Attention economies, information crowding, and language change. *In*: M. N. Jones (ed.), *Big data in cognitive science*. Nova York: Routledge, p. 270-293, 2017.

Hobfoll, S. E. The influence of culture, community, and the nested-self in the stress process. *Applied Psychology: An International Review,* 50, p. 337-421, 2001.

Hodson, G. Do ideologically intolerant people benefit from intergroup contact? *Current Directions in Psychological Science*, 20, p. 154-159, 2011. Disponível em: https://doi.org/10.1177/0963721411409025.

Hodson, G., Crisp, R. J., Meleady, R. & Earle, M. Intergroup contact as an agent of cognitive liberalization. *Perspectives on Psychological Science*, 13, p. 523-548, 2018. Disponível em: https://doi.org/10.1177/1745691617752324.

Hofling, C. K., Brotzman, E., Dalrymple, S., Graves, N. & Pierce, C. M. An experimental study of nurse-physician relationships. *Journal of Nervous and Mental Disease,* 143, p. 171-180, 1966.

Hofmann, W., De Houwer, J., Perugini, M., Baeyens, F. & Crombez, G. Evaluative conditioning in humans: A meta-analysis. *Psychological Bulletin,* 136, p. 390-421, 2010. Disponível em: http://dx.doi.org/10.1037/a0018916.

Holmes, W. The early history of Hamiltonian-based research on kin recognition. *Annales Zoologici Fennici,* 41, p. 691-711, 2004.

Holmes, W. G. & Sherman, P. W. Kin recognition in animals. *American Scientist,* 71, p. 46-55, 1983.

Hove, M. J. & Risen, J. L. It's all in the timing: Interpersonal synchrony increases affiliation. *Social Cognition,* 27, p. 949-961, 2009.

Howard, D. J. The influence of verbal responses to common greetings on compliance behavior: The foot-in-the-mouth effect. *Journal of Applied Social Psychology,* 20, p. 1.185-1.196, 1990.

Howard, D. J., Shu, S. B. & Kerin, R. A. Reference price and scarcity appeals and the use of multiple influence strategies in retail newspaper advertising. *Social Influence*, 2, p. 18-28, 2007.

Howe, L. C., Carr, P. B. & Walton, G. W. (no prelo). Normative appeals are more effective when they invite people to work together toward a common goal. *Journal of Personality and Social Psychology.*

Howe, M. L. Memories from the cradle. *Current Directions in Psychological Science*, 12, p. 62-65, 2003.

Hubbard, T. L. The varieties of momentum-like experience. *Psychological Bulletin*, 141, p. 1.081-1.119, 2015. Disponível em: https://doi.org/10.1037/ bul0000016.

Hufer, A., Kornadt, A. E., Kandler, C. & Riemann, R. Genetic and environmental variation in political orientation in adolescence and early adulthood: A Nuclear Twin Family analysis. *Journal of Personality and Social Psychology*, 118, p. 762-776, 2020. Disponível em: https://doi.org/10.1037/pspp0000258.

Hughes, S., Ye, Y., Van Dessel, P. & De Houwer, J. When people co-occur with good or bad events: Graded effects of relational qualifiers on evaluative conditioning. *Personality and Social Psychology Bulletin*, 45, p. 196-208, 2019. Disponível em: https://doi.org/10.1177/0146167218781340.

Hugh-Jones, D., Ron, I. & Zultan, R. Humans discriminate by reciprocating against group peers. *Evolution and Human Behavior*, 40, p. 90-95, 2019.

Ilmarinen, V. J., Lonnqvist, J. E. & Paunonen, S. Similarity-attraction effects in friendship formation: Honest platoon-mates prefer each other but dishonest do not. *Personality and Individual Differences*, 92, p. 153-158, 2016. Disponível em: https://doi.org/10.1016/j.paid.2015.12.040.

Inzlicht, M., Gutsell, J. N. & Legault, L. Mimicry reduces racial prejudice. *Journal of Experimental Social Psychology*, 48, p. 361-365, 2012.

Iyengar, S., Sood, G. & Lelkes, Y. Affect, not ideology: A social identity perspective on polarization. *Public Opinion Quarterly,* 76, p. 405-431, 2012.

Jabbi, M., Bastiaansen, J. & Keysers, C. A common anterior insula representation of disgust observation, experience and imagination shows divergent functional connectivity pathways. *PLoS ONE,* 3, e2939, 2008. Disponível em: https://doi.org/10.1371/journal.pone.0002939

Jackson, J. C., Gelfand, M. J., Ayub, N. & Wheeler, J. Together from afar: Introducing a diary contact technique for improving intergroup relations. *Behavioral Science & Policy,* 5, p. 15-33, 2019.

Jacob, C., Gueguen, N., Martin, A. & Boulbry, G. Retail salespeople's mimicry of customers: Effects on consumer behavior. *Journal of Retailing and Consumer Services,* 18, p. 381-388, 2011.

James, J. M. & Bolstein, R. Effect of monetary incentives and follow-up mailings on the response rate and response quality in mail surveys. *Public Opinion Quarterly,* 54, p. 442-453, 1992.

Jenke, L. & Huettel, S. A. Voter preferences reflect a competition between policy and identity. *Frontiers of Psycholology,* 11, 566020, 2020. Disponível em: https://doi.org/10.3389/fpsyg.2020.566020.

Jiang, L., Hoegg, J., Dahl, D. W. & Chattopadhyay, A. The persuasive role of incidental similarity on attitudes and purchase intentions in a sales context. *Journal of Consumer Research,* 36, p. 778-791, 2010.

John, L. K., Blunden, H. & Liu, H. Shooting the messenger. *Journal of Experimental Psychology: General,* 148, 4, p. 644-666, 2019. Disponível em: http://dx.doi.org/10.1037/xge0000586.

Johnson, D. W. Social interdependence: Interrelationships among theory, research, and practice. *American Psychologist,* 58, p. 934-945, 2003.

Jones, E. E. & Harris, V. E. The attribution of attitudes. *Journal of Experimental Social Psychology*, 3, p. 1-24, 1967.

Jones, J. T., Pelham, B. W., Carvallo, M. & Mirenberg, M. C. How do I love thee? Let me count the J's. Implicit egoism and interpersonal attraction. *Journal of Personality and Social Psychology*, 87, p. 665-683, 2004.

Jong, J., Whitehouse, H., Kavanagh, C. & Lane, J. Shared negative experiences lead to identity fusion via personal reflection. *PloS ONE*, 10, 2015. Disponível em: https://doi.org/10.1371/journal.pone.0145611.

Joule, R. V. Tobacco deprivation: The foot-in-the-door technique versus the low-ball technique. *European Journal of Social Psychology*, 17, p. 361-365, 1987.

Judge, T. A. & Cable, D. M. The effect of physical height on workplace success and income. *Journal of Applied Psychology*, 89, p. 428-441, 2004.

Judge, T. A., Hurst, C. & Simon, L. S. Does it pay to be smart, attractive, or confident (or all three)? Relationships among general mental ability, physical attractiveness, core self-evaluations, and income. *Journal of Applied Psychology*, 94, p. 742-755, 2009.

Jung, J., Busching, R. & Krahe, B. Catching aggression from one's peers: A longitudinal and multilevel analysis. *Social and Personality Psychology Compass*, 13, 2019. Disponível em: https://doi.org/10.1111/spc3.12433.

Kahn, B. E. & Baron, J. An exploratory study of choice rules favored for high-stakes decisions. *Journal of Consumer Psychology*, 4, p. 305-328, 1995.

Kahneman, D. *Thinking, fast and slow*. Nova York: Farrar, Straus and Giroux, 2011.

Kahneman, D., Slovic, P. & Tversky, A. (eds.). *Judgment under uncertainty: Heuristics and biases*. Nova York: Cambridge University Press, 1982.

Kahneman, D. & Tversky, A. Prospect theory: An analysis of decision under risk. *Econometrica*, 47, p. 263-291, 1979.

Kalmoe, N. P. Dueling views in a canonical measure of sophistication. *Public Opinion Research*, 83, p. 68-90, 2019.

Kaminski, G., Ravary, F., Graff, C. & Gentaz, E. Firstborns' disadvantage in kinship detection. *Psychological Science*, 21, p. 1.746-1.750, 2010.

Kandler, C., Bleidorn, W. & Riemann, R. Left or right? Sources of political orientation: The roles of genetic factors, cultural transmission, assortative mating, and personality. *Journal of Personality and Social Psychology*, 102, p. 633-645, 2012.

Kang, S. K., Hirsh, J. B., Chasteen, A. L. Your mistakes are mine: Self-other overlap predicts neural response to observed errors. *Journal of Experimental Social Psychology*, 46, p. 229-232, 2010.

Kardes, F. R., Posavac, S. S. & Cronley, M. L. Consumer inference: A review of processes, bases, and judgment contexts. *Journal of Consumer Psychology*, 14, p. 230-256, 2004.

Karim, A. A., Lutzenkirchen, B., Khedr, E. & Khalil, R. Why is 10 past 10 the default setting for clocks and watches in advertisements? A psychological experiment. *Frontiers of Psychology*, 8, p. 1.410, 2017. Disponível em: https://doi.org/10.3389/fpsyg.2017.01410.

Karremans, J. C. & Aarts, H. The role of automaticity in determining the inclination to forgive close others. *Journal of Experimental Social Psychology*, 43, p. 902-917, 2007.

Kauff, M., Asbrock, F., Thorner, S. & Wagner, U. (2013). Side effects of multiculturalism: The interaction effect of a multicultural ideology and authoritarianism on prejudice and diversity beliefs. *Personality and Social Psychology Bulletin*, 39, p. 305-320, 2013. Disponível em: https://doi.org/10.1177/0146167212473160.

Kay, T., Keller, L. & Lehmann, L.. The evolution of altruism and the serial rediscovery of the role of relatedness. *Proceedings of the National Academy of Sciences,* 117, p. 28.894-28.898, 2020. Disponível em: https://doi.org/10.1073/pnas.2013596117.

Keil, F. C. Running on empty? How folk science gets by with less. *Current Directions in Psychological Science,* 21, p. 329-334, 2012. Disponível em: https://doi.org/10.1177/0963721412453721.

Keinan, A. & Kivetz, R. Productivity orientation and the consumption of collectable experiences. *Journal of Consumer Research,* 37, p. 935-950, 2011.

Kende, J., Phalet, K., Van den Noortgate, W., Kara, A. & Fischer, R. Equality revisited: A cultural meta-analysis of intergroup contact and prejudice. *Social Psychological and Personality Science,* 9, p. 887-895, 2018. Disponível em: https://doi.org/10.1177/1948550617728993.

Kenrick, D. T. Evolutionary theory and human social behavior. *In*: P. A. M. Van Lange, A. W. Kruglanski e E. T. Higgins (eds.), *Handbook of Theories of Social Psychology*. Thousand Oaks, CA: Sage, p. 11-31, 2012.

Kenrick, D. T. True friendships are communistic, not capitalist, 2020. Disponível em: http://spsp.org/news-center/blog/kenrick-true-friendships#gsc.tab=0.

Kenrick, D. T., Gutierres, S. E. & Goldberg, L. L. Influence of popular erotica on judgments of strangers and mates. *Journal of Experimental Social Psychology,* 25, p. 159-167, 1989.

Kenrick, D. T., Neuberg, S. L., Cialdini, R. B. & Lundberg-Kenrick, D. E. *Social Psychology: Goals in interaction*. 7. ed. Boston: Pearson Education, 2020.

Kerr, N. L. & MacCoun, R. J. The effects of jury size and polling method on the process and product of jury deliberation. *Journal of Personality and Social Psychology,* 48, p. 349-363, 1985.

Kesebir, S. The superorganism account of human sociality: How and when human groups are like beehives. *Personality and Social Psychology Review,* 16, p. 233-261, 2012.

Ketelaar, T. (1995, Junho). *Emotions as mental representations of gains and losses: Translating prospect theory into positive and negative affect.* Trabalho apresentado na reunião da American Psychological Society, Nova York, NY, jun., 1995.

Kettle, K. I. & Haubl, G. The signature effect: Signing influences consumption-related behavior by priming self-identity. *Journal of Consumer Research,* 38, p. 474-489, 2011.

Keysar, B., Converse, B. A., Wang, J. & Epley, N. Reciprocity is not give and take: Asymmetric reciprocity to positive and negative acts. *Psychological Science,* 19, p. 1.280-1.286, 2008.

Khamitov, M., Wang, X. & Thomson, M. How well do consumer–brand relationships drive customer brand loyalty? Generalizations from a meta-analysis of brand relationship elasticities. *Journal of Consumer Research,* 46, p. 435-459, 2019. Disponível em: https://doi.org/10.1093/jcr/ucz006.

Kimel, S. Y., Huesmann, R., Kunst, J. R. & Halperin, E. Living in a genetic world: How learning about interethnic genetic similarities and differences affects peace and conflict. *Personality and Social Psychology Bulletin,* 42, p. 688-700, 2016. Disponível em: https://doi.org/10.1177/0146167216642196.

Kirschner, S. & Tomasello, M. Joint music making promotes prosocial behavior in 4-year-old children. *Evolution and Human Behavior,* 31, p. 354-364, 2010.

Kissinger, H. *Years of upheaval.* Boston: Little, Brown, 1982.

Klein, C. Why Coca-Cola's "New Coke" flopped. *History,* 13 mar., 2020. Disponível em: www.history.com/news/why-coca-cola-new-coke-flopped.

Klein, H. J., Lount, R. B., Júnior, Park, H. M. & Linford, B. J. When goals are known: The effects of audience relative status on goal commitment and performance. *Journal of Applied Psychology*, 105, p. 372-389, 2020. Disponível em: https://doi.org/10.1037/apl0000441.

Klein, N. & O'Brien, E. People use less information than they think to make up their minds. *Proceedings of the National Academy of Sciences*, 2018. Disponível em: https://doi.org/10.1073/pnas.1805327115.

Knishinsky, A. The effects of scarcity of material and exclusivity of information on industrial buyer perceived risk in provoking a purchase decision. Tese de doutorado não publicada, Universidade Arizona State, Tempe, 1982.

Knouse, S. B. The letter of recommendation: Specificity and favorability information. *Personal Psychology*, 36, p. 331-341, 1983.

Knox, R. E. & Inkster, J. A. Postdecisional dissonance at post time. *Journal of Personality and Social Psychology*, 8, p. 319-323, 1968.

Koch, T. & Peter, C. Effects of equivalence framing on the perceived truth of political messages and the trustworthiness of politicians. *Public Opinion Quarterly*, 81, p. 847-865, 2017. Disponível em: https://doi.org/10.1093/poq/nfx019.

Koch, T. & Zerback, T. Helpful or harmful? How frequent repetition affects perceived statement credibility. *Journal of Communication*, 63, p. 993-1.010, 2013.

Kouchaki, M., Gino, F. & Feldman, Y. The ethical perils of personal, communal relations: A language perspective. *Psychological Science*, 30, p. 1.745-1.766, 2019. Disponível em: https://doi.org/10.1177/0956797619882917.

Koudenburg, N., Postmes, T., Gordijn, E. H. & van Mourik Broekman, A. Uniform and complementary social interaction: Distinct pathways to solidarity. *PloS ONE*, 10, 2015. Disponível em: https://doi.org/10.1371/journal.pone.0129061.

Krajbich, I., Camerer, C., Ledyard, J. & Rangel, A. Self-control in decision-making involves modulation of the vmPFC valuation system. *Science*, 324, p. 12.315-12.320, 2009.

Kranzler, D. *Japanese, Nazis, and Jews: The Jewish refugee community of Shanghai, 1938-1945*. Nova York: Yeshiva University Press, 1976.

Kraut, R. E. Effects of social labeling on giving to charity. *Journal of Experimental Social Psychology*, 9, p. 551-562, 1973.

Kriner, D. L. & Shen, F. X. How citizens respond to combat casualties: The differential impact of local casualties on support for the war in Afghanistan. *Public Opinion Quarterly*, 76, p. 761-770, 2012.

Kristensson, P., Wastlund, E. & Soderlund, M. Influencing consumers to choose environment friendly offerings: Evidence from field experiments. *Journal of Business Research*, 76, p. 89-97, 2017.

Krizan, Z. & Suls, J. Losing sight of oneself in the above average effect: When egocentrism, focalism, and group diffusiveness collide. *Journal of Experimental Social Psychology*, 44, p. 929-942, 2008.

Kteily, N., Bruneau, E., Waytz, A. & Cotterill, S. The ascent of man: Theoretical and empirical evidence for blatant dehumanization. *Journal of Personality and Social Psychology*, 109, p. 901-931, 2015. Disponível em: https://doi.org/10.1037/pspp0000048.

Ku, G. (2008). Before escalation: Behavioral and affective forecasting in escalation of commitment. *Personality and Social Psychology Bulletin*, 34, p. 1.477-1.491, 2008. Disponível em: https://doi.org/10.1177/0146167208322559.

Kuester, M. & Benkenstein, M. Turning dissatisfied into satisfied customers: How referral reward programs affect the referrer's attitude and loyalty toward the recommended service provider. *Journal of Retailing and Consumer Services*, 21, p. 897-904, 2014.

Kunz, P. R. & Woolcott, M. Season's greetings: From my status to yours. *Social Science Research*, 5, p. 269-278, 1976.

Lack, D. *The life of the robin*. Londres: Cambridge University Press, 1943.

Lai, C. K., Skinner, A. L., Cooley, E., Murrar, S. Brauer, M., Devos, T., Calanchini, J. *et al.* Reducing implicit racial preferences: II. Intervention effectiveness across time. *Journal of Experimental Psychology: General*, 145, p. 1.001-1.016, 2016. Disponível em: https://doi.org/10.1037/xge0000179.

Lammers, H. B. The effect of free samples on immediate consumer purchase. *Journal of Consumer Marketing*, 8, p. 31-37, 1991.

Langer, E., Blank, A. & Chanowitz, B. (1978). The mindlessness of ostensibly thoughtful action: The role of "placebic" information in interpersonal interaction. *Journal of Personality and Social Psychology*, 36, p. 635-642, 1978.

Langer, E. J. (1989). Minding matters. *In*: L. Berkowitz (ed.), *Advances in experimental social psychology*. Nova York: Academic Press, v. 22, p. 137-173, 1989.

Langlois, J. H., Kalakanis, A., Rubenstein, A. J., Larson, A., Hallam, M. & Smoot, M. Maxims or myths of beauty: A meta-analytic and theoretical review. *Psychological Bulletin*, 126, p. 390-423, 2000.

Lansky, D. A day for stiffupperlipps, other nags. *Arizona Republic*, T4, 31 mar., 2002.

LaPorte, N. *In a major reversal, Netflix is about to reveal how many people watch its most popular shows*, 2018. Disponível em: www.fastcompany.

com/90335959/in-a-major-reversal-netflix-is-about-to-reveal-how-
-many-people-watch-its-most-popular-shows.

Latane, B. & Darley, J. M.. Group inhibition of bystander intervention in emergencies. *Journal of Personality and Social Psychology,* 10, p. 215-221, 1968.

Law, S. & Braun, K., A. I'll have what she's having: Gauging the impact of product placements on viewers. *Psychology & Marketing,* 17, p. 1.059-1.075, 2000.

Lazarov, A., Abend, R., Seidner, S., Pine, D. S. & Bar-Haim, Y. The effects of training contingency awareness during attention bias modification on learning and stress reactivity. *Behavior Therapy,* 48, p. 638-650, 2017.

Leach, W. C., Ellemers, N. & Barreto M. Group virtue: The impact of morality (vs. competence and sociability) in the positive evaluation of in-groups. *Journal of Personality and Social Psychology,* 93, p. 234-249, 2007.

Leakey, R. & Lewin, R. *People of the lake.* Nova York: Anchor/Doubleday, 1978.

Lee, A. Y. & Aaker, J. L. Bringing the frame into focus: The influence of regulatory fit on processing fluency and persuasion. *Journal of Personality and Social Psychology,* 86, p. 205-218, 2004. Disponível em: https://doi.org/10.1037/0022-3514.86.2.205.

Lee, F., Peterson, C. & Tiedens, L. Z. Mea culpa: Predicting stock prices from organizational attributions. *Journal of Personality and Social Psychology,* 30, p. 1.636-1.649, 2004.

Lefkowitz, M., Blake, R. R. & Mouton, J. S. Status factors in pedestrian violation of traffic signals. *Journal of Abnormal and Social Psychology,* 51, p. 704-706, 1955.

Legate, N., Weinstein, N., Sendi, K. & Al-Khouja, M. Motives behind the veil: Women's affective experiences wearing a veil depend on their reasons for wearing one. *Journal of Research in Personality*, 87, p. 103969, 2020. Disponível em: https://doi.org/10.1016/j.jrp.2020.103969.

Leopold, A. *A Sand County almanac*. Nova York: Oxford University Press, 1989.

Leotti, L. A. & Delgado, M. R. The inherent reward of choice. *Psychological Science*, 22, p. 1.310-1.318, 2011. Disponível em: https://doi.org/10.1177/0956797611417005.

Lepper, M. R. & Greene, D. (eds.). *The hidden costs of reward*. Hillsdale, NJ: Lawrence Erlbaum, 1978.

Levendusky, M. S. Americans, not partisans: Can priming American national identity reduce affective polarization? *Journal of Politics*, 80, p. 59-70, 2018. Disponível em: https://doi.org/10.1086/693987.

Levine, H. *In search of Sugihara*. Nova York: Free Press, 1997.

Levy J., Markell, D. & Cerf, M. Polar similars: Using massive mobile dating data to predict synchronization and similarity in dating preferences. *Frontiers of Psychology*, 2019. Disponível em: https://doi.org/10.3389/fpsyg.2019.02010.

Lewis, G. J. & Bates, T. C. Genetic evidence for multiple biological mechanisms underlying in-group favoritism. *Psychological Science*, 21, p. 1.623-1.628, 2010.

Li, W., Moallem, I., Paller, K. A., Gottfried, J. A. Subliminal smells can guide social preferences. *Psychological Science*, 18, p. 1.044-1.049, 2007.

Lieberman, J. D. & Arndt, J. Understanding the limits of limiting instructions. *Psychology, Public Policy, and Law*, 6, p. 677-711, 2000.

Lieberman, D. & Smith, A. It's all relative: Sexual aversions and moral judgments regarding sex among siblings. *Current Directions in Psychological Science*, 21, p. 243-247, 2012. Disponível em: https://doi.org/10.1177/0963721412447620.

Lieberman, D., Tooby, J. & Cosmides, L. The architecture of human kin detection. *Nature*, 445, p. 727-731, 2007. Disponível em: https://doi.org/10.1038/nature05510.

Lim, S., O'Doherty, J. P. & Rangel, A. The decision value computations in the vmPFC and striatum use a relative value code that is guided by visual attention. *Journal of Neuroscience*, 31, p. 13.214-13.223, 2011.

Lin, J.-S. & Sung, Y. Nothing can tear us apart: The effect of brand identity fusion in consumer-brand relationships. *Psychology & Marketing.*, 31, p. 54-69, 2014. Disponível em: https://doi.org/10.1002/mar.20675.

Linder, J. A., Meeker, D., Fox, C. R., Friedberg, M. W., Persell, S. D., Goldstein, N. J. & Doctor, J. N. Effects of behavioral interventions on inappropriate antibiotic prescribing in primary care 12 months after stopping interventions. *Journal of the American Medical Association*, 318, p. 1.391-1.392, 2017. Disponível em: https://doi.org/10.1001/jama.2017.11152.

Liu, W. & Gal, D. Bringing us together or driving us apart: The effect of soliciting consumer input on consumers' propensity to transact with an organization. *Journal of Consumer Research*, 38, p. 242-259, 2011.

Lloyd, J. E. Aggressive mimicry in *Photuris*: Firefly *femme fatales*. *Science*, 149, p. 653-654, 1965.

Loersch, C. & Arbuckle, N. L. Unraveling the mystery of music: Music as an evolved group process. *Journal of Personality and Social Psychology*, 105, p. 777-798, 2013.

Lokhorst, A. M., Werner, C., Staats, H., van Dijk, E. & Gale, J. L. Commitment and behavior change: A meta-analysis and critical review of commitment-making strategies in environmental research. *Environment and Behavior* 45, p. 3-34, 2013. Disponível em: https://doi.org/10.1177/0013916511411477.

Loschelder, D. D, Siepelmeyer, H., Fischer, D. & Rubel, J. Dynamic norms drive sustainable consumption: Norm-based nudging helps café customers to avoid disposable to-go-cups. *Journal of Economic Psychology,* 75, p. 102146, 2019.

Lynn, M. Scarcity effect on value: Mediated by assumed expensiveness. *Journal of Economic Psychology,* 10, p. 257-274, 1989.

Lytton, J. Correlates of compliance and the rudiments of conscience in two-year-old boys. *Canadian Journal of Behavioral Science,* 9, p. 242-251, 1979.

MacGregor-Hastie, R. *Picasso's women.* Londres: Lennard, 1988.

Mack, D. & Rainey, D. Female applicants' grooming and personnel selection. *Journal of Social Behavior and Personality,* 5, p. 399-407, 1990.

MacKay, C. *Extraordinary Popular Delusions and the Madness of Crowds.* Nova York: Farrar, Straus and Giroux, 1841/1932.

MacKenzie, B. When sober executives went on a bidding binge. *TV Guide,* 22 jun., 1974.

Madanika, Y. & Bartholomew, K. Themes of lust and love in popular music from 1971 to 2011. *SAGE Open,* 4, 3, 14 ago., 2014. Disponível em: https://doi.org/10.1177/2158244014547179.

Maddux, W. W., Mullen, E. & Galinsky, A. Chameleons bake bigger pies and take bigger pieces: Strategic behavioral mimicry facilitates negotiation outcomes. *Journal of Experimental Social Psychology*, 44, p. 461-468, 2008.

Maestripieri, D., Henry, A. & Nickels, N. Explaining financial and pro-social biases in favor of attractive people: Interdisciplinary perspectives from economics, social psychology, and evolutionary psychology. *Behavioral and Brain Sciences*, 40, E19, 2017. Disponível em: https://doi.org/10.1017/S0140525X16000340.

Maglio, S. J. & Polman, E. Revising probability estimates: Why increasing likelihood means increasing impact. *Journal of Personality and Social Psychology*, 111, p. 141-158, 2016. Disponível em: https://doi.org/10.1037/pspa0000058.

Magruder, J. S. *An American life: One man's road to Watergate.* Nova York: Atheneum, 1974.

Mahajan, N., Martinez, M. A., Gutierrez, N. L., Diesendruck, G., Banaji, M. R. & Santos, L. R. *Journal of Personality and Social Psychology*, 100, p. 387-405, 2011.

Maheshwari, S. The online star rating system is flawed... and you never know if you can trust what you read. *New York Times*, B1, B4, 20 nov., 2019.

Main, K. J., Dahl, D. W. & Darke, P. R. Deliberative and automatic bases of suspicion: Empirical evidence of the sinister attribution error. *Journal of Consumer Psychology*, 17, p. 59-69, 2007. Disponível em: https://doi.org/10.1207/s15327663jcp1701_9.

Maisel, N. C & Gable, S. L. The paradox of received social support: The importance of responsiveness. *Psychological Science*, 20, p. 928-932, 2009.

Makary, M. A. & Daniel, M. Medical error – the third leading cause of death in the US. *BMJ*, 353, 2016. Disponível em: https://doi.org/10.1136/bmj.i2139.

Makurdi, W. 23 youths dead in South Africa during adulthood initiation rites. *Arizona Republic*, A32, 26 mai., 2013.

Malinowski, B. *Argonauts of the Western Pacific: An account of native enterprise and adventure in the archipelagoes of Melanesian New Guinea*, 1922. Disponível em: www.gutenberg.org/files/55822/55822-h/55822-h.htm.

Mallett, R. K., Wilson, T. D. & Gilbert, D. T. Expect the unexpected: Failure to anticipate similarities leads to an intergroup forecasting error. *Journal of Personality and Social Psychology*, 94, p. 265-277, 2008.

Mallon, B., Redies, C. & Hayn-Leichsenring, G. U. Beauty in abstract paintings: Perceptual contrast and statistical properties. *Frontiers of Human Neuroscience*, 8, p. 161, 2014. Disponível em: https://doi.org/10.3389/fnhum.2014.00161.

Mandel, N. & Johnson, E. J. When web pages influence choice: Effects of visual primes on experts and novices. *Journal of Consumer Research*, 29, p. 235-245, 2002.

Manis, M., Cornell, S. D. & Moore, J. C. Transmission of attitude relevant information through a communication chain. *Journal of Personality and Social Psychology*, 30, p. 81-94, 1974.

Mann, T., Nolen-Hoeksema, S. K., Burgard, D., Huang, K., Wright, A. & Hansen, K. (1997). Are two interventions worse than none? *Health Psychology*, 16, p. 215-225, 1997.

Mannes, A. E., Soll, J. B. & Larrick, R. P. The wisdom of select crowds. *Journal of Personality and Social Psychology*, 107, p. 276-299, 2014. Disponível em: https://doi.org/10.1037/a0036677.

Manning, R., Levine, M. & Collins, A. The Kitty Genovese murder and the social psychology of helping: The parable of the 38 witnesses. *American Psychologist*, 62, p. 555-562, 2007. Disponível em: https://doi.org/10.1037/0003-066X.62.6.555.

Marcoux, J-s. Escaping the gift economy. *Journal of Consumer Research,* 36, p. 671-685, 2009.

Margulis, E. H. When program notes don't help: Music descriptions and enjoyment. *Psychology of Music,* 38, p. 285-302, 2010.

Markman, K. D. & Guenther, C. L. Psychological momentum: Intuitive physics and naive beliefs. *Personality and Social Psychology Bulletin,* 33, p. 800-812, 2007. Disponível em: https://doi.org/10.1177/0146167207301026.

Markowitz, D. M. & Slovic, P. Social, psychological, and demographic characteristics of dehumanization toward immigrants. *Proceedings of the National Academy of Sciences,* 117, p. 9.260-9.269, 2020. Disponível em: https://doi.org/10.1073/pnas.1921790117.

Marks, J., Copland, E., Loh, E., Sunstein, C. R., Sharot, T. Epistemic spillovers: Learning others' political views reduces the ability to assess and use their expertise in nonpolitical domains. *Cognition,* 188, p. 74-84, 2019. Disponível em: https://doi.org/10.1016/j.cognition.2018.10.003.

Martin, S. J., Goldstein, N. J. & Cialdini, R. B. *The small BIG: Small changes that spark big Influence.* Nova York: Grand Central Publishing, 2014.

Martin, S. J. & Marks, J. *Messengers: Who we listen to, who we don't, and why.* Nova York: Public Affairs, 2019.

Mashek, D. J., Aron, A. & Boncimino, M. Confusions of self with close others. *Personality and Social Psychology Bulletin,* 29, p. 382-392, 2003.

Masket, S. E. Did Obama's ground game matter? The influence of local field offices during the 2008 presidential election. *Public Opinion Quarterly,* 73, p. 1.023-1.039, 2009.

Mateo, J. M. Kin recognition in ground squirrels and other rodents. *Journal of Mammalogy.* 84, 1.163-1.181, 2003. Disponível em: https://doi.org/10.1644/BLe-011.

Mateo, J. M. Perspectives: Hamilton's legacy: mechanisms of kin recognition in humans. *Ethology* 121, p. 419-427, 2015. Disponível em: https://doi.org/10.1111/eth.12358.

Mather, M., Shafir, E. & Johnson, M. K. Misremembrance of options past: Source monitoring and choice. *Psychological Science,* 11, p. 132-138, 2000.

Matthies, E., Klockner, C. A., Preisner, C. L. Applying a modified moral decision making model to change habitual car use: How can commitment be effective? *Applied Psychology,* 55, p. 91-106, 2006. Disponível em: https://doi.org/10.1111/j.1464-0597.2006.00237.x.

Maus, G. W., Goh, H. L. & Lisi, M.. Perceiving locations of moving objects across eyeblinks. *Psychological Science,* 2020. Disponível em: https://doi.org/10.1177/0956797620931365.

Mauss, M. *The gift: The form and reason for exchange in archaic societies.* Traduzido por W. D. Halls. Abingdon: Routledge, 1990.

Mauss, S. Hitler's Jewish Commander and Victim. *Jewish Voice from Germany,* 4 dez., 2012. Disponível em: http://jewish-voice-from-germany. de/cms/hitlers-jewish-commander-and-victim.

Mayer, N. D. & Tormala, Z. "Think" versus "feel" framing effects. *Personality and Social Psychology Bulletin,* 36, p. 443-454, 2010.

Mazis, M. B. Antipollution measures and psychological reactance theory: A field experiment. *Journal of Personality and Social Psychology,* 31, p. 654-666, 1975.

Mazis, M. B., Settle, R. B. & Leslie, D. C. Elimination of phosphate detergents and psychological reactance. *Journal of Marketing Research,* 10, p. 390-395, 1973.

McCall, M. & Belmont, H. J. Credit card insignia and restaurant tipping: Evidence for an associative link. *Journal of Applied Psychology,* 81, p. 609-613, 1996.

McDonald, M., Porat, R., Yarkoney, A., Reifen Tagar, M., Kimel, S., Saguy, T. & Halperin, E. Intergroup emotional similarity reduces dehumanization and promotes conciliatory attitudes in prolonged conflict. *Group Processes & Intergroup Relations*, 20, p. 125-136, 2017. Disponível em: https://doi.org/10.1177/1368430215595107.

McFarland, S. Identification with all humanity: The antithesis of prejudice, and more. *In*: C. G. Sibley e F. K. Barlow (eds.), *The Cambridge handbook of the psychology of prejudice*, Cambridge: Cambridge University Press, p. 632-654, 2017. Disponível em: https://doi.org/10.1017/9781316161579.028.

McFarland, S., Webb, M. & Brown D. All humanity is my in-group: A measure and studies of identification with all humanity. *Journal of Personality and Social Psychology,* 103, p. 830-853, 2012.

McGuinnies, E. & Ward, C. D. Better liked than right: Trustworthiness and expertise as factors in credibility. *Personality and Social Psychology Bulletin,* 6, p. 467-472, 1980.

McKenzie, C. R. M. & Chase, V. M. Why rare things are precious: The importance of rarity in lay inference. *In*: P. M. Todd, G. Gigerenzer e o ABC Research Group (eds.), *Ecological rationality: Intelligence in the world.* Oxford: Oxford University Press, 2010, p. 81-101.

McKeown, S. & Dixson, J. The "contact hypothesis": Critical reflections and future directions. *Social & Personality Psychology Compass,* 11, 2017. Disponível em: https://doi.org/10.1111/spc3.12295.

McNeill, W. H. *Keeping together in time: Dance and drill in human history.* Cambridge, MA: Harvard University Press, 1995.

Meeker, D., Knight, T. K, Friedberg, M. W., Linder, J. A., Goldstein, N. J., Fox, C. R., Rothfeld, A., et al. Nudging guideline-concordant antibiotic prescribing: A randomized clinical trial. *JAMA Internal Medicine,* 174, p. 425-431, 2014. Disponível em: https://doi.org/10.1001/jamaintern-med.2013.14191.

Meeus, W. H. J. & Raaijmakers, Q. A. W. Administrative obedience: Carrying out orders to use psychological-administrative violence. *European Journal of Social Psychology*, 16, p. 311-324, 1986.

Meier, B. P., Dillard, A. J & Lappas, C. M. Naturally better? A review of the natural-is-better bias. *Social and Personality Psychology Compass*, 2019. Disponível em: https://doi.org/10.1111/spc3.12494.

Melamed, B. F., Yurcheson, E., Fleece, L., Hutcherson, S. & Hawes, R. Effects of film modeling on the reduction of anxiety-related behaviors in individuals varying in level of previous experience in the stress situation. *Journal of Consulting and Clinical Psychology*, 46, p. 1.357-1.374, 1978.

Melamed, D., Simpson, B. & Abernathy, J. The robustness of reciprocity: Experimental evidence that each form of reciprocity is robust to the presence of other forms of reciprocity. *Science Advances*, 6, 2020. Disponível em: https://doi.org/10.1126/sciadv.aba0504.

Mercer, A., Caporaso, A., Cantor, D. & Townsend, J. How much gets you how much? Monetary incentives and response rates in household surveys. *Public Opinion Quarterly*, 79, p. 105-129, 2015.

Meredith, J. Conversation analysis, cyberpsychology and online interaction. *Social and Personality Psychology Compass*, 14, 2020. Disponível em: https://doi.org/10.1111/spc3.12529.

Meyerwitz, B. E. & Chaiken, S. The effect of message framing on breast self-examination attitudes, intentions, and behavior. *Journal of Personality and Social Psychology*, 52, p. 500-510, 1987.

Michelitch, K. Does electoral competition exacerbate interethnic or interpartisan economic discrimination? Evidence from a field experiment in market price bargaining. *American Political Science Review*, 109, p. 43-61, 2015. Disponível em: https://doi.org/10.1017/S0003055414000628.

Midlarsky, E. & Nemeroff, R. Heroes of the holocaust: Predictors of their well-being in later life. Cartaz apresentado nas reuniões da American Psychological Society, Nova York, NY, jul., 1995.

Milgram, S. The experience of living in cities: A psychological analysis. *In*: F. F. Korten, S. W. Cook & J. I. Lacey (eds.), *Psychology and the problems of society*. American Psychological Association, p. 152-173, 1970. Disponível em: https://doi.org/10.1037/10042-011

Milgram, S. *Obedience to authority*. Nova York: Harper & Row, 1974.

Milgram, S., Bickman, L. & Berkowitz, O. Note on the drawing power of crowds of different size. *Journal of Personality and Social Psychology,* 13, p. 79-82, 1969.

Miller, C. B. Yes we did! Basking in reflected glory and cutting off reflected failure in the 2008 presidential election. *Analyses of Social Issues and Public Policy*, 9, p. 283-296, 2009.

Miller, C. H., Burgoon, M., Grandpre, J. R. & Alvaro, E.M. Identifying principal risk factors for the initiation of adolescent smoking behaviors: The significance of psychological reactance. *Health Communication,* 19, p. 241-252, 2006. Disponível em: https://doi.org/10.1207/s15327027hc1903_6.

Miller, G. F. (2000). *The mating mind*. Nova York: Doubleday, 2000.

Miller, J. M. & Krosnick, J. A. The impact of candidate name order on election outcomes. *Public Opinion Quarterly,* 62, p. 291-330, 1998.

Miller, N., Campbell, D. T., Twedt, H. & O'Connell, E. J. Similarity, contrast, and complementarity in friendship choice. *Journal of Personality and Social Psychology,* 3, p. 3-12, 1966.

Miller, R. L., Brickman, P. & Bollen, D. Attribution versus persuasion as a means of modifying behavior. *Journal of Personality and Social Psychology,* 31, p. 430-441, 1975.

Miller, R. L., Seligman, C., Clark, N. T. & Bush, M. (1976). Perceptual contrast versus reciprocal concession as mediators of induced compliance. *Canadian Journal of Behavioral Science,* 8, p. 401-409, 1976.

Mills, C. M. & Keil, F. C. The development of cynicism. *Psychological Science,* 16, p. 385-390, 2005.

Mita, T. H., Dermer, M. & Knight, J. Reversed facial images and the mere exposure hypothesis. *Journal of Personality and Social Psychology,* 35, p. 597-601, 1997.

Mogg, K., Waters, A. M. & Bradley, B. P. (2017). Attention bias modification (ABM): Review of effects of multisession ABM training on anxiety and threat-related attention in high-anxious individuals. *Clinical Psychological Science,* 5, p. 698-717, 2017. Disponível em: https://doi.org/10.1177/2167702617696359.

Monahan, J. L., Murphy, S. T. & Zajonc, R. B. Subliminal mere exposure: Specific, general, and diffuse effects. *Psychological Science,* 11, p. 462-466, 2000.

Moons, W. G., Mackie, D. M. & Garcia-Marques, T. The impact of repetition-induced familiarity on agreement with weak and strong arguments. *Journal of Personality and Social Psychology,* 96, p. 32-44, 2009. Disponível em: http://dx.doi.org/10.1037/a0013461.

Moore, C. & Pierce, L. Reactance to transgressors: Why authorities deliver harsher penalties when the social context elicits expectations of leniency. *Frontiers in Psychology,* 7, p. 550, 2016. http://dx.doi.org/10.3389/fpsyg.2016.00550.

Moore, D. E., Kurtzberg, T. R., Thompson, L. L. & Morris, M. W. Long and short routes to success in electronically-mediated negotiations: Group affiliations and good vibrations. *Organizational Behavior and Human Decision Processes,* 77, p. 22-43, 1999.

Moreland, R. L. & Topolinski, S. The mere exposure phenomenon: A lingering melody by Robert Zajonc. *Emotion Review,* 2, p. 329-339, 2010. Disponível em: https://doi.org/10.1177/1754073910375479.

Moriarty, T. Crime, commitment, and the responsive bystander: Two field experiments. *Journal of Personality and Social Psychology,* 31, p. 370-376, 1975.

Morris, M., Nadler, J., Kurtzberg, T. & Thompson, L. Schmooze or lose: Social friction and lubrication in e-mail negotiations. *Group Dynamics: Theory, Research, and Practice,* p. 89-100, 2002. Disponível em: http://dx.doi.org/10.1037/1089-2699.6.1.89.

Morrison, K. R., Plaut, V. C. & Ybarra, O. Predicting whether multiculturalism positively or negatively influences white Americans' intergroup attitudes: The role of ethnic identification. *Personality and Social Psychology Bulletin,* 36, p. 1.648-1.661, 2010. Disponível em: https://doi.org/10.1177/0146167210386118.

Morrow, L. The Russian revolution, *Time,* 20, 2 set., 1991.

Mortensen, C. H., Neel, R., Cialdini, R. B., Jaeger, C. M., Jacobson, R. P. & Ringel, M. M. Upward trends: A lever for encouraging behaviors performed by the minority. *Social Psychology and Personality Science,* 2017. Disponível em: https://doi.org/10.1177%2F1948550617734615.

Mousa, S. Building social cohesion between Christians and Muslims through soccer in post-ISIS Iraq, *Science,* 369, p. 866-870, 2020. Disponível em: https://doi.org/10.1126/science.abb3153.

Mrkva, K. & Van Boven, L. Salience theory of mere exposure: Relative exposure increases liking, extremity, and emotional intensity. *Journal of Personality and Social Psychology,* 118, p. 1.118-1.145, 2020. Disponível em: https://doi.org/10.1037/pspa0000184.

Mulla, M. M., Witte, T. H., Richardson, K., Hart, W., Kassing, F. L., Coffey, C. A., Hackman, C. L. & Sherwood, I. M. The causal influence of perceived social norms on intimate partner violence perpetration: Converging cross-sectional, longitudinal, and experimental support for a social disinhibition model. *Personality and Social Psychology Bulletin*, 45, p. 652-668, 2019. Disponível em: https://doi.org/10.1177/0146167218794641.

Murayama, K. & Elliot, A. J. The competition–performance relation: A meta-analytic review and test of the opposing processes model of competition and performance. *Psychological Bulletin*, 138, p. 1.035-1.070, 2012. Disponível em: http://dx.doi.org/10.1037/a0028324.

Murphy, S. T. & Zajonc, R. B. Affect, cognition and awareness. *Journal of Personality and Social Psychology*, 64, p. 723-739, 1993.

Murrar, S., Campbell, M. R. & Brauer, M. Exposure to peers' pro-diversity attitudes increases inclusion and reduces the achievement gap. *Nature Human Behavior*, 2020. Disponível em: https://doi.org/10.1038/s41562-020-0899-5.

Murray, D. A., Leupker, R. V., Johnson, C. A. & Mittlemark, M. B. The prevention of cigarette smoking in children: A comparison of four strategies. *Journal of Applied Social Psychology*, 14, p. 274-288, 1984.

Nai, J., Narayanan, J., Hernandez, I. & Savani, K. People in more racially diverse neighborhoods are more prosocial. *Journal of Personality and Social Psychology*, 114, p. 497-515, 2018. Disponível em: https://doi.org/10.1037/pspa0000103.

Nakayachi, K., Ozaki, T., Shibata, Y. & Yokoi, R. Why do Japanese people use masks against COVID-19, even though masks are unlikely to offer protection from infection? *Frontiers in Psychology*, 11, 2020. Disponível em: https://doi.org/10.3389/fpsyg.2020.01918.

Naylor, R. W., Raghunathan, R. & Ramanathan, S. Promotions spontaneously induce a positive evaluative response. *Journal of Consumer Psychology*, 16, p. 295-305, 2006.

Nelissen, R. M. A. & Meijers, M. H. C. Social benefits of luxury brands as costly signals of wealth and status. *Evolution and Human Behavior,* 32, p. 343-355, 2011.

News. *Stanford Business School Magazine,* 56, 3, 1988.

Nijjer, R. 5 types of social proof to use on your website now. *Search Engine Journal,* 2019. Disponível em: www.searchenginejournal.com/social--proof-types/318667.

Nolan, J. M., Schultz, P. W., Cialdini, R. B. & Goldstein, N. J. The social norms approach: A wise intervention for solving social and environmental problems. *In*: G. Walton e A. Crum (eds.). *Handbook of Wise Interventions.* Guilford, p. 405-428, 2021.

Nolan, J. M., Schultz, P. W., Cialdini, R. B., Goldstein, N. J. & Griskevicius, V. Normative social influence is underdetected. *Personality and Social Psychology Bulletin,* 34, p. 913-923, 2008.

Noor, M., Brown, R., Gonzalez, R., Manzi, Jorge & Lewis, C. A. On positive psychological outcomes: What helps groups with a history of conflict to forgive and reconcile with each other? *Personality and Social Psychology Bulletin,* 34, p. 819-832, 2008.

Norscia, I. & Palagi, E. Yawn contagion and empathy in *Homo sapiens. PLoS ONE,* 6, 2011. Disponível em: https://doi.org/10.1371/journal.pone.0028472.

Norscia, I., Zanoli, A., Gamba, M. & Palagi, E. Auditory contagious yawning is highest between friends and family members: Support to the emotional bias hypothesis. *Frontiers of Psycholology,* 11, p. 442, 2020. Disponível em: https://doi.org/10.3389/fpsyg.2020.00442.

Norton, M. I., Mochon, D. & Ariely, D. The IKEA effect: When labor leads to love. *Journal of Consumer Psychology,* 22, p. 453-460, 2012. Disponível em: https://doi.org/10.1016/j.jcps.2011.08.002.

Oesch, N. (2019). Music and language in social interaction: Synchrony, antiphony, and functional origins. *Frontiers of Psychology,* 10, p. 1.514, 2019. Disponível em: https://doi.org/10.3389/fpsyg.2019.01514.

Oh, D., Shafir, E. & Todorov, A. Economic status cues from clothes affect perceived competence from faces. *Nature Human Behaviour,* 4, 3, p. 287-293, 2020. Disponível em: https://doi.org/10.1038/s41562-019-0782-4.

Ohadi, J., Brown, B., Trub, L. & Rosenthal, L. I just text to say I love you: Partner similarity in texting and relationship satisfaction. *Computers in Human Behavior,* 78, p. 126-132, 2018. Disponível em: https://doi.org/10.1016/j.chb.2017.08.048.

Oliver, A. *Reciprocity and the Art of Behavioural Public Policy.* Cambridge: Cambridge University Press, 2019. Disponível em: https://doi.org/10.1017/9781108647755.

O'Leary, S. G. Parental discipline mistakes. *Current Directions in Psychological Science,* 4, p. 11-13, 1995.

Oliner, S. P. & Oliner, P. M. *The altruistic personality: Rescuers of Jews in Nazi Europe.* Nova York: Free Press, 1988.

Olson, I. R. & Marshuetz, C. Facial attractiveness is appraised in a glance. *Emotion,* 5, p. 498-502, 2005.

Olson, J. M. & James, L. M. Vigilance for differences. *Personality and Social Psychology Bulletin,* 28, p. 1.084-1.093, 2002.

Onyeador, I. N., Wittlin, N. M., Burke, S. E., Dovidio, J. F., Perry, S. P., Hardeman, R. R., Dyrbye, L. N. *et al.* The value of interracial contact for reducing anti-Black bias among non-Black physicians: A cognitive habits and growth evaluation (CHANGE) study report. *Psychological Science,* 31, p. 18-30, 2020. Disponível em: https://doi.org/10.1177/0956797619879139.

Oosterhof, N. N., Tipper, S. P. & Downing, P. E. Visuo-motor imagery of specific manual actions: A multi-variate pattern analysis fMRI study, *NeuroImage*, 63, p. 262-271, 2012. Disponível em: https://doi.org/10.1016/j.neuroimage.2012.06.045.

Orina, M. M., Wood, W. & Simpson, J. A. Strategies of influence in close relationships. *Journal of Experimental Social Psychology*, 38, p. 459-472, 2002.

Oskamp, S. & Schultz, P. W. *Applied Social Psychology.* Englewood Cliffs, NJ: Prentice-Hall, 1998.

Ott, M., Choi, Y., Cardie, C. & Hancock, J. T. Finding deceptive opinion spam by any stretch of the imagination. Ata da 49ª reunião anual da Association for Computer Linguistics, Portland, Oregon., p. 309-319, 2011.

Otten, S. & Epstude, K. Overlapping mental representations of self, ingroup, and outgroup: Unraveling self-stereotyping and self-anchoring. *Personality and Social Psychology Bulletin*, 32, p. 957-969, 2006. Disponível em: https://doi.org/10.1177/0146167206287254.

Over, H. Seven challenges for the dehumanization hypothesis. *Perspectives on Psychological Science,* 29 abr., 2020. Disponível em: https://doi.org/10.1177/1745691620902133.

Over, H. & McCall, C. Becoming us and them: Social learning and intergroup bias. *Social and Personality Compass*, 2018. Disponível em: https://doi.org/10.1111/spc3.12384.

Packard, V. *The hidden persuaders.* Nova York: D. McKay, 1957.

Paez, D., Rime, B., Basabe, N., Wlodarczyk, A. & Zumeta, L. Psychosocial effects of perceived emotional synchrony in collective gatherings. *Journal of Personality and Social Psychology,* 108, p. 711-729, 2015.

Paese, P. W. & Gilin, D. A. When an adversary is caught telling the truth. *Personality and Social Psychology Bulletin,* 26, p. 75-90, 2000.

Page-Gould, E., Mendoza-Denton, R., Alegre, J. M. & Siy, J. O. Understanding the impact of cross-group friendship on interactions with novel outgroup members. *Journal of Personality and Social Psychology,* 98, p. 775-793, 2010. Disponível em: https://doi.org/10.1037/a0017880.

Page-Gould, E., Mendoza-Denton, R. & Tropp, L. R. With a little help from my cross-group friend: Reducing anxiety in intergroup contexts through cross-group friendship. *Journal of Personality and Social Psychology,* 95, p. 1.080-1.094, 2008.

Palagi, E., Leone, A., Mancini, G. & Ferrari, P. F. Contagious yawning in gelada baboons as a possible expression of empathy. *Proceedings of the National Academy of Sciences* 106, p. 19.262-19.267, 2009.

Palidino, M-P., Mazzurega, M., Pavani, F. & Schubert, T. W. Synchronous multisensory stimulation blurs self-other boundaries. *Psychological Science,* 21, p. 1.202-1.207, 2010.

Pallak, M. S., Cook, D. A. & Sullivan, J. J. Commitment and energy conservation. *Applied Social Psychology Annual,* 1, p. 235-253, 1980.

Paluck, E. L. (2009). Reducing intergroup prejudice and conflict using the media: A field experiment in Rwanda. *Journal of Personality and Social Psychology,* 96, p. 574-587, 2009. Disponível em: http://dx.doi.org/10.1037/a0011989.

Paluck, E. L. & Green, D. P. Prejudice reduction: What works? A review and assessment of research and practice. *Annual Review of Psychology,* 60, p. 339-367, 2009.

Pane, L. M. Study: US mass killings reach new high in 2019. *Arizona Republic,* 8ª, 29 dec., 2019.

Paolini, S., Hewstone, M., Cairns, E. & Voci, A. Effects of direct and indirect cross-group friendships on judgments of Catholics and Protestants in Northern Ireland. *Personality and Social Psychology Bulletin,* 30, p. 770-786, 2004.

Park, H., Lalwani, A. K. & Silvera, D. H. (2020). The impact of resource scarcity on price-quality judgments. *Journal of Consumer Research,* 46, p. 1.110-1.124, 2020. Disponível em: https://doi.org/10.1093/jcr/ucz031.

Park, J. H. & Schaller, M. Does attitude similarity serve as a heuristic cue for kinship? Evidence of an implicit cognitive association. *Evolution and Human Behavior,* 26, p. 158-170, 2005.

Park, J. H., Schaller, M. & Van Vugt, M. Psychology of human kin recognition: Heuristic cues, erroneous inferences, and their implications. *Review of General Psychology,* 12, p. 215-235, 2008.

Parkinson, B. Intragroup emotion convergence: Beyond contagion and social appraisal. *Personality and Social Psychology Review*, 24, p. 121-140, 2020. Disponível em: https://doi.org/10.1177/1088868319882596.

Parsons, C. A., Sulaeman, J., Yates, M. C. & Hamermesh, D. S. Strike three: Discrimination, incentives, and evaluation. *American Economic Review,* 101, p. 1.410-1.435, 2011.

Pavlov, I. P. *Conditioned reflexes.* Tradução de G. V. Anrep. Oxford: Oxford University Press, 1927.

Peiponen, V. A. Verhaltensstudien am blaukehlchen [Estudos comportamentais do rouxinol-de-peito-azul]. *Ornis Fennica,* 37, p. 69-83, 1960.

Pennycook, G., Cannon, T. D. & Rand, D. G. Prior exposure increases perceived accuracy of fake news. *Journal of Experimental Psychology: General,* 147, 12, p. 1.865-1.880, 2018. Disponível em: https://doi.org/10.1037/xge0000465.

Perry, G. *Behind the shock machine: The untold story of the notorious Milgram psychology experiments*. Melbourne: Scribe, 2012.

Pettigrew, T. F. Generalized intergroup contact effects on prejudice. *Personality and Social Psychology Bulletin*, 23, p. 173-185, 1997.

Pettigrew, T. F. & Tropp, L. R. A meta-analytic test of intergroup contact theory. *Journal of Personality and Social Psychology*, 90, p. 751-783, 2006. Disponível em: http://dx.doi.org/10.1037/0022-3514.90.5.751.

Petrova, P. K., Cialdini, R. B. & Sills, S. J. Personal consistency and compliance across cultures. *Journal of Experimental Social Psychology*, 43, p. 104-111, 2007.

Petty, R. E., Brinol, P., Fabrigar, L. & Wegener, D. T. Attitude structure and change. Em R. Baumeister e E. Finkel (eds.). *Advanced Social Psychology*. Nova York: Oxford University Press, p. 117-156, 2019.

Petty, R. E., Cacioppo, J. T. & Goldman, R. Personal involvement as a determinant of argument-based persuasion. *Journal of Personality and Social Psychology*, 41, p. 847-855, 1981.

Pfeffer, J. & Cialdini, R. B. Illusions of influence. *In*: R. M. Kramer & M. A. Neale (eds.). *Power and Influence in Organizations*. Thousand Oaks, CA: Sage, p. 1-20, 1998.

Phillips, D. P. The influence of suggestion on suicide: Substantive and theoretical implications of the Werther effect. *American Sociological Review*, 39, p. 340-354, 1974.

Phillips, D. P. Suicide, motor vehicle fatalities, and the mass media: Evidence toward a theory of suggestion. *American Journal of Sociology*, 84, p. 1.150-1.174, 1979.

Phillips, D. P. Airplane accidents, murder, and the mass media: Towards a theory of imitation and suggestion. *Social Forces*, 58, p. 1.001-1.024, 1980.

Phillips, D. P. & Cartensen, L. L. Clustering of teenage suicides after television news stories about suicide. *New England Journal of Medicine*, 315, p. 685-689, 1986.

Phillips, D. P. & Cartensen, L. L. The effect of suicide stories on various demographic groups, 1968-1985. *Suicide and Life-Threatening Behavior*, 18, p. 100-114, 1988.

Philpot, R., Liebst, L. S., Levine, M., Bernasco, W. & Lindegaard, M. R. Would I be helped? Cross-national CCTV footage shows that intervention is the norm in public conflicts. *American Psychologist*, 75, p. 66-75, 2020.

Pierce, J. R., Kilduff, G. J., Galinsky, A. D. & Sivanathan, N. From glue to gasoline: How competition turns perspective takers unethical. *Psychological Science*, 24, p. 1.986-1.994, 2013. Disponível em: https://doi.org/10.1177/0956797613482144.

Pinsker, J. The psychology behind Costco's Free Samples: Mini pizza bagels? Now we're talking. *The Atlantic*, 1º out., 2014. Disponível em: www.theatlantic.com/business/archive/2014/10/the-psychology-behind-costcos-free-samples/380969.

Plassmann, H., O'Doherty, J., Shiv, B. & Rangel, A. Marketing actions can modulate neural representations of experienced pleasantness. *Proceedings of the National Academy of Sciences*, 105, p. 1.050-1.054, 2008.

Pope, B. R. & Pope, N. G. Own-nationality bias: Evidence from UEFA Champions League football referees. *Economic Inquiry*, 53, p. 1.292-1.304, 2015.

Pope, D. G. & Schweitzer, M. E. Is Tiger Woods loss averse?: Persistent bias in the face of experience, competition, and high stakes. *American Economic Review*, 101, p. 129-157, 2011. Disponível em: https://doi.org/10.1257/aer.101.1.129.

Poulin-Dubois, D., Brooker, I. & Polonia, A. Infants prefer to imitate a reliable person. *Infant Behavior and Development*, 34, p. 303-309, 2011. Disponível em: https://doi.org/10.1016/j.infbeh.2011.01.006.

Powers, N., Blackman, A., Lyon, T. P. & Narain, U. Does disclosure reduce pollution?: Evidence from India's Green Rating Project. *Environmental and Resource Economics*, 50, p. 131-155, 2011.

Poza, D. 7 simple hacks to supercharge your registration process, 2016. Disponível em: https://auth0.com/blog/supercharge-your-registration--process.

Pratkanis, A. R. Altercasting as an influence tactic. *In*: D. J. Terry e M. A. Hogg (eds.), *Attitudes, behavior, and social context*. Mahwah, NJ: Lawrence Erlbaum, p. 201-226, 2000.

Pratkanis, A. R. Social influence analysis: An Index of tactics. Em A. R. Pratkanis (ed.), *The science of social Influence: Advances and future progress*. Filadélfia, PA: Philadelphia Free Press, p. 17-82, 2007.

Pratkanis, A. & Shadel, D. *Weapons of fraud: A sourcebook for fraud fighters*. Seattle, WA: AARP Washington, 2005.

Pratkanis, A. R. & Uriel, Y. The expert snare as an influence tactic: Surf, turf, and ballroom demonstrations of some compliance consequences of being altercast as an expert. *Current Psychology*, 30, p. 335-344, 2011. Disponível em: https://doi.org/10.1007/s12144-011-9124-z.

Prelec, D. & Simester, D. Always leave home without it: A further investigation of the credit-card effect on willingness to pay. *Marketing Letters*, 12, p. 5-12, 2001.

Preston, S. D. The origins of altruism in offspring care. *Psychological Bulletin*, 139, p. 1.305-1.341, 2013.

Price, R. B., Wallace, M., Kuckertz, J. M., Amir, N., Graur, S., Cummings, L., Popa, P. *et al*. Pooled patient-level meta-analysis of children and adults completing a computer-based anxiety intervention targeting attentional bias. *Clinical Psychology Review,* 50, p. 37-49, 2016.

Price, J. & Wolfers, J. Racial discrimination among NBA referees. *Quarterly Journal of Economics* 125, p. 1.859-1.887, 2010.

Priebe, C. S. & Spink, K. S. When in Rome: Descriptive norms and physical activity. *Psychology of Sport and Exercise,* 12, p. 93-98, 2011. Disponível em: https://doi.org/10.1016/j.psychsport.2010.09.001.

Provine, R. *Laughter: A scientific investigation.* Nova York: Viking, 2000.

Pryor, C., Perfors, A. & Howe, P. D. L. Even arbitrary norms influence moral decision-making. *Nature Human Behaviour,* 3, p. 57-62, 2019. https://doi.org/10.1038/s41562-018-0489-y.

Putnam, A. L., Ross, M. Q., Soter, L. K. & Roediger, H. L. Collective narcissism: Americans exaggerate the role of their home state in appraising U.S. history. *Psychological Science,* 29, p. 1.414-1.422, 2018. Disponível em: https://doi.org/10.1177/0956797618772504.

Qiu, C., Luu, L. & Stocker, A. A. Benefits of commitment in hierarchical inference. *Psychological Review,* 127, p. 622-639, 2020. Disponível em: https://doi.org/10.1037/rev0000193.

Rachlin, H. & Jones, B. A. Altruism among relatives and non-relatives. *Behavioural Processes,* 79, p. 120-123, 2008. Disponível em: https:// doi.org/10.1016/j.beproc.2008.06.002.

Rao, A. R. & Monroe, K. B. The effect of price, brand name, and store name on buyer's perceptions of product quality. *Journal of Marketing Research,* 26, p. 351-357, 1989. Disponível em: https://doi.org/10.1023/A:1008196717017.

Raue, M. & Scholl, S. G. The use of heuristics in decision-making under risk and uncertainty. *In*: M. Raue, E. Lermer e B. Streicher (eds.), *Psy-*

chological perspectives on risk and risk analysis: Theory, Models and Applications. Nova York, NY: Springer, p. 153-179, 2018.

Razran, G. H. S. Conditioning away social bias by the luncheon technique. *Psychological Bulletin,* 35, p. 693, 1938.

Razran, G. H. S. Conditional response changes in rating and appraising sociopolitical slogans. *Psychological Bulletin,* 37, p. 481, 1940.

Regan, D. T. & Kilduff, M. Optimism about elections: Dissonance reduction at the ballot box. *Political Psychology,* 9, p. 101-107, 1988.

Regan, R. T. Effects of a favor and liking on compliance. *Journal of Experimental Social Psychology,* 7, p. 627-639, 1971.

Reich, T., Kupor, D. M. & Smith, R. K. Made by mistake: When mistakes increase product preference. *Journal of Consumer Research,* 44, p. 1.085-1.103, 2018. Disponível em: https://doi.org/10.1093/jcr/ucx089.

Reich, T. & Maglio, S. J. Featuring mistakes: The persuasive impact of purchase mistakes in online reviews. *Journal of Marketing,* 84, p. 52-65, 2020. Disponível em: https://doi.org/10.1177/0022242919882428.

Reilly, K. A deadly campus tradition. *Time,* p. 57-61, 23 out., 2017.

Reis, H. T., Maniaci, M. R., Caprariello, P. A., Eastwick, P. W. & Finkel, E. J. Familiarity does promote attraction in live interaction. *Journal of Personality and Social Psychology,* 101, p. 557-570, 2011.

Reiterman, T. *Raven: The untold story of the Rev. Jim Jones and his people.* Nova York: Tarcher Perigee, 2008.

Rentfrow, P. J. Statewide differences in personality: Toward a psychological geography of the United States. *American Psychologist,* 65, p. 548-558, 2010. Disponível em: https://doi.org/10.1037/a0018194.

Rice, B. How plaintiff's lawyers pick their targets. *Medical Economics,* 77, p. 94-110, 24 abr., 2000.

Richeson, J. A. & Shelton, J. N. Negotiating interracial interactions. *Current Directions in Psychological Science,* 16, p. 316-320, 2007.

Riek, B. M., Mania, E. W. & Gaertner, S. L. Intergroup threat and outgroup attitudes: A meta-analytic review. *Personality and Social Psychology Review,* 10, p. 336-353, 2006. Disponível em: https://doi.org/10.1207/s15327957pspr1004_4.

Riek, B. M., Mania, E. W., Gaertner, S. L., McDonald, S. A. & Lamoreaux, M. J. Does a common in-group identity reduce intergroup threat? *Group Processes & Intergroup Relations,* 13, p. 403-423, 2010. Disponível em: https://doi.org/10.1177/1368430209346701.

Riley, D. & Eckenrode, J. Social ties: Subgroup differences in costs and benefits. *Journal of Personality and Social Psychology,* 51, p. 770-778, 1986.

Ritts, V., Patterson, M. L. & Tubbs, M. E. Expectations, impressions, and judgments of physically attractive students: A review. *Review of Educational Research,* 62, p. 413-426, 1992.

Rochat, F. & Blass, T. Milgram's unpublished obedience variation and its historical relevance. *Journal of Social Issues,* 70, p. 456-472, 2014.

Rodafinos, A., Vucevic, A. & Sideridis, G. D. The effectiveness of compliance techniques: Foot-in-the-door versus door-in-the-face. *Journal of Social Psychology,* 145, p. 237-240, 2005.

Roese, N. J. & Olson, M. J. Attitude importance as a function of repeated attitude expression. *Journal of Experimental Social Psychology,* 30, p. 39-51, 1994. Disponível em: http://dx.doi.org/10.1006/jesp.1994.1002.

Rollins, T. *The CEO formula.* McLean, VA: Rollins, 2020.

Romero, T., Ito, M., Saito, A. & Hasegawa, T. Social modulation of contagious yawning in wolves. *PLoS ONE*, 9, 2014. Disponível em: http://dx.doi.org/10.1371/journal.pone.0105963.

Romero, T., Konno, A. & Hasegawa, T. Familiarity bias and physiological responses in contagious yawning by dogs support link to empathy. *PLoS ONE*, 8, 2013. Disponível em: http://dx.doi.org/10.1371/journal.pone.0071365.

Rosen, S. & Tesser, A. On the reluctance to communicate undesirable information: The MUM effect. *Sociometry*, 33, p. 253-263, 1970.

Rosenthal, A. M. *Thirty-eight witnesses*. Nova York: McGraw-Hill, 1964.

Roseth, C. J., Johnson, D. W. & Johnson, R. T. Promoting early adolescents' achievement and peer relationships: The effects of cooperative, competitive, and individualistic goal structures. *Psychological Bulletin*, 134, p. 223-246, 2008. Disponível em: http://dx.doi.org/10.1037/0033-2909.134.2.223.

Ross, J. R. *Escape to Shanghai: A Jewish community in China*. Nova York: Free Press, 1994.

Rothman, A. J., Martino, S. C., Bedell, B. T., Detweiler, J. B. & Salovey, P. The systematic influence of gain-and-loss-framed messages on interest in and use of different types of health behavior. *Personality and Social Psychology Bulletin*, 25, p. 1.355-1.369, 1999.

Rothman, A. J. & Salovey, P. Shaping perceptions to motivate healthy behavior: The role of message framing. *Psychological Bulletin*, 121, p. 3-19, 1997.

Rubinstein, S. What they teach used car salesmen. *San Francisco Chronicle*, 30 jan., 1985.

Rusbult, C. E., Van Lange, P. A. M., Wildschut, T., Yovetich, N. A. & Verette, J. Perceived superiority in close relationships: Why it exists and persists. *Journal of Personality and Social Psychology,* 79, p. 521-545, 2000.

Sabin, R. *The international cyclopedia of music and musicians.* Nova York: Dodd, Mead, 1964.

Sacarny, A., Barnett, M. L., Le, J., Tetkoski, F., Yokum, D. & Agrawal, S. Effect of peer comparison letters for high-volume primary care prescribers of quetiapine in older and disabled adults: A randomized clinical trial. *Journal of the American Medical Association Psychiatry,* 75, p. 1.003-1.011, 2018. Disponível em: https://doi.org/10.1001/jamapsychiatry.2018.1867.

Sagarin, B. J., Cialdini, R. B., Rice, W. E. & Serna, S. B. Dispelling the illusion of invulnerability: The motivations and mechanisms of resistance to persuasion. *Journal of Personality and Social Psychology,* 83, p. 526-541, 2002.

Sagarin, B. J. & Mitnick, K. D. The path of least resistance. *In*: D. T. Kenrick, N. J. Goldstein e S. L. Braver (eds.), *Six degrees of social Influence: Science, application, and the psychology of Robert Cialdini.* Nova York: Oxford University Press, p. 27-38, 2012.

Salant, J. D. Study links donations, vote patterns. *Arizona Republic,* A5, 20 jul., 2003.

Salganik, M. J., Dodds, P. S. & Watts, D. J. Experimental study of inequality and unpredictability in an artificial cultural market. *Science,* 311, 10 fev., p. 854-856, 2006.

Santos, H. C., Varnum, M. E. W. & Grossmann, I. Global increases in individualism. *Psychological Science,* 28, p. 1.228-1.239, 2017. Disponível em: https://doi.org/10.1177/0956797617700622.

Sasaki, S. J. & Vorauer, J. D. Ignoring versus exploring differences between groups: Effects of salient color-blindness and multiculturalism on intergroup attitudes and behavior. *Social and Personality Psychology Compass,* 7, p. 246-259, 2013. Disponível em: https://doi.org/10.1111/spc3.12021.

Sassenrath, C., Hodges, S. D. & Pfattheicher, S. It's all about the self: When perspective taking backfires. *Current Directions in Psychological Science,* 25, p. 405-410, 2016. Disponível em: https://doi.org/10.1177/0963721416659253.

Savage, P., Loui, P., Tarr, B., Schachner, A., Glowacki, L., Mithen, S. & Fitch, W. (2020). Music as a coevolved system for social bonding. *Behavioral and Brain Sciences,* p. 1-36, 2020. Disponível em: https://doi.org/10.1017/S0140525X20000333.

Schein, E. The Chinese indoctrination program for prisoners of war: A study of attempted "brainwashing." *Psychiatry,* 19, p. 149-172, 1956.

Schindler, R. M. Consequences of perceiving oneself as responsible for obtaining a discount. *Journal of Consumer Psychology,* 7, 4, p. 371-392, 1998.

Schkade, D. A. & Kahneman, D. Does living in California make people happy? A focusing illusion in judgments of life satisfaction. *Psychological Science,* 9, p. 340-346, 1998.

Schlenker, B. R., Dlugolecki, D. W. & Doherty, K. The impact of self-presentations on self-appraisals and behavior. The power of public commitment. *Personality and Social Psychology Bulletin,* 20, p. 20-33, 1994.

Schmidtke, A. & Hafner, H. The Werther effect after television films: New evidence for an old hypothesis. *Psychological Medicine,* 18, p. 665-676, 1988.

Schmitt, M. T., Mackay, C. M. L., Droogendyk, L. M. & Payne, D. What predicts environmental activism? The roles of identification with nature and politicized environmental identity. *Journal of Environmental*

Psychology, 61, p. 20-29, 2019. Disponível em: https://doi.org/10.1016/j. jenvp.2018.11.003.

Schrange, M. The opposite of perfect. *Sales and Marketing Management*, 26, set., 2004.

Schrift, R. Y. & Parker, J. R. Staying the course: The option of doing nothing and its impact on postchoice persistence. *Psychological Science*, 25, p. 772-780, 2014.

Schroeder, J., Risen, J. L., Gino, F. & Norton, M. I. Handshaking promotes deal-making by signaling cooperative intent. *Journal of Personality and Social Psychology*, 116, p. 743-768, 2019. Disponível em: http://dx.doi. org/10.1037/pspi0000157.

Schultz, P. W. Changing behavior with normative feedback interventions: A field experiment on curbside recycling. *Basic and Applied Social Psychology*, 21, p. 25-36, 1999.

Schumpe, B. M., Belanger, J. J. & Nisa, C. F. The reactance decoy effect: How including an appeal before a target message increases persuasion. *Journal of Personality and Social Psychology*, 119, p. 272-292, 2020. Disponível em: https://doi.org/10.1037/pspa0000192.

Schwarz, N. When reactance effects persist despite restoration of freedom: Investigations of time delay and vicarious control. *European Journal of Social Psychology*, 14, p. 405-419, 1984.

Schwarzwald, D., Raz, M. & Zwibel, M. The applicability of the door-in-the-face technique when established behavior customs exit. *Journal of Applied Social Psychology*, 9, p. 576-586, 1979.

Sechrist, G. B. & Stangor, C. When are intergroup attitudes based on perceived consensus information? The role of group familiarity. *Social Influence*, 2, p. 211-235, 2007.

Segal, H. A. Initial psychiatric findings of recently repatriated prisoners of war. *American Journal of Psychiatry*, III, p. 358-363, 1954.

Seiter, J. S. Ingratiation and gratuity: The effect of complimenting customers on tipping behavior in restaurants. *Journal of Applied Social Psychology*, 37, 478-485, 2007.

Seiter, J. S. & Dutson, E. The effect of compliments on tipping behavior in hairstyling salons. *Journal of Applied Social Psychology*, 37, p. 1999-2007, 2007.

Sengupta, J. & Johar, G. V. Contingent effects of anxiety on message elaboration and persuasion. *Personality and Social Psychology Bulletin*, 27, p. 139-150, 2001.

Shadel, D. *Outsmarting the scam artists: How to protect yourself from the most clever cons*. Hoboken, NJ: Wiley & Sons, 2012.

Shaffer, D., Garland, A., Vieland. V., Underwood, M. & Busner, C. The impact of curriculum-based suicide prevention programs for teenagers. *Journal of the American Academy of Child and Adolescent Psychiatry*, 30, p. 588-596, 1991.

Shah, A. J. & Oppenheimer, D. M. Heuristics made easy: An effort reduction framework. *Psychological Bulletin*, 134, p. 207-222, 2008.

Shah, A. M., Eisenkraft, N., Bettman, J. R. & Chartrand, T. L. "Paper or plastic?": How we pay influences post-transaction connection. *Journal of Consumer Research*, 42, p. 688-708, 2015. Disponível em: https://doi.org/10.1093/jcr/ucv056.

Sharot, T., Fleming, S. M., Yu, X., Koster, R. & Dolan, R. J. Is choice-induced preference change long lasting? *Psychological Science*, 23, p. 1.123-1.129, 2012.

Sharot, T., Velasquez, C. M. & Dolan, R. J. Do decisions shape preference? Evidence from blind choice. *Psychological Science*, 21, p. 1.231-1.235, 2010.

Sharps, M. & Robinson, E. Perceived eating norms and children's eating behavior: An Informational social Influence account. *Appetite,* 113, p. 41-50, 2017.

Shayo, M. Social identity and economic policy. *Annual Review of Economics,* 12, p. 355-389, 2020.

Shayo, M. & Zussman, A. Judicial in-group bias in the shadow of terrorism. *Quarterly Journal of Economics,* 126, p. 1.447-1.484, 2011.

Shelley, M. K. Individual differences in lottery evaluation models. *Organizational Behavior and Human Decision Processes,* 60, p. 206-230, 1994.

Sheng, F., Ramakrishnan, A., Seok, D., Zhao, W. J., Thelaus, S., Cen, P. & Platt, M. L. Decomposing loss aversion from gaze allocation and pupil dilation. *Proceedings of the National Academy of Sciences,* 117, p. 11.356-11.363, 2020. Disponível em: https://doi.org/10.1073/pnas.1919670117.

Sherif, M., Harvey, O. J., White, B. J., Hood, W. R. & Sherif, C. W. *Intergroup conflict and cooperation: The Robbers' Cave experiment.* Norman, OK: University of Oklahoma Institute of Intergroup Relations, 1961.

Sherman, D. K., Brookfield, J. & Ortosky, L. Intergroup conflict and barriers to common ground: A self-affirmation perspective. *Social and Personality Psychology Compass,* 11, 2017. Disponível em: https://doi.org/10.1111/spc3.12364.

Sherman, L. E., Payton, A. A., Hernandez, L. M., Greenfield, P. M. & Dapretto, M. (2016). The power of the like in adolescence: Effects of peer influence on neural and behavioral responses to social media. *Psychological Science,* 27, p. 1.027-1.035, 2016. Disponível em: https://doi.org/10.1177/0956797616645673.

Sherman, S. J. On the self-erasing nature of errors of prediction. *Journal of Personality and Social Psychology,* 39, p. 211-221, 1980.

Shi, L., Romić, I., Ma, Y., Wang, Z., Podobnik, B., Stanley, H. E., Holme, P. & Jusup, M. Freedom of choice adds value to public goods. *Proceedings of the National Academy of Sciences,* 117, p. 17.516-17.521, 2020. Disponível em: https://doi.org/10.1073/pnas.1921806117.

Shiv, B., Carmon, Z. & Ariely, D. Placebo effects of marketing actions: Consumers may get what they pay for. *Journal of Marketing Research,* 42, p. 383-393, 2005. Disponível em: https://doi.org/10.1509/jmkr.2005.42.4.383.

Shnabel, N., Halabi, S. & Noor, M. Overcoming competitive victimhood and facilitating forgiveness through re-categorization into a common victim or perpetrator identity, *Journal of Experimental Social Psychology,* 49, p. 867-877, 2013.

Shnabel, N., Purdie-Vaughns, V., Cook, J. E., Garcia J. & Cohen G. L. Demystifying values-affirmation interventions: Writing about social belonging is a key to buffering against identity threat. *Personality and Social Psychology Bulletin.* 39, p. 663-676, 2013.

Shook, N. J. & Fazio, R. H. Interracial roommate relationships: An experimental field test of the contact hypothesis. *Psychological Science,* 19, p. 717-723, 2008. Disponível em: https://doi.org/10.1111/j.1467-9280.2008.02147.x.

Shotland, R. I. & Straw, M. Bystander response to an assault: When a man attacks a woman. *Journal of Personality and Social Psychology,* 34, p. 990-999, 1976.

Shrestha, K. 50 important stats you need to know about online reviews, 2018. Disponível em: www.vendasta.com/blog/50-stats-you-need-to-know-about-online-reviews.

Shrout, M. R., Brown, R. D., Orbuch, T. L. & Weigel, D. J. A multidimensional examination of marital conflict and health over 16 years. *Per-*

sonal Relationships, 26, p. 490-506, 2019. Disponível em: https://doi.org/10.1111/pere.12292.

Shteynberg, G. Shared attention. Perspectives on Psychological Science, 10, p. 579-590, 2015.

Shtulman, A. Qualitative differences between naive and scientific theories of evolution. Cognitive Psychology, 52, p. 170-194, 2006.

Shu, S. B. & Carlson, K. A. When three charms but four alarms: Identifying the optimal number of claims in persuasion settings. Journal of Marketing, 78, p. 127-139, 2014. Disponível em: https://doi.org/10.1509/jm.11.0504.

Siegal, A. Transcendental deception: Behind the TM curtain – bogus science, hidden agendas, and David Lynch's campaign to push a million public school kids into Transcendental Meditation while falsely claiming it is not a religion. Los Angeles, CA: Janreg, 2018.

Silver, A. M., Stahl, A. E., Loiotile, R., Smith-Flores, A. S. & Feigenson, L. When not choosing leads to not liking: Choice-induced preference in infancy. Psychological Science, 2020. Disponível em: https://doi.org/10.1177/0956797620954491.

Sinaceur, M. & Heath, C. & Cole, S. Emotional and deliberative reaction to a public crisis: Mad cow disease in France. Psychological Science, 16, p. 247-254, 2005.

Skinner, A. L., Olson, K. R. & Meltzoff, A. N. Acquiring group bias: Observing other people's nonverbal signals can create social group biases. Journal of Personality and Social Psychology, 119, p. 824-838, 2020. Disponível em: https://doi.org/10.1037/pspi0000218.

Slavin, R. E. When does cooperative learning increase student achievement? Psychological Bulletin, 94, p. 429-445, 1983.

Smith, C. T., De Houwer, J. & Nosek, B. A. Consider the source: Persuasion of implicit evaluations is moderated by source credibility. *Personality and Social Psychology Bulletin*, 39, p. 193-205, 2013.

Smith, D. L. *On inhumanity: Dehumanization and how to resist it*. Oxford: Oxford University Press, 2020.

Smith, G. H. & Engel, R. Influence of a female model on perceived characteristics of an automobile. *Proceedings of the 76th Annual Convention of the American Psychological Association*, 3, p. 681-682, 1968.

Smith, R. W., Chandler, J. J. & Schwarz, N. Uniformity: The effects of organizational attire on judgments and attributions. *Journal of Applied Social Psychology*, 50, p. 299-312, 2020.

Sokol-Hessner, P. & Rutledge, R. B. The psychological and neural basis of loss aversion. *Current Directions in Psychological Science*, 28, p. 20-27, 2019. Disponível em: https://doi.org/10.1177/0963721418806510.

Sorokowski, P. Politicians' estimated height as an indicator of their popularity. *European Journal of Social Psychology*, 40, p. 1.302-1.309, 2010. Disponível em: https://doi.org/10.1002/ejsp.710.

Southgate, V. Are infants altercentric? The other and the self in early social cognition. *Psychological Review*, 127, p. 505-523, 2020. Disponível em: https://doi.org/10.1037/rev0000182.

Spangenberg, E. R. & Greenwald, A. G. Self-prophesy as a method for increasing participation in socially desirable behaviors. *In*: W. Wosinska, R. B. Cialdini, D. W. Barrett e J. Reykowski (eds.), *The practice of social Influence in multiple cultures*. Mahwah, NJ: Lawrence Erlbaum, p. 51-61, 2001.

Sparkman, G. & Walton, G. M. Dynamic norms promote sustainable behavior, even if it is counternormative. *Psychological Science*, 28, p. 1.663-1.674, 2017. Disponível em: https://doi.org/10.1177/0956797617719950.

Sparkman, G. & Walton, G. M. Witnessing change: Dynamic norms help resolve diverse barriers to personal change. *Journal of Experimental Social Psychology,* 82, p. 238-252, 2019.

Sprecher, S., Treger, S., Wondra, J. D., Hilaire, N. & Wallpe, K. Taking turns: Reciprocal self-disclosure promotes liking in initial interactions. *Journal of Experimental Social Psychology,* 49, p. 860-866, 2013.

Sprott, D. E., Spangenberg, E. R., Knuff, D. C. & Devezer, B. Self-prediction and patient health: Influencing health-related behaviors through self--prophecy. *Medical Science Monitor,* 12, RA85-91, 2006. Disponível em: http://www.medscimonit.com/fulltxt.php?IDMAN=8110.

Staats, B. R., Dai, H., Hofmann, D. & Milkman, K. L. Motivating process compliance through individual electronic monitoring: An empirical examination of hand hygiene in healthcare. *Management Science,* 63, p. 1.563-1.585, 2017.

Stallen, M., Smidts, A. & Sanfey, A. G. Peer influence: neural mechanisms underlying in-group conformity. *Frontiers in Human Neuroscience,* 7, 2013. Disponível em: https://doi.org/10.3389/fnhum.2013.00050.

Stanchi, K. M. Playing with fire: The science of confronting adverse material in legal advocacy. *Rutgers Law Review,* 60, p. 381-434, 2008.

Stanne, M. B., Johnson, D. W. & Johnson, R. T. Does competition enhance or inhibit motor performance: A meta-analysis. *Psychological Bulletin,* 125, p. 133-154, 1999.

Stehr, N. & Grundmann, R. *Experts: The knowledge and power of expertise.* Londres: Routledge, 2011.

Stelfox, H. T., Chua, G., O'Rourke, K. & Detsky, A. S. Conflict of interest in the debate over calcium-channel antagonists. *New England Journal of Medicine,* 333, p. 101-106, 1998.

Stephan, W. G. School desegregation: An evaluation of predictions made in *Brown vs. Board of Education. Psychological Bulletin,* 85, p. 217-238, 1978.

Stern, S. M. *The Cuban Missile Crisis in American memory: Myths versus reality.* Palo Alto, CA: Stanford University Press, 2012.

Stephens, N. M., Fryberg, S. A., Markus, H. R., Johnson, C. & Covarrubias, R. Unseen disadvantage: How American universities' focus on independence undermines the academic performance of first-generation college students. *Journal of Personality and Social Psychology,* 102, p. 1.178-1.197, 2012.

Stevens, M. *Cheats and deceits: How animals and plants exploit and mislead.* Nova York: Oxford University Press, 2016.

Stewart, P. A., Eubanks, A. D., Dye, R. G., Gong, Z. H., Bucy, E. P., Wicks, R. H. & Eidelman, S. Candidate performance and observable audience response: Laughter and applause-cheering during the first 2016 Clinton-Trump presidential debate. *Frontiers in Psychology,* 9, p. 1.182, 2018. Disponível em: https://doi.org/10.3389/fpsyg.2018.01182.

Stirrat, M. & Perrett, D. I. Valid facial cues to cooperation and trust: Male facial width and trustworthiness. *Psychological Science,* 21, p. 349-354, 2010.

Stok, F. M., de Ridder, D. T., de Vet, E. & de Wit, J. F. Don't tell me what I should do, but what others do: The influence of descriptive and injunctive peer norms on fruit consumption in adolescents. *British Journal of Health Psychology,* 19, p. 52-64, 2014.

Stone, J. & Focella, E. Hypocrisy, dissonance and the self-regulation processes that improve health, *Self and Identity,* 10, p. 295-303, 2011. Disponível em: https://doi.org/10.1080/15298868.2010.538550.

Stone, J., Whitehead, J., Schmader, T. & Focella, E. Thanks for asking: Self-affirming questions reduce backlash when stigmatized targets confront prejudice. *Journal of Experimental Social Psychology*, 47, p. 589-598, 2011.

Strauss, M. *Pictures, passions, and eye*. Londres: Halban, 2011.

Strenta, A. & DeJong, W. The effect of a prosocial label on helping behavior. *Social Psychology Quarterly*, 44, p. 142-147, 1981.

Strohmetz, D. B., Rind, B., Fisher, R. & Lynn, M. Sweetening the till – the use of candy to increase restaurant tipping. *Journal of Applied Social Psychology*, 32, p. 300-309, 2002.

Styron, W. A farewell to arms. *New York Review of Books*, 24, p. 3-4, 1977.

Suedfeld, P., Bochner, S. & Matas, C. Petitioner's attire and petition signing by peace demonstrators: A field experiment. *Journal of Applied Social Psychology*, 1, p. 278-283, 1971.

Sumner, S. A., Burke, M. & Kooti, F. Adherence to suicide reporting guidelines by news shared on a social networking platform. *Proceedings of the National Academy of Sciences*, 117, p. 16.267-16.272, 2020. Disponível em: https://doi.org/10.1073/pnas.2001230117.

Surowiecki, J. *The wisdom of crowds*. Nova York: Doubleday, 2004.

Sutcliffe, K. How to reduce medical errors. *Time*, p. 25-26.

Swaab, R. I., Maddux, W. W. & Sinaceur, M. Early words that work: When and how virtual linguistic mimicry facilitates negotiation outcomes. *Journal of Experimental Social Psychology*, 47, p. 616-621, 25 nov., 2019.

Swann, W. B. & Buhrmester, M. D. Identity fusion. *Current Directions in Psychological Science*, 24, p. 52-57, 2015.

Swart, H., Hewstone, M., Christ, O. & Voci, A. Affective mediators of intergroup contact: A three-wave longitudinal study in South Africa. *Journal of Personality and Social Psychology*, 101, p. 1.221-1.238, 2011. Disponível em: https://doi.org/10.1037/a0024450.

Sweis, B. M., Abram, S. V., Schmidt, B. J., Seeland, K. D., MacDonald III, A. W., Thomas, M. J. & Redish, D. Sensitivity to "sunk costs" in mice, rats, and humans. *Science*, 361, p. 178-181, 2018.

Sweldens, S., van Osselar, S. M. J. & Janiszewski, C. Evaluative conditioning procedures and resilience of conditioned brand attitudes. *Journal of Consumer Research*, 37, p. 473-489, 2010.

Szabo, L. Patient protect thyself. *USA Today*, 8D, 5 fev., 2007.

Sznycer, D., De Smet, D., Billingsley, J. & Lieberman, D. Coresidence duration and cues of maternal investment regulate sibling altruism across cultures. *Journal of Personality and Social Psychology*, 111, p. 159-177, 2016. Disponível em: https://doi.org/10.1037/pspi0000057.

Tadlock, B. L, Flores, A. R., Haider-Markel, D. P., Lewis, D.C., Miller, P. R. & Taylor, J. K. Testing contact theory and attitudes on transgender rights. *Public Opinion Quarterly*, 81, p. 956-972, 2017. Disponível em: https://doi.org/10.1093/poq/nfx021.

Tal-Or, N. Boasting, burnishing, and burying in the eyes of the perceivers. *Social Influence*, 3, p. 202-222, 2008. Disponível em: https://doi.org/10.1080/15534510802324427.

Tan, Q., Zhan, Y., Gao, S., Chen, J. & Zhong, Y. Closer the relatives are, more intimate and similar we are: Kinship effects on self-other overlap. *Personality and Individual Differences*, 73, p. 7-11, 2015.

Tarr, B., Launay, J. & Dunbar, R. I. Music and social bonding: "Self-other" merging and neurohormonal mechanisms. *Frontiers in psychology*, 5, 2014. Disponível em: https://doi.org/10.3389/fpsyg.2014.01096.

Taylor, R. Marilyn's friends and Rita's customers: A study of party selling as play and as work. *Sociological Review,* 26, p. 573-611, 1978.

Tedeschi, J. T., Schlenker, B. R. & Bonoma, T. V. Cognitive dissonance: Private ratiocination or public spectacle? *American Psychologist,* 26, p. 685-695, 1971.

Teger, A. I. *Too much invested to quit.* Elmsford, NY: Pergamon, 1980.

Telzer, E. H., Masten, C. L., Berkman, E. T., Lieberman, M. D. & Fuligni, A. J. Gaining while giving: An fMRI study of the rewards of family assistance among White and Latino youth. *Social Neuroscience,* 5, p. 508-518, 2010.

Tesser, A. The importance of heritability in psychological research: The case of attitudes. *Psychological Review,* 100, p. 129-142, 1993.

Teuscher, U. The effects of time limits and approaching endings on emotional intensity. Trabalho apresentado nas reuniões da American Psychological Society, Los Angeles, CA, maio, 2005.

Thaler, R. H., Tversky, A., Kahneman, D. & Schwartz, A. The effect of myopia and loss aversion on risk taking: An experimental test. *The Quarterly Journal of Economics,* 112, p. 647-661, 1997. Disponível em: https://doi.org/10.1162/003355397555226.

Thompson, D. *Hit makers: The science of popularity in an age of distraction.* Nova York: Penguin, 2017.

Thompson, L. An examination of naive and experienced negotiators. *Journal of Personality and Social Psychology,* 59, p. 82-90, 1990.

Thompson, L. & Hrebec, D. Lose-lose agreements in interdependent decision making. *Psychological Bulletin,* 120, p. 396-409, 1996.

Tiger, L. & Fox, R. *The imperial animal.* Nova York: Holt.

Till, B. D. & Priluck, R. L. Stimulus generalization in classical conditioning: An initial investigation and extension. *Psychology & Marketing*, 17, p. 55-72, 2000.

Todd, A. R. & Galinsky, A. D. Perspective-taking as a strategy for improving intergroup relations: Evidence, mechanisms, and qualifications. *Social and Personality Psychology Compass*, 8, p. 374-387, 2014. Disponível em: https://doi.org/10.1111/spc3.12116.

Todd, P. M. & Gigerenzer, G. Environments that make us smart. *Current Directions in Psychological Science*, 16, p. 167-171, 2007.

Tokayer, M. & Swartz, M. *The Fugu Plan: The untold story of the Japanese and the Jews during World War II*. Nova York: Paddington, 1979.

Tomasello, M. The moral psychology of obligation. *Behavioral and Brain Sciences*, 43, E56, 2020. Disponível em: https://doi.org/10.1017/S0140525X19001742.

Tormala, Z. L. & Petty, R. E. Contextual contrast and perceived knowledge: Exploring the implications for persuasion. *Journal of Experimental Social Psychology*, 43, p. 17-30, 2007.

Toufexis, A. A weird case, baby? Uh huh! *Time*, 41, 28 jun., 1993.

Towers, S., Gomez-Lievano, A., Khan M., Mubayi, A. & Castillo-Chavez, C. Contagion in mass killings and school shootings. *PLoS ONE*, 10, 2015. Disponível em: https://doi.org/10.1371/journal.pone.0117259.

Trocmé, A. *Jesus and the nonviolent revolution*. Farmington, PA: Plough Publishing House, 2007.

Turner, R. N., Hewstone, M., Voci, A., Paolini, S. & Christ, O. Reducing prejudice via direct and extended cross-group friendship. *European Review of Social Psychology*, 18, p. 212-255, 2007. Disponível em: https://doi.org/10.1080/10463280701680297.

Tversky, A. & Kahneman, D. Judgment under uncertainty: Heuristics and biases. *Science,* 185, p. 1.124-1.131, 1974.

Unkelbach, C., Koch, A., Silva, R. R. & Garcia-Marques, T. Truth by repetition: Explanations and implications. *Current Directions in Psychological Science,* 28, p. 247-253. Disponível em: https://doi. org/10.1177/0963721419827854.

Valdesolo, P. & DeSteno, D. Synchrony and the social tuning of compassion. *Emotion,* 11, p. 262-266, 2011.

van Baaren, R. B., Holland, R. W., Steenaert, B. & van Knippenberg, A. Mimicry for money: Behavioral consequences of imitation. *Journal of Experimental Social Psychology,* 39, p. 393-398, 2003.

Vandello, J. A. & Cohen D. Patterns of individualism and collectivism across the United States. *Journal of Personality and Social Psychology,* 77, p. 279-292, 1999.

van den Berg, H., Manstead, A. S. R., van der Pligt, J. & Wigboldus, D. H. J. The impact of affective and cognitive focus on attitude formation. *Journal of Experimental Social Psychology,* 42, p. 373-379, 2006.

Van der Werff, E., Steg, L. & Keizer, K. I am what I am, by looking past the present: The influence of biospheric values and past behavior on environmental self-identity. *Environment and Behavior,* 46, p. 626-657, 2014. Disponível em: https://doi.org/10.1177/0013916512475209.

van Herpen, E., Pieters, R. & Zeelenberg, M. When demand accelerates demand: Trailing the bandwagon. *Journal of Consumer Psychology,* 19, p. 302-312, 2009. Disponível em: https://doi.org/10.1016/j.jcps.2009.01.001.

Van Overwalle, F. & Heylighen, F. Talking nets: A multiagent connectionist approach to communication and trust between individuals. *Psychological Review,* 113, p. 606-627, 2006.

Verosky, S. C. & Todorov, A. Generalization of affective learning about faces to perceptually similar faces. *Psychological Science*, 21, p. 779-785, 2010. Disponível em: https://doi.org/10.1177/0956797610371965.

Vonk, R. Self-serving interpretations of flattery: Why ingratiation works. *Journal of Personality and Social Psychology*, 82, p. 515-526, 2002.

von Zimmermann, J. & Richardson, D. C. Verbal synchrony and action dynamics in large groups. *Frontiers of Psychology*, 7, 2016. Disponível em: https://doi.org/10.3389/fpsyg.2016.02034.

Vorauer, J. D., Martens, V. & Sasaki, S. J. When trying to understand detracts from trying to behave: Effects of perspective taking in intergroup interaction. *Journal of Personality and Social Psychology*, 96, p. 811-827, 2009.

Vorauer, J. D. & Sasaki, S. J. In the worst rather than the best of times: Effects of salient intergroup ideology in threatening intergroup interactions. *Journal of Personality and Social Psychology*, 101, 2, p. 307-320, 2011. Disponível em: https://doi.org/10.1037/a0023152.

Waber, R. L., Shiv, B., Carmon, Z. & Ariely, D. Commercial features of placebo and therapeutic efficacy. *Journal of the American Medical Association*, 299, p. 1.016-1.017, 2008.

Wagner, T., Lutz, R. J. & Weitz, B. A. Corporate hypocrisy: Overcoming the threat of inconsistent corporate social responsibility perceptions. *Journal of Marketing*, 73, p. 77-91, 2009. https://doi.org/10.1509/jmkg.73.6.77.

Walker, J., Risen, J. L., Gilovich, T. & Thaler, R. Sudden-death aversion: Avoiding superior options because they feel riskier. *Journal of Personality and Social Psychology*, 115, p. 363-378, 2018. Disponível em: https://doi.org/10.1037/pspa0000106.

Wall, L. L. & Brown, D. The high cost of free lunch. *Obstetrics & Gynecology*, 110, p. 169-173, 2007.

Wan, L. C. & Wyer, R. S. The influence of incidental similarity on observers' causal attributions and reactions to a service failure. *Journal of Consumer Research,* 45, p. 1.350-1.368, 2019. Disponível em: https://doi.org/10.1093/jcr/ucy050.

Ward, A. & Brenner, L. Accentuate the negative. The positive effects of negative acknowledgment. *Psychological Science,* 17, p. 959-965, 2006.

Warneken, F., Lohse, K., Melis, P. A. & Tomasello, M. Young children share the spoils after collaboration. *Psychological Science,* 22, p. 267-273, 2011.

Warren, W. H. Collective motion in human crowds. *Current Directions in Psychological Science,* 27, p. 232-240, 2018. Disponível em: https://doi.org/10.1177/0963721417746743.

Warrick, J. Afghan influence taxes CIA's credibility. *Washington Post,* A17, 26 dez., 2008.

Watanabe, T. An unsung "Schindler" from Japan. *Los Angeles Times,* 1, 20 mar., 1994.

Watson, T. J., Júnior. *Father, son & co.* Nova York: Bantam, 1990.

Waytz, A., Dungan, J. & Young, L. The whistleblower's dilemma and the fairness-loyalty tradeoff. *Journal of Experimental Social Psychology,* 49, p. 1.027-1.033, 2013.

Wears, R. & Sutcliffe, K. *Still not safe: Patient safety and the middle-management of American medicine.* Nova York: Oxford University Press, 2020.

Wedekind, C. & Milinski, M. Cooperation through image scoring in humans. *Science,* 288, p. 850-852, 2000.

Weidman, A. C., Sowden, W. J., Berg, M. & Kross, E. Punish or protect? How close relationships shape responses to moral violations. *Personality and Social Psychology Bulletin*, 46, p. 693-708, 2020. Disponível em: https://doi.org/10.1177/0146167219873485.

Weinstein, E. A. & Deutschberger, P. Some dimensions of altercasting. *Sociometry*, 26, p. 454-466, 1963.

Weisbuch, M., Ambady, N., Clarke, A. L., Achor, S. & Veenstra-Vander Weele, S. On being consistent: The role of verbal–nonverbal consistency in first impressions. *Basic and Applied Social Psychology*, 32, p. 261-268, 2010. Disponível em: https://doi.org/10.1080/01973533.2010.495659.

Weller, J. A., Levin, I. P., Shiv, B. & Bechara, A. Neural correlates of adaptive decision making for risky gains and losses. *Psychological Science*, 18, p. 958-964, 2007.

Wells, P. A. Kin recognition in humans. *In*: D. J. C. Fletcher e C. D. Michener (eds.), *Kin recognition in animals*. Nova York: Wiley, p. 395-415, 1987.

West, S. G. Increasing the attractiveness of college cafeteria food: A reactance theory perspective. *Journal of Applied Psychology*, 60, p. 656-658, 1975.

Westmaas, J. L. & Silver, R. C. The role of perceived similarity in supportive responses to victims of negative life events. *Personality and Social Psychology Bulletin*, 32, p. 1.537-1.546, 2006.

Wheatley, T., Kang, O., Parkinson, C. & Looser, C. E. From mind perception to mental connection: Synchrony as a mechanism for social understanding. *Social and Personality Psychology Compass*, 6, p. 589-606, 2012. Disponível em: https://doi.org/10.1111/j.1751-9004.2012.00450.x.

White, M. Toy rover sales soar into orbit. *Arizona Republic*, E1, E9, 12 jul., 1997.

Whitehouse, H., Jong, J., Buhrmester, M. D., Gomez, A., Bastian, B., Kavanagh, C. M., Newson, M. *et al.* The evolution of extreme cooperation via shared dysphoric experiences. *Scientific Reports*, 7, p. 44292, 2017. Disponível em: https://doi.org/10.1038/srep44292.

Whiting, J. W. M., Kluckhohn, R. & Anthony A. The function of male initiation ceremonies at puberty. *In*: E. E. Maccoby, T. M. Newcomb, and E. L. Hartley (eds.), *Readings in social psychology*. Nova York: Henry Holt, p.82-98, 1958.

Wicklund, R. A. & Brehm, J. C. cited in R. A. Wicklund, *Freedom and reactance*. Hillsdale, NJ: Lawrence Erlbaum, 1974.

Williams, K. D., Bourgeois, M. J. & Croyle, R. T. The effects of stealing thunder in criminal and civil trials. *Law and Human Behavior*, 17, p. 597-609, 1993.

Wilson, P. R. The perceptual distortion of height as a function of ascribed academic status. *Journal of Social Psychology*, 74, p. 97-102, 1968.

Wilson, T. D., Dunn, D. S., Kraft, D. & Lisle, D. J. Introspection, attitude change, and behavior consistency. *In*: L. Berkowitz (ed.), *Advances in experimental social psychology*. San Diego, CA: Academic Press, v. 22, p. 287-343, 1989.

Wilson, T. D. & Gilbert, D. T. Affective forecasting: Knowing what to want. *Current Directions in Psychological Science*, 14, p. 131-134, 2008.

Wilson, T. D. & Linville, P. D. Improving the performance of college freshmen with attributional techniques. *Journal of Personality and Social Psychology*, 49, p. 287-293, 1985.

Wilson, T. D., Reinhard, D. A., Westgate, E. C., Gilbert, D. T., Ellerbeck, N., Hahn, C., Brown, C. L. & Shaked, A. Just think: The challenges of the disengaged mind. *Science*, 345, p. 75-77, 2014.

Wilson, T. D., Wheatley, T. P., Meyers, J. M., Gilbert, D. T. & Axsom, D. Focalism: A source of durability bias in affective forecasting. *Journal of Personality and Social Psychology*, 78, p. 821-836, 2000.

Wiltermuth, S. S. Synchronous activity boosts compliance with requests to aggress. *Journal of Experimental Social Psychology*, 48, p. 453-456, 2012a.

Wiltermuth, S. S. Synchrony and destructive obedience. *Social Influence*, 7, p. 78-89, 2012b.

Wiltermuth, S. S. & Heath, C. Synchrony and cooperation. *Psychological Science*, 20, p. 1-5, 2009.

Winkielman, P., Berridge, K. C. & Wilbarger, J. L. Unconscious affective reactions to masked happy versus angry faces influence consumption behavior and judgments of value. *Personality and Social Psychology Bulletin*, 31, p. 121-135, 2005.

Wolfer, R., Christ, O., Schmid, K., Tausch, N., Buchallik, F. M., Vertovec, S. & Hewstone, M. Indirect contact predicts direct contact: Longitudinal evidence and the mediating role of intergroup anxiety. *Journal of Personality and Social Psychology*, 116, p. 277-295, 2019. Disponível em: http://dx.doi.org/10.1037/pspi0000146.

Wolske, K. S., Gillingham, K. T. & Schultz, P. W. Peer influence on household energy behaviours. *Nature Energy*, 5, p. 202-212, 2020. Disponível em: https://doi.org/10.1038/s41560-019-0541-9

Woolley, K. & Risen, J. L. Closing your eyes to follow your heart: Avoiding information to protect a strong intuitive preference. *Journal of Persona-*

lity and Social Psychology, 114, p. 230-245, 2018. Disponível em: https://doi.org/10.1037/pspa0000100.

Wooten, D. B. & Reed, A. Informational influence and the ambiguity of product experience: Order effects on the weighting of evidence. *Journal of Consumer Research,* 7, p. 79-99, 1998.

Worchel, S. Beyond a commodity theory analysis of censorship: When abundance and personalism enhance scarcity effects. *Basic and Applied Social Psychology,* 13, p. 79-92, 1992. Disponível em: https://doi.org/10.1207/s15324834basp1301_7.

Worchel, S. & Arnold, S. E. The effects of censorship and the attractiveness of the censor on attitude change. *Journal of Experimental Social Psychology,* 9, p. 365-377, 1973.

Worchel, S., Arnold, S. E. & Baker, M. The effect of censorship on attitude change: The influence of censor and communicator characteristics. *Journal of Applied Social Psychology,* 5, p. 222-239, 1975.

Worchel, S., Lee, J. & Adewole, A. Effects of supply and demand on ratings of object value. *Journal of Personality and Social Psychology,* 32, p. 906-914, 1975.

Wright, S. C., Aron, A., McLaughlin-Volpe, T. & Ropp, S. A. The extended contact effect: Knowledge of cross-group friendships and prejudice. *Journal of Personality and Social Psychology,* 73, p. 73-90, 1997.

Xu, L., Zhang, X. & Ling, M. Spillover effects of household waste separation policy on electricity consumption: Evidence from Hangzhou, China. *Resources, Conservation, and Recycling.* 129, p. 219-231, 2018.

Yang, F., Choi, Y.-U., Misch, A., Yang, X. & Dunham, Y. In defense of the commons: Young children negatively evaluate and sanction free riders. *Psychological Science,* 29, p. 1.598-1.611, 2018.

Yeh, J. S., Franklin, J. M., Avorn, J., Landon, J. & Kesselheim, A. S. Associa-
tion of industry payments with the prescribing brand-name statins in
Massachusetts. *Journal of the American Medical Association: Internal
Medicine,* 176, p. 763-768, 2016.

Yu, S. & Sussman, S. Does smartphone addiction fall on a continuum of
addictive behaviors? *International Journal of Environmental Research
and Public Health,* 17, art. N°. 422, 2020. Disponível em: www.mdpi.
com/1660-4601/17/2/422/pdf doi: 10.3390/ijerph17020422.

Yuki, M., Maddox, W. M., Brewer, M. B. & Takemura, K. Cross-cultural differences in relationship-and group-based trust. *Personality and Social
Psychology Bulletin,* 31, p. 48-62, 2005.

Zellinger, D. A., Fromkin, H. L., Speller, D. E. & Kohn, C. A. A commodity theory analysis of the effects of age restrictions on pornographic
materials. (Trabalho n° 440). Lafayette, *In*: Purdue University, Institute
for Research in the Behavioral, Economic, and Management Sciences,
1974.

Żemła M. & Gladka, A. Effectiveness of reciprocal rule in tourism: Evidence from a city tourist restaurant. *European Journal of Service Management,* 17, p. 57-63, 2016.

Zhang, Y., Xu, J., Jiang, Z. & Huang, S-C. Been there, done that: The impact
of effort investment on goal value and consumer motivation. *Journal
of Consumer Research,* 38, p. 78-93, 2011. Disponível em: https://doi.
org/10.1086/657605.

Zhao, X. & Epley, N. Kind words do not become tired words: Undervaluing
the positive impact of frequent compliments. *Self and Identity,* 2020.
Disponível em: https://doi.org/10.1080/15298868.2020.1761438.

Zitek, E. M. & Hebl, M. R. The role of social norm clarity in the influenced
expression of prejudice over time. *Journal of Experimental Social Psychology,* 43, p. 867-876, 2007.

Zuckerman, M., Porac, J., Lathin, D. & Deci, E. L. On the importance of self-determination for intrinsically-motivated behavior. *Personality and Social Psychology Bulletin*, 4, p. 443-446, 1978. Disponível em: https://doi.org/10.1177/014616727800400317.

Índice

Números em *itálico* se referem a ilustrações.

Este livro foi impresso pela Braspor, em 2025, para a HarperCollins Brasil. O papel do miolo é ivory slim 65g/m², e o da capa é cartão 300g/m².